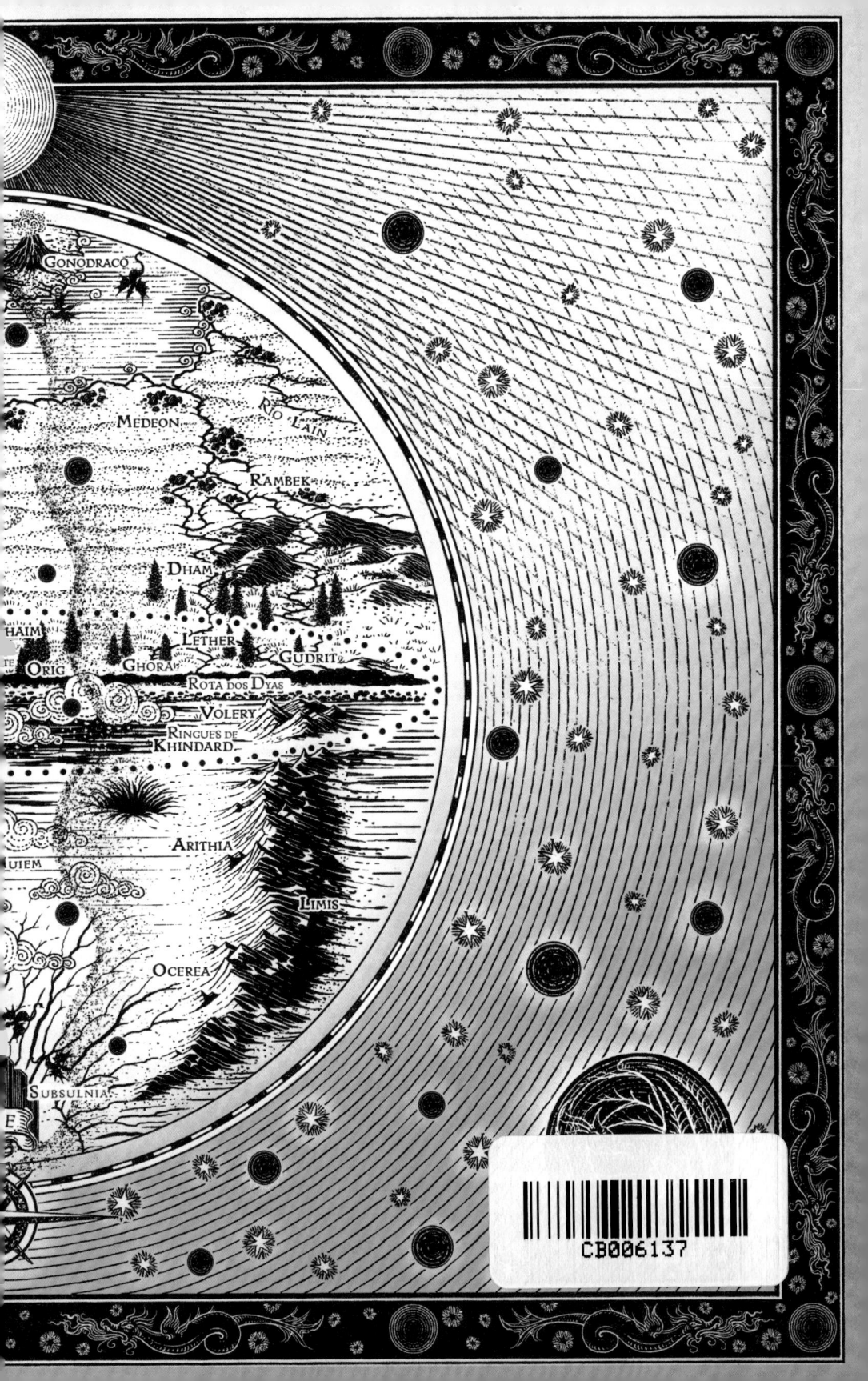

O DESPERTAR DA LUA CAÍDA

SARAH A. PARKER

O DESPERTAR DA LUA CAÍDA

Tradução
Carolina Candido e Gabriela Araújo

HARLEQUIN®

Rio de Janeiro, 2025

Título original: When the Moon Hatched

COPIDESQUE	Rebeca Benjamin
REVISÃO	João Rodrigues e Natália Mori
CAPA	A.T. Cover Designs
MAPA	Virginia Allyn
ILUSTRAÇÕES DE MIOLO	Alice Cao
ADAPTAÇÃO DE CAPA	Beatriz Cardeal
DIAGRAMAÇÃO	Abreu's System

Dados Internacionais de Catalogação na Publicação (CIP)
Sindicato Nacional dos Editores de Livros, RJ

Parker, Sarah A.
   O despertar da lua caída / Sarah A. Parker ; tradução
Gabriela Araujo, Carol Candido. – 1. ed. – Rio de Janeiro :
Harlequin, 2024.
   560 p. ; 23 cm.

   Tradução de: When the moon hatched
   ISBN 978-65-5970-415-6

   1. Romance neozelandese. I. Araujo, Gabriela.
II. Candido, Carol. III. Título.

24-92678   CDD-NZ823
                                  CDU: 82-31(931)

            Índice para catálogo sistemático:
            1. Romance neozelandese   NZ823
Bibliotecária responsável: Gabriela Faray Ferreira Lopes - CRB-7/6643

Harlequin é uma marca licenciada à Editora HR Ltda. Todos os direi-
tos reservados à Editora HR LTDA.

Rua da Quitanda, 86, sala 601A – Centro,
Rio de Janeiro/RJ – CEP 20091-005
Tel.: (21) 3175-1030
www.harpercollins.com.br

SUMÁRIO

Para aqueles que se sentem pequenos e silenciados.

Abram as asas e rujam.

O mundo começou com cinco.

$\mathcal{P}$rimeiro havia Caelis, Deus do Éter, invisível a olho nu. O espaço vazio em que ninguém pensava. Onde a matéria se formava, ele era apenas deixado de lado.

Seu canto de barítono era repleto de essência e, ainda assim, não tinha essência alguma. Um eco solitário que assombrava o espaço vazio entre os sóis mais próximos e os mais distantes — inaudível em sua profundidade, por mais alto que ele cantasse.

Em seu desespero para ser notado, era *ele* quem oferecia uma tela em branco para que os demais preenchessem.

Bulder, o Deus do Solo, esculpiu a esfera com um urro vigoroso, construindo um globo robusto que não girava. Um mundo metade banhado pela luz do sol, salpicado com uma rica ondulação de areia cor de ferrugem, metade mergulhada para sempre em uma sombra, tão espessa que se infiltrava na pedra e a tornava preta.

Com um canto mais franco e monótono, Bulder lapidou o terreno, criando depressões, buracos e rachaduras no mundo, forjando um muro que cortava O Grado, onde a luz do sol e a sombra se recusavam a se encontrar, e o céu era uma eterna explosão de rosa, roxo e dourado.

A Deusa da Água veio a seguir.

Rayne caiu no chão em um bilhão de lágrimas desejosas de amor não correspondido, se acumulando nas depressões de Bulder, enchendo seus vales com afetos efusivos. No lado sombreado, ela desceu com o tamborilar de flocos pesados, pulverizando as montanhas afiadas em um abraço gelado.

Seu amor era uma torrente rugida. O gemido profundo e angustiante de uma avalanche. O grito quase inaudível do chuvisco.

A canção lúgubre de Rayne era tão diferente da de sua irmã Clode, a Deusa do Ar, que se encontrava no precipício de uma loucura imensurável. Dona de uma voz que era uma fita de seda, suave ao toque, a menos que se virasse para o lado e cortasse você com a borda.

As palavras sussurradas de Clode passavam por galhos carregados de folhas, transformando-os em uma dança galanteadora. Seus *guinchos* violentos contornavam cantos afiados em uma velocidade voraz, só porque ela gostava do som. Incapaz de suportar a quietude sombria de Rayne, os uivos raivosos de Clode muitas vezes agitavam a Prézea em uma massa arfante que caía na praia como um tambor.

Ignos tinha fome de Clode. O Deus do Fogo se banqueteava com ela. Consumia-a.

Ele a amava tanto que não conseguia *respirar* sem ela.

Seu canto abrasador era faminto, de uma ganância apaixonada, mas Clode não podia ser domada por suas ações raivosas. Mesmo quando ele incendiava as selvas e fornecia fumaça para que ela pudesse dançar. Mesmo quando derretia pedaços das pedras de Bulder até que se tornassem rios derretidos de vermelho, desesperado para cortejá-la com explosões vulcânicas que sacudiam o céu.

Preso à sua triste solidão, Caelis observava tudo isso, com inveja dos outros Criadores por sua capacidade de serem vistos, tocados ou ouvidos, mas grato por fazer parte de alguma coisa.

De qualquer coisa.

E ele observava, em admiração silenciosa, como a vida *florescia* nessa tela exuberante e fértil que havia presenteado seu vazio. Uma cacofonia variada de seres que cobria a terra, a neve e a areia; algumas pessoas com a audição mais aguçada do que a ponta das orelhas, o que as tornava conhecedoras das quatro canções elementares. Alguns chegaram a aprender a língua deles. A falar essas línguas.

A encontrar *poder* nelas.

Outros se depararam com um livro de prata que, há quem diga, Caelis escreveu em seu desespero para ser ouvido. Ali encontraram uma forma diferente de poder naquelas runas que ninguém conseguia ler ou pronunciar, descobrindo que as estranhas marcas podiam ser *manipuladas*. Podiam consertar ossos, encantar sangue, enfeitiçar objetos...

Muitos seres enchiam os cantos do mundo, entretanto os que mais orgulhavam os Criadores eram as grandes feras aladas que dominavam o céu.

Os *dragões*.

Sobre o cume que aparentava ser inabitável do Lume, onde os raios solares inclementes borbulhavam a pele em vergões carnudos, os ceifassabres *prosperavam* — bestas enormes e corpulentas com escamas pretas, brônzeas e avermelhadas. Com aptidões ferozes que não podiam ser igualadas.

Eles fizeram de Gonodraco seu local de nidificação.

Algumas pessoas eram corajosas o suficiente para se aventurar por perto. Para invadir um ninho e pegar um ovo.

Corajosas... ou *burras*.

Menos explosivos do que seus parentes distantes, os fundíferas fizeram do Grado seu lar. Em Pantânia, terreno pantanoso e enevoado que engolia quase tudo em arrotos sulfúricos e lamacentos.

O bico era afiado o bastante para *retalhar,* as garras tão amoladas quanto os bicos. Cobertos por penas coloridas, tal qual o céu sempre vibrante de sua parte do mundo, não havia dois fundíferas com a mesma paleta gloriosa.

Para roubar o ovo de um fundífera, também era preciso ser corajoso ou burro... mas talvez um pouco menos.

Entretanto, Subsulnia, o local escolhido para a nidificação dos etéreos e astutos plumaluas, era quase impossível de ser invadida.

Por estar mais distante do sol, Subsulnia era o cume mais escuro do Breu; de um frio tão profundo que poderia desacelerar a circulação do sangue da maioria das pessoas comuns. Mas não os plumaluas, com a pele luminosa e coriácea, tão fria ao toque. Com a cauda longa e sedosa e olhos cheios de brilho e tinta.

Escondidos entre a neve e o gelo e um silêncio faminto que engolia os sons e depois os cuspia como um rugido de advertência, os plumaluas *floresciam*, crescendo em número, força e esplendor.

Apenas aqueles tão desequilibrados quanto Clode ou com poder suficiente para se proteger tentariam roubar um ovo de plumalua.

A maioria fracassava, devorados pelas feras temíveis e devastadoras, ou pela terra hostil...

Alguns tiveram sucesso, uns poucos célebres que usaram os dragões para travar guerras por reinos que estavam surgindo.

Mas, à medida que os castelos ficavam mais altos que as montanhas e os reis e rainhas decoravam suas coroas com joias cada vez maiores e mais brilhantes, as pessoas também aprenderam a derramar sangue de dragão.

Muitos plumaluas, fundíferas e ceifassabres tiveram suas vidas eternas... interrompidas.

Os Criadores não esperavam que suas amadas feras navegassem ao céu diante de seu fim. Que muitos deles se plantassem além das garras da gravidade, se enroscassem e calcificassem, enchendo o céu de lápides.

De *luas*.

Eles sem dúvida não esperavam que essas luas caíssem pouco tempo depois de encontrarem seu poleiro sublime. Que elas se chocassem com o mundo em uma colisão fadada ao dilaceramento, que ameaçava devastar tudo o que havia surgido.

Foi preciso que sete luas caíssem para que Clode, Rayne, Ignos e Bulder percebessem que a culpa era de Caelis. Que seu espaço vazio, que ansiava por ser preenchido, era forte o suficiente para deslocar um dragão de seu lugar de descanso e arrancá-lo do céu.

Foi necessária a queda de mais uma lua para que eles elaborassem um plano para salvar o mundo que tanto amavam.

Brandindo promessas vazias e juras traiçoeiras, atraíram Caelis para a armadilha e o capturaram.

Eles o *subjugaram*.

Eles cantaram canções que chicoteavam, queimavam e quebravam, triturando a essência de Caelis em pedaços pequenos o suficiente para serem aprisionados em uma gaiola de granito preto pouco maior do que uma semente, doravante conhecida como Pedra de Éter. Os fios de seu manto prateado se soltaram enquanto ele se debatia e lutava, mas os outros Criadores não se preocuparam em juntar os pedaços, deixando-os amarrados aos dois polos do mundo. Uma aurora luminosa que girava ao redor do globo, dando às pessoas algo para rastrearem seus dyas e horas de torpor.

O próprio Caelis foi colocado em um diadema de prata esterlina, adornado com uma coleção de runas que carregavam uma força maliciosa. O suficiente para mantê-lo preso por toda a eternidade, desde que as runas tivessem algo de que se alimentar.

Um *guardião*.

Um poderoso guerreiro feérico, conhecido por sua força e sabedoria, recebeu uma dádiva dos próprios Criadores: um poder grande o bastante para guardar a Pedra de Éter sobre sua cabeça e manter Caelis contido. Uma dádiva que passava por sua linhagem familiar como pedras ricocheteando na superfície da água.

Muitos ciclos de aurora se passaram, e mais luas cobriram o céu...

E permaneceram lá.

A paz por fim reinou, apesar de uma série de tragédias e mortes inoportunas que engoliu a origem catastrófica da Pedra de Éter, o motivo de sua existência se transformando em um mito confuso que era contado ao redor de fogueiras ou cantado a bebês para acalmar seus choros agitados.

Até que, no surgimento de uma aurora, pela primeira vez em mais de cinco *milhões* de fases...

Outra lua caiu.

Raeve
CAPÍTULO 1

Curvo os ombros para a frente, assumindo a postura de algo esmagado. Assustado.

Ao virar a esquina, piso no patamar inferior da escada, perseguida por uma cotovia de pergaminho que voa tão perto que fico surpresa que não me cutuque para agarrá-la do ar.

Conforme giro o fino anel de ferro em meu dedo médio, meu olhar se volta para o guarda fortemente armado que bloqueia o túnel sombrio à frente — braços cruzados, a cabeça raspada quase roçando o teto curvo, um bando de cotovias de pergaminho se aninhando na porta às costas. Ele tem o dobro do meu tamanho, e ostenta uma careta que parece ter amassado seu rosto de forma permanente.

Seu olhar de desaprovação se concentra no corte feito em minha orelha esquerda, perto da ponta afilada. Como se alguém com uma boca pequena tivesse mordido um pedaço da concha externa.

Meu *talhe*.

— Se não tiver ficha não entra — resmunga ele, me descartando no mesmo instante como alguém inferior. Uma *nula*. Alguém que não ouve nenhuma das quatro canções elementares.

Enfio a mão no bolso e tiro a ficha de pedra adornada de ambos os lados com a prestigiosa insígnia do clube — uma bocarra de estalactites mordendo todos os ângulos. Fingindo tremer um pouco, eu a entrego, e sinto o olhar penetrante do homem me cortar de cima a baixo enquanto ele vira a ficha, sua armadura azul fazendo barulho com o movimento.

Estou curiosa para saber por que ele deixa as cotovias se amontoarem na porta em vez de deixá-las entrar, mas *Raeve* é a que fala sem rodeios, e não sou Raeve nesse instante.

— Sou Kemori Daphidone — digo, com um tom suave e submisso. — Trovadora viajante.

— De onde?

— Orig.

Nunca estive nem perto desses muros, mas isso não me impede de falar a respeito, caso ele queira entrar em detalhes.

A preparação é minha armadura. Use ou morra.

Ele inspeciona a ficha e a devolve com um ríspido:

— Sem véu.

Olho para ele por baixo dos chamativos cílios de pena.

— Faz parte do meu show. Vou participar do entretenimento que está programado. — Tiro um rolo de pergaminho do bolso e o empurro na direção dele. — Fui avisada da regra de não usar véus, e foi por isso que cobri só a parte de baixo do rosto.

Fazendo careta, ele desenrola o pergaminho, o olhar penetrante percorrendo minha carta de contratação com tanta lerdeza que começo a sentir um nó na garganta, a impaciência me corroendo.

Enfim, ele arregala os olhos ao identificar.

— Ah, você é a substituta!

Assinto com modéstia e timidez quando, na verdade, o que mais quero fazer é bater a cabeça dele na parede.

Com força.

Ele enrola o pergaminho de novo e me devolve, afastando-se para abrir a porta.

— Terceiro andar. Cuidado com a órfã. Sempre fica mais faminta a essa altura do ciclo da aurora.

Meu calafrio está longe de ser fingimento.

Entro no abraço quente e fumarento da Fenda da Fome, o sopro de almíscar denso e a ressaca de enxofre me atacando, e a porta se fecha atrás de mim e do bando de cotovias de pergaminho que se dispersam. Através de um túnel escuro, emerjo na boca apertada de uma caverna vasta e elevada com o formato de um pulmão de pedra.

Uma série de degraus me leva a um dos muitos caminhos por um conjunto de fontes luminosas, com vapor saindo das profundezas azuis-turquesa. As pessoas estão encostadas nos degraus, com a cabeça inclinada, enquanto definham no calor das águas. Um belo paraíso para aqueles que detêm poder ou influência política suficientes para se manterem no lado suave da Coroa.

Dou risada, cheia de amargura.

Aqui, é fácil fingir que nosso reino colorido não está aninhado em uma cama de ossos.

Uma escada flutuante leva ao segundo andar, sustentada por pilares cobertos de musgo. Dirijo-me a ela, percorrendo o labirinto de caminhos, quando uma nuvem de vapor se transforma em uma criatura pálida e esguia com olhos como joias de ébano.

— Merda — murmuro, congelando.

Com a cabeça girando de forma não natural, a órfã olha diretamente para mim, fareja o ar e arfa, cheia de gula.

— Ora, ora, ora... que alma tão gordinha e *suculenta*.

Ahh.

— Que gentileza da sua parte. Preciso seguir em...

— Há espíritos gritando, desesperados para falar com você. Que tal uma sugadinha na sua alma? — pergunta a criatura, e juro que ela parece estar salivando. — Assim você poderá ouvir *tudo* o que eles têm a dizer.

Nem ferrando, mas valeu.

— Vou dispensar.

De coração.

Parecendo ignorar minha objeção, ela voa para a frente, juntando feixes de vapor que usa para se esticar em minha direção, com dedos vaporosos prontos para me alcançar.

Giro nos calcanhares e me apresso por outro caminho, com o cabelo da nuca arrepiado. Olhando por cima do ombro, avisto a criatura agora debruçada sobre um homem que se espreguiça na beira de uma nascente, sugando algo enevoado dos lábios entreabertos dele.

Sinto um arrepio por toda a pele.

Agradeço em silêncio aos Criadores pelo fato de as órfãs serem criaturas raras, assombrando apenas cortinas de névoa nas quais mordiscam almas em troca de mensagens de mortos prestativos.

Não consigo pensar em nada pior. Tenho certeza de que os espíritos tão *desesperados* para falar comigo não têm nada de bom a dizer.

Não que eu os possa culpar.

Por sorte, as assustadoras morde-almas se distraem com facilidade.

Subo as escadas depressa, ficando bem acima dos dedos do vapor. O som de risadas e copos tilintando chega até mim quando alcanço o segundo andar, repleto de mesas de Saltari.

As pessoas estão reunidas, soltando fumaça, tomando bebidas brilhantes, com fragmentos do jogo perto do peito. Dados se espalham, pilhas de pedras-sangue de dragão são passadas de mão em mão.

Dou um olhar furtivo para as vestimentas. Algumas pessoas usam vestidos coloridos e incrustados de pedras preciosas. Outras vestem elegantes casacos sob medida, figuras emplumadas ajustadas para formar penteados bem cortados, contas elementares penduradas nos lóbulos. Um símbolo ostensivo de sua capacidade de ouvir as diferentes canções elementares:

Vermelho para Ignos.

Azul para Rayne.

Marrom para Bulder.

Transparente para Clode.

Contas à parte, em geral é possível reconhecer um Grado de posto elevado de longe: aqueles que ostentam mais de dez cores em uma única roupa, como se isso os tornasse poderosos como os dragões vibrantes que dominam os céus daquele reino.

Os grandes *Fundíferas*.

É engraçado, já que eles seriam os primeiros a fazer as feras sangrarem se a mina de pedrassangue secasse.

Já subi quase metade de uma escada estreita, talhada na parede de fundo, quando alguém alto e largo desce na minha direção.

Paro no lugar, sem conseguir ver o rosto direito, a não ser pela mandíbula forte que ostenta uma barba escura e bem-feita, já que o capuz da capa lança todo o resto na sombra.

Ele não diminui a velocidade. Só continua descendo as escadas, apesar de eu estar com um traje de gala vermelho-vivo e ousado, impossível de passar despercebido.

Quase cerro os dentes, lembrando-me da capa de metal que cobre meu molar posterior *bem* a tempo de evitar a ativação involuntária da minha arma secreta.

Ele mal cabe na escada *sozinho*, o que significa que passar um pelo outro vai ser uma tarefa difícil.

Ótimo.

Típica palhaçada dos elementares, só pensam neles mesmos.

Suspiro, jogo os ombros para a frente e dou um passo para o lado, lembrando-me de que sou Kemori Daphidone, trovadora viajante de Orig. Estou aflita. Assustada. E, com certeza, não estou aqui para fazer esse homem tropeçar *por acidente* e vê-lo cair da escada.

De jeito nenhum.

De costas para a parede, mantenho os olhos baixos e espero que ele passe, seus passos pesados se aproximando. Tão perto que sou atingida pelo cheiro de almíscar defumado com toques de pedra recém-partida, suavizado com notas de algo amanteigado.

Prendo a respiração e, com um arrepio, solto, como se não quisesse me separar do aroma denso e delicioso que talvez seja um dos melhores cheiros que já senti...

Ele dá um passo para o lado, passando por mim.

Para.

Fico presa em sua sombra como uma chama no escuro, meu coração batendo forte e rápido. Subindo pela garganta a cada segundo que passa.

Por que ele não se mexe?

Eu me afasto um pouco mais na escada, me livrando de sua atmosfera.

— Com licença.

Tenho lugares para estar, mãos para cortar.

Um som denso e irritado sai dele, como se tivesse se desprendido.

O ar se desloca.

Eu me movo com ele.

Dando um giro, agarro o pulso dele com a velocidade de um raio. A tensão se acumula no ar, e meu olhar se volta para sua mão grande e cheia de cicatrizes — estendida, parada no meio do movimento, como se ele estivesse prestes a agarrar meu véu e arrancá-lo.

Que escroto.

Apesar de não conseguir ver os olhos dele, sinto seu olhar penetrante, se prolongando com tanta intensidade que meus pulmões parecem cheios de pedras, a atenção se arrastando até o corte arredondado em minha orelha.

De volta para meus olhos.

Uma série de insultos se acumulam em minha língua como espinhos que fico muito, *muito* tentada a cuspir nele. Então lembro que as pessoas que afrontam elementares de posto elevado acabam virando comida de dragão.

Por isso, engulo o que tinha para dizer. Algo que nunca me agrada, não importa quantas vezes tenha que fazer.

Afrouxo o aperto em minha mão, abaixo a cabeça e recuo alguns passos, parando só quando já estou em uma boa altura para olhá-lo de cima. Longe o suficiente para que eu não me sinta tão tentada a dar um soco em seu pescoço diante de sua ousadia de achar que poderia *tirar meu véu*.

— Desculpa — digo entredentes, tentando soar submissa. E falhando na missão. — O véu faz parte da apresentação.

Segue-se o silêncio, espesso como um xarope pegajoso.

Se mexe, Raeve.

Afastando-me de seu alcance, giro no lugar e subo as escadas depressa.

Não olho para trás, mostrando meu pergaminho e ficha para a segunda leva de guardas de expressão séria, um dos quais se afasta para me escoltar até o palco. Sou conduzida ao covil sombrio, envolto no cheiro de fumaça de turfa e hidromel, e fico impressionada com a mudança dramática de atmosfera.

Presas de pedra se projetam do teto, dividindo o espaço em segmentos arqueados, iluminados pela luz enferrujada do fogo que jorra das arandelas flamejantes. Mesas pouco iluminadas se alinham nas paredes externas, protegidas por cortinas pesadas que oferecem privacidade para aqueles que a procuram. Garçons nulos deslizam pelo espaço, carregando bandejas com canecas de hidromel e outras bebidas enevoadas, distribuindo-as para elementares joviais reunidos em torno das mesas de pedra espalhadas pelo local.

Escondida na sombra do guarda, dou uma olhada afiada para os clientes ecléticos, a frustração corroendo meus nervos quando não vejo o rosto que estou procurando.

Por favor, esteja em uma das mesas.

O guarda me conduz a um tablado central coroado por inúmeras estalagmites que se assemelham às barras de uma gaiola, e sinto vontade de rir — porque não conseguiria imaginar nada mais apropriado de um ponto de vista mórbido.

Uma mulher magra e delicada está sentada em um banco, segurando um violino branco gravado com runas luminosas que talvez incentivem o som a se propagar. Ela está com um traje de gala simples com anquinhas, parecido com o meu, mas azul, e muito mais solto em torno da protuberância discreta da barriga que carrega um bebê.

De olhos fechados, entoa uma melodia melancólica enquanto flocos de luz branca caem do teto arqueado como um derramamento de neve. Eles se acumulam em seu cabelo claro e depois somem.

Agradeço ao guarda e me aproximo, sentando-me no banco ao lado da musicista, sua canção atingindo um crescendo cadenciado enquanto procuro um bastão de amplificação.

— O runi deles está cuidando disso — sussurra ela, abaixando o violino, e me analisa com olhos verdes penetrantes emoldurados por chamativos cílios azuis com penas. — Ele estava falhando muito no último ciclo.

Ah.

— Não deve demorar muito. Eu sou Levvi, a propósito.

— Kemori Daphidone, trovadora viajante de Orig.

Ela dá um sorriso amigável que se desfaz um pouco quando seu olhar pousa em algo atrás de mim.

Meu coração vai parar na garganta quando um homem de cabelo vermelho passa, serpenteando por entre a multidão, vestido com um casaco vermelho-sangue imaculado, a cor combinando com perfeição com a conta elementar vermelha que exibe com alarde.

A sensação de alívio me domina, a ansiedade me fazendo abrir e fechar as mãos.

Tarik Relaken.

Ele nos observa, o olhar faminto deslizando por meu busto coberto por um espartilho, antes de seguir em direção a uma das mesas, na qual três outros homens relaxam. Deixando a cortina aberta, ele conversa animado, lançando olhares na minha direção de vez em quando. Olhares semicerrados que me fazem parecer um pedaço de carne bem-apresentado que ele *adoraria* roer.

Sei quem você é, babaca.

Vejo o homem encapuzado que encontrei na escada, agora se movendo pelo espaço escuro...

Meu coração despenca.

Ele passa por outros clientes e minha mente vira um nó de confusão enquanto ele se dirige a uma das mesas vazias no fundo da sala...

Ele estava com tanta pressa mais cedo, quando quase me derrubou ao descer a escada. Agora está de volta. *Por quê?*

Negócios? Curiosidade? Ou será que entendeu errado o que aconteceu na escada?

Criadores, é por *isso* que ele voltou? Porque ele gosta de se misturar com nulas e está esperando uma transa fácil?

Ele vira a cabeça na minha direção, o olhar percorrendo a parte superior do meu rosto como um pincel quente de cerdas macias, fazendo com que o ar entre nós se dissipe.

Reprimo um resmungo.

Precisei de muito esforço para que essa operação fosse aprovada. Ela é *muito* importante para mim. Se esse idiota arruinar nossos planos elaborados com tanto cuidado, talvez não tenhamos outra chance por sabe-se lá quanto tempo. Supondo que outra tentativa nem sequer seja *aprovada.*

— Você é nova, querida? Nunca te vi aqui antes.

Forçando minha expressão a suavizar, olho para Levvi, sua nulidade evidente na orelha que desponta de seu cabelo exuberante.

— Só estou substituindo alguém.

— Entendi. — Ela olha em volta da sala e quase não mexe a boca enquanto sussurra: — Aquele homem de cabelo vermelho que acabou de passar? Ele é lorde Tarik Relaken. Fique bem longe dele. Muitas artistas chamam a atenção dele e depois somem.

Arregalo os olhos, fingindo estar chocada.

— É sério?

Ela assente.

— A cor do seu vestido, o jeitinho recatado e esse cabelo preto e compri-do... — Ela me olha de cima a baixo e volta a subir o olhar. — Você faz bem o tipo dele.

Não digo para ela que esse é o objetivo.

O que espero.

Ao menos *era*, até eu atrair a atenção do observador encapuzado que agora está me olhando do fundo da sala, de braços cruzados e apoiados na mesa.

— Tem um motivo para esse lugar estar sempre atrás de novos recrutas nulos, e não é o salário de merda — protesta ela, com um sorriso amargo.

Nem perco meu tempo perguntando por que ela continua aqui. A curva de sua barriga já serve de indicação. Há poucas opções para um nulo fazer dinheiro em Ghora para além de trabalhar pesado nas minas. Não é lugar para uma mulher grávida. As pessoas fazem o que podem para sobreviver, mesmo que isso signifique andar na corda bamba entre uma existência segura e uma perigosa.

— Agradeço o aviso — sussurro, pensando na denúncia misteriosa que Sereme parece ter recebido no início do dya, quando nossos planos atuais já estavam em andamento. Eu me pergunto se foi Levvi, com muito medo de sujar as mãos ao se envolver com o Fíur du Ath e nossos negócios solidários, ainda que *sangrentos*.

Dá para entender.

Não há uma forma mais fácil de irritar nosso rei tirano do que colaborando com seus inimigos.

Um runi se aproxima, o roupão branco pendurado no corpo magro, cabelo escuro puxado para trás em um coque baixo. Ele me olha de cima a baixo e meu olhar se volta para o único botão que prende seu traje esvoaçante no lugar. O símbolo de um bastão de gravura sobre a madeira redonda, indicando sua habilidade de gravar runas básicas.

Pelo modo como ele está me encarando, eu esperava dois ou três. Talvez algum dom especial, como um ligassangue ou outra coisa espetacular. No mínimo, achei que seu botão de gravação seria mais do que elementar, feito de prata ou ouro.

Queria poder dizer isso.

Em vez disso, aceito o bastão de amplificação com um leve inclinar de cabeça, envolvendo a palma da mão suada em torno do comprimento oco de metal repleto de pontos e redemoinhos que emitem seu próprio brilho.

Olho de novo para Tarik Relaken, mas cerro os dentes quando vejo também o homem camuflado que sem dúvida não estava nos planos, a inquietação percorrendo meu corpo.

— Tudo bem?

Não.

Uma cotovia de pergaminho se aproxima, inclina o nariz, dobra as asas e cai em meu colo.

— Nunca cantei para tantas pessoas — murmuro, guardando a mensagem para depois.

— Eu entendo — responde Levvi, com um sorriso tranquilizador. — Grande parte deles está tão concentrada em si mesmo que nem nos nota. — Ela levanta o violino, apoiando a base na curva do pescoço. — Você conhece a "Balada da Lua Caída"?

Toda a empolgação que eu sentia se esvai, um fio de memória se espalhando pelo fundo da minha mente. Despojado de emoção. De beleza.

Dor.

O fantasma de algo que mal consigo entender, seu cadáver ancorado em meu fundo gelado. O lugar dentro de mim que é vasto como as Planícies Ergorianas que um dya percorri sozinha, com manchas de sangue de outra pessoa congeladas nos trapos que se agarravam a meu corpo esquelético.

— Sim — digo, com a voz rouca —, conheço muito bem essa canção.

Levvi arrasta o arco pelas cordas esticadas feitas com o pelo da cauda de um plumalua que brilha no escuro, tocando a primeira nota — tão longa e profunda que é quase tangível. Ela toca as notas seguintes com tanta paixão que é quase como se as tivesse escrito.

Como se as lindas palavras da fábula tivessem sido criadas a partir das cinzas de seu *próprio* passado enjaulado.

Ergo o amplificador até minha boca coberta pelo véu e inspiro fundo, mexendo-me um pouco para que a adaga que escondi no espartilho não cutuque minha costela. Fecho os olhos e mergulho na melodia da mesma maneira que certa vez mergulhei na vida — mas com as palavras que aprendi a dizer desde então. Protegida pelos horrores com que já me deparei.

Horrores flamejantes.

Horrores de *triturar* a mente.

A plateia se dissolve até sumir de vista enquanto canto sobre uma ceifassabre de cor escura que voa em um céu de veludo negro, se enrola e morre na escuridão, onde nunca mais será vista. De uma plumalua lustrosa que se aconchega ao lado da outra fera, iluminando sua forma.

Fornecendo *luz* a ela.

Eu canto sobre o escurecimento gradual da plumalua. De como, pouco a pouco, alastrando-se cada vez mais, o brilho dela alimenta a ceifassabre e torna as escamas da criatura brancas, a melodia mergulhando em notas mais profundas e destrutivas, enquanto eu canto sobre o apoio instável da plumalua no céu.

De sua queda.

Da ceifassabre saindo de seu poleiro entre as estrelas, cheia de vida e luz, voando para o mundo abaixo e caçando a amiga. De sua busca por lunacacos escuros espalhados pela neve, tentando juntá-la mais uma vez.

E falhando.

Movo as pálpebras até se abrirem e tenho a vaga consciência de que todos da sala estão com os olhos voltados para nós, observando. Arregalados de cobiça ou molhados pela emoção que escorrega pelas bochechas pintadas.

Mas é o homem coberto pelo manto que chama minha atenção, com a metade superior do rosto ainda escondida na sombra do capuz. Apesar disso, seu olhar atravessa o espaço e me envolve com um aperto de ferro de que não consigo me livrar.

À medida que as palavras continuam a sair de meus lábios, percebo com clareza que há um perigo nesse homem que eclipsa todos os outros na sala, tanto em tamanho quanto em presença. Que se posiciona com a tranquilidade confiante de alguém intocável.

Uma constatação preocupante me atinge como um golpe na lateral da cabeça, e meu olhar se volta a Tarik — sentado à mesa, me observando com uma fome tão condenatória que sei que não sairei deste lugar sem que ele me siga. O resultado perfeito.

Exceto...

Olho de volta para meu observador camuflado, para a sombra que oculta sua identidade.

Vim até aqui para atrair um monstro e acabarei pegando dois.

Raeve

CAPÍTULO 2

𝒩 ada como sete horas seguidas cantando sem parar para que você se sinta como se tivesse enfiado uma esponja metálica goela abaixo e depois arrancado de volta.

Puxo a corrente da descarga e limpo a garganta, tentando aliviar a tensão em minhas cordas vocais. Fecho a porta do sanitário atrás de mim e me dirijo a uma das pias, ensaboando as mãos enquanto olho meu reflexo no espelho. Olhos azul-claros me encaram de volta, a metade inferior do meu rosto escurecida pelo grosso véu vermelho. Em forte contraste com minha pele branca, meu longo cabelo negro cria um movimento dramático.

— Você canta como uma Criadora.

Olho para a mulher ao meu lado, que seca as mãos enquanto analisa o próprio reflexo, o queixo erguido ao balançar a cabeça de um lado para o outro, inspecionando seu rosto maquiado com perfeição.

— Obrigada. — *Acho.*

Pode ser um insulto. Com essas pessoas, nunca se sabe.

Ela olha para minha orelha talhada.

— Me parece um desperdício em uma nula — pondera ela, como se eu nem estivesse aqui.

Um insulto, com toda a certeza.

— Eu faria Ignos comer na palma da minha mão se eu tivesse um talento desses.

Mordo a língua com tanta força que ela sangra, olhando para a conta vermelha pendurada na orelha dela antes de abaixar a cabeça em sinal de servidão.

— Sim, um verdadeiro desperdício para alguém que os Criadores não consideraram digno de suas canções.

Ela murmura em concordância, olhando para seu reflexo de novo enquanto ajeita uma mecha de cabelo no lugar, parecendo se sentir validada por meu cumprimento à sua superioridade consagrada. Assim que a porta se fecha atrás dela, reviro os olhos e seco as mãos.

Qualquer ciclo de aurora desses, serei forçada a morder a língua com tanta força que vou arrancar a ponta fora. Tenho certeza disso. É puro milagre que ainda esteja presa na minha boca.

Ao sair do banheiro, vejo um homem encostado na parede do corredor à frente, bloqueando a única saída além da janela do banheiro atrás de mim.

Paro na soleira da porta, segurando-a entreaberta, o coração acelerado por esse acontecimento... *inesperado*.

Achei que levaria mais tempo para atraí-lo. Na verdade, achei que poderia fazer xixi em paz antes de começarmos.

Tarik Relaken encara o copo que está segurando, girando um líquido âmbar que libera fumaça. Um emaranhado de cabelo ruivo cai em seus olhos, como chamas alaranjadas cortadas nas laterais, emoldurando a conta elementar pendurada em seu lóbulo como uma gota de sangue.

— Você tem uma voz *incrível* — ronrona ele, com o olhar ainda afogado nas profundezas da bebida. — E a cor do seu traje é... — Ele inclina a cabeça para o lado, as chamas refletindo em seus olhos castanho-escuros que me chamuscam de longe. — *Excepcional*.

Fecho com cuidado a porta atrás de mim, ficando presa no corredor com o homem, minha mente se revirando. Consegui chamar a atenção dele e, agora, preciso atraí-lo para *longe* deste lugar.

Inclino a cabeça em sinal de agradecimento, depois passo por ele, parando quando ele se afasta da parede e se vira para mim.

Bloqueando ainda mais a passagem.

— Fique — murmura ele, levando o copo aos lábios. Ele engole, ronronando de forma aduladora. — *Beba* comigo.

Minha barriga dá um nó.

Sua boca pode estar dizendo "beba", mas seus olhos dizem coisas feias que fazem picadinho de você, pedaço por pedaço, até que não reste nada para os catadores.

Você é um merda mesmo.

— Com uma voz como essa — acrescenta ele, o olhar deslizando pelo meu corpo como um pincel oleoso, causando arrepios —, tenho certeza de que sua boca é uma *delícia*.

A raiva é como uma bola de gelo se acumulando em meu peito, com seu próprio batimento violento, salivando para acabar com isso aqui.

Agora.

Seria bobagem não o fazer. Ele está pedindo de um jeito tão educado.

Olho para a saída fechada. Para o ferrolho gasto *que está bem ali* — a apenas três passos de distância. Se conseguir passar por ele e colocá-lo no lugar, posso garantir que ninguém interromperá essa reunião improvisada até que a tarefa esteja concluída.

— Peço desculpas, senhor, mas é uma longa caminhada até em casa. Preciso seguir meu caminho se quiser descansar antes do nascer.

Eu me movo, procurando o espaço à sua direita...

Ele bate a mão na parede com tanta força que a chama da arandela tremula e meus pés ficam imóveis.

— Eu *insisto* — diz entredentes, os olhos endurecendo e se transformando em uma pedra escura que faz algo dentro de mim parar.

Ouvir.

Avalio a utilidade de trancar a porta. Arriscado, sim. Mas, para ser sincera, foi por isso que coloquei esse véu — na chance remota de ser forçada a fugir por uma janela dos fundos com um membro cortado no bolso. Assim, ninguém me acusaria mais tarde, após passar por mim em uma escada e reconhecer meu rosto, me apontando como a principal suspeita de ter escondido Tarik Relaken — sem mão e sem pulso — em uma das mesas privadas.

Que se dane.

Recobro a atenção, endireitando o corpo. A ponta dos meus dedos formiga de ansiedade quando busco a adaga no compartimento oculto feito sob medida em meu espartilho...

A porta atrás de Tarik se abre e eu xingo baixinho. Nós dois olhamos por cima do ombro dele até o homem grande e encapuzado que me assistiu cantar torpor adentro, exalando o estoicismo de uma estátua de pedra.

De repente, o corredor parece uma veia inchando com muito sangue quente e pulsante. Como se uma tempestade incineradora tivesse se espremido entre as paredes apertadas e absorvido todo o oxigênio, sobrando pouco para eu respirar.

Frustração e raiva se chocam e lutam dentro de mim. Tiro a mão do espartilho e a enfio nas dobras da saia, onde posso agarrar com força o tecido sem que seja óbvio.

Um péssimo momento para ele decidir que precisa mijar, apesar de ser *menos* infeliz para ele. Se tivesse chegado alguns instantes depois, teria se deparado com algo do qual sem dúvida não conseguiria se afastar.

Pigarreando, Tarik tira a mão *muito* sortuda da parede e se vira de lado, dando espaço para que eu possa passar. Para ser sincera, ele deveria usá-la para apertar a mão do homem, porque ele acabou de salvar sua vida.

Por enquanto.

— Minha senhora — diz Tarik, com um sorriso enorme e falso. — Tenha um torpor *abençoado* pelos Criadores.

Eu me esforço para não erguer as sobrancelhas até o couro cabeludo. Parece que não sou a única que consegue sentir a energia explosiva que emana do homem misterioso.

Gostaria que ele levasse essa energia *para outro lugar*.

— Obrigada — murmuro, a mão da faca se contorcendo enquanto passo por Tarik e me dirijo à saída, dando uma olhada no homem encapuzado que está segurando a porta. Mas sua atenção não está em mim.

Ela está voltada com firmeza para Tarik.

Estranho.

Suspirando, eu serpenteio em meio à quantidade cada vez menor de pessoas, alguns trepando em cantos escuros ou deitados nas mesas. Outros se aglomeram em assentos baixos, apagados, as mãos frouxas ainda segurando a bebida. Alguns ainda acordados o suficiente para me ver passar. Para pedir para que eu cante.

Cante.

Cante.

Mal sabem eles que é isso *mesmo* que pretendo fazer.

Com o peito cheio de uma violência malcontida, se retorcendo para ser liberada, vou direto para a saída, certa de que Tarik virá correndo atrás de mim, ele próprio com desejos não saciados. Devo ter só alguns instantes de sobra enquanto o homem encapuzado se alivia no banheiro. Apenas alguns instantes para tirar Tarik daqui sem o demorado acompanhante que eu não havia levado em conta.

Minha programação já apertada está me sufocando.

— Kemori, espere!

Demoro dois passos para me dar conta de que o nome que estão dizendo *é meu.*

Merda.

Paro no lugar, evitando xingar baixinho antes de olhar por cima do ombro.

Levvi está guardando seu instrumento no estojo que abriu em nossos bancos, o cabelo preso atrás da orelha enquanto olha para mim, as manchas pretas sob os olhos uma prova de quanto tempo ficamos sentadas e nos apresentamos sem intervalos ou bebidas.

— Toma. — Ela acena uma pequena bolsa no ar. — Nossa comissão.

Ah.

Ela desce do tablado e diminui a distância entre nós.

— Acho que o runi daqui pegou uma parte — comenta ela, revirando os olhos e estendendo a bolsa para mim. — Mas deve ser o suficiente para pagar umas boas refeições.

Com o olhar oscilando entre sua orelha talhada, a barriga em desenvolvimento e o que resta da multidão que está diminuindo, eu me aproximo e coloco a mão em volta da dela, forçando-a a segurar a bolsa com mais força.

— Fique com ela. E obrigada por tocar comigo. Foi maravilhoso.

Uma linha se forma entre suas sobrancelhas.

Eu giro, três passos mais perto da escada, quando sua voz me alcança.

— Deixa eu acompanhar você até em casa!

Meu coração fica apertado.

— Meu liame estará esperando lá na frente para me acompanhar — acrescenta ela. — Ele é um homem gentil e trabalhador que nunca fez mal a uma mosca. Ele pode acompanhar você também.

Olho por cima do ombro e vejo a preocupação arraigada em seus lindos olhos verdes.

— Obrigada, mas não precisa. Minha casa é tão perto que, quando você terminar de afivelar a capa, já estarei dormindo.

Mentira.

Minha casa fica do outro lado do Fosso. Nesse ritmo, terei sorte se chegar até o nascer da aurora, já que não pretendo caminhar naquela direção quando enfim conseguir sair.

Estou dois passos mais perto da saída antes que a mão dela envolva meu braço, prendendo-me apesar de meus nervos frágeis galoparem a toda velocidade.

Levvi se aproxima mais de mim.

Com o rosto corado, ela olha ao redor do ambiente escuro, inclinando-se para perto.

— Eu vi como Tarik estava olhando para você, Kemori. Temo por sua segurança. Este período do torpor não é bom para pessoas como nós. *Por favor*, deixe a gente acompanhar você até em casa...

A contundência decidida em sua voz dilui minha frustração.

Estou começando a gostar dela.

Odeio quando começo a gostar das pessoas.

Examinando os arredores, enfio a mão no bolso esquerdo do meu traje, rasgo a costura de segurança com a unha e, em seguida, vasculho o compartimento oculto, retirando um pequeno globo flamático — transparente, exceto pela representação encarnada de um mítico pássaro de flama eclodindo de um bulbo de chama preso nas profundezas do globo.

— Não precisa se preocupar comigo — sussurro, pegando a mão dela.

Ela franze a testa e eu abro a mão o bastante para que possa vislumbrar o tesouro pressionado entre nossas palmas, seus olhos se arregalando quando ela se dá conta.

— Aaah — diz ela, a voz trêmula, falhando. Como se algo dentro dela tivesse se desintegrado. — T-Tarik?

Concordo, guardando o globo com o qual eu odiaria que ela fosse pega.

Ela inspira fundo, mas não consegue transformar a respiração em palavras. Solta o ar, trêmula, com o olhar fixo nas mãos que agora seguram a barriga proeminente. Uma visão que faz algo estranho em meu coração. Faz com que eu sinta que ele vai explodir — e não de uma forma agradável.

Preciso dar o fora daqui.

— Se cuide — sussurro, prestes a virar de novo quando ela agarra meu braço. Com os olhos vidrados de emoção contida, ela me oferece um pergaminho dobrado. — O que é isso?

— Meu... ah, meu contato. Caso você queira se apresentar junto comigo de novo — murmura ela, a voz rouca, esboçando um sorriso que parece mais triste do que feliz. Como se talvez ela soubesse que não vou entrar em contato.

Que nunca mais vamos nos ver.

Aceito de qualquer forma, inclinando minha cabeça em agradecimento, vendo Tarik sair do banheiro e olhar para mim.

Achei você.

Viro em direção às escadas e saio depressa da Fenda da Fome.

Em outra vida, eu poderia ter feito amizade com Levvi. Mas...

Tantos "mas".

Penso em *outro alguém* que conhecia. *Alguém* com um sorriso fácil e um olhar caloroso. Uma mulher que agora é uma lembrança vaga que não provoca mais palpitações em meu peito ou coração. Não depois de eu ter amarrado todas essas partes pesadas e dolorosas a uma pedra que agora está ancorada no fundo do meu lago congelado.

Faço tudo o que posso para evitar amizades. E consigo, *grande parte do tempo*. Quanto mais você se importa, mais frágil tudo parece.

É mais fácil...

Não se importar.

CAPÍTULO 3

$\mathcal{N}$eva sem parar — flocos enormes que se prendem nos meus cílios emplumados e acumulam no chão. Faço barulho com minhas botas conforme caminho pelo melancólico Fosso, quase desprovido de vida a uma hora dessas.

O muro imenso de pedra se ergue, cada metade de um dos meus lados, correndo paralelas de leste a oeste até onde a vista alcança. Como duas estantes altas, o caminho entre elas é grande o suficiente para que várias carroças desçam lado a lado.

O muro envolve a barriga rechonchuda do mundo como um cinto, dividido ao meio apenas em segmentos muito povoados, como aqui em Ghora. Profundo o suficiente para que as pessoas dentro da longa trincheira pareçam ter um senso de segurança — longe da ameaça imediata de predadores.

Por mais que essa sensação seja falsa.

Há muitos deles aqui embaixo, abrigados no Fosso, se não ainda mais do que lá fora. Só estão bem camuflados.

Uma maritraça prateada se desprende de um enxame que se agita no alto, voando tão perto que suas asas fofas me pulverizam com um spray de pó luminoso.

Eu sorrio.

Gosto dessa hora do torpor, quando parece que somos apenas eu, as maritraças e as nuvens coloridas. Apesar de isso não ser verdade.

Apesar de um monstro me seguir.

Ainda que Tarik tenha sincronizado com perfeição seus passos aos meus, pisando tão leve que o barulho se confunde com o da neve, sinto sua presença como uma sombra iminente que ameaça me devorar.

Eu deveria estar com medo. Nervosa. Talvez um pouco triste pelo que estou prestes a fazer.

A sobrevivência é engraçada. Alguns a usam como um sussurro; outros, como um grito. A minha é um esqueleto queimado de raiva forjada em chamas que me mantém em pé. Me faz seguir *em frente*.

Não resta nada de piegas e sentimental dentro de mim. Sou pura amargura e hostilidade, imune a me *importar* com pessoas como Tarik Relaken. Na verdade, mesmo que ele fosse um monte de merda na calçada, eu ainda faria de tudo para pisar nele.

Talvez isso também faça de mim um monstro.

Não me aprofundo no pensamento, tirando-o do caminho enquanto subo uma escada interna da metade sul do muro, ziguezagueando pelos andares, passando por portas fechadas para o torpor. Continuo subindo até que o muro seja apenas isso — um *muro*. Sem mais casas entalhadas nas laterais.

As pessoas não gostam de viver tão perto das nuvens, o ar ali no alto parece... emprestado. Como se não pertencesse a nós.

Como se pertencesse aos *dragões*.

Sinto um calafrio subir pela minha espinha e me viro para o sul, descendo um longo túnel de vento que se estende até a vista além do muro, repleta de nuvens tão próximas que eu quase poderia estender a mão e pegar um punhado dos pesados algodões.

Quando estou a apenas alguns passos de distância da queda mortal para o chão abaixo, enfio a mão no bolso e tiro meu anel de ferro, expondo-me a uma profusão de músicas que ameaçam transformar meu cérebro em uma gosma fina.

Que... caos da porra.

Os tendões do meu pescoço se esticam, as veias das minhas têmporas pulsam com o excesso de sangue e música.

Sintonizo minha mente na frequência mais alta — como se estivesse apertando uma caixa de ressonância — e, em seguida, fecho a abertura com uma peneira, isolando a melodia maníaca de Clode, que canta a plenos pulmões. A Deusa do Ar cria um turbilhão uivante que faz meu véu se agitar, revelando o sorriso torto estampado em meu rosto.

Ela quer brincar.

E eu também.

Os pelos da minha nuca se eriçam conforme os passos de Tarik se aproximam...

Mais perto.

Anda logo, seu babaca nojento. Faça seu mov...

Ele me agarra pela nuca e me empurra de cara no muro, usando seu peso para me prender no lugar.

Minha pele se retorce com o peso dele. O poder incapacitante de um homem determinado a tomar o que quiser.

Finjo um gemido. Um discreto empurrão de desespero.

— Shhh, shhh, shhh — sussurra ele em meu ouvido, fazendo meu sangue gelar. — Seja uma boa nulazinha.

A raiva explode sob minhas costelas quando penso em com quantas *outras* ele já fez isso. Quantas foram engolidas por sua ganância glutona como se não fossem nada mais do que um lanche.

Agora acabou.

Ergo a bota e mordo a tampa de metal que cobre meu molar posterior. Com um *clique*, um pino de ferro se solta do meu calcanhar.

— *Glei te ah no veirie* — sussurro-canto, as palavras em uma dor reprimida em minha boca, cuspidas à vontade. Persuadindo Clode a desviar *quase* todo o ar dos pulmões de Tarik.

Ela ri.

Tarik tenta respirar com dificuldade através de seus órgãos compactados, e eu enfio o pino nulificante na parte superior de sua bota. Mordendo a tampa uma segunda vez, enfio o pino tão fundo entre os ossos e tendões delicados de Tarik que a única maneira de se livrar dele é cortar o próprio tornozelo fora.

Precauções.

Duvido que Clode vá afrouxar o controle que tem sobre os pulmões dele, mas não vou dar espaço para que jogue Ignos contra mim com algumas palavras inflamadas. O Deus do Fogo adora se *banquetear*, e eu prefiro ser esfolada viva a permitir que ele me importune.

De novo.

Tarik afrouxa o aperto e cambaleia para trás, mancando, com as botas derrapando na neve, enquanto eu passo as mãos pela minha roupa e me endireito.

— Maldito Tarik Relaken — murmuro, tirando a lâmina de escamadraco do bolso secreto do meu espartilho, afiada o suficiente para cortar ossos como se fossem manteiga.

Eu me viro, com a cabeça inclinada para o lado, olhando bem em seus olhos arregalados e ensanguentados, a expectativa fazendo a ponta dos meus dedos formigar.

— Está tendo um torpor abençoado pelos Criadores?

Ele arregala os olhos e depois olha para a lâmina que estou girando. Perde o equilíbrio e cai na parede mais distante, com a boca aberta enquanto segura o próprio pescoço.

Acho que isso é um não.

Ele entra em convulsão, com apenas um fio de ar assobiando pela traqueia, fazendo pouco para inflar seus pulmões aspirados. *Apenas* o suficiente para mantê-lo presente até que tenha ouvido meu discurso bem preparado.

Certa vez, vi alguém soltar uma linha embaixo de um lago gelado e puxar um enguieixe longo e escorregadio para a superfície. Ele se contorcia na neve, com escamas iridescentes brilhando enquanto sua boca se escancarava e escancarava até ficar imóvel de um modo arrepiante.

Esse jogo sempre me faz lembrar disso, tirando o fato de que eu sentia pena do enguieixe.

Não sinto nada por Tarik, a não ser o desejo feroz de cortar sua garganta antes que ele arruíne mais vidas. Mas ainda não.

Primeiro, ele precisa *sofrer*.

Avanço, alternando o olhar entre as mãos dele, tentando decidir qual prefiro. É difícil — as duas são tão parecidas.

— Uma outra lâmina poderia conceder uma morte mais gentil para você — discorro, decidindo-me pela direita. Eu a agarro e puxo, a lâmina cortando seu pulso tão depressa que tenho certeza de que ele não se dá conta do que aconteceu até que eu esteja balançando o membro decepado para ele. — Talvez tivesse feito isso *depois* que você estivesse morto.

Para o azar de Tarik, tenho uma reserva especial de raiva que guardo em específico para pessoas como ele.

Ele olha para mim, arranhando o pescoço como se a mão ainda estivesse presa, com sangue saindo do membro remanescente sangrento — sua boca está tão aberta que posso ver suas amígdalas.

— Talvez seja melhor eu explicar — digo, tirando um saco de cera do bolso. Enfio minha nova mão dentro dele e aperto o cordão com força. — Sabe, eu estava vagando pela Cidade Baixa e me deparei com seu pequeno negócio.

Pequeno é um eufemismo. O estabelecimento em expansão é como uma verdadeira cidade, equipada com um fosso de batalha do tamanho de um anfiteatro, suítes para aqueles que nunca querem perder um duelo e crianças enjauladas em celas. *Nulos* que ele arrancou dos muros ou comprou de pais desesperados que não têm dinheiro para mantê-los alimentados, certos de que estão comprando uma chance de seus filhos prosperarem.

Uma chance de lutar para alcançar a supremacia.

Nenhum deles parecia desnutrido, mas há mais de uma maneira de matar uma alma de fome.

— Tentei libertar seus prisioneiros, alguns dos quais, devo dizer, precisavam urgentemente de um curador para dar um jeito em seus corpos pequenos e machucados. — Balanço a bolsa cheia para ele, dando de ombros. — Você pode imaginar como fiquei decepcionada ao descobrir que precisava da sua *mão* para abrir as celas.

Posso ver pelo olhar de pânico que ele não está imaginando o suficiente. Que ele está muito ocupado pensando em si mesmo.

Atiro a sacola no chão, sobre uma pilha de neve, enquanto ele, todo atrapalhado, enfia a mão que lhe resta no bolso e puxa uma lâmina. Eu a pego de seu aperto insignificante, estalando a língua antes de cravá-la em sua coxa.

— Não que eu soubesse quem você era àquela altura — murmuro, observando-o tremer e se contorcer.

E *gostando* do que vejo.

Seu rosto fica mais vermelho do que seu traje, as veias de suas têmporas e pescoço saltando enquanto corto sua túnica vermelho-sangue, desnudo seu peito e agarro a outra mão, com a qual ele não para de me agarrar. Eu a levanto, pressiono-a contra o muro e uso minha lâmina para prendê-la no lugar, para que eu possa me concentrar em minha tarefa.

Seu corpo inteiro convulsiona de novo, a umidade escorrendo pela calça.

— Veja só que engraçado. No dya seguinte, sua liame encontrou uma forma de entrar em contato com a gente. Você sabe quem somos, é claro. Fíur du Ath.

Das Cinzas.

A expressão de Tarik desmorona.

Levanto minha saia e tiro outra lâmina de dentro da minha bota.

— Ela é um amor, sua liame. Impressionante. Apostaria tudo o que tenho nos meus cofres que você a comprou também... esperando que a conta marrom que ela usa fosse garantia de uma prole poderosa.

Mais movimentos estrangulados, seu peito vermelho, por causa do sangue que jorra do membro cortado, sobe pesado. Não me passa despercebido o fato de que agora ele está pintado com a cor de que tanto gosta.

A cor que ele *ostenta*.

Com a cabeça inclinada para o lado, estudo minha tela carmesim, arrastando a ponta da lâmina pelo peito dele. Aplico um pouco de pressão no cabo e começo a gravar meu código bruto em sua carne.

— Ela disse que você faz coisas terríveis com ela. Com as *outras* — falo enquanto corto.

Corto.

Corto.

— Com qualquer pessoa em que você consiga colocar suas mãos sujas.

E.

Estuprador.

A letra jorra mais de sua cor favorita enquanto ele se contorce, com a boca escancarada em um grito silencioso.

Um silêncio lindo e abençoado. Eu poderia beijar Clode em momentos como esse.

— Ela também mencionou que, ainda que você não obrigue seu filho nulo a lutar naquele prestigioso campo de batalha na Cidade Baixa, você pede a Ignos com frequência que o pinte em chamas por ser uma *decepção* tão grande em sua linhagem.

As palavras são forçadas por entre dentes cerrados, e aquela presença imensa e gelada dentro de mim está mudando.

Rimbombando.

Escrevo um A. Depois um C.

Abusador de crianças.

Fico tentada a lhe dar o alfabeto inteiro, mas o tempo é essencial. Em vez disso, acabo com ele com mais cinco letras:

C-U-Z-Ã-O.

Nem precisa explicar.

O vento se torna uma torrente cortante, assobiando nas esquinas, levantando meu véu.

Me expondo.

Não me dou ao trabalho de tentar me cobrir, imaginando se ele ainda gosta da minha voz.

Da cor do meu vestido.

Se ele se arrepende de ter me seguido, de ter tentado me abusar contra o muro.

O peito dele se sacode ao som maníaco das risadas de Clode, e a mão pregada ao muro é praticamente a única coisa que o mantém em pé, enquanto ele respira com dificuldade, o ar chiando em sua garganta.

— Ignos começou a falar com sua filha, você sabia?

O rosto dele se contorce, mostrando dobras mais profundas de agonia enquanto suas botas arranham a neve encharcada de sangue.

— Ela foi escoltada para fora da cidade durante esse torpor, junto com o resto da sua família, mas não antes de sua liame nos contar tudo o que precisamos para extinguir suas operações malucas e libertar esses jovens.

Leve-os para um lugar seguro e protegido onde possam aprender a ser crianças de novo.

Repito a melodia sufocante de Clode, e ela gira em torno de mim em uma velocidade voraz, transformando meu cabelo em uma bagunça escura enquanto o rosto de Tarik fica azul.

Depois, roxo.

— Qual é a sensação de ser nulificado, Tarik?

Seus olhos, agora sangrando, observam o lóbulo da minha orelha. A orelha que deveria ser perfurada com uma conta transparente para indicar minha capacidade de ouvir a música sempre mutante e tumultuosa de Clode. Do meu ponto de vista, isso só serviria para me destacar como uma ameaça à sociedade militante do Grado.

Que se foda o sistema deles.

— Qual é a sensação de sofrer nas mãos de alguém "inferior" a você?

Ainda batendo no pescoço com o braço mutilado, sua boca forma uma única palavra:

Misericórdia.

Uma raiva avassaladora incendeia minha espinha, lambendo minhas costelas, banqueteando-se em meu coração sombrio e gelado.

Fico imaginando quantas vezes os jovens que lutaram em seu poço da morte pediram exatamente isso. Quantas vezes o *filho* dele disse essa palavra, olhando para o homem que deveria cuidar dele.

Protegê-lo.

Eu me pergunto quantas vezes a esperança pereceu no coraçãozinho antes de ele implorar à sua mãin para nos procurar. Para se libertar dos grilhões invisíveis de Tarik.

Foram vezes demais.

— Sua família manda lembranças — zombo, e depois corto a garganta dele com minha lâmina.

Raeve

CAPÍTULO 4

O sangue de Tarik espirra na neve, jorrando do corte sangrento.

Enfio a mão no bolso e coloco meu anel.

A barulheira que ecoa em meus tímpanos cessa, deixando apenas os sons orgânicos de Clode se queixando pelas esquinas, sem a risada maníaca ou a música cortante.

Estalo o pescoço de um lado para o outro, rolando os ombros — sempre grata pelas propriedades anuladoras do ferro. Consigo me desligar dela por conta própria se me concentrar, mas isso exige esforço, e minha defesa baixa enquanto durmo. Clode é ótima e tudo mais, mas não quando te acorda com um grito no meio do sono. E ela é tão barulhenta que dói. Barulhenta do tipo *quero-cobrir-as-orelhas*, mas eu nunca ousaria fazer isso.

Não quero cair no desfavor dela.

Dizem que quanto mais alto se ouve as canções, maior é a conexão, e mais poder se obtém ao aprender a linguagem e falar as palavras dos elementais. Uma bênção e uma maldição quando se trata da selvagem Deusa do Ar, já que seus gritos podem ser agudos o suficiente para cortar a pele. Não há nada pior do que sentir como se seu cérebro estivesse sendo cortado em pedaços macios.

Coloco o véu de volta no lugar, escondendo a metade inferior do meu rosto enquanto me dirijo à entrada do túnel de vento e espio para fora, olhando para a esquerda e para a direita ao longo do caminho fino gravado no muro como um sulco. Me certificando de que o observador encapuzado não apareceu para brincar de *saca só a lâmina de ferro enfiada nas suas costelas*.

Não vejo nem ele nem mais ninguém, então dou um passo à frente, olhando para o Fosso bem abaixo. Os vórtices de neve se misturam com grupos de maritraças luminosas, mas não há nenhum outro movimento, nem consigo ver ninguém no caminho da escada abaixo de mim. Nem no caminho abaixo dela.

Olho para o outro lado da enorme fenda, para a metade paralela do muro, e não vejo ninguém no lado norte, nem nas pontes próximas que se estendem entre as duas.

Que bela surpresa.

Eu me afasto da borda e me viro, meus passos ecoando enquanto caminho de volta para o cadáver de Tarik, ainda pendurado pela mão presa ao muro, com a cabeça inclinada para o lado. Retiro minha lâmina da pedra e seu corpo cai sobre uma poça vermelha fumegante.

Olho para meus trajes e estalo a língua ao ver os respingos de sangue que tornam a cor mais profunda em alguns pontos. Esperava que dessa vez o trabalho não causasse bagunça. Sempre espero isso.

E nunca acontece.

Desabotoo a sobreposição da saia, arranco a camada superior do espartilho e puxo o tecido manchado, revelando a réplica perfeita por baixo — enfio a camada estragada em um pacote que jogo na calha de lixo que está enfiada no muro. Uma das muitas calhas espalhadas pela cidade, que ultrapassam o nível do solo, passam por alguns níveis da Cidade Baixa e desembocam no covil de um troglo-vellus adulto que se alimenta do lixo de Ghora.

Inclino a cabeça para o lado, medindo a distância entre Tarik e a calha, e decido que talvez seja um *pouco* alto demais para que eu consiga erguê-lo até lá. É melhor empurrá-lo para fora do buraco no muro para que os muitos predadores nascidos no Breu possam devorá-lo.

Suspiro e olho para o cadáver molenga, imaginando um mundo *sem* aqueles que gostam de abocanhar coisas brilhantes para depois expeli-las quebradas.

— Imagine só — murmuro, agachando-me para limpar minhas lâminas na calça dele antes de guardá-las.

Imagine só.

Balanço a cabeça, agarro Tarik pelos tornozelos e o levanto com toda a força que a queimação nas minhas coxas permite, grata por termos chegado quase até o fim antes que ele atacasse. Enquanto eu o arrasto em direção ao declive, o vento varre o túnel com tanta força que tenho certeza de que é uma ajuda, o que me faz sorrir.

Clode é tão maluca e rancorosa, essa vaca.

Eu a amo.

Vou virando Tarik até que ele esteja tão perto da borda que seu braço fica pendurado, então limpo as mãos na túnica dele, me agacho atrás de seu corpo e uso todo o meu peso para empurrá-lo, segurando-me na pedra conforme ele escorrega para longe do meu alcance. Eu me inclino e o vejo despencar em direção às pedras e pontas do muro, lá embaixo...

Ele é empalado por uma das pedras, que corta todo seu abdômen, e eu me pego desejando que estivesse vivo para sentir aquilo.

Droga.

Perdi a oportunidade.

De pé, uso a ponta da bota para raspar a mancha sangrenta de neve em uma pilha e chutá-la para o lado.

Guardo a mão de Tarik e desço pelo túnel de vento, parando um pouco antes da entrada quando meu olhar se fixa em um pedaço de pergaminho preso à parede.

Eu me aproximo, estreitando os olhos para o texto.

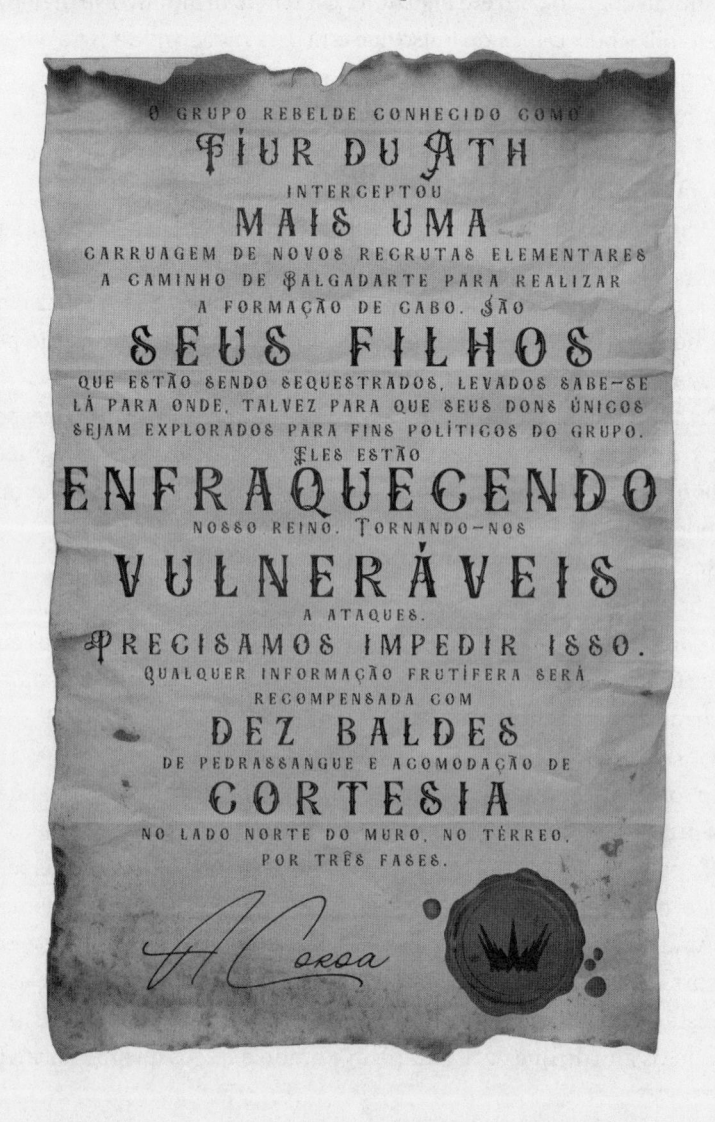

O GRUPO REBELDE CONHECIDO COMO **FIUR DU ATH** INTERCEPTOU **MAIS UMA** CARRUAGEM DE NOVOS RECRUTAS ELEMENTARES A CAMINHO DE BALGADARTE PARA REALIZAR A FORMAÇÃO DE CABO. SÃO **SEUS FILHOS** QUE ESTÃO SENDO SEQUESTRADOS, LEVADOS SABE-SE LÁ PARA ONDE, TALVEZ PARA QUE SEUS DONS ÚNICOS SEJAM EXPLORADOS PARA FINS POLÍTICOS DO GRUPO. ELES ESTÃO **ENFRAQUECENDO** NOSSO REINO, TORNANDO-NOS **VULNERÁVEIS** A ATAQUES. PRECISAMOS IMPEDIR ISSO. QUALQUER INFORMAÇÃO FRUTÍFERA SERÁ RECOMPENSADA COM **DEZ BALDES** DE PEDRASSANGUE E ACOMODAÇÃO DE **CORTESIA** NO LADO NORTE DO MURO, NO TÉRREO, POR TRÊS FASES.

Roubando crianças?

Explorando os dons delas para fins políticos?

— Que monte de merda de sanhaço.

A Coroa desistiu de *ameaçar* aqueles que se envolvem conosco e, agora, estão balançando uma isca generosa, impossível de ser recusada. Sobretudo para aqueles sem um lar, que trabalham nas minas e sobrevivem com poucas bolsas de pedrassangue por fase.

Isso muda as coisas...

Rosnando, arranco essa bosta de pergaminho e o amasso, quase chegando na esquina quando bato em algo duro. Uma mão firme envolve meu pulso, me estabilizando. O mesmo pulso que está preso à mão que agarra o pedaço de pergaminho enrolado, oferecendo uma bela recompensa por, bem...

Por mim.

Ergo a cabeça a tempo de uma rajada de vento empurrar para trás o capuz do homem misterioso da Fenda da Fome.

Meu coração para, mal consigo respirar. Pela primeira vez desde que Fallon me ensinou a falar, não sei o que dizer.

Ele foi esculpido com dureza, com brutalidade... é de uma beleza feroz. Seu cheiro preenche meus pulmões, tão forte e entorpecente, como pedra fundida coberta com uma concha de creme.

Prendo a respiração, absorvendo-o, admirando o cabelo preto que cai pouco abaixo do ombro. Parte dele está afastada do rosto, coberto por alguns fios soltos que de nada servem para suavizar sua expressão, os olhos penetrantes da cor rica e liquefeita da madeira queimada.

Sua sobrancelha é grossa e a metade inferior do rosto é encoberta por uma barba escura que confere uma textura rústica à sua aparência já robusta. É como se ele pertencesse a um dos renomados clãs de guerreiros que se enraizaram nas Planícies Boltânicas há milhões de fases, empunhando um machado e um rugido sanguinário.

Ele desvia o olhar do meu, percorrendo os arredores, procurando em cada canto sombrio. Noto que a ponta afilada de sua orelha direita é perfurada por uma pequena argola preta que envolve parte da concha, mas não há contas.

Ele está se exibindo como um nulo — mesmo sem o talhe —, mas sei que não devo presumir que não está ouvindo nenhuma das músicas elementares. Ainda mais se levar em conta a imensa energia que emana dele, que me empurra. Fazendo com que eu sinta que ele é muito *maior* do que o espaço que está ocupando no momento. O que é muito, já que ele é uma cabeça e meia mais alto do que eu, e tem peito e ombros largos que me fazem lembrar de um ceifassabre. O tipo de constituição acentuada e musculosa em geral encontrado naqueles com origem no Lume — o reino quente e sempre ensolarado do norte.

Seu olhar condenatório recai sobre mim de novo, e é como um chute rápido nas costelas. Retorcendo.

Murchando o peito.

Ele está me olhando como se eu tivesse empurrado um elemental morto do muro. Ou talvez eu esteja imaginando coisas. Tenho certeza de que não havia mais ninguém por perto...

A linha entre suas sobrancelhas se aprofunda.

— Você está bem?

A voz densa atravessa meu coração como se fosse uma chama acendida em pedra, deixando um resíduo de faíscas que crepitam em minha corrente sanguínea gelada de uma forma estranha.

Se estou... *bem?*

Imito a testa franzida dele.

— Você está delirando?

— Talvez — murmura ele, a voz parecendo pedras quentes rolando.

Um floco de neve cai na minha testa, e minha respiração se contrai quando ele levanta a mão livre e a leva em direção ao meu rosto. Como se talvez ele fosse limpar o floco. Percebo que estou me entregando ao movimento, mas então me dou conta de que ele está tentando alcançar meu *véu*.

O ar entre nós se torna rígido e estéril. Até mesmo Clode interrompe seu movimento flagelante.

— Eu não faria isso — alerto num ronronar, pressionando um pequeno punhal de ferro em sua virilha, o punhal sempre guardado na manga para momentos como esse.

Ele ergue a sobrancelha.

— Mãos rápidas.

— É de ferro.

— Senti o *cheiro* — rosna ele, sua voz com o sotaque rico e exótico dos nortistas. — Nome. Agora. E não o nome falso que você deu para quem quer que a tenha contratado na Fenda da Fome.

Minucioso.

Interessante.

Aplico mais pressão em minha pequena lâmina de ferro que, de repente, parece muito inadequada contra tudo o que está sendo pressionado. Mesmo assim, não tenho o costume de fugir de um desafio.

— Não. Mas vou fazer você comer o próprio pau se não soltar meu pulso.

Minhas palavras são suaves e sensuais, transmitidas a ele como uma balada que tenho certeza de que apreciará menos do que as músicas que cantei durante todo o torpor... até que o canto de sua boca se ergue um pouco.

Isso me surpreende.

Ele emite um som áspero, solta meu pulso e se afasta, criando uma pequena fenda entre nós que parece um cânion, e estou à beira dele — os arcos dos meus pés estão formigando enquanto uma vibração estranha voa dentro da minha barriga.

A confusão embaralha meus pensamentos.

— Obrigada — anuncio, endireitando os ombros.

Mantendo minha lâmina apontada para a virilha dele, amasso o pergaminho em uma bola menor e o coloco em meu bolso.

Talvez eu não tenha que o matar. Ele não me viu matar Tarik. Não viu meu rosto nem o aviso que arranquei da parede. E decerto não tentou nenhuma gracinha comigo.

Talvez ele não seja o monstro que pensei que fosse enquanto me observava cantar no bar com uma austeridade que beirava a obsessão.

Isso sem falar que levaria muito tempo para arrastá-lo ao mesmo precipício em que empurrei Tarik, se eu fosse forçada a cortar sua garganta. Isso se eu *conseguisse* arrastá-lo. Talvez tivesse que cortar seu corpo em pedaços menores — uma complicação que consumiria muito tempo. Algo que está se esgotando depressa, e a mão de Tarik está pesada em meu bolso.

— Se você me der licença...

— Tem um feérico morto empalado lá embaixo — anuncia ele, apontando com o queixo para a saída do túnel de vento e para a queda impiedosa, a voz de uma monotonia áspera que abre uma brecha ainda maior entre minhas opções.

— Acabei de sair de lá e não vi nenhum homem. — Mantenho minha adaga firme, com os músculos preparados. — Tudo o que vi foi um monstro.

Retribuo o olhar dele, debatendo o que devo fazer. Espero que sua resposta se estenda entre nós antes de decidir que direção devo tomar. Se classifico esse homem na mesma caixa que Tarik ou em uma diferente.

Uma mais *segura*.

Os olhos dele se fixam em mim como se estivesse escavando partes da minha alma quando ele diz:

— Concordo plenamente com isso.

Franzo a testa, abro a boca e a fecho.

Que seja a caixa segura.

— Não me siga — ordeno, depois tiro a adaga da virilha dele e desço a escada ali perto sem olhar para trás.

Raeve

CAPÍTULO 5

Jogo a mão de Tarik em uma calha de lixo pouco usada e estrategicamente escolhida, esperando com a cabeça enfiada no buraco até ouvir o apito de outro membro do Fíur du Ath nas profundezas da Cidade Baixa. Confirmação de que o pacote foi apanhado. Que os outros agora trabalharão para libertar os petizes.

Como parte das Lâminas de Flama, eu mato. Nada além disso. Decerto não faço resgates — essa tarefa fica com aquelas que não se sentem confortáveis sujando as mãos de sangue. Mas parte de mim quase... *anseia* por esse momento.

Essa missão tem sido tão pessoal para mim. Um projeto ambicioso e passional que consegui, com muito esforço, que fosse aprovado. Algo que desviou os recursos de nossas missões regulares que se concentram em comprometer a Coroa.

Eu me viro para apoiar na parede, fecho os olhos e sorrio, um calor agradável se espalhando pelo meu peito ao imaginar a vida retornando aos olhos dos petizes quando se derem conta de que estão livres. Livres *de verdade* — de uma forma que duvido que eu algum dya venha a entender por completo.

Torne-se indispensável e as pessoas cravarão suas garras. Não importa se são boas ou ruins ou se são algo entre os dois. É o que minha experiência diz, se tem uma coisa que aprendi na vida.

Mesmo assim...

Espero que os petizes gostem do Floreio. Nunca estive no refúgio subterrâneo governado pelo Flama e, ainda que tenha ouvido falar que fica em algum lugar no sul, acho que nunca saberei com certeza.

Nem verei com meus próprios olhos.

Isso seria considerado aposentadoria, e duvido que o líder do Fíur du Ath tenha qualquer interesse em abrir mão de minha utilidade, não quando pode me recrutar para seguir em missões que eu aceito com alegria. Sobretudo nas tarefas que terminam assim, me enchendo de uma sensação calorosa de contentamento momentâneo. Como se eu tivesse acabado de limpar uma das muitas manchas desse mundo grande e belo que eu quero, com todas minhas forças, amar.

Além disso, não sei dizer se a aposentadoria combinaria comigo. Não do tipo que, sem dúvida, seria acompanhada de uma viagem só de ida para o Floreio. Acho que ficaria com coceira na mão para voltar.

Há muito lixo para ser jogado fora.

*S*aio em uma das perigosas pontes suspensas que se estendem entre as duas metades do muro — a cidade silenciosa tão abaixo de mim. Elevando-se em trinta e três andares, esta é a mais alta dentre as pontes, que nunca é usada por ninguém e está coberta por camadas de neve que rangem sob minhas botas.

Chegando ao meio, me deito no chão — isso é o mais perto das nuvens que consigo chegar —, deixando o frio penetrar em minha roupa. Em minha carne e em meus ossos.

Mais fundo.

Fecho os olhos.

Flocos gordos de neve caem sobre meu rosto e sobre as mãos frouxas, e eu me concentro em cada ponto de contato gelado, relaxando os músculos, liberando parte da tensão que acumulei durante o torpor.

Eu me imagino como um dragão, com as asas estendidas, inclino e me agito entre as nuvens cor-de-rosa, tão acima do mundo que tudo o que ouço são os batimentos cardíacos e o baque pesado de minhas asas imaginárias. Tudo o que *sinto* é a força de flexão do meu corpo. Sem amarras.

Livre.

Uma calma gelada se instala dentro de mim como um animal aninhado, e eu mexo os dedos dos pés e das mãos, voltando pouco a pouco à realidade.

Abro os olhos e espio através de uma fenda nas nuvens para a lua de um fundífera falecido que repousa sobre a cidade.

Talvez a maior que eu já tenha visto — enrolada em uma bola apertada, com a cabeça enfiada embaixo da asa, a plumagem petrificante pintada em tons de roxo, rosa e azul.

Fico olhando para ele, lembrando a vez que Ruse mencionou a história triste de como aquele dragão foi parar ali, não que eu tenha procurado saber detalhes. Na verdade, acho que dei meia-volta e saí da loja dela sem olhar para trás.

A tristeza é como pedras que se acumulam dentro de você, dificultando a movimentação. A ignorância é o meu tônico de autopreservação, e vou defendê-la até morrer.

Às vezes, no entanto, quando estou deitada no que parece ser o topo do mundo, com uma cidade adormecida embaixo de mim, eu me pergunto se a lua se sente tentada a cair. Para esmagar Ghora em um ataque de rancor pelo que a fez subir ali e se empoleirar na capital ornamentada do Breu como uma ameaça persistente.

Talvez eu esteja errada. Talvez cada vestígio da consciência de um dragão se dissolva no momento em que eles se solidificam, e não seja eles que *decidem* cair. Talvez outra coisa os arranque do céu.

E talvez esse dragão não tenha pensado em muita coisa quando decidiu se enrolar ali. Talvez não tenha sido movido por pensamentos de vingança, como eu gosto de acreditar.

Talvez tenha sido apenas um local conveniente para morrer.

Com o olhar ainda fixo na lua, enfio a mão no bolso, pego a cotovia de pergaminho que recebi na Fenda da Fome e a levanto acima do rosto, desdobrando as asas, o bico e o corpo até ficar com um quadrado ondulado rabiscado com a letra de Essi.

Espero que você tenha pegado sua mão, pois sei que só vai ler isso depois de terminar. O que causa ansiedade, só para deixar claro. E se eu precisar desesperadamente de um bastão de portônio para evitar que o mundo desmorone e você estiver ocupada demais gravando palavras no peito de alguém para desdobrar minha cotovia, ainda enfiada no seu bolso? Pense no mundo, Raeve. E na hiperfixação atual.

De qualquer forma, aqui está uma lista muito importante que estou enviando porque sei o que você acha de eu ir sozinha para a Cidade Baixa. A paciência é minha maior e mais impressionante virtude.

Dou uma risada pelo nariz.

Essi tem a paciência de uma órfã faminta que crava os dentes em uma alma, e nem um tiquinho a mais. Mas ainda bem que ela pensa o contrário. O entusiasmo lhe cai bem.

- *Um pedaço de ferro do tamanho de uma mão (para que eu possa fazer mais pinos para sua bota)*

- *Três raspagens de presa de ceifassabre (de preferência de um animal maduro, que já tenha passado da décima troca de pele)*
- *Um bastão de gravação de 0,0112 reforçado o suficiente para escavar diamante (Só entregue esta lista para Ruse, porque ela não deve fazer sentido algum para você)*

— Mais inteligentes do que sua idade diz — brinco, olhando para a lista que continua mais abaixo.

- *Um frasco de pó de maritraça fofa. Ou, se não tiverem em estoque, você pode pegar uma para mim? Por favor? Eu mesma posso coletar o pó e depois liberá-la. Prometo.*

Eu me encolho, lembrando a última vez que andei por aí pelo Fosso, armada com um frasco de vidro e uma tampa esburacada.

Meu corpo todo treme, quase me sacudindo de fora para dentro.

Nunca vou me esquecer da maneira como a maritraça guinchou. Eu nem sabia que elas *podiam* guinchar.

— Pegue a droga da maritraça sozinha — murmuro, sabendo muito bem que pegarei a merda da maritraça se a merda da loja não tiver frascos da merda do pó.

Meus olhos se estreitam com o último pedido, meio escondido por uma mancha de sangue de Tarik Relaken.

- *E, por último, por favor, vá até a Cidade Baixa e* ●●∷●▪●●●∷●▪ *É muito, muito, muito importante.*

Claro que é.

Suspiro, tentando raspar o sangue, apesar de saber muito bem que isso não vai funcionar.

De acordo com Essi, há *muitas* coisas importantes a serem encontradas na imunda e podre Cidade Baixa. O que faz sentido para alguém cujo mundo já girou em torno da fenda profunda e escarpada no chão sob o muro.

Minha mente se volta para o momento em que a encontrei saindo correndo dos banheiros dos mineiros com um pedaço de pão velho roubado em suas mãos imundas, subnutrida, vestida com trapos, com o cabelo raspado porque ela aprendeu que os homens são menos incomodados do que as mulheres lá embaixo.

Ela me disse que nasceu em um poço abandonado e que seus pais saíram para um turno nas minas e não voltaram, há muito tempo. Que ela nunca tinha visto o céu. Não sabia o que era a aurora, nem que acordamos e dormimos no ritmo de sua ascensão e queda.

Eu ainda estava coberta com o sangue de um supervisor que peguei fazendo coisas terríveis a um mineiro quando levei Essi para conhecer o céu e depois prometi mantê-la segura. É mais difícil do que se imagina quando tudo de que ela precisa parece vir da maldita Cidade Baixa. Ao contrário do que ela se vangloria, é raro que ela seja paciente o bastante para me enviar uma lista de suprimentos.

Franzindo a testa para a cotovia achatada, tento raspar o sangue de novo, sem sucesso, depois a coloco no bolso e olho fixo para a lua, com as mãos fechadas na cintura.

Mesmo que eu *soubesse* o que está rabiscado sob o respingo de sangue, deveria me manter distante até receber a notícia de que os petizes das celas de Tarik estão fora de Ghora. Mas posso buscar todo o resto para Essi se eu ficar fora depois da ascensão. De qualquer forma, é melhor não ir direto para casa, considerando que optei por não eliminar a ponta solta misteriosa e cheirosa que pode ou não acreditar que eu matei Tarik Relaken.

Pelos Criadores.

Por que eu fiz isso?

Eu costumo cortar primeiro e não pensar depois. Prefiro quando sou assim. Agora, tenho que passar uma pequena eternidade olhando para trás, me certificando de que a decisão não vai me prejudicar.

Registro no diário

Elluin Neván

Idade: 9 fases
5.000.030 fases Depois da Pedra

Mamãin e papaih dizem que sou muito jovem para ter um dragão, e não importa que os plumaluas na capoeira do palácio me deixem dormir com eles. Dizem que os plumaluas selvagens cairão do céu no momento em que eu pisar em seus locais de desova, então me pegarão, me sacudirão até eu ficar mole e me darão de comer aos filhotes.

Acho que isso é um monte de merda de sanhaço. E não acho muito justo que eu tenha que esperar até as 18 fases para descobrir por conta própria o tamanho desse monte.

Papaih falou que eu poderia apresentar meu argumento quando ouvisse as canções elementares e aprendesse a falá-las de forma correta, mas acho que isso também é uma grande merda de sanhaço. Haedeon esperou muito tempo e nunca cantaram para ele. E eu tenho prestado muita atenção, a cada ciclo, cantando para a neve, o ar, o solo e as chamas. Ninguém está cantando de volta, a não ser mamãin e papaih na hora do torpor.

Não que eu me importe. De qualquer forma, não quero usar aquela pedra boba. Mamãin sempre parece tão cansada, como se a cabeça estivesse pesada. A coroa de papaih também parece pesada, mas não da mesma forma. As pedras da coroa dele são tão bonitas e brilhantes que o fazem parecer orgulhoso e importante. A pedra na coroa de mamãin é tão preta que parece que alguém poderia cair direto nela.

Às vezes, vejo mamãin se esforçando muito para tirar o diadema enquanto grita, chora e se encolhe toda. Isso faz meu coração doer.

Acho que essa pedra não é muito boa para a mamãin.

No último torpor, eu a encontrei do lado de fora, chorando no escuro enquanto a neve que caía grudava em seu cabelo. Os sons tristes dela também me fizeram chorar.

Cantei uma música que esperava que a fizesse se sentir melhor, mas ela só chorou mais.

Ela limpou minhas bochechas e me disse que ficaria bem. Que havia perdido algo importante, mas que meus abraços a faziam se sentir muito melhor.

Papaih nos encontrou nesse momento. Ele a pegou e a levou para dentro, depois me aconchegou em minha cama, me deu um beijo no nariz e me disse que tudo faria sentido quando eu tivesse mais idade...

Acho que não quero entender.

Raeve

CAPÍTULO 7

$\mathcal{A}$s nuvens inchadas rumam para o norte a tempo de a aurora despontar no horizonte leste — dez fitas prateadas luminosas que se movem em um ritmo hipnótico próprio. O mundo ganha vida com o grito distante dos fundíferas, seus bocejos estridentes ameaçando dividir o céu.

Me levanto da ponte suspensa, gemendo, as pernas um tanto rígidas após me livrar do corpo de Tarik e ficar deitada na neve. Bocejando, me dirijo ao lado norte, descendo trinta e três andares de escadas íngremes até chegar ao térreo e me deparar com a multidão já frenética.

O Fosso está repleto de pessoas realizando tarefas matinais: limpando a neve acumulada diante das portas, cortando lenha e indo buscar garrafas de leite de búfal deixadas sob os beirais daqueles que podem pagar por isso. Os comerciantes passam em carrinhos puxados por búfal carregados de tinturas, dispositivos rúnicos e caixas de alimentos exóticos, montando suas lojas para o dya.

Uma infinidade de cotovias de pergaminho se agita no ar, esvoaçando entre as pessoas e pousando nas mãos estendidas, embora algumas não tenham direção alguma. Cotovias fantasmas — talvez destinadas a alguém perdido — que agora passam sua existência dançando com as maritraças fofas que estou cansada demais para perseguir.

— *Por favor*, tenha potes de poeira — murmuro, passando pela multidão.

Paro em frente a uma loja que ainda não abriu e finjo que estou olhando a vitrine, enquanto verifico se não estou sendo seguida e aproveito a oportunidade para me certificar de que meu véu ainda esconde bem a metade inferior do meu rosto. Que não há manchas de sangue em nenhum lugar do meu vestido, justo na cintura, com o franzido enfatizando meus quadris cheios.

O espartilho apertado faz com que meus seios, já grandes, quase saltem do decote e, ainda que essa roupa tenha cumprido seu papel no último torpor, pareço arrumada demais entre as pessoas recém-acordadas que se agitam no Fosso às costas. Não é o ideal.

Pego a cauda do meu véu e o rearranjo de modo que cubra meu busto, escondendo toda a minha pele pálida e firme.

Muito melhor.

Eu me movimento em meio à multidão até chegar a uma loja na zona norte, escondida sob uma calha eólica. A luz do sol, rosada e pulverulenta, atravessa o local com um sopro de ar fresco, agitando as plantas que pendem do beiral da loja. Seu nome está gravado em uma placa de pedra colocada entre o vitral, que parece uma montagem de plumagem de fundífera.

Abro a porta e dou um passo para dentro da loja comprida e alta, forrada com fileiras de prateleiras até o teto, repletas de tudo de que um runi poderia precisar: pilhas quadradas de pergaminho liso com linhas de ativação pré--desenhadas, pequenos frascos de tintura fechados com etiquetas penduradas, livros encadernados em couro tingidos de várias cores para combinar com suas bordas coloridas. Há uma abundância de penas, frascos com várias hastes de gravura e pedaços de diferentes minérios e pedras preciosas.

Na metade do caminho, paro e observo um bando vibrante de cotovias de pergaminho que se agitam nas prateleiras com penas presas em suas extremidades, parecendo miniaturas de fundíferas.

A cada vez que venho aqui, o bando dobra de tamanho. Tenho certeza disso.

— Feche a porta antes que meus animais de estimação escapem — grita Ruse do fundo da loja —, ou você nunca mais fará negócios aqui enquanto viver.

Eu fecho a porta e me enfio entre as prateleiras.

— Você sabe que eu as capturaria de volta por você, Ruse.

— Não me venha de conversinha, Raeve. Já estou por aqui com esse inventário e a um fio de cabelo de perder a cabeça.

Contorno as últimas prateleiras, chegando a um balcão de pedra que domina a parte de trás da loja. Ruse está sentada atrás dele, curvada sobre uma tigela repleta de insetos blindados com carapaças marrons entrelaçadas que podem envolver seus corpos e os contorcer em pequenas bolas de pedra.

Um a um, Ruse os enfia pelo gargalo de garrafas recheadas com um raminho de verdura e meio centímetro de terra cor de ferrugem, marcando linhas em um pergaminho ao lado a cada *plop* pesado.

Eu a observo trabalhar, com seu emaranhado selvagem de cachos em um tom brilhante de laranja.

— Parece um tédio.

— Quero me empalar com essa pena — murmura ela, depois coloca a rolha na garrafa que está enchendo e apoia uma tampa na tigela. Ela junta as mãos, um sorriso largo no rosto enquanto me espia com olhos bonitos e brilhantes. — Como posso ajudá-la?

Entrego a lista de Essi para ela.

O tufo branco de uma cauda esguia se ergue de trás do balcão, mexendo para a frente e para trás, o que me faz sorrir.

— Oi, Uno.

O tufo se agita mais rápido antes de roçar com carinho a mandíbula de Ruse, e ela abre um semblante de adoração enquanto passa a mão por baixo do balcão, sem dúvida para esfregar Uno atrás das orelhas.

Eu me pergunto o quanto ela cresceu. Os almíscurus são tão escassos e cobiçados que é raro que eu veja mais do que a cauda expressiva da criatura que adora Ruse como uma mãe. O que é uma pena.

Ela é uma coisinha tão fofa.

Ruse cantarola, ainda percorrendo a lista com o olhar.

— Não posso ajudar com o que quer que esteja debaixo da mancha de sangue — murmura ela, levantando a mão para arranhá-la. — Trabalho pesado?

— Infelizmente. — Dou de ombros. — Ele era daqueles que esguicham.

— Ah.

— Você tem alguma das outras coisas em estoque?

— Você está com sorte — diz ela, dando uma piscadela. — Eu tenho tudo.

Suspiro aliviada, grata por não ter que repetir o desastre do pote.

Ruse pega uma sacola de pano e se movimenta pelo balcão, cantarolando enquanto se desloca entre as prateleiras. Ao voltar, ela coloca a sacola carregada diante de mim e se senta de novo, puxando um grande livro de registro encadernado em couro. Ela abre a capa, folheia o livro até se fixar em uma página com o título:

Pedrassangue de Dragão: 721 BDS

Arregalo os olhos.

Não fazia ideia de que eu tinha tanta moeda, os dígitos inflados como um comentário contínuo de quantos corpos empurrei do muro para serem destruídos pelos predadores que vivem embaixo.

— Vejo que seus números cresceram desde...

O rabisco que indica meu poço de riqueza escorre da página como tinta aguada soprada de uma superfície lisa, antes que novos dígitos apareçam em seu lugar.

Dígitos *menores*.

Franzo a testa.

Acho que Sereme decidiu me cobrar pela missão em que implorei apoio ao Flama, o que só fiz porque eu não tinha como salvar todos aqueles petizes sozinha.

Que adorável.

Um lembrete claro de que a mão que dá pode *tirar* com a mesma avidez.

Ruse pigarreia, deslizando seus óculos cor-de-rosa mais para baixo do nariz, olhando para mim por baixo de um leque de cílios laranja.

— Torpor movimentado?

— Não com o tipo de *movimento* de que eles gostam, ao que parece.

Ela me dá um sorriso triste, depois se recompõe e volta a ser a imagem de uma *lojista estoica*.

— Bem, além das compras da lista, gostaria de gastar mais um pouco das suas *seiscentas e dez* pedrassangue de dragão?

Dou risada.

— Na verdade... — Olho para meu vestido, passando as mãos sobre o tecido grosso e avermelhado. — Tive que jogar uma camada disso para o troglo. Tem como substituir?

— Não será um problema. — Ela passa o olhar pelo meu conjunto e depois se volta para o livro, mergulhando uma pena azul ornada em um pote de tinta para riscar algo na minha página. — Mais alguma coisa?

Volto a pensar nos momentos que se seguiram à morte de Tarik. Ao fascínio silencioso que senti por um homem com sotaque carregado que eu talvez devesse ter assassinado. Mas não o fiz. Porque ele era cheiroso.

— Tem lâminas de dente de serra?

Ela faz uma pausa, olhando para mim por baixo de uma sobrancelha arqueada.

— Está planejando cortar alguém?

Espero que não.

Dou de ombros.

Cantarolando de novo, ela gira em sua cadeira e se levanta, segurando na parede de pedra atrás dela. Que, *na verdade*, é uma cortina de pedras que ondula quando ela a abre, revelando a extensão total e sombria da loja, tão profunda que é difícil ver o fim, as paredes reais alinhadas com cofres de pedrassangue, armas, armaduras e várias infantarias.

Ela destranca um dos muitos repositórios gradeados, pega uma pequena serra e a leva até mim, fechando a cortina antes de me passar a arma.

Avalio o peso em minha mão, jogando para a outra.

— Está em bom estado, mas um pouco menos de peso no cabo seria melhor.

Ela concorda, riscando outra coisa em minha página.

— Onde vai esconder?

— Na coxa.

— Bainha?

— Couro de búfal. De preferência, tingido de marrom pedragrado, com as fivelas feitas de qualquer coisa que não seja um *composto de ferro* — dizemos as duas últimas palavras em uníssono, e o mais leve sorriso surge na boca da lojista enquanto escreve.

— Mandarei forjar uma de acordo com suas necessidades de tamanho e, quando estiver pronta para ser inspecionada, enviarei uma cotovia de pergaminho. Talvez até a próxima aurora, se você quiser que seja rápido e estiver disposta a pagar mais?

— Combinado.

Eu gostaria que fosse logo. Só para o caso de *o tal homem encapuzado* decidir provar que eu estava errada sobre a caixa em que o coloquei.

— Alguma retirada neste dya?

— Não, mas voltarei assim que descansar para sacar tudo e distribuir mais pedrassangue de novo. As pessoas estão morrendo de fome na Cidade Baixa e ninguém está fazendo nada a respeito.

— Como quiser.

Ruse anota algo em um bloco de notas enquanto eu me lembro da minha primeira rodada de *salários*. Um pagamento sangrento por um ato sangrento. Era assim que eu enxergava.

Nada mudou.

Eu só guardo o que preciso para sobreviver, para fazer meu trabalho e cuidar de Essi. Minhas doações periódicas para os pobres, doentes e famintos são meu *foda-se* silencioso para aqueles que acham que podem me apaziguar ao oferecer pagamentos e aprovar minhas missões movidas pela paixão.

Isso me faz sentir como se estivesse ganhando, mesmo que não esteja.

— Vou me certificar de que teremos o suficiente para o saque — disse Ruse, com a pena ornada se contorcendo enquanto ela riscava. — Se o rei se esforçasse tanto para alimentar os pobres quanto você, o Breu seria um lugar muito melhor no qual se viver.

Como se isso fosse acontecer.

Duvido que ele já tenha passado fome antes. Não mesmo. Se ele conhecesse o peso dessa dor oca, talvez não fosse tão incompetente — se bem que talvez não seja assim. Você pode remodelar um cocô infinitas vezes, mas ele continua sendo um cocô.

Ainda fede.

Ruse fecha o livro de registro.

— Entrarei em contato para falar do vestido. Dadas as suas... exigências *especiais*, pode demorar um pouco para o comerciante que importou o material do Lume conseguir mais da mesma cor.

— Sem pressa — respondo, pegando minha sacola cheia de coisas para Essi. — Qualquer outro material me deixa na mão. Prefiro que seja feito com o tecido certo.

Ela inclina a cabeça em sinal de reconhecimento, e eu me viro para sair.

— Não tão rápido, Raeve.

Eu paro e olho por cima do ombro, com as sobrancelhas franzidas, quando Ruse acena para mim com uma cotovia de pergaminho recém-desdobrada.

— Peço desculpas. Sei que está cansada, mas Sereme quer se encontrar com você.

Toda a tensão que eu me esforcei tanto para extinguir enquanto estava deitada na ponte volta à tona, fazendo com que eu sinta como se as cordas do meu coração estivessem sendo amarradas em um bastidor.

— Diga a ela que voltarei assim que tiver dormido.

Se ela não pode se dar ao trabalho de descer as escadas para solicitar minha presença, ela não está com o tipo de humor com que quero lidar. Com certeza não enquanto estou com fome, sem dormir e com uma paciência cada vez menor.

Estou três passos mais perto da saída quando a voz de Ruse me persegue como o estalo de um chicote em meus tornozelos:

— Foi uma ordem, Raeve. Não um pedido.

A algema é *puxada*.

Suspiro, olho para o teto e conto até dez antes de assentir, depois me dirijo para a porta sem revestimento no canto da loja e a abro.

— Como você consegue ficar perto dessa serpente manipuladora é algo que nunca vou conseguir entender — murmuro alto o suficiente para que Ruse ouça.

Talvez Sereme também.

A risada de Ruse me persegue por todo o caminho da escada até o covil da serpente.

Raeve

CAPÍTULO 8

— $\mathcal{E}$u *ouvi* isso — avisa Sereme, a voz como uma lâmina afiada.

Eu solto meu véu e entro em seu longo escritório, olhando para o espaço arrumado que ostenta uma quantidade extravagante de roxo.

Tapetes, poltronas almofadadas, paredes, estantes...

Não há como escapar. Acho que eu até *gostaria* da cor se não tivesse sido tratada como um arranhador quase todas as vezes que pisei nesse cômodo.

— O quê? — pergunto quando vejo Sereme próxima à grande janela de vidro roxo que dá para o Fosso abaixo. — Eu fico chocada, de verdade. Ruse merece um aumento só por aturar suas merdas o tempo todo.

Sereme gira, me atravessando com seu olhar prateado e frio, o rosto anguloso maquiado com perfeição — como sempre. Nunca há um fio de cabelo fora do lugar ou uma mancha à vista. Ela está vestindo um casaco roxo grosso bem moldado ao corpo, com tufos de pelo branco que se espalham entre cada costura, combinando com a cor de seu cabelo penteado. Uma conta branca de runi está pendurada no lóbulo da orelha.

Meus olhos se estreitam na corrente em seu pescoço, presa a um frasco de prata gravado com runas luminosas, e cada célula do meu corpo grita para que eu avance e o arranque.

Para que jogue seu conteúdo pelo ralo.

Em vez disso, vou em direção à escrivaninha enorme que domina o espaço, com tudo perfeitamente posicionado. Coloco a bolsa no chão e me jogo na poltrona retangular reservada para visitantes, apoiando as pernas em um dos braços da poltrona.

— Eu seguro minha língua em qualquer outro lugar, mas me recuso a fazer isso aqui. Fique à vontade para me liberar se isso a incomoda tanto — provoco, pestanejando afetadamente. — Juro que não vou reclamar. Muito pelo contrário. Posso até cometer um ou outro assassinato em nome da causa quando não estiver caçando as pessoas que *quero* de fato caçar.

Assassinos.

Abusadores de crianças.

Reis incompetentes.

O músculo da mandíbula de Sereme se aperta, seus olhos endurecem como minério derretido jogado em um leito de neve.

— Você passaria dificuldade se fosse forçada a viver como as massas, Raeve, sem o apoio ilimitado de Ath. Não se esqueça que somos nós que enchemos seus bolsos. Não haveria mais pedrassangue de dragão para distribuir por toda a Cidade Baixa pra que você tenha essa falsa sensação de importância sem a qual parece não conseguir viver.

Parece que nenhuma de nós está disposta a se comportar direito.

Tiro uma lâmina do corpete e bato com as botas na mesa dela, empurrando algumas de suas penas alinhadas com perfeição.

— Não finja que se importa com meu bem-estar. Você não se importa — retruco, virando a arma entre meus dedos. — Você não passa da biscate que prendeu uma algema em meu pulso e disse que isso era compaixão.

A veia na têmpora de Sereme incha tanto que torço em segredo para que ela estoure.

— É de se surpreender que você fale comigo com tanto desrespeito, considerando a tal *algema*.

— Sim, sim — murmuro, usando a lâmina para tirar um pouco do sangue seco de Tarik de baixo de minhas unhas. — A que devo a honra de ter sido convocada para o seu covil, Sereme?

Ela me fita, observando enquanto jogo sangue endurecido em seu tapete roxo felpudo. É sempre interessante ver o quanto posso provocá-la antes que ela me afaste de seu espaço como um inseto pernalta que não consegue erradicar com a rapidez necessária. Torço para que um dya ela acabe decidindo que minha presença é incômoda demais para valer a pena.

Sereme caminha em minha direção e senta no trono roxo e grande atrás do que considero nossa barricada improvisada, cruzando as mãos sobre a mesa.

— Eu queria me certificar de que você recebeu minha cotovia de pergaminho.

— A missão está completa? — pergunto, com a sobrancelha arqueada.

— Nada foi confirmado ainda. Estou falando daquele que mandei no último ciclo, um pouco antes da queda da aurora.

Novas ordens.

Adorável.

Perco o interesse, meu olhar se volta para as unhas de novo, procurando por mais sujeira.

— Deve ter se perdido. Talvez ela volte a circular depois que eu dormir, como costuma acontecer. É tão atencioso da parte dela. Você deveria aprender.

Sinto a frustração latente dela surgir como uma nuvem de tempestade que preenche o ar com uma carga estática.

Mesmo assim, continuo cutucando a unha.

Cutucando.

Cutucando.

— Engraçado que você é a única que tem problemas para receber minhas cotovias.

— Um dos grandes mistérios do mundo.

— Duvido. — Uma breve pausa, e então ela adiciona: — O plumalua de Rekk está na capoeira da cidade.

Meu coração para; ergo o rosto, mergulhando no olhar de pedra de Sereme.

— Quem ele está caçando?

— Nós.

Meu xingamento em resposta é tão afiado quanto a lâmina em minha mão.

— Ele foi contratado pela Coroa e está aqui para acabar com a nossa rebelião. Para nos impedir de drenar o reino de seus novos recrutas.

Bom, ele precisa morrer.

Tiro os pés da mesa e embainho minha lâmina.

— Pode deixar ele comigo — respondo, com um tom de voz ansioso.

Todas as vezes que vi o caçador de recompensas, as esporas de metal na parte de trás de suas botas estavam cobertas de sangue. Não é preciso ter muita imaginação para descobrir a quem o sangue pertence. Bem provável que seja do pobre plumalua que pelo visto ele encantou depois de assassinar seu antigo cavaleiro, se os rumores forem verdadeiros.

Terei um enorme prazer em acabar com ele.

Eu me levanto da poltrona...

— Não — avisa Sereme, e eu franzo a testa.

— O que você quer dizer com *não*?

— *Sente-se*, Raeve.

Suspiro, depois faço o que ela ordenou, detestando o brilho de satisfação em seu olhar.

— Por que você não quer que eu o mate? — pergunto entredentes. — É isso que eu faço. Cuido das tarefas que ninguém mais quer fazer, limpando o caminho de qualquer sujeira que possa impedir Ath de completar suas missões. Rekk está no *caminho*, Sereme. Ele está colocando outras lâminas em risco, aquelas que eu respeito, bem, pelo menos a *maioria* delas.

Ela me olha impassível, o que não provoca reação alguma em mim, embora talvez fosse diferente se ela tivesse feito qualquer coisa para ganhar meu respeito.

— Me. Deixe. Acabar. Com. Ele.

— Não.

Essa porra de palavra de novo.

— Por que não?

— Porque ele é uma isca bem vigiada.

— Então sou perfeita para o trabalho.

— *Não* — repreende ela pela terceira vez. — Suas instruções são para ficar escondida até que ele desapareça. Isso significa nada de assassinatos aleatórios quando encontrar alguém fazendo algo que não deveria, ou quando ouvir alguém pedindo ajuda. Nada de trabalhos. Não até que eu diga o contrário. Você só sairá de casa para comprar comida ou para vir até mim se eu a chamar.

Franzo a testa, os pensamentos se agitando com força e rapidez, transformando-se em uma tempestade de neve presa sob minhas costelas. Não há um único golpe que Rekk Zharos não tenha acertado, portanto ele não sairá desta cidade sem sangue na ponta de seu chicote farpado.

— Se não acabarmos com ele, ele vai matar uma das nossas, e a coisa vai ser feia.

— Eu sei bem disso — responde ela, entre os lábios apertados, e o tom de severidade em sua língua afiada de serpente me irrita.

O que significa...

Ela vai jogar alguém considerado *menos útil* para ele. Um sacrifício para a voraz Coroa.

Algo dentro de mim se estilhaça, curvando-se sob um peso imenso que pressiona minhas costelas, e meu lábio superior se curva.

— Se você alimentar o monstro, mais pessoas sairão das sombras. Quando o cheiro de sangue contamina o ar, eles *não... param... de... vir.*

Sereme suspira, esticando a mão sobre a mesa para endireitar a coleção de penas.

— Vai me dizer como fazer meu trabalho de novo, Raeve?

Já estou ficando cansada de fazer isso também.

— Toda vez que interceptamos um vagão de transporte cheio de jovens recrutas elementares, isso é um curativo em um problema muito maior. Enquanto o rei continuar governando, haverá mais carruagens. Mais caçadores de recompensas. Mais morte e sofrimento.

Mesmo assim, seus olhos estão fixos nas penas, como se ela valorizasse mais essa tarefa do que tudo o que o Fíur du Ath *deveria* representar.

Bato as mãos na mesa e derrubo as penas pelo chão.

— E os doentes? Os famintos? Os nulos?

Devagar, ela puxa a mão para trás, me vasculhando com olhos arregalados.

— Passamos todo o torpor salvando cinquenta e sete nulos. A *seu* pedido...

— Uma operação que eu mesma financiei — corto, levantando a sobrancelha. — Ou talvez você tenha pensado que eu não notaria, já que não verifico minhas reservas com frequência?

— É claro que eu reduzi suas reservas — provoca ela. — Executar uma operação em grande escala como essa é caro de uma forma que você nunca entenderá. Arriscamos toda a nossa causa para mantê-la feliz. Prejudicamos o progresso político. Alguém tinha que pagar.

Para *me* manter feliz.

Pois é.

— Sabe o que isso me diz? — questiono, com uma risada sem graça alguma. — Que Ath não valoriza os nulos tanto quanto valoriza os elementares. Eu não vou até a Cidade Baixa só para "distribuir pedrassangue", Sereme. Eu vou até lá para ver se alguém precisa de ajuda, porque o resto das pessoas parece estar cagando pra isso.

Ela pega o frasco que está pendurado entre seus seios.

Que merda.

Eu me preparo quando ela raspa a ponta de sua unha bem-feita no sulco da minha runa...

Todo o meu corpo se sacode, a mesma sensação de arranhão marcando uma das minhas costelas como uma lâmina de filetagem.

— Por que você não pode só ser *feliz*? — indaga ela enquanto minha respiração fica curta e aguda, mas não tiro os olhos fixos na mulher venenosa. — Você está nas graças do Flama. Ele faz mais por você do que *jamais* fez por qualquer outra pessoa. Isso não basta?

Eu me inclino para o lado com uma mão trêmula, sem conseguir entender o tom de inveja em sua voz. Para além de nunca ter conhecido Flama, ser sua favorita está caindo rápido para o fim da minha lista de prioridades.

Ela levanta a unha, as sobrancelhas erguidas, o dedo pronto para acabar comigo de novo.

Criadores, eu detesto essa mulher.

— É difícil ser feliz quando o rei está minando jovens mentes elementares até que se tornem monstros assassinos desmiolados. Quando milhares de pessoas *menos valorizadas* estão apodrecendo na Cidade Baixa, sem conseguir sobreviver nas minas, escravos das engrenagens bem lubrificadas do reino. — Limpando as gotas de suor da minha testa, tiro do bolso o aviso que arranquei da parede e o atiro sobre a mesa, ainda que Sereme mal olhe para ele. — Se não usurparmos o rei, estou convencida de que as coisas ficarão muito, muito piores.

— Agora não — diz ela em um tom firme e uniforme. — Não até que o Flama determine que seja assim.

Mesma história, dya diferente.

— Que se foda o Flama.

Outro arranhão sádico de sua unha, desta vez percorrendo os nós de minha coluna. Mais uma série de respirações sibilantes, e eu me contorço de vontade de subir na mesa e arrancar seus globos oculares — que se danem as repercussões.

Mas mantenho a compostura, a dor ainda cortando minhas vértebras arqueadas como pedras saltando enquanto falo entre dentes cerrados.

— Cortar a garganta do rei Cadok Vaegor não só evitará que eu seja um pé no saco como também protegerá a causa.

Ela solta o frasco.

Eu engulo meu alívio. Recusando-me a dar essa satisfação a ela, aponto um dedo instável para o aviso que foi colocado para causar danos irreparáveis.

— Ninguém vai suspeitar de nada, já que nosso nome está envolvido em todo esse furor.

— Matar o rei sem um plano completo e bem construído deixaria a rainha no comando.

— Perfeito. — Eu jogo as mãos para o alto, imaginando por que isso foi apresentado como algo negativo quando é disso *mesmo* que este reino precisa. — Esta é a terra dos ancestrais dela. Ela *deveria* estar no comando.

— O Tri-Conselho nunca permitiria isso. A rainha Dothea só pode falar com Clode.

Um gosto amargo cobre minha língua.

— Eles não têm um filho com três contas?

— O príncipe Turun não é visto há muitas fases. Alguns dizem que ele enlouqueceu e, em vez de tornar o problema público, o rei ficou muito feliz em escondê-lo.

— Aposto que ele ainda é mais competente do que o rei Cadok Vaegor. Talvez ele volte à tona quando os restos de seu paih fertilizarem o solo?

Sereme me olha como se estivesse mais do que pronta para pegar a vassoura e me varrer em direção à porta.

— Mais uma vez, Raeve, você supõe que sua opinião sobre o assunto importa. Não importa. Sua única função é seguir minhas ordens. Quando eu mandar enfiar a faca, você deve perguntar a profundidade. Quando eu disser para deixar o Rekk Zharos em paz, você deixará a *porra* do Rekk Zharos em paz.

É estranho ouvi-la falar palavrões. Talvez eu levantasse o punho e considerasse isso uma vitória, se a raiva não estivesse se agitando por dentro de mim como uma bola de neve que cresce a cada vez que rola.

— Como você consegue viver consigo mesma? Sério.

Ela agarra o frasco de novo, e estremeço por inteiro.

A satisfação acende seus olhos, um sorriso nos lábios que faz meu sangue ferver.

— Essas decisões não são fáceis de serem tomadas, mas devo colocar a causa acima de tudo. Sua forte afinidade com Clode, sua habilidade com a lâmina e aquele lado selvagem que vislumbrei antes de você desmaiar na Cidade Baixa, na primeira vez que nos encontramos, fazem de você uma ferramenta essencial da qual não podemos prescindir.

Um estrondo gelado se acumula em meu peito.

Eu amaldiçoo o dya em que ela me encontrou, vendo esse meu lado que mal entendo. Não que eu me lembre dessa parte de nosso encontro — escondida em um véu de gelo sob o qual fiquei feliz de me enrolar e definhar.

Mas me lembro dos gritos que, de alguma forma, chegaram até mim. Também me lembro de ter sido confrontada com a certeza de que o que eu estava fazendo não era certo, mas que a parte de mim que estava no controle vivia sob um conjunto diferente de regras.

Que, aos olhos deles, era *inofensivo*.

Mais tarde, Sereme me disse que eu a tinha olhado com olhos negros e brilhantes, com o rosto salpicado de sangue e os caninos à mostra, e que ela soube que já não tinha mais jeito para mim, que eu precisava muitíssimo de um meio para canalizar minha raiva.

Agora, enxergo isso de forma diferente.

Acho que ela me viu, cercada pelos pedacinhos dos corpos das pessoas que vieram me caçar, e decidiu que coisas quebradas são as armas mais *afiadas*... desde que você as aprisione para que não possam fugir.

— Você se virava muito bem sem mim, antes de me arrancar da sarjeta.

— Eu permiti que você escolhesse — protesta ela, rápida como um piscar de olhos.

Uma gargalhada profunda sobe pela minha garganta e se derrama em uma melodia sem graça.

— E que escolha! Morrer ou pingar meu sangue em seu frasco com runas para ser uma escrava, sempre à mercê de seus caprichos, forçada a obedecer a qualquer momento. Só que não foi assim que você explicou, né? Você me ofereceu a oportunidade de me vingar. Criou uma imagem tão atrativa que eu estava *salivando* para dar meu sangue a você, caindo em sua teia como um inseto gordo, colocada para trabalhar no mesmo instante. — *Tantas promessas vazias.* — A ironia é que, se você apenas tivesse pedido para eu me juntar à causa, eu poderia ter concordado, dada a quantidade enorme de injustiças que descobri logo depois neste reino. Mas você *precisava* colocar uma coleira no meu pescoço.

Ela suspira, um suspiro longo e profundo — a confiança de alguém que vive em uma bolha de segurança que não consigo perfurar.

— Sempre tão dramática, Raeve. De verdade, nunca conheci alguém com tanta sede de batalha. — Ela segura o frasco com a mão elegante. — Talvez você não fosse tão amarga se não estivesse sempre me testando, me forçando a tirar proveito da ligação de sangue.

Sim, claro. A culpa é minha.

— Você não vê que foi *feita* para isso? — pergunta Sereme.

— Claro — respondo, inexpressiva. — Nada como a ameaça constante de uma sessão de tortura casual para fazer você se sentir à vontade.

— Não é nada pessoal. Todo mundo coloca o sangue no frasco...

— A não ser *você*.

— ... se beneficiando das muitas vantagens. Lembra-se da rapidez com que consegui curar você? — acrescenta ela, sem se abalar. — Você teria morrido sem ele. Além disso, você é a única que sou obrigada a punir.

— E o que *você* faz pela causa? — pergunto, com a sobrancelha levantada. — Além de chupar o pau metafórico do Flama.

As bochechas dela se ruborizam, os lábios pintados se abrem. Não que alguma palavra saia.

Ergo as sobrancelhas.

Não tão metafórico, ao que parece.

— Você escolheu viver — rosna ela. — Claro, não é mais nos seus termos, mas pelo menos está respirando. Era de se esperar que você fosse mais humilde com aquela que salvou sua vida.

Estalo a língua, tentando imaginar um mundo em que alguém se dignaria a ajudar outra pessoa sem esperar algo em troca.

Não consigo.

Fui resgatada milhares de vezes. Apenas uma única vez foi para meu próprio bem — mas Fallon está morta, sua luz se extinguiu, toda aquela bondade desapareceu do mundo.

Sereme pode pensar que salvou minha vida, mas tudo o que ela fez foi me aprisionar de novo, transformando a morte de Fallon em uma tragédia ainda maior.

Eu preferia estar naquela cela de novo, olhando para as luas que Fallon desenhava no teto com pedaços grosseiros de carvão. Preferia estar ouvindo suas explicações vívidas sobre as nuvens coloridas que cobriam o Grado, suas palavras tão descritivas que eu ficava com água na boca, como se eu pudesse sentir o gosto das cores, sentindo suas texturas soprarem em minha língua.

Ela fazia a liberdade parecer tão requintada com seu vocabulário vasto e bonito. Fazia com que soasse tão *mágica*.

Eu mal podia esperar para saborear as nuvens com ela. Deitar no chão, lado a lado, e olhar para as luas *de verdade*.

Juntas.

Mas ela morreu, e eu estou aqui, acorrentada a essa serpente de escamas roxas. Sem *viver* nada do que prometi a Fallon antes de perdê-la. Antes de acordar e a encontrar fria.

Imóvel.

A lembrança me cutuca como uma farpa gelada enfiada em meu coração duro até o âmago macio, me fazendo sentir uma pontada de dor bruta e familiar...

Não.

Afundo em meu eu interior, aterrissando na margem de obsidiana desintegrada do meu imenso lago congelado, dominado pelo silêncio sinistro que sempre faz minha pele arrepiar. Pego uma pedra do tamanho de um punho que uso para amarrar a lembrança ofensiva e depois me arrasto para a extensão lisa e gelada que acalma as solas nuas dos meus pés.

Ajoelhada, faço um buraco no gelo espesso, com água fria vazando no momento em que ele se solta. Inclino a tampa, coloco o pensamento pesado na abertura e me afasto às pressas, com o cabelo da nuca se eriçando enquanto pisco até voltar à minha realidade externa.

Minha próxima respiração é um sopro de ar gelado, as palavras anteriores de Sereme ainda ecoam em minha mente:

Você escolheu viver.

Claro, não é mais nos seus termos...

Pelo menos está respirando.

Olho para a mulher que me observa pela linha do nariz, parecendo que *adoraria* se eu me ajoelhasse e beijasse seus sapatos roxos.

— Minha vida nunca foi nos meus termos. — Fico de pé, enrolo o véu em volta do rosto e, em seguida, pego as penas do chão e as coloco na mesa, organizando por tamanho. Do jeito de que ela gosta. — E eu me recuso a aceitar *isso* como vida.

Pego minha bolsa e me viro, indo em direção à porta.

— Eu não disse que você poderia *ir*, Raeve.

— Passe a unha na runa de novo — dou de ombros —, veja se eu ligo.

Bato a porta ao sair.

Registro no diário

Elluin Neván

Idade: 9 fases
5.000.030 fases Depois da Pedra

Haedeon sai cedo no ciclo seguinte para tentar roubar seu próprio ovo de plumalua. Ele tem que ir de trenó e passar muitos torpores em tendas de neve no caminho até lá, mesmo que seja perigoso ir além dos muros de Arithia.

Isso me parece bobagem, já que o plumalua de Papaih podia levá-lo até lá tão depressa. Mas Haedeon continua repetindo que é assim que sempre foi feito. Que ele quer se provar.

Não acho que mamãin e papaih queiram que ele prove alguma coisa, porque ouvi os dois implorando para que ele não fosse. Não que tenha dado certo.

Nessa queda da aurora, Haedeon sorriu muito e fez muitas piadas enquanto eu o ajudava a dobrar suas roupas e colocá-las na mochila, mas percebo que ele está com medo. Percebo isso porque ele me deu três biscoitos manteigaba do pote que mantém ao lado de sua cama.

Ele não costuma me dar mais do que um por vez porque diz que vai me dar dor de barriga, o que é mentira. Comi os três e minha barriga está ótima.

Papaih disse que é muito difícil conseguir um ovo de plumalua. Que é preciso ir a Subsulnia, um lugar frio demais para que quase qualquer coisa cresça ou respire, e escalar torres de gelo muito altas sem ser visto. Que você tem que roubar o ovo do ninho de uma mamãin plumalua e depois descer a torre rápido e sem fazer barulho.

Meu irmão é grande e faz muito barulho o tempo todo. Ele não consegue respirar com suavidade nem evitar que suas botas esmaguem a neve. Até mesmo sua voz é áspera e grossa como grãos.

Ele não ouve nenhuma das canções elementares.

Talvez aqueles biscoitos de manteigaba deem mesmo dor de barriga, porque já não estou me sentindo tão bem...

Acho que meu irmão não vai voltar de Subsulnia.

Raeve

CAPÍTULO 10

Bato a porta do Ornato da Pena e avanço para o oeste pelo Fosso turbulento, agora repleto de carrinhos de comerciantes e pessoas se aglomerando para reivindicar os alqueires de vegetais mais baratos que puderem negociar. Eu tinha planejado parar e comer um doce de cinericreme de um dos meus vendedores favoritos no caminho para casa, mas, depois de ter todo o lixo roxo de Sereme enfiado na minha garganta, perdi a vontade.

Um coro de arfadas repletas de pânico me faz parar, olhando em volta, seguindo um mar de olhares voltados para cima.

Meu coração se agita ao ver um fundífera adulto planando quase perto o suficiente para arrancar uma balista do muro com suas garras enormes. Uma rajada de vento desce com a força de suas asas magníficas — quase arrancando meu véu.

Inflando o peito, ele alonga o pescoço, abre a boca e pinta o céu com uma nuvem de chamas que verte calor suficiente no Fosso para tornar a neve escorregadia.

As pessoas gritam, correndo para se abrigarem sob as pontes do céu que, para ser sincera, são para lá de inúteis. Se aquela fera decidisse virar a cabeça e nos incendiar, duvido que qualquer um de nós pudesse fazer algo para impedir.

Flamadraco não obedece às regras da natureza. A linguagem de Ignos não consegue coibi-lo de fazer bolhas na pele. De derreter carne e ossos.

De destruir cidades.

Somente um Daga-Mórrk pode manejar flamadraco — um que esteja tão ligado a seu dragão que possa controlar sua força e seu fogo. Embora a conexão seja mais mito do que realidade.

A fera desliza em direção ao coliseu que está preso entre os dois lados do muro como uma horripilante coroa salpicada de sangue.

— Criadores — murmuro, observando o fundífera circular preguiçoso sobre a estrutura imensa.

O sino alimentar toca alto o suficiente para que eu sinta o som em minha medula, e um silêncio assombroso recai sobre a multidão, o ar se inflamando com o bater frenético de asas. Fundíferas surgem de todas as direções, como trovões, obscurecendo o céu com um tumulto de movimentos vorazes, avançando até a refeição gratuita — suas mandíbulas afiadas apontadas para o coliseu como uma saraivada de flechas.

Eles convergem, atacando uns aos outros, com garras cortantes e penas vibrantes pulverizadas, enquanto lutam por quem quer que esteja amarrado à estaca dentro da estrutura.

Um grito ensurdecedor, seguido de um uivo de angústia de gelar o sangue, ecoa no silencioso Fosso com uma precisão assustadora, quase como se alguém tivesse desejado que Clode carregasse o som para baixo só para nos sacanear. Para nos lembrar das consequências horripilantes para aqueles que irritam a Coroa.

Minhas mãos tremem de raiva, os dedos se enroscando nas dobras do meu vestido, apertando o material grosso.

Eu estaria lá em cima agora, gritando por sangue nos assentos dos espectadores, se quem estivesse sendo oferecido como alimento para as feras fosse um monstro como Tarik Relaken. Mas não é.

Eles nunca são.

São outros como eu, apanhados se disfarçando de nulos. São pessoas que se manifestam contra o rei, ou pais de crianças dotadas que tentam evitar que seus filhos sejam forçados a passar pelo doloroso processo de triagem exigido de toda prole. A raspagem do cabelo. As orelhas perfuradas. A extração de suas casas em troca do balde de pedrassangue fornecido pela Coroa — um agradecimento pela enorme contribuição para a milícia crescente do Grado.

Um curativo insignificante para um coração ferido.

O grito agudo é interrompido pelo som da madeira rachando e minha barriga se revira tão depressa que sinto vontade de vomitar.

Um fundífera vitorioso sai do coliseu, agita as asas emplumadas e se lança ao céu. O sangue vaza de sua boca afiada enquanto a bela e monstruosa criatura desliza para o oeste, um mar de cabeças se virando para vê-la voar ao longo do muro.

Todo o oxigênio é puxado para fora de meus pulmões.

Naquela direção, o muro acaba diminuindo, meio engolida pelo local de desova dos fundíferas: Pantânia. Sempre que eles voam para o oeste com carne fresca, só há um lugar onde a vítima vai parar.

Cuspida em um ninho, alimentando os filhotes do dragão.

Presa viva.

Eu me arrepio da nuca até os pés, meu olhar percorrendo a multidão silenciosa, a maioria olhando para o céu com olhos arregalados, as bocas fechadas como se estivessem trancadas a sete chaves.

Parece que o reino do Grado costumava ser um lugar abençoado pelos Criadores para se viver, onde a risada das crianças ecoava pelo Fosso. Onde o céu em aquarela inspirou uma era de música e artes.

Depois, nosso rei atual foi empossado, preocupando-se apenas com seu poderio militar.

Eu gostaria de ter visto Ghora naquela época, quando o reino estava em seu auge. Gostaria de ter vivenciado a realidade que era colorida em sua essência, não apenas por fora.

Acho que era a essa *vida* que Fallon se referia. Não a isso.

Não pode ser.

Engulo a raiva que ferve em minha garganta, certa de que dentro de mim há ódio o bastante para incinerar esta cidade com um único sopro de ar. Mesmo assim, eu me forço a seguir em frente, ignorando o desejo selvagem de ir até a capoeira da cidade, contratar um caroneiro e voar para o oeste, para Balgadarte. Para onde o rei Cadok reside neste momento, supervisionando sua milícia.

Só um tolo acreditaria que eu poderia me aproximar o suficiente para matá-lo sem um reforço maciço, já que o homem de três contas é protegido o tempo todo por elementares de duas contas e seu dragão feroz. O que torna minha raiva inútil — pelo menos até que o Flama decida parar de cortar as folhas dessa árvore maligna e comece a cortar as raízes.

Sigo em zigue-zague pelo interior elevado do Fosso, subindo trinta e um degraus, de olho nos arredores enquanto cruzo uma ponte elevada em ruínas e saio do lado do muro que dá para o Breu. Desço por um túnel de vento de madeira rústica que lembra uma garganta sufocada, com o chão gravado em faixas de runas que provocam todo tipo de reação terrível em qualquer pessoa que não seja eu ou Essi.

A vontade instantânea de se borrar todo. A perda repentina da visão, como se tivessem caído de cabeça no céu escuro do Breu. E minha favorita, a crença enervante de que um fundífera acabou de enfiar o bico neste mesmo túnel e está tentando arrancá-los como um inseto em um buraco.

Paro no que se parece muito com uma calha de lixo para o troglo-vellus e desamarro meu corpete, revelando um traje de pele marrom pedragrado que é confortável em meu corpo e muito mais fácil para escalar. Envolvendo o véu, as botas, o corpete e a bolsa de suprimentos nas dobras da saia, coloco o pacote no correio, observando-o disparar em diagonal para baixo e sumir de vista.

A maioria prefere morar do outro lado do muro, onde a luz do sol entra pelas janelas coloridas e enche os cômodos de calor. Onde as pessoas podem forrar seus peitoris com vegetais em vasos que prosperam em seu fluxo constante.

Não é meu caso.

Gosto do frio e não consigo manter uma planta viva nem que minha vida dependa disso. Mas nada disso se compara ao *motivo* pelo qual escolhi o lado frio e silencioso com a vista escura.

O vento brinca com meu cabelo quando paro no final do túnel com os dedos dos pés pendurados na borda, olhando as planícies cobertas de neve que se estendem em direção ao sul. As nuvens se dissiparam quase por completo, o que me dá uma visão límpida do horizonte manchado, repleto de luas lançadas entre um leito de estrelas distantes.

Mais perto estão as bolas vibrantes de fundíferas caídos, como se alguém tivesse pegado as nuvens coloridas do Grado, triturado, depois as amassado em esferas compactas e as jogado para o céu. É possível ver o contorno de suas asas maciças e majestosas enroladas ao redor delas como leques de penas. As plumas esguias de suas caudas que, às vezes, não conseguem se encaixar antes que o dragão moribundo se solidifique, parecendo manchas de tinta.

Muito mais longe, à distância, há círculos de pérola, iridescentes e cinzentos que derramam fragmentos de luz plumalua. Hematomas radiantes manchados no horizonte escuro.

Há algo de poético em olhar para cima e ver o que já passou. Uma forma suave de introduzir o luto àqueles que permanecem lá embaixo. Se eu pudesse me enrolar como um plumalua e me aninhar entre as estrelas quando soubesse que minha hora tinha chegado, assim o faria. Não que eu ache que muitos iriam me procurar, mas eu morreria sabendo que deixei algo *brilhante* para trás neste belo mundo esboçado em tantos tons de feiura.

Também gosto da ideia de poder cair do céu e esmagar alguém se essa pessoa me irritar. Eu miraria no rei do Grado e o destruiria em um piscar de olhos por fazer um trabalho tão ruim em manter o reino unido.

Mesquinha, mas com todos os motivos.

Procuro a pequena lua prateada de um plumalua adolescente que atraiu minha atenção desde que olhei pela primeira vez para o céu carregado de lápides, enchendo meus pulmões de ar fresco, com um sorriso verdadeiro e imaculado estampado em meu rosto...

Muitos chamam essa lua em particular do Mirante de Hae.

Com certeza não é a maior, nem a mais brilhante, nem a mais magnífica de se ver. Mas, por algum motivo, não consigo me imaginar abrindo os olhos a cada nascer da aurora, para além das nuvens sempre vibrantes desta parte do mundo, sem ver aquela lua pequena e instável com a asa malformada.

Certa vez, Essi me perguntou se eu queria saber a história dela. Eu sorri e balancei a cabeça. A desolação tem um tom que ecoa através dos tempos, e sua voz estava *carregada* dele.

Não quero olhar para minha lua favorita e pensar em coisas que machucam. Quero olhar para aquele pequeno plumalua e imaginar que teve uma vida linda, cheia de coisas felizes que deixam seu coração pesado de amor.

Talvez isso faça de mim uma covarde, mas tenho que tirar meus sorrisos de algum lugar. E essa lua... ela nunca falha em me dar exatamente isso.

Um sorriso.

Raeve

CAPÍTULO 11

E u me jogo na boca do túnel de vento, usando a abundância de racha-duras e fendas para me prender à lateral da parede e descer. Tenho que lidar com a ameaça de cortina de lunacacos que abraçam a base do muro abaixo, a promessa faminta de uma morte rápida e brutal que ainda não foi capaz de me devorar. Ou à Essi.

Ainda bem.

Agarrando um pedaço de pedra saliente, transfiro minha outra mão para o espaço ao lado dela e, em seguida, me jogo diante do que *parece* ser uma parede mais plana — uma ilusão perfeita, criada por runas. Atravesso o que, *na verdade*, é uma janela grande e sempre aberta, no aconchego do ar um pouco mais quente com um cheiro forte... amanteigado... recém-assado...

Aterrisso agachada, meu apetite voltando com uma vingança salivante.

— Que delícia, isso é...

— Pão de leitelha — diz Essi, debruçada sobre um cernescópio em mesinha de refeições repleta de ferramentas, tinturas e potes de metal, arranhando o que quer que esteja sob o aparelho com um de seus bastões de gravação. — Senti o cheiro de sangue nas suas botas assim que você desceu a calha.

Eu me aproximo da mesa, pego um pedaço de pão do prato dela e o enfio na boca, gemendo com minha primeira refeição desde que saí na última aurora — um travesseiro denso e apetitoso de sabor salgado encharcado de manteiga derretida, coberto por uma camada doce de conserva de bagabrejo.

Eu sorrio.

Eu adoro conserva de bagabrejo. Essi não gosta. Isso significa que ela deixou esse pedaço *especificamente* para mim, sabendo que eu estaria com fome no instante em que passasse pela janela. Não que ela vá admitir isso.

Não que eu queira que ela admita.

Ela finge não se preocupar comigo; eu finjo não me preocupar com ela. Coexistimos de forma paralela, sem nenhuma expectativa — a não ser pela lista estranha de suprimentos e pelas coisas sofisticadas que ela faz para mim — e tudo funciona muito bem.

Com perfeição.

Eu não mudaria nada.

— As coisas ficaram feias — digo, com a boca cheia, entrando em nossa pequena cozinha rústica. Levanto o pano que cobre o pão recém-assado e corto uma gorda fatia, cobrindo com um pouco de manteiga e uma colherada de conserva. Abro a caixa de gelo e procuro um bulbo de fruta verde-clara, cortando em pedaços que empilho em meu prato.

— Quer um pouco de goro?

— Eles não estão maduros.

Eu giro com o prato equilibrado em minha mão.

— Estão, sim.

— A extremidade inferior fica amarela quando estão maduros. — Ela ergue os olhos do que está fazendo, as sobrancelhas vermelhas quase saltando de seu belo rosto coberto de sardas. — Isso vai acabar com sua língua.

Enfio um pedaço pálido na boca e meu rosto se contrai quando me engasgo com o sabor picante.

— Eles não estão maduros — arfo, cuspindo na lixeira.

Essi ri baixinho e depois abaixa a cabeça, olhando por uma lupa e voltando para... o que quer que esteja fazendo.

Deixo a fruta de lado e me concentro no pão enquanto a observo trabalhar, acompanhando os movimentos graciosos e hábeis de seus dedos e sua feição delicada. Olhos castanho-avermelhados. Nariz um tanto arrebitado na ponta. Um talhe nulo cortado da ponta de sua orelha esquerda, que é um pouco mais longa do que a minha e mais inclinada para trás, o que lhe confere um aspecto hipnótico e etéreo.

Os cachos pendem bem além da cintura como uma capa grossa e averme- lhada que combina com as manchas metálicas em seus olhos — um tom de vermelho tão único que nunca vi antes —, o único toque de cor que ilumina sua aparência. A exceção.

Dou outra mordida enorme no pão, pensando no dya em que ela se mudou para cá. Eu disse a ela que poderia fazer o que quisesse com a decoração, quase inexistente antes. Desde então, nossa sala de estar compartilhada agora tem a mesma cor de todo o guarda-roupa de Essi.

Preto.

Os balcões ásperos da cozinha. O teto irregular. O tapete fibroso que cobre o piso todo torto. Até mesmo nossa poltrona confortável e almofadada ao lado da janela, grande o suficiente para três pessoas, apesar de nunca recebermos visitas. Por opção.

Meu olhar se volta para a janela completamente decorada por Essi com runas para afastar intrusos, fazendo com que eu lembre do torpor em que acordei com ela de pé sobre mim no meio de um de seus ataques. O preto manchado sob seu olhar assombrado enquanto ela agitava uma lâmina, gritando para que eu enchesse um copo com meu sangue. Imediatamente. Que era uma questão de vida ou morte.

O resultado final: uma entrada que quase mata os intrusos. Um golpe de gênio.

— Isso está uma delícia, Essi. Obrigada — digo, dando outra mordida.

— É claro. Fico feliz que esteja gostando.

Eufemismo. Ela sabe que o pão de leitelha dela é meu favorito. Não faço ideia do que ela coloca nele, mas, caramba, é bom.

— No que está trabalhando?

— Uma tampa de diamante para seu dente — explica ela, gravando. — Estou tentando encontrar um minério denso o suficiente para suportar essas runas complicadas. Foi por acaso, mas descobri que o diamante funciona. Ah! — Com a mão estendida, ela me lança um olhar tão cheio de vida que me deixa sem fôlego; sem dúvida, chapada por qualquer pensamento que tenha passado por sua mente espetacular. — Você recebeu minha cotovia?

— Uhum. — Ajeito o cabelo atrás das orelhas e me dirijo à bacia de pedra de formato irregular na qual todas as coisas que empurrei pela calha mais cedo caíram. — Acabei sujando de sangue, mas fiz o melhor que pude. — Coloco o prato de lado para remexer em meus pertences. — Para que serve a coroa de diamante?

— Emite uma barreira invisível e impenetrável ao redor de sua cabeça e peito sem cortar você ao meio.

Com a mão parada, olho para ela por cima do ombro.

— Sem me cortar ao meio? Você quer dizer... meu corpo?

Ela acena tão depressa que seu cabelo se transforma em uma agitação cor de sangue.

— Demorei um pouco para descobrir isso. Mas prometo que agora vai dar certo.

Sei.

— Ainda bem que você presta atenção nos detalhes — respondo, segurando a bolsa.

— Sempre. Está quase pronto. Algumas runas finas com aquele novo bastão de gravação e estará pronto para ser ativado. Achei que era uma boa hora para colocar, já que Rekk Zharos está caçando você.

— Vejo que você andou lendo minhas mensagens de novo.

Ela dá de ombros, ajustando a mira do cernescópio.

— A cotovia voou pela janela depois que você saiu. Bateu no peitoril até esmagar o nariz. Eu a livrei de seu sofrimento ao desdobrar.

— E ler.

— Meus olhos escorregaram.

Eles têm o hábito de fazer isso.

Balanço a cabeça, deslizando a bolsa pela mesa para Essi vasculhar. O lado ruim de usar tanto sangue nas runas ativas gravadas ao redor da janela é que as cotovias de pergaminho às vezes pensam que a janela é, bem... *nós*. Eis o motivo da eterna frustração de Sereme sempre que não consegue entrar em contato comigo.

Essi tira a cabeça da bolsa, com o rosto um pouco mais pálido.

— Sem cocô de sanhaço?

Eu pisco para ela.

— Como é que é?

— Do Yeskorn, o bibliotecário da Cidade Baixa. Ele tem um sanhaço de estimação. Está no seu bolso? Por favor, me diga que está no seu bolso.

— Não tem *merda* no meu bolso, Essi. Por que você precisa de cocô de sanhaço? — Ela abre a boca para falar, mas eu a interrompo depressa: — Lembre-se de que meu cérebro não é tão grande quanto o seu. Se você começar a falar sobre biofísica, falecerei.

Ela abre a boca de novo, fecha, parece pensar um pouco e depois começa a falar:

— A pedra que eles comem é rica em um minério especial e difícil de encontrar, porque se forma em gotas minúsculas que nunca crescem mais do que a cabeça de um alfinete. Ela não se decompõe no trato digestivo deles e, por isso, essa é a forma mais eficaz de ser coletada. É uma pedra de cor cremosa que derrete a uma temperatura muito mais baixa do que a maioria dos outros minérios, o que faz dela o adesivo perfeito para prender tampas com runas ao seu dente.

— Você está brincando.

Ela franze a testa.

— Pela primeira vez na minha vida?

Todo o calor se esvai do meu rosto e estendo a mão para me firmar na mesa.

— Foi *isso* que você usou para prender a outra tampa de ativação ao meu dente?

Ela assente com a cabeça.

— *Merda de sanhaço?*

— Eu enxaguei as fezes e depois esterilizei o minério. Mas, sim. Foi... cagado.

Criadores.

Coloco a língua no lado direito da boca, sentindo a tal tampa.

— Vamos arquivar isso em "coisas que Raeve não precisa saber" — murmuro, indo até o armário onde pego uma caneca.

Nunca.

— Anotado. Eu, ahh... — Olho para trás e a vejo se remexendo em seu assento, coçando a nuca. — Dadas as famosas conquistas de Rekk, eu estava esperando prender a coroa...

— Sem pressa. — Com essas informações novas e um tanto revoltantes, não há pressa *nenhuma*.

— E se você for o alvo dele?

Pego a jarra de água filtrada de nossa caixa de gelo e encho minha caneca.

— Fui instruída a ficar escondida e nós duas sabemos que Rekk não pode vir me pegar aqui. A única forma de entrarmos em conflito é se, *sem querer*, eu o encontrar no caminho para buscar minha faca e *sem querer* cortar a garganta dele, indo, *sem querer*, contra as ordens diretas de Sereme e, *sem querer*, salvando a vida de uma das outras lâminas.

A única vantagem de ser indispensável? Tenho quase certeza de que Sereme não vai me mutilar até a morte por essa transgressão. Ela só vai me dar um corretivo até sentir que retomou o controle.

A merda de sempre.

A cadeira de Essi range no chão enquanto encho minha barriga de água, esvazio a caneca antes de a colocar na pia e pego um elástico do balcão, que uso para puxar meu cabelo pesado para trás em um penteado alto.

O silêncio se torna sufocante e me cutuca por trás.

Eu me viro.

Essi não está mais de frente para seu projeto. Ela está de frente para *mim*, com as mãos nos joelhos, olhos arregalados e cheios de preocupação. Um olhar que perfura meu peito com tanta força que o sinto sair pelo outro lado.

— Pare — rosno. — Não me olhe assim.

Por que ela está me olhando assim?

Seus olhos brilham com uma tristeza que é muito pior.

— Raeve, não posso perder você...

— Nós não fazemos isso, Essi. Funcionamos muito bem do jeito que somos. Não destrua algo que está intacto.

Ela franze a testa e abre a boca, mas nada sai. Como se as palavras fossem grandes demais para serem liberadas.

Que bom. Elas *devem* ficar lá dentro. Não quero que ela me diga que está preocupada. Que se importa. Não quero dizer essas mesmas palavras de *volta* para ela.

As pessoas com quem me importo morrem.

— Não adianta de nada, de todo modo. — Eu me viro, enxáguo minha caneca e meu prato na pia, sem desviar os olhos da tarefa. — Não posso ir à Cidade Baixa até receber uma cotovia sinalizando que está tudo limpo. — Seco a louça, guardo, depois vou até a bacia e recolho minhas coisas. — Estou exausta. Vou tirar essas penas estúpidas dos meus cílios, descansar um pouco e depois pegar a sua merda de sanhaço assim que receber uma cotovia de Sereme. Combinado?

Ela não responde.

Quando o silêncio se estende por tempo demais, eu me viro, olhando em seus olhos grandes e cheios de lágrimas.

Que merda.

— *Combinado*, Essi?

Com os lábios apertados em uma linha fina, ela assente com a cabeça — a batida lenta de uma concordância relutante.

Eu me dirijo ao alçapão que leva à minha suíte e levanto a escotilha, parando no meio dos degraus quando as palavras de Essi me atingem como uma lâmina atirada entre minhas costelas, cravando-se fundo.

— Também não gosto nem um pouco de Sereme, mas, desta vez, acho que você deveria dar ouvidos ao que ela diz. Por favor, Raeve. Eu pre... — Ela suspira, fazendo uma pausa antes de lançar outra adaga verbal, uma que me tira o fôlego: — Você é a única família que tenho.

Aperto meus lábios com tanta força que fico surpresa por eles não se fundirem.

Essi surtou. Na verdade, todo esse *ciclo* está surtado. Preciso fechar a tampa e abrir um novo ciclo — um ciclo *normal* — em que as pessoas parem de expressar suas preocupações com meu bem-estar e de me chamar de família. Não consigo coisas boas como essas sem pagar um preço muito alto.

— Por favor, não vá para a Cidade Baixa sem mim. Você sabe que eu odeio quando você vai lá sozinha. — Saio de seu campo de visão, colocando o alçapão de volta no lugar com um forte baque.

$\mathcal{M}$inha suíte é vazia quando comparada com o resto de nossa casa, a única decoração além da peça de arte na parede são as luas que desenhei com pedaços de carvão no meu teto sem pintura. Essi nunca perguntou por quê, embora, do jeito que esse dya está indo, não me surpreenderia se ela viesse até aqui e despejasse a pergunta a meus pés como uma pilha quentinha de merda de sanhaço.

— Droga — murmuro, jogando minhas coisas no chão.

Suspiro pesado e olho cansada para a cama de sarja esticada no chão, perto da grande janela que domina minha parede sul.

Nada de cobertores ou travesseiros. Apenas um espaço confortável para me deitar e apagar. Algo que quero fazer agora, mas, se eu não arrancar essas penas, vou acordar parecendo um fundífera desgrenhado no meio da muda, sem alguns ramos dos cílios.

Isso já aconteceu antes.

— Não seja preguiçosa, Raeve. Resolva suas merdas.

Pego minhas coisas do chão de novo, vou para meu espaço de vestir, escondido atrás da parede dos fundos, penduro meu vestido e tiro minhas adagas de todos os compartimentos escondidos como se estivesse arrancando a plumagem de um pássaro. Guardo todas elas, exceto a que mantenho presa à minha coxa, e verifico se há sangue em meu traje. Não encontrando nada, decido que não há problema em dormir vestindo isso e dedico o resto de minha energia a esfregar a bota, remover as malditas penas e me aliviar, lutando contra a vontade de bocejar ao voltar para a área de dormir.

Paro diante de uma peça de pedra plana pendurada na parede, esculpida para parecer um ninho de plumalua. Eu a afasto, enfio a mão no buraco atrás dela para pegar uma pequena caixa de madeira que levo para minha cama, colocando ao lado da janela.

A vidraça se estende do chão ao teto, oferecendo uma visão do borrão gradual do Grado no distante Breu, emoldurada por runas geladas que fazem a janela parecer pedra do outro lado. Mais uma das adaptações inteligentes de Essi.

Buscando aquela lua irregular ao longe, vejo a aurora crescente emaranhada em torno dela como os fios desgastados de um vestido prateado desfeito pelo vento agitado.

Um sorriso suave enche minha bochecha, apesar do peso que se instala em meu peito, como se algo estivesse sentado sobre mim. Algo que parece um pouco com... *arrependimento*.

Meu sorriso diminui.

Essi me chamou de família e eu me afastei. Depois de tudo que ela passou, eu me *afastei*.

Porra. Qual é o meu problema?

Como posso olhar para essa lua com tanto amor em meu coração — amor que ricocheteia em minhas costelas toda vez que olho para Essi?

Pergunta idiota. Eu sei muito bem qual é meu problema.

Amar essa lua é seguro. A queda das luas é tão rara que é bem provável que ela sempre esteja ali, aceitando minha adoração silenciosa.

Amar Essi... me faz sentir como se estivesse manuseando algo frágil que se romperá em minhas mãos se eu apertar com um tantinho mais de força.

Suspiro e levanto a tampa de minha pequena caixa.

Pre bate as asas de pergaminho liso e sai da cavidade, se agitando ao meu redor em um redemoinho de movimento vertiginoso, acariciando meu rosto, ombro e pescoço. Ela tenta se balançar em meu ouvido, tornando-me incapaz de conter o sorriso.

— Cuidado para não se machucar — murmuro, afastando Pre com gentileza do meu rosto e a levando no sentido do resto da cômodo para que ela possa esticar as pequenas asas. Ela dá algumas voltas, depois abaixa a cabeça e *despenca*, rápido demais.

Longe demais.

Ela vai de bico contra o chão e eu estremeço.

Porra.

Eu me levanto e corro até ela, colocando-a em minha mão.

— Pre, eu queria *muito* que você parasse de fazer isso...

Ela se sacode, virando de costas, mostrando as três letras lindamente rabiscadas visíveis em sua barriga, o resto de sua mensagem escondida nas dobras de seu corpo aerodinâmico.

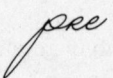

Olho incrédula para ela, sem me impressionar com o empurrãozinho *não tão sutil* para que eu a desdobrasse.

— Sabe, de todos os truques que você usa para me fazer ler você, esse é o meu menos favorito — sussurro, esperando que ela se mova de novo. Que se lance de volta ao ar e queime toda a energia que acumulou enquanto estive fora.

Nada.

— Estou falando sério. — Agito minha mão. — Você parece morta. Pare com isso.

Mesmo assim, ela não se mexe.

Eu a assopro. De novo.

E de novo.

Meu coração fica apertado.

— *Pre...*

Ela balança a cauda de pergaminho e todo o ar se esvai dos meus pulmões enquanto o alívio sofrido me enche por completo.

Balança a cabeça, esfregando o esterno.

— Isso se chama *recompensa por mau comportamento* — resmungo, desdobrando com gentileza o bico, cabeça, cauda, asas e depois o corpo, todos amassados, mostrando a mensagem que está ali há mais de cinco fases:

Três pequenas palavras que tenho certeza de que nunca foram destinadas a mim — não que isso tenha me impedido de lê-las repetidas vezes.

Eu devoro a delicadeza de cada letra elaborada, passando a ponta do meu polegar sobre elas como se fosse um carinho na barriga de Pre, enquanto me lembro do momento em que ela veio até mim.

Ela deve ter se perdido em sua jornada para quem quer que fosse, e acabou se aninhando na curva do meu pescoço como se estivesse buscando conforto em uma tempestade. Eu a abri, li a mensagem e percebi como ela era importante — vinda de alguém que não estava bem, embora talvez não soubesse como dizer isso em voz alta.

Eu a dobrei e a soprei de volta para o céu, pedindo a Clode que a levasse para o alto das correntes para que ela pudesse se recalibrar e seguir na direção certa.

Encontrar a pessoa a quem ela se destinava.

No nascer seguinte, acordei com ela descansando em minha palma, com um rasgo em sua asa e um bico muito esmagado, como se ela tivesse lutado contra as correntes de Clode... e *vencido*.

Foi difícil me separar dela depois disso.

Passo o polegar sobre essas três palavras de novo e, em seguida, dobro a cotovia com delicadeza, alisando o amassado do bico e verificando se o rasgo não ficou maior. Ela se solta da minha mão em um movimento rápido e se agita pela sala como se estivesse queimando uma fornalha cheia de energia.

— Se você não for mais cuidadosa, vou encher o quarto com penugem — aviso, e ela salta no ar, vindo em minha direção em um deslizar bambo, mergulhando na curva do meu pescoço, onde se aninha. Coloco a mão em cima dela e balanço até que ela pare de se mexer, e meus pensamentos se voltam para Essi. À maneira chocante como ela me olhava com aqueles grandes olhos vidrados por... *coisas demais*.

Suspirando, vou em direção à minha cama e depois olho para o céu lá fora.

Certa vez, Fallon me contou que, quando petiz, costumava se deitar de costas e fazer pedidos às luas — pedidos que, por vezes, se realizavam.

Ela chamava isso de *magia*.

Nunca acreditei em coisas que não fazem sentido para mim — além da magnificência de Essi. Mas talvez eu pudesse começar a fazer pedidos à lua que tanto amo. Pedir a ela que encontre uma maneira de substituir meu coração por um macio e mole para que eu nunca mais tenha que ver os olhos de Essi se inundarem de tristeza.

Criadores, eu sou uma babaca.

Eu me enrosco de lado, aconchegando Pre, olhando para o Mirante de Hae enquanto cantarolo a melodia suave que sempre clareia minha mente, por mais barulhento que o mundo pareça.

Registro no diário

Elluin Neván

Idade: 9 fases
5.000.030 fases Depois da Pedra

Haedeon me encontrou em seu trenó pouco antes da aurora se pôr.

Achei que ele ficaria feliz em me ver. Em vez disso, ele disse que me levaria direto para casa, em Arithia, com uma voz grave e grossa que eu nunca tinha ouvido ele usar antes. Mas, quando a aurora nasceu, ele preparou um chá para mim, arrumou nossas coisas e seguimos na mesma direção.

Acho que ele me perdoou um pouco, porque me deu um biscoito de manteigaba nesse torpor, depois de comermos uma sopa de cogumelo agárico. Haedeon não terminou sua sopa nem comeu o biscoito, mas passou algum tempo moldando uma lâmina de escamadraco.

Ele me disse que chegaremos lá em três ciclos de aurora. Que passaremos uma noite de torpor na capoeira do ninho, nos arredores de Subsulnia, antes que ele parta no nascer da aurora, bem quando as mamãin plumaluas saírem para caçar. Que não devo deixar o lugar até que ele retorne ou que três torpores tenham se passado sem ele.

Isso me parece bobagem, já que não me escondi no trenó para me sentar em uma capoeira e comer biscoitos de manteigaba...

Vim para pegar meu próprio ovo de plumalua.

Kaan

CAPÍTULO 13

*S*entado no fundo de uma das mesas obscurecidas, mantenho meu capuz na cabeça, apesar da cortina de veludo fechada para que ninguém possa ver. Minha única companhia é uma caneca pesada de hidromel, que levo à boca, tomando um gole espumoso do líquido espesso e de sabor amargo. Sibilando entredentes, bato a caneca de volta na mesa, fazendo uma careta.

O hidromel desta cidade parece ter sido destilado em um barril lamacento, mas eu prefiro isso à água turva, que é duas vezes mais suja e deixa resíduo nos dentes.

O calor refrescante só serve para abrandar a ponta mais afiada da sensação em meu peito, como se eu tivesse sido sacudido com tanta força que meus ossos se partiram e me atravessaram.

Sei que não era ela. Que isso é impossível. Que estou enlouquecendo — e tenho enlouquecido há várias fases.

Mesmo assim.

Aqueles olhos.

Aquele cheiro.

Aquela voz...

Rosnando, levo a caneca aos lábios de novo.

A cortina se abre.

Uma mulher com um véu, cheia de orgulho em sua delicada estatura, surge nos limites da minha mesa, perseguida por uma cotovia de pergaminho que cutuca seu ombro, incitando-a a pegá-la.

Ela o faz, suspirando.

Simulando uma visão de falsa compostura, tomo outro gole lamacento, engolindo enquanto ela se acomoda no assento à minha frente, com o rosto escondido no capuz de sua capa.

— Estou surpreso por ver que meu irmão perdeu você de vista de novo — murmuro, colocando a caneca de volta na mesa —, *princesa*.

Kyzari puxa o capuz para trás, erguendo as sobrancelhas enquanto me olha com olhos azuis-celeste assombrosos. O cabelo branco pende bem além da cintura, preso em uma trança quase mais grossa que meu pulso, a tez tão pálida que posso ver a teia de veias sob a pele de suas mãos.

Meu olhar se volta para o diadema preso à sua testa, a Pedra de Éter preta no centro entre os cachos de metal prateado com os quais ela foi coroada desde o dya em que respirou pela primeira vez.

Já faz algum tempo desde a última vez que a vi. Desde que Veya e eu fomos ao lugar especial de mãin e a encontramos lá. Percebi que ela estava lá havia algum tempo — isolada.

Escondida.

Não era a primeira vez que ela fugia. Com certeza, não seria a última.

Ela se aproxima da arandela que se projeta da parede como uma garra retorcida e balança a cotovia de pergaminho ainda tremulante e não lida sobre a chama. O fogo a devora, seus dedos a beliscando até que quase desapareça, antes de jogá-la na mesa de pedra e assistir enquanto se reduz a cinzas.

Franzo a testa.

— Agora sou devota dos Criadores — anuncia, limpando as mãos e se esticando por cima do cadáver da cotovia para roubar minha caneca. — Fiz o Juramento de Castidade...

— Você é minha sobrinha. A última coisa de que quero falar é a sua *castidade*...

— ... posso fazer o que quiser agora que paih não tem mais medo de me perder.

— Mentira — rosno, baixo o suficiente para que minha voz não ultrapasse a cortina e chegue ao local onde um violinista solitário está tocando na área comum. — Sua plumalua não está na capoeira imperial, que eu inspecionei de propósito antes de te encontrar aqui, e nós dois sabemos que você não a confiaria a um guarda da cidade de língua solta.

Ela revira os olhos e, por fim, toma um gole do meu hidromel, com o rosto enrugando enquanto os olhos se estreitam para a bebida ofensiva.

— Você veio com um caroneiro — declaro, e ela bate a caneca de volta na mesa. — Saiu escondida de Arithia depois da sua cerimônia de revelação, enquanto os céus estavam ocupados, supondo que seu paih demoraria mais para perceber.

— Como você é espertinho. Sua bebida tem gosto de lama.

— É um gosto adquirido com o qual vai ter que se acostumar se pretende passar o resto de sua longa existência como fugitiva, tentando viver em um reino destruído que não é lugar para uma princesa mimada e sem noção do mundo.

Ela arqueia uma sobrancelha.

— Quem cagou no seu ensopado?

— Quem ensinou você a falar assim?

O menor dos sorrisos se desenha em seus lábios.

— Acho que não sou tão mimada quanto você pensa.

Eu grunho.

Ah tá.

O silêncio reina por tempo suficiente para que ela limpe a garganta e volte a olhar para a bebida que ainda está em sua mão.

— Eu, é... agradeço por ter concordado em se encontrar comigo. Você me salvou de uma longa viagem pelas Planícies Boltânicas.

Ela estava a caminho de Dhoma, então.

— Eu não sabia que tinha escolha — respondo, cruzando os braços, com a cabeça inclinada enquanto a observo sob a luz do fogo. — As palavras em sua cotovia eram insistentes. Não estou acostumado a receber ordens. Não sei se aceitaria isso de outra pessoa.

Suas bochechas ficam vermelhas e ela me lança um olhar culpado por baixo das sobrancelhas pálidas.

— Me desculpe. Meu tutor me ensinou a liderar com pulso firme. Tinha métodos bem questionáveis, mas acho que havia certo mérito em alguns de seus ensinamentos.

Pulso firme?

Ergo uma sobrancelha. Calma aí.

— Não me olhe desse jeito.

Ainda assim, eu *espero.*

Ela suspira, baixa o olhar para a bebida e, em seguida, revela:

— Não foi nada. Só umas coisas bobas, como me punir com um chicote nos nós dos dedos sempre que eu me esquecia de escrever em cursiva.

Meu sangue se transforma em magma.

— Ele chicoteou você? Por se esquecer de escrever em cursiva? — pergunto, e minha voz firme não revela nada da violência que corre em minhas veias.

— Um babaca, eu sei. Mas paih diz que só as pessoas de coração fraco reclamam, então, em vez disso, escrevi sonetos de ódio para meu tutor, que mandava voando para o fogo — conta ela, com um sorriso vitorioso. Como se achasse que isso corrigia os erros dele. — Agora, a cada vez que escrevo alguma coisa em uma letra *perfeitamente* cursiva, tenho vontade de dar um soco na garganta dele. Não que eu saiba dar um soco, mas gostaria de fazer isso.

— Eu gostaria de cortar a cabeça dele fora.

Seus olhos arregalados se voltam para os meus. Ela abre a boca, fecha, balança a cabeça, baixando o olhar para a bebida de novo.

Deve achar que estou brincando.

Não estou.

Também gostaria de cortar a cabeça do paih dela. Mas não digo isso.

— Era por isso que você costumava fugir?

— Não. — Ela pega minha bebida e engole o suficiente para que minhas sobrancelhas se contraiam, depois abaixa a caneca, se encolhendo. — Por que *você* está no Grado, afinal?

— Estou caçando uma coisa. A rainha me deve um favor. Cadok está em Balgadarte. — Dou de ombros. — O momento foi oportuno.

— E se ele descobrir?

— Não vai. A menos que você me denuncie.

— Talvez eu faça isso. O sabor dessa bebida que você me deixou tomar sem aviso prévio é um tanto ofensivo.

Levanto uma sobrancelha. O canto da minha boca se ergue um pouco — só porque ela também está sorrindo. Está ali em um instante e desaparece no seguinte.

Meu sorriso se desfaz.

— Você precisa de ajuda com alguma coisa.

Ela coloca a bebida sobre a mesa com muito mais suavidade dessa vez, ainda segurando a caneca enquanto olha para sua profundeza meio vazia e morde o lábio inferior.

Suspiro.

Eu me inclino para a frente, apoio os antebraços na mesa.

— O que foi, princesa?

Ela engole em seco e posso ouvir o baque violento de seu coração se recompondo da mesma forma que os corações fazem quando as pessoas estão se preparando para a batalha.

Sua voz é um sussurro rouco quando ela por fim diz:

— Eu... posso *ouvi-lo*.

— Quem?

Mais um gole e ela me olha com olhos vidrados, erguendo uma mão pálida para o diadema.

Para a *Pedra de Éter*.

Meu sangue se transforma em gelo.

Eu me recosto no assento, encarando, com a cabeça cheia de pensamentos que não consigo domar o suficiente para expressar.

Uma lágrima desce por sua bochecha e eu a vejo.

Vejo de *verdade*.

A marca escura embaixo dos olhos. A mão frágil, quase esquelética, e a forma como a maçã do rosto se projeta muito mais do que antes. As unhas — roídas tão perto da ponta que as fez sangrar em alguns lugares.

Ela está definhando...

Algo feroz e selvagem se ergue dentro de mim.

Eu me inclino para a frente, forçando as palavras por entre meus dentes cerrados.

— Há quanto tempo?

Ela pisca, soltando outra lágrima que enxuga depressa enquanto baixa o olhar para o tampo da mesa.

— Não sei dizer. Minhas babás disseram que eu gritei sem parar nos primeiros ciclos depois que nasci, o que consideraram estranho, pois o diadema deveria me enfraquecer. Elas suspeitaram que eu já podia ouvir os Criadores e que eu gritava para abafar a conversa deles, então colocaram um colar de ferro em mim. Disseram que eu me acalmei no mesmo instante.

Engulo em seco.

Ouvi dizer que ela era uma petiz inquieta, mas atribuí isso ao eco do trauma de seu início neste mundo — um mundo que passei a odiar.

— Mas, à medida que fui crescendo, o silêncio me *incomodava* de uma forma que não consigo descrever, e eu não conseguia me livrar da sensação de que estava perdendo alguma coisa. Quando eu tinha apenas 18, tirei o colar e tudo o que ouvi foi... foi um *lamento* — conta ela.

Sinto a garganta seca.

— O medo dele, a *tristeza*... tudo fluiu por mim como uma correnteza. Senti como se estivesse sendo despedaçada, pedaço por pedaço.

Seu olhar se volta para mim, e acho que uma lança no coração doeria menos.

Há tanta *dor* naqueles grandes olhos azuis...

— Coloquei o colar de volta — diz ela, limpando as bochechas com a manga. — Usei por muitas e muitas fases. Porque eu era uma covarde.

— Você não é uma covarde, Kyzari. Nunca fale assim de si mesma.

Ela me dá um sorriso falso, depois bebe outro gole de hidromel, quase esvaziando a caneca antes de falar de novo.

— Acabei encontrando coragem. Removi o colar pela primeira vez em mais de oitenta fases. Escutei os sons dele. Escutei de verdade. Percebi que não eram apenas gritos e lamentos, mas *palavras* — explica ela, com a voz trêmula enquanto os olhos arregalados pediam ajuda. — Comecei a juntar

essas palavras, moldando sua linguagem em minha mente, aprendendo...
demais.

Meu olhar se volta para a cortina e eu apoio os braços na mesa de novo.

Há mais, eu sei que há. Ela está dançando ao redor do tubo de fogo como se tivesse medo de lidar com ele.

— Continue.

Há uma pausa antes que ela erga o queixo e, pela primeira vez desde que se sentou à mesa, eu a vejo como alguém que tem algo a proteger.

Algo a *perder*.

— Não estou contando isso porque quero sua piedade. A piedade não me ajuda mais do que ajudou a *ele* durante as muitas fases em que permaneci em silêncio.

— Então por quê?

— Porque quero ajudar a *libertá-lo*.

É como se ela tivesse se escorado na mesa, tomado impulso e me dado um tapa no rosto.

— Impossível — rosnei. — Isso vai matar você. O diadema só pode ser removido de um hospedeiro sem pulso.

— Não pretendo *morrer*, tio. Deve haver outra maneira. Eu só tenho que dar um jeito nisso.

Nunca tive tanta vontade de sacudir alguém em toda minha vida. Cerro as mãos com tanta força que os nós dos dedos estalam.

— E por que você quer fazer isso? — exijo. — A Pedra de Éter foi passada de geração em geração. Sua mãin a usava. A mãin dela antes disso. E assim por diante.

— O nome dele é Caelis — anuncia, sua voz tingida com um tom imperial feroz. Ela me encara de uma forma capaz de atravessar carne e osso —, e eu me apaixonei por ele.

Um estrondo ferve no fundo do meu ser, escaldando minha garganta com um calor tão intenso que sou capaz de jurar que minha carne se desprendeu.

Sei muito bem como as raízes do amor podem ser malignas. Sofro da mesma doença há mais de uma eternidade e continuarei *sofrendo* até o dya em que morrer.

Kyzari também está sofrendo... posso ver isso em seus olhos. O amor a tomou e não a deixará ir embora.

Se meu irmão não a tivesse mantido tão protegida do mundo, talvez ela não tivesse se apaixonado por uma maldita *pedra*. Talvez ela não estivesse tentando se livrar de um diadema que poderia muito bem matá-la no momento em que fosse arrancado.

— Não há realidade em que isso acabe bem — rosno entredentes, e algo se estilhaça em seus olhos.

— Não tem como você saber disso...

— Sei que ele está nessa coisa por um motivo. Que sua linhagem familiar foi abençoada com o poder de contê-lo por um *motivo*.

Ela desvia o olhar, encarando a mesa tão depressa que deve achar que não notei a mancha de culpa em seus olhos.

— O que você sabe?

— Nada — responde ela, as bochechas coradas.

Estreito os olhos.

— O. Que. Você. Sabe?

Ela se levanta.

— Isso foi um erro. Esqueça tudo o que contei. — Arregalo os olhos quando ela ajeita o capuz e se dirige à cortina. Olhando para mim por cima do ombro, ela diz: — Vou deixá-lo com sua caneca vazia.

Ela se vai, suas palavras de despedida como gotas de veneno que me são servidas em uma colher manchada, deixando a cortina aberta. Permitindo que eu tenha uma visão perfeita e desvelada do tablado. Da musicista empoleirada no banco sob uma ilusão de flocos de neve luminosos, o assento vago a seu lado me assombrando até a medula.

Olho para minha caneca *vazia*, enchendo os pulmões.

Prendendo a respiração.

Kyzari tem razão, mas minha caneca não é a única coisa que está vazia.

Meu peito também está vazio pra caralho.

CAPÍTULO 14

*S*into alguma coisa bater em minha bochecha, me arrancando das garras ardentes de um sonho que derretia a carne de meus ossos em movimentos lentos e escaldantes. Abro os olhos, um grito preso no fundo da garganta como uma fera que ameaça dividir o mundo em dois.

Eu me sento, sibilando por entredentes cerrados, tentando voltar a focar meu olhar no *aqui*.

No *agora*.

Pre voa ao meu redor, aninhando-se com frenesi em meu peito enquanto esfrego minha pele manchada de suor, tentando remover o terror da minha carne.

Sem sucesso.

Corro para o banheiro, encho a pia de pedra com água gelada e jogo o líquido no rosto, as mãos cheias de água ajudando um pouco a diminuir o ardor.

— Um sonho — murmuro, repetindo o movimento de novo.

E de novo.

Pre continua dançando ao meu redor enquanto mergulho um pano na água e o uso para umedecer minha nuca. Molho de novo, pressionando meu rosto no tecido encharcado.

Foi só a porra de um sonho.

Levanto a cabeça e me olho no espelhinho pendurado na parede. Meus olhos estão injetados de sangue, o azul-gelo se destacando em contraste com os rabiscos vermelhos, as bochechas coradas pelo calor raivoso que me perseguiu até o fim.

Resmungando, embolo o pano e o jogo na parede, enchendo as mãos de água de novo para jogar no rosto e puxar até meu cabelo. Apoio as mãos na pia e fecho os olhos, cantarolando a música que me acalma enquanto me concentro na ponta dos dedos, depois nas mãos, nos braços — percorrendo todo o meu corpo. Relaxando cada músculo pouco a pouco, me convencendo de que não há nada aqui que queira me machucar.

Muito menos *lutar* comigo.

Pre se aproxima demais do meu cabelo encharcado, e um resmungo de advertência sobe pela minha garganta.

— Não, Pre. Você sabe como me sinto quando você fica perto da água.

Com uma explosão de movimentos agitados, ela se eleva acima de minha cabeça, circulando a uma distância segura.

Não sei dizer se ela tem runas à prova d'água e não tenho pressa em descobrir, da maneira mais difícil, se Pre foi dobrada antes de elas serem inventadas.

Pressiono meu rosto na toalha e solto um suspiro pesado através do tecido macio, tentando me livrar dos restos pegajosos do pânico, mas sinto um arrepio percorrer todo meu corpo.

Aquele parecia tão real. Real demais.

Pulo algumas vezes para dispersar a sensação, depois volto para a suíte de dormir, perseguida por um bater de asas de pergaminho. Arregalo os olhos ao vislumbrar o lado de fora, o céu claro o bastante para que eu possa ver a aurora já começando a se enfiar abaixo do horizonte oeste.

A queda. Uau.

Eu dormi o dya inteiro...

Minha barriga ronca, apertando a cavidade vazia.

Vou ver como Essi está, preparar comida para nós se ela ainda não tiver comido, e depois tentarei voltar a dormir. Caso contrário, meus ciclos ficarão desregulados.

Eu me dirijo à escada de pedra quando ouço um baque, como se algo pesado tivesse caído no chão do andar de cima.

Franzo a testa e paro no lugar, colocando Pre no meu peito para impedir o som de suas asas batendo.

— Xiu — sussurro, olhando para o teto enquanto ouço.

O silêncio prevalece.

Talvez eu tenha imaginado?

Bem devagar, vou na ponta dos pés em direção à escada, tirando a pequena lâmina da bainha em minha coxa. Aproximo-me do alçapão, pressionando meu ouvido na madeira.

Um gemido suave faz meu coração parar.

Essi.

Solto Pre e empurro na direção da minha cama.

— Fique aqui — ordeno, passando pelo alçapão, então o abaixando de novo para que Pre não escape.

Essi está encolhida no assento comprido, de costas para mim, escondida sob o cobertor de lã que camufla tudo, menos o monte de cabelo espalhado pelo chão. Isso não é nada fora do comum, já que às vezes ela não se dá ao trabalho de subir as escadas até sua suíte e acaba cochilando na poltrona.

Quando respiro de novo, sinto um odor metálico e meu coração dispara. Percorro o cômodo com os olhos e me concentro em uma mancha vermelha em forma de mão no parapeito da janela. Do tamanho da mão de Essi.

Essi se machucou.

Ela sempre tenta esconder quando se machuca.

Corro em direção a ela, arranco o cobertor e a agarro pelo ombro, puxando com gentileza pelas costas, apesar de sua relutância. No mesmo instante, meu olhar vai parar nas mãos dela, que agarram a barriga, ambas tremendo, cobertas de... de...

Sangue.

Minhas entranhas se reviram quando vejo sua pele pálida. O brilho do suor que cobre sua testa, apesar de os dentes dela estarem batendo. Eu me ajoelho, puxando as mãos dela para trás e levantando a camisa, revelando uma ferida de facada que vaza uma faixa constante de sangue.

Todas as células do meu corpo param, meus pulmões entram em convulsão, como se tivessem sido cortados por pedaços de gelo.

De repente, tenho certeza de que estou em um lugar diferente. Em uma época diferente. Ou talvez esteja presa em um terror torporoso?

Sim. Deve ser isso. Essi não está deitada na poltrona, coberta de sangue. Ela não tem um buraco na barriga, bem onde há órgãos importantes que requerem tempo, delicadeza e um suturaderme especializado para serem consertados.

Não.

Ela está sentada à mesa, trabalhando em uma tampa de diamante pela qual está obcecada, comendo pão de leitelha que faz nossa casa cheirar como um lar.

Isso não é real.

Não é real.

Não...

— Eu não quero acabar na neve, Raeve.

Nossos olhares se cruzam, os dela arregalados e selvagens com um medo que me atravessa o peito, ameaçando me despedaçar.

Neve? Do que ela está falando?

— Por favor, não me coloque no frio nem no chão — implora ela, com os lábios trêmulos, os olhos tão arregalados que as pontas dos cílios se encontram com as sobrancelhas, as manchas vermelhas em suas íris acesas como brasas. — Me jogue no fogo, para que eu nunca mais sinta frio.

— Pare de falar como se fosse a algum lugar — rosno, colocando o cobertor sobre o ferimento dela para conter o fluxo. — Você vai ficar aqui comigo, segura em nossa casa.

Assim que eu der um jeito em você.

— Você vai ficar bem — murmuro, olhando para o armário da cozinha, onde está guardado o meu kit de remendo. Preciso pegar algo para fazer um curativo e estancar a ferida para que ela não se esvaia em sangue enquanto a carrego até o Fosso.

Sereme sabe suturaderme. Ela ajudará se eu cair a seus pés e implorar. Talvez ela pingue o sangue de Essi no frasco, usando a desculpa de que *precisa* disso para remendá-la, mas vou encontrar uma maneira de lidar com a vadia quando Essi estiver segura.

Que se danem as consequências.

— Pressione isso. — Eu desloco a mão gelada dela e a aperto sobre o cobertor — Vou pegar alguns suprimentos para levá-la a Sereme...

— Estou com frio, Raeve.

Sua voz falhada abre um buraco confuso no silêncio, esculpindo meu peito, esvaziando meu pulmão.

Encontro seu olhar lacrimejante que mal consegue manter o foco.

O medo irrompe por trás de minha costela com uma força tão violenta que rachaduras atravessam meu coração de pedra, expondo o núcleo carnudo — tão cru e vulnerável, murchando como uma fruta suculenta jogada em uma chama faminta.

— Não consigo sentir sua m... — As palavras saem cortadas, a respiração vem em suspiros curtos e bruscos enquanto ela tenta recuperar o ritmo, o pânico explodindo em seus olhos. — Não consigo sentir sua mão em mim. *Não consigo sentir, Raeve...*

— Você está sempre com frio, Essi. — Engulo o nó em minha garganta, lutando para manter a voz firme. Eu conheço os sinais. Já vi a morte muitas vezes para não conhecer os malditos sinais. — Vivemos no lado frio. Isso é normal.

É normal.

É normal.

É...

Seu rosto se contrai, e meu peito parece imitar o movimento, fazendo com que eu queira me enrolar em torno da dor.

— Me abraça? — pergunta ela, um pedido vacilante que me faz cair com ela na garganta faminta da resignação. Seu corpo inteiro se sacode, as mãos agarrando a barriga, um derramamento furioso de vermelho escorrendo pelo cobertor e se esmagando entre seus dedos. — Por favor?

Subo na poltrona e me enrosco ao redor dela, com a mão espalmada em seu peito e a outra emaranhada com a que está em sua barriga. Ela solta uma respiração estremecida, e eu esmago nossos corpos juntos, segurando tão forte que imagino minha força a prendendo como uma bandagem. Eu a imagino sentada à mesa, transformando uma bugiganga normal em algo excepcional, sua mente cheia de pensamentos magníficos e uma grande quantidade de sangue em suas veias. Inteira.

Feliz.

Mas ela não está.

Ela está se desfazendo em meus braços, se esvaindo...

— Quem fez isso, Essi?

Ela estremece, como se minhas palavras frias e monótonas a cortassem.

— Eu não vi. Virei uma esquina e fui de encontro a ele. Estava... e-escuro.

A Cidade Baixa. Ela foi para a *Cidade Baixa*.

A constatação esmaga minha traqueia. Faz minhas mãos tremerem — embora eu tente mantê-las paradas. Tento me forçar a manter a calma e a compostura.

Por ela.

Não vou ficar aqui deitada e a repreender por algo que pedi especificamente para ela não fazer, sabendo como é perigoso lá embaixo. Não vou destruí-la ainda mais quando ela já está caindo aos pedaços.

Vou abraçá-la.

Amá-la.

Vingá-la.

— Ele estava com um c-capuz.

— Está bem — sussurro, afastando o cabelo do rosto dela. — Isso ajuda, Essi. Você viu a cor do capuz dele? Era vermelho?

— N-não.

Não deve ser daqui.

— Qual era o cheiro dele?

— Couro — responde ela. — P-palitos de fumaça. Quando ele se afastava, as b-botas tiniam.

Botas tiniam...

— Me fala a-alguma coisa para eu me s-sentir quente, Raeve. P-por favor.

— Eu amo você.

A confissão se derrama sem hesitação. Uma verdade pesada lavrada a partir da dor crua e exposta em meu peito. Percebo que as palavras estavam lá todo esse tempo, escondidas sob as partes calejadas, em um lugar que eu pensava ser seguro.

Nada nunca é seguro.

— Por que você não foi a um suturaderme, Essi? Por que você não...

— Porque eu sabia que você sempre se p-perguntaria se eu não sobrevivesse. Que você pensaria que abandonei você, como eles me abandonaram. Eles...

A família dela.

Meu coração se rasga no meio.

— Você está aqui — sussurro em seu ouvido. — Está comigo. Temos *uma a outra.*

Eu a envolvo ainda mais em meu abraço, segurando com força enquanto ela se esvai. O sangue escorre pelo assento embaixo de nós, uma umidade que não consigo conter, que se infiltra pela minha roupa, grudando na minha pele.

Uma umidade que deveria estar bombeando em suas veias, alimentando sua vida. Mas não está.

Não está.

Acaricio o cabelo dela, enchendo meus pulmões com seu cheiro acolhedor, o passado e o presente se fundem quando me lembro de outro abraço. Outro amor.

Outra perda.

Cantarolo minha canção calmante enquanto ela treme contra mim, seu coração batendo sob minha mão, cada batida mais lenta que a anterior.

Mais silenciosa.

Mais fraca.

— Você é a família que eu nunca tive — murmuro, e seus pulmões se esvaziam com uma expiração trêmula...

E não voltam a se encher.

*N*ão sei ao certo por quanto tempo a seguro, presa a seu corpo que não se move mais.

Já sem calor.

Tempo suficiente para que uma cotovia de pergaminho entre no quarto e depois bata na soleira, repetidas vezes. Talvez Sereme esteja me informando que a missão do último torpor está completa, as crianças estão livres da cidade.

Tempo suficiente para que eu perceba que os segmentos rígidos do meu coração não vão se juntar de novo e proteger o núcleo macio que sente demais.

Que terei de cuidar da dor até que fique calejada, uma percepção que me faz não querer me levantar de novo.

Tempo suficiente para que eu me dedique a inspecionar cada momento desde que acordei, retirando a emoção como se estivesse descascando nozes, deixando o caroço macio por dentro, seguro para ser manuseado. Junto toda a bagunça em pilhas na margem do meu imenso lago congelado, que está mais silencioso do que nunca, e depois as levo pela superfície.

Uma luz prateada surge de baixo enquanto eu crio uma cova gelada para jogar os pacotes. Uma luminosidade curiosa que me segue a cada passo, me perseguindo para a frente e para trás entre a margem e o buraco — algo que, em geral, me assustaria. Mas estou entorpecida.

Vazia.

Perdi Essi e perdi a vontade de me preocupar com qualquer coisa que não seja o que me mantém de pé. Que me faz seguir em frente.

Vingança.

Deixando cair o último pacote sob a extensão gelada, volto a mim e levanto a mão para afastar o cabelo de Essi de seu rosto pálido demais.

— Pode dormir. — Com os olhos fechados, beijo sua têmpora, deixando o momento se estender. — Vou encontrar quem fez isso com você — prometo contra sua pele fria. — Eu vou encontrar, Essi.

E vou fazer com que sofra.

Tiro meu braço de baixo de seu corpo rígido, meu lábio inferior tremendo enquanto desprendo nossas pernas e saio da poltrona. Enrolo o cobertor em torno de seus ombros para a manter bem aquecida e depois vou para a escada com as pernas instáveis, apoiando na parede para poder levantar o alçapão.

Pre se solta em um movimento bambo, batendo em minha bochecha, pescoço e peito enquanto eu desço as escadas, com os olhos vazios à frente. Sem me preocupar em remover meu traje manchado de sangue, prendo uma bainha à minha outra coxa, ajeitando os vários bolsos cheios de escamadraco, enquanto Pre continua a se chocar em mim em uma agitação frenética. Ela cai de nariz em direção ao chão, mas eu a pego no ar, colocando-a com delicadeza em uma prateleira.

Não que ela fique lá por muito tempo.

Com movimentos nítidos e precisos, enfio meus braços em minha bandoleira de couro carregada de lâminas de ferro, enfio a bota preta no pé e a amarro até o joelho. Amarro um véu em meu pescoço e subo a escada, perseguida pelo som de asas de pergaminho.

Paro ao lado da mesa enquanto Pre colide...

Colide...

Colide...

Ela se aconchega em meu pescoço como se achasse que está segura. Mas não está.

Ninguém com quem eu me importo está.

Engulo o nó cada vez mais espesso em minha garganta e pego uma pena, mergulho em um pote de tinta e, em seguida, pego Pre em minha mão e desdobro seu rosto, cauda, asas e corpo, achatando-a sobre a mesa em que leio sua mensagem uma última vez.

Precisa de você

— Não, você não precisa — grunhi, riscando as palavras no pergaminho com minha caligrafia nada perfeita, transformando a bela Pre em algo muito menos terno.

Menos vulnerável.

A parte de trás de meus olhos arde quando a dobro de novo, manchando-a com o sangue de Essi enquanto a coloco de volta em forma.

Meus dedos se demoram sobre a última dobra. Uma que eu nunca havia pressionado antes.

A linha de ativação que devolverá Pre a seu remetente.

Meu olhar se volta para Essi — imóvel e silenciosa na poltrona.

Morta.

Meus dedos se apertam por vontade própria, prendendo a dobra no lugar.

Pre se agita para ganhar vida, com movimentos suaves e mecânicos. Sem tudo o que a torna *ela mesma*.

A dor em meu peito se intensifica à medida que ela desliza em direção à janela em uma agitação constante, sem outro empurrão no pescoço ou rodopio eufórico, e eu sei que ela se foi. Sei que sua alma se libertou e que a "mágica" que a prendia a mim... não está mais lá.

Assim como Essi não está mais aqui.

Assim como Fallon...

Interrompo o pensamento, limpo a garganta e me forço a ver Pre passar pela janela e desaparecer de vista, no céu impiedoso — reprimindo a tentação de arrancar meu anel. De implorar a Clode que a traga de volta para mim com um sopro de vento.

Não.

Vou até a cozinha e encho a bacia com panos que caem pela borda, fazendo um caminho até o tapete. Em seguida, pego um frasco de álcool esterilizante no armário de suprimentos de remendos, abro a tampa e molho os panos. O tapete.

O cobertor que mantém Essi aquecida.

Encharco o canto de outro pano pequeno, coloco em minha bainha com uma pederneira e me dirijo à janela, parando ao lado da poltrona na qual me ajoelho.

Passando a mão pelo cabelo de Essi, observo as curvas acentuadas de seu rosto etéreo... linda demais para este mundo.

Pura demais.

— Eu te amo — sussurro, mapeando suas sardas. Guardo a imagem dela em um lugar seguro, onde posso conservá-la para sempre. — Vou acabar com o frio, está bem?

O silêncio que se segue é uma provocação cruel que rasga o que há no meu peito. Como se um fundífera estivesse preso dentro de mim, me dilacerando.

Se banqueteando.

Com um último beijo em sua têmpora, eu me forço a virar. A sair pela janela e subir na parede manchada de sangue, sujando ainda mais minhas mãos *dela*. Saio no túnel de vento e fico olhando para a calha enquanto me levanto.

Me jogue no fogo, para que eu nunca mais sinta frio.

Minha expressão despenca, depois se contorce de uma forma selvagem, apesar do estremecimento relutante que brotou do meu passado sem brilho.

Só de pensar em queimar o corpo de Essi... me dá vontade de desmoronar e gritar. Pensar em atirá-la às chamas vai contra tudo o que me moldou em quem sou, mas não vou me acovardar quando ela me pediu pelo fogo.

Não vou falhar com ela de novo.

Tiro o pano e a pederneira de minha bainha e me forço a dar um único passo incerto. Mão trêmula.

Alma se contorcendo.

Com os dentes cerrados, passo a pederneira pela parede de pedra, capturando a faísca no tecido. Ele explode em chamas tão rápido que o fogo mordisca minha pele, e o pânico envolve meu pescoço com suas mãos, apertando com tanta força que mal consigo respirar. Mas mantenho a mão trêmula sobre o tecido, forçando três palavras estranguladas a passarem por meus lábios trêmulos.

— Me desculpe, Essi.

Me desculpe por não ter mantido você a salvo. Por eu não ter dito que te amava antes de você estar morrendo em meus braços.

Me desculpe por não ter sido a família que você merecia.

Jogo o pano flamejante na calha, seguido pela pedra, cambaleando para trás por causa do golpe de calor que explode em meu rosto, fazendo com que eu me engasgue com a fumaça.

Ouço o som de vidro se quebrando e fecho os olhos, imaginando os frascos de tintura dela estourando um a um.

O calor se intensifica e imagino o tapete queimando, o cheiro de carne frita chegando até mim cedo demais.

Cedo demais, porra.

Um soluço estrangulado aperta minha garganta enquanto eu cambaleio para trás por causa do calor. Do *cheiro*... levo a mão à boca.

Algo bate em minha bota.

Abro os olhos, olhando para o chão manchado de vermelho. Para a lâmina ensanguentada apoiada em meu pé e a algibeira de couro ao lado dela.

Preta.

De Essi.

Meu coração dispara, como se algo o tivesse jogado na minha costela com tanta força que fico surpresa por ela não ter se quebrado.

Eu tento me abaixar e então abro a algibeira para espiar lá dentro, encontrando um livro e um frasco fosco. Um livro que ela deve ter pegado na biblioteca.

Na *Cidade Baixa.*

Não me dou ao trabalho de abrir o frasco, pois sei bem o que há dentro dele. O ingrediente final de que ela precisava para prender a tampa de diamante em meu dente...

A tampa que ela fez para *me proteger*.

Meus pulmões se contraem.

Pego a adaga que Essi deve ter tirado da própria barriga. A adaga que fez isso com ela.

Que a tomou de mim.

Estou prestes a colocá-la ao lado da minha quando algo chama minha atenção — um movimento deslizante na face plana da lâmina.

Todas as células do meu corpo congelam enquanto o sangue de Essi se solidifica em uma série de letras avermelhadas:

Uma convocação. Para mim.

De Rekk Zharos.

A lâmina escorrega de minha mão. Cai no chão.

Ele está de olho em mim. Descobriu onde moro. Matou Essi para me fazer sair.

De alguma forma.

O que significa que é por *minha* culpa que ela se esgueirou até a Cidade Baixa. Por minha culpa, ela foi esfaqueada e depois voltou para nossa casa em vez de encontrar um suturaderme para curá-la. Por minha culpa, ela sangrou no sofá até parar de se mexer.

Por minha culpa, ela está *queimando*...

Morta.

Um gemido gutural irrompe do fundo do meu ser, machucando minhas entranhas à medida que se liberta. Enquanto a constatação se acomoda em meu peito, me dilacerando, enfiando a boca e *mordendo*... mastigando meus pulmões. Meu coração.

Minha *alma*.

Eu me desfaço; o rosto, ombro, coluna.

Joelho.

Caio no chão, esvaziando tão rápido quanto minha determinação em ruínas, esmagada por uma montanha de culpa sufocante. Tenho certeza de que estou sendo cortada no peito em seções longas e irregulares — de novo.

De novo.

Estremeço a cada corte agonizante, meu olhar se volta para as mãos encharcadas de sangue que usei para tirar Essi das entranhas escuras da Cidade Baixa — tão determinada a lhe dar uma vida melhor.

Prometi que a manteria segura. Em vez disso, eu a coloquei no túmulo.

E eu...

Eu...

Não consigo fazer isso. Não consigo mais fazer isso, porra.

Algo dentro de mim muda, e uma colisão estrondosa me sacode de dentro para fora, meus ossos se trancam com o impacto. Um estalo ruidoso ricocheteia debaixo de minha costela antes que uma forte explosão me atravesse, estilhaçando meu interior em mil fragmentos gelados.

A temperatura do meu corpo cai tão depressa que consigo ouvir meu coração desacelerar, como se estivesse lutando contra o sangue lamacento em minha veia, uma batida lenta de cada vez.

Inspiro, trêmula, um ar que parece quente demais. É como puxar lava para dentro de meu pulmão gelado.

Está chegando.

Uma lágrima desce pela minha bochecha enquanto perco a sensibilidade dos dedos da mão e do pé.

Meus braços e pernas.

Parte de mim quer lutar contra isso. Ser forte por Essi, apesar do fato de que nunca me senti tão fraca em toda minha vida. Rasgar o mundo em pedaços até encontrar Rekk Zharos e enforcá-lo. Cortá-lo mil vezes. Esperar que ele se cure.

Fazer tudo de novo.

Mas há uma parte maior de mim que ainda está deitada naquela poltrona lá dentro, envolta em minha amiga jovem, milagrosa e linda que acabou de perder a vida porque eu a amava. Uma parte *maior* de mim que está queimando ao lado dela. E essa parte...

Está cansada.

Solitária.

Perdida.

Triste.

Mais destruída do que jamais admitirei.

Essa parte de mim só quer parar e nunca mais começar.

A raiva gelada dentro de mim *ruge*, sua essência se expandindo com tanta ferocidade que meus órgãos parecem estar sendo empurrados para o lado. Perco a sensibilidade em meu peito e meu rosto se contorce quando paro de enxergar, caindo para trás em uma dormência gélida que me envolve com tanta força que não consigo me mover. Não consigo ver.

Não consigo sentir.

Uma dormência linda e doce. Tão pura... como uma bandagem fria e sedosa para minha alma. Tão suave que quase me esqueço de que não terei a glória de matar Rekk Zharos e vingar a morte de Essi, mas enquanto afundo, enrolada nesse conforto gélido, fico mais calma.

Resoluta.

Ele merece que cada membro de seu corpo seja arrancado. Que sua vértebra seja esmagada; seu cérebro, triturado. Que suas entranhas sejam pulverizadas pela entidade estranha e selvagem que existe dentro de mim.

Ele merece...

A Outra
CAPÍTULO 15

Outra se mantém à espreita na Cidade Baixa — em uma escavação escura e elevada, fixada com uma rede de pontes que se estendem pelo vazio, com apenas algumas tochas que permitem vislumbrar a forma das coisas.

Não que ela precise de luz.

Seus olhos negros e brilhantes reluzem na escuridão enquanto ela caça, segurando a lâmina usada para sangrar a jovem até que ela não sangrasse mais.

Não respirasse mais.

Não existisse mais.

Levando o punho ao nariz, ela fareja, com uma inspiração longa e profunda, captando mais um pouco do cheiro de fumaça e couro do assassino.

Ele imploraria por misericórdia antes do fim — disso, ela tinha certeza. Não que implorar lhe fosse render alguma.

Com os olhos selvagens como seus pensamentos sangrentos, a Outra se arrasta por um caminho irregular, investigando a vasta extensão da caverna, enquanto vários olhares perfuram sua pele frágil demais. Olhos de predadores nascidos no Breu que entraram de fininho pelos poços desmoronados da mina. Que *também* têm uma visão excepcional, hibernando em cantos escuros, comendo suas presas em paz e definhando em ninhos de ossos.

A Outra não dá atenção a eles. Ela não guarda mágoa daqueles que matam para sobreviver, para se alimentar ou para proteger seus filhotes.

Mas aqueles que matam para ferir aqueles que ela ama? Aqueles em quem *ela se aninha*?

Eles merecem ser dilacerados, pedaço por pedaço. Ver a pele arrancada como tiras de um tronco de árvore. Ser comidos enquanto seu coração quente ainda pulsa.

No entanto...

A Outra para, olhando para o pedaço de material enrolado no pescoço fino e vulnerável de sua hospedeira preciosa e dócil, imaginando se deveria usá-lo para cobrir o rosto. Raeve é sempre tão cuidadosa em se camuflar quando está derramando sangue, por mais estranho que seja. O sangue deve ser usado com honra. Uma ostentação de carne fresca e barrigas cheias.

De predadores que se foram.

Mas a Outra respeita sua hospedeira, apesar de suas mãos pequenas e dentes minúsculos, que são quase inúteis para mastigar coisas substanciais de verdade. Ela decide aderir à tradição estranha, franzindo a testa enquanto pega o material e o coloca em volta da boca e do nariz.

Pronto.

Ela desce uma escada irregular, entrando ainda mais na escuridão. Parando no meio de uma ponte, ela olha para outro trecho de pedra que perpassa o abismo sinistro logo abaixo, com a cabeça inclinada para o lado...

Talvez os soldados armados, encostados nas paredes das alcovas gêmeas em ambas as extremidades da ponte abaixo, acreditem que estão escondidos.

Não dela.

Ela nasceu na escuridão. Para ela, seus corpos são *luminosos* — como se estivessem iluminados pelas tochas que eles devem ter apagado quando montaram a pequena armadilha.

A Outra se alimenta do som viscoso que seus corações fazem, digerindo os sussurros quase silenciosos:

— *Acha que terei problemas se eu mijar na borda?*

— *Eu não faria isso. A menos que queira correr o risco de ter suas bolas fritas.*

A Outra faz uma careta diante da linguagem grosseira deles, imaginando se os possíveis parceiros da espécie feérica acham esse tipo de coisa atraente. Ela, com certeza, não acha.

— *Já faz algum tempo. Acho que não vem ninguém.* — Uma breve pausa, e então: — *Talvez aquela vadia Ath era a que ele já esfaqueou. O informante dele tinha certeza de que ela tinha cabelo preto?*

— *Longo, preto e liso, pele branca como a neve. Ouvi com meus próprios ouvidos. Ela virá, posso sentir isso em meus ossos.*

A Outra se agacha e se inclina para a frente, buscando uma visão mais clara.

— *E se ela não trouxer reforços e tudo isso for uma perda de tempo por causa de uma única rebelde? Deveríamos ter encontrado uma maneira de invadir a casa dela, assim eu não estaria aqui prestes a me mijar.*

— *Ninguém em sã consciência viria até aqui sozinho. Mas, se ela vier, pelo menos será fácil nos livrarmos dela. Eu gostaria de estar em casa antes do nascer. Estou morrendo de fome.*

A Outra decide que esses feéricos merecem o fim terrível que está chegando para eles, embora lamente não ter tido mais tempo para planejá-lo.

Fazê-los *chorar*.

Ela examina cada um dos soldados enquanto respira fundo o ar quente e úmido, procurando aquele que deixou seu cheiro na lâmina, franzindo a testa.

Esse *Rekk* é mais esperto do que os que estão esperando em lugares tão óbvios. Não importa. Ele também será atraído pelo sangue.

Ela abre um sorriso.

Muito sangue.

Esgueirando-se em silêncio ao longo da ponte, a Outra guarda a adaga, parando acima do grupo de homens fortemente armados na extremidade norte. Ela arranca o anel de ferro de seu dedo, se abrindo para os Criadores. Para as canções que ela estudou por baixo da crosta de seu lago congelado sempre que eles uivam, se esganiçam ou guincham lá de cima.

Ela não se acovarda diante do clamor contra seus tímpanos. Ela usa a dor como uma rede de proteção, *uma* com as músicas terríveis que invadem sua mente violenta e seus ouvidos pequenos, delicados demais.

Ela dá um salto.

Cai.

Aterrissa agachada diante de um grupo de homens despretensiosos — mãos em garra, um tipo de alegria selvagem espalhada por seu rosto.

Ela canta a música estranguladora de Clode antes que os soldados com contas tenham a chance de dizer uma única palavra.

Não é uma música suave. A Outra não deixa espaço para a misericórdia. Não há sorvos de fôlego para súplicas arfadas. Em vez disso, ela corta o pulmão deles em um instante, se deleitando com a agonia horrorizada.

O sangue irrompe da boca dos soldados, dos olhos esbugalhados vazam lágrimas avermelhadas enquanto eles agarram seus pescoços, alguns caindo onde estão. Outros tentam escapar, cambaleando até as paredes ou para fora da ponte, morrendo muito antes de chegarem ao chão.

A Outra arranca adagas gêmeas de sua bandoleira, girando. As lâminas cortam o ar na direção do lado mais distante da ponte, atingindo os olhos de dois soldados que estão fora do alcance do canto estrangulador antes que eles tenham a chance de pronunciar qualquer palavra.

Eles desabam onde estão.

Outro soldado tropeça nos cadáveres, caindo no precipício. O som de seu corpo se quebrando contra uma ponte mais baixa ecoa em meio ao caos.

Um sorriso impiedoso se espalha pelo rosto da Outra — não mais parecido com o de sua hospedeira, dona de uma beleza feroz. Agora é anguloso e selvagem.

Monstruoso.

Mais lâminas cortam o ar, os golpes mortais da Outra, lançados do céu, encontram lugar na carne e no osso, penetrando nas fendas frágeis entre as robustas placas de armadura.

Tum.

Tum.

Tum.

Os soldados caem em um barulho de metal e carne enquanto a Outra modula o ar até a inexistência, retirando o oxigênio e anulando a capacidade dos soldados de cantar. Tornando a atmosfera inóspita para as chamas que seus oponentes precisam para ver o que ela está fazendo. Para onde suas lâminas estão sendo apontadas.

Eles pensaram que a escuridão era sua aliada, mas foi sua ruína. Como tantas vezes acontece com muitos que subestimam o manto de um céu sem sol.

Uma onda imprevista de tropas de reserva sai do túnel sul, gritando.

Atacando.

Um deles ordena que a ponte seja dividida antes que a Outra possa pulverizar seu pulmão, e rachaduras parecem se entrelaçar na pedra.

A ponte dá um *solavanco*.

Ela vacila, sibilando com os dentes cerrados, mas recupera o equilíbrio com um punho plantado com firmeza na rocha.

— *Glei te ah no veirie nahh* — grita ela, levantando a cabeça. — *Glei te ah no veirie!*

Clode se agita em uma dança estridente de respirações interrompidas e vias aéreas em colapso, batendo no peito dos soldados com empurrões ventosos, jogando-os para fora da ponte em ruínas com um jato de pedra.

Muitos tentam bater em retirada, mas só alguns conseguem voltar para o túnel.

A Outra ri e se levanta, caçando o grupo de desertores, os passos rápidos ganhando terreno até chegar perto o suficiente para cravar adagas de ferro na nuca deles com um movimento do pulso. Ela salta, se derramando sobre outro soldado como uma onda fervilhante, puxando sua cabeça para trás e cortando a garganta.

O sangue jorra, cobrindo as mãos e o rosto dela.

Ela ataca os dois restantes, salivando com o gosto do sangue deles em seus lábios. Ela se aproxima.

Mais perto.

O túnel se abre e ela entra em uma pequena caverna circular iluminada por tantas arandelas flamejantes que a forçam a semicerrar os olhos, cobertos de fuligem, não sintonizados com o brilho intenso.

Os pelos de sua nuca se eriçam...

Um barulho alto a faz se virar para ver uma porta com barras de metal bloqueando a saída. Trancando-a lá dentro.

Ela sibila, girando em um turbilhão de cabelo preto e sangue, cuspindo raiva, avaliando os muitos soldados alinhados na parede da caverna — braço a braço, com capacetes vermelhos escondendo os rostos, e espadas apoiadas na cintura.

Uma armadilha.

Um *ringue de luta.*

Alguns deles entoam melodias que soam como sibilo e cuspe, com chamas saindo a partir de naturis de contenção elementar e arandelas acesas.

Lançando-se até ela.

Com uma careta, a Outra canta a música sufocante de Clode.

— *Glei te ah no veirie. Ata nei del te nahh. Mele, Clode. Mele!*

As chamas que se estendem em fitas engasgam até serem extinguidas, assim como a maioria das arandelas acesas espalhadas pelas paredes, preenchendo a caverna com uma escuridão tranquila.

Muitos soldados caem de joelhos, agarrando os pescoços.

A Outra se joga em um dos dois que a atraíram até ali, enfiando a lâmina através da abertura na armadura. O intestino dele escapa pelo corte sórdido, e ela parte para cima do próximo em um instante, envolvendo seus membros em torno da cabeça dele e puxando com tudo para o lado. O pescoço dele se quebra com um estalo satisfatório, e ele cai no chão em uma pilha aos pés dela.

Observando os adversários restantes, ela brada uma palavra profunda e estridente que abre caminho de sua garganta. Como se ela tivesse acabado de tirar uma pedra afiada do fundo de suas entranhas.

— *Vobanth!*

A caverna treme com a resposta de Bulder — uma fenda irregular que rasga o chão, bocejando como a boca torta de uma grande fera.

Os soldados gritam, com as mãos estendidas para se firmarem contra a parede áspera, alguns caindo no abismo pungente, esmagados pela pedra movediça ao som de ossos sendo quebrados e crânios sendo estourados.

Sangue e massa encefálica espirram do estrondo dos cortes enquanto a fenda *mastiga.*

Os soldados cambaleiam, olhando uns para os outros, o cheiro de urina pairando no ar, enquanto parecem se dar conta de que prenderam a si mesmos dentro de uma jaula com um monstro. Um monstro feroz e *poderoso* que deveria ter duas contas penduradas em seu lóbulo em vez do talhe nulo na ponta de sua orelha cônica.

Se eles soubessem que ela só é capaz de pronunciar algumas poucas palavras de Bulder da forma correta, talvez não estivessem tão assustados. Ainda assim, a Outra se envaidece com o medo no olhar deles, com um sorriso cortante que divide seu rosto ensanguentado em algo saído das profundezas de um terror sangrento.

Quantos oponentes insignificantes.

Ela esmagará todos eles e depois se banhará em seu sangue antes de se libertar dessa jaula e caçar esse *Rekk*, sufocado no grumo de seus camaradas mortos.

Há um beliscão agudo em seu ombro direito, e as melodias clamorosas que penetram em seus pequenos e frágeis tímpanos se calam.

Somem.

A Outra franze a testa.

Os gemidos úmidos dos feéricos moribundos seriam música para seus ouvidos se ela não estivesse familiarizada com essa forma particular de silêncio.

Ela bate com a mão na parte de trás do ombro, dedilhando o furo dolorido, franzindo a testa quando as pontas saem com o cheiro do sangue de sua precioso hospedeira... e arregala os olhos quando se dá conta de que foi atingida.

Com *ferro*.

Ela gira em direção à entrada gradeada, com o olhar fixo no feérico que está atrás dela, armado com um estilingue encostado nas grades.

Apontado para ela.

Afastando um capuz preto da cabeça, o homem tira a capa para revelar uma calça de couro preta e uma camisa branca folgada, desabotoada em parte no pescoço.

A Outra observa seu longo cabelo claro e os olhos cerúleos. Uma cigarrilha de pergaminho enrolado entre os lábios soltando fumaça que flutua ao redor de seu rosto.

As contas vermelhas e marrons penduradas em seu lóbulo.

Acima de tudo, ela nota a confiança relaxada de sua postura, a cintura encostada na borda do túnel, como se estivesse apreciando a paisagem.

Com as narinas dilatadas, a Outra inclina a cabeça e inspira fundo, captando um pouco do cheiro de couro e fumaça dele. O mesmo cheiro denso na adaga ainda guardada em sua bainha.

As veias de sua têmpora e pescoço se dilatam, e a mandíbula treme com a raiva que se espalha.

Rekk Zharos.

— Foi você quem matou nossa Essi — rosna ela, a voz grossa como cascalho, uma discórdia de vocais tensos e disposição feroz.

— A ruivinha? — fala Rekk, com a voz arrastada, tirando a arma das barras e jogando no chão. Tirando a cigarrilha dos lábios, ele respira fundo, e suas palavras seguintes são um jato grosso de branco: — Ela gritou como um pássaro estrangulado quando enfiei a lâmina na barriga dela.

A Outra rosna, avançando em direção às grades.

— *Stisssteni tec aagh vaghth-fiyah* — cospe Rekk, com os lábios curvados, como se as palavras tivessem saído queimando sua garganta antes de se libertarem.

As chamas fluem das tochas restantes, com fitas que se agitam ao redor da Outra em redemoinhos ondulantes que se aproximam demais de sua pele vulnerável, capturando-a em um punho de fogo do qual é impossível escapar. Não sem um suturaderme por perto para remendar as queimaduras que ela sofreria.

Com os punhos cerrados, ela estuda cada movimento de Rekk: a pulsação inquieta em seu pescoço; a forma como seu corpo magro se movimenta quando ele destranca as barras e entra na caverna, com as feições angulosas iluminadas pelas chamas agitadas; as esporas ensanguentadas na parte de trás de sua bota fazendo barulho a cada passo.

Seus olhos brilham com uma satisfação sádica enquanto ele observa a Outra e depois a carnificina que ela fez de seus companheiros.

Ele estala a língua, com as sobrancelhas pálidas subindo pela testa.

— Impressionante.

A Outra rosna, se inclinando perigosamente para perto do inferno estrondoso enquanto o suor se acumula em sua testa e nas costas. Com os dentes arreganhados, ela deseja o sangue dele. Sentir a carne dele se despedaçando entre seus caninos, por mais medíocres que sejam.

Rekk pressiona a cigarrilha entre os lábios, tragando com languidez, depois joga a bituca fora e tira um chicote enrolado do gancho onde está preso à cintura dele. Com um movimento do pulso, o cabo preto estala através da chama e envolve a Outra em um abraço rígido que prende seus braços a suas laterais, com as pernas unidas. Como se tivesse sido encasulada por uma criatura que tece fios de seda, sendo preparada para um banquete.

Ela cai de joelhos, silvando respirações bruscas, enquanto Rekk encanta as chamas em direção às tochas que revestem as paredes. Libertando-a do redemoinho de fogo, apesar de não ficar nem um pouco mais perto da liberdade que ela perdeu.

Ela perdeu.

Rekk arranca o véu ensanguentado, expondo-a. Seus olhos se arregalam quando ela rosna com os dentes cerrados, se sacudindo contra as amarras.

Ela.

Perdeu.

— Não é nada do que eu estava esperando — murmura Rekk, franzindo a testa. Ele aproxima a mão, os nós dos dedos roçando a bochecha dela. — Me parece um desperdício alimentar os dragões com uma coisa tão bonita e poderosa...

Com um estalar de dentes, ela agarra o dedo dele e morde.

Com força.

Rekk ruge, tentando soltar a mão. Os soldados restantes gritam, avançando em direção à prisioneira que rosna enquanto rói a junta nodosa com o fervor de uma fera faminta.

O dedo se rompe, a ponta cortada pendurada na boca dela.

Rekk cambaleia para trás e leva a mão trêmula ao rosto, com sangue escorrendo pelo braço. Pelo chão.

Pinga.

Pinga.

Ela cospe a ponta, exibindo um sorriso cheio de dentes e sangue.

Rekk pisca, com os olhos arregalados se concentrando no toco sangrento, antes de inclinar a cabeça e rugir de tanto rir, abusando do som até que ele pareça ofensivo e entediante.

O sorriso da Outra diminui.

Rekk olha para ela de novo, amassa a mão ensanguentada e desfigurada na forma de uma bola, ergue o braço para trás e dá um soco na cara dela.

Uma explosão ofuscante de dor antes que a escuridão a consuma.

Registro no diário

Elluin Neván

Idade: 9 fases

5.000.030 fases Depois da Pedra

Está muito frio nos arredores de Subsulnia, mas, para que um ovo de plumalua seja incubado, ele precisa ficar aqui mesmo no frio até começar a chocar. Em seguida, devo colocar pedaços de gelo em volta dele e esperar que o filhote se solte da casca.

Preciso fazer tudo isso por conta própria porque Haedeon não pode. Porque eu o encontrei dormindo no fundo de uma fenda, abraçado a seu ovo roubado de plumalua, sem conseguir mexer as pernas.

Eu o acordei. Disse que iria buscar mamãin e papaih. Ele disse que eu morreria se levasse o trenó para casa sozinho. Que seu ovo também morreria.

Isso me preocupou muito.

O trenó não consegue chegar tão longe, então construí uma tenda de neve para manter Haedeon seguro e aquecido enquanto ele dorme até melhorar. Depois, fiz três viagens à tenda de nidificação por conta própria e mudei todas as nossas coisas de lugar.

Sacudi Haedeon para o acordar de novo e disse a ele que me esforçaria muito, muito mesmo para arrastá-lo até o frio quando o plumalua começasse a eclodir, para que eles pudessem criar laços. Ele tocou meu rosto, disse que me ama e que está feliz por eu ter me escondido no trenó, depois caiu em um sono muito profundo.

Ele tem dormido muito. Estou começando a me preocupar que não acorde mais. Que seu peito pare de se mexer de repente.

Pensar nisso faz meu peito doer. Me dá vontade de chorar.

Mas não vou chorar. Eu me recuso. Tenho que ser forte pelo Haedeon, porque ele não pode ser forte para si mesmo.

Mas, se ele não acordar, decidi que não vou voltar para casa. Não consigo colocá-lo no trenó e não vou deixá-lo aqui, no frio e no escuro, sozinho. Ele odeia ficar sozinho e odeia muito o escuro.

Sinto falta de mamãin e papaih.

Raeve
CAPÍTULO 17

E stou imersa em um sono gelado que é suave como uma cauda fina enrolada em meu corpo, à deriva na maré da inexistência.

Uma inexistência bela e hipnótica.

Até que algo *estala* perto do meu ouvido, me trazendo para a superfície e me jogando no grito doloroso da realidade.

Uma realidade quente, dolorosa e *pesada*.

Meus tornozelos estão algemados, e todo o meu peso pende dos pulsos, que estão amarrados juntos, esticados em direção ao céu, com os ombros ameaçando saltar das juntas. O direito está pulsando com uma angústia lancinante que me faz ter certeza de que fui esfaqueada ou cutucada com algo ainda alojado no osso.

A dor é uma gota no barril de desconfortos que atormenta cada músculo do meu corpo, como se eu tivesse sido torcida em todos os ângulos e depois sacudida como uma toalha. Até mesmo a mandíbula e gengiva doem como se eu estivesse roendo algo denso e borrachudo enquanto minha consciência estava encolhida em algum lugar distante do sofrimento do tamanho de Essi no meu coração.

Passando a língua pelos dentes, sinto um pedaço fibroso de... *alguma coisa* presa no espaço minúsculo entre meu canino afiado e o dente ao lado dele.

Tremendo, decido que prefiro não saber o que é aquilo.

Só consigo levantar uma das pálpebras, a outra é um grande inchaço doloroso, com meu globo ocular latejando.

Eu resmungo, observando meus arredores borrados através de fios ensanguentados de cabelo. Minhas bainhas de couro e minha bandoleira estão amontoadas no chão em uma pilha não muito distante, e a maioria das minhas armas sumiu.

Puta merda.

Volto a atenção para as paredes de pedra simples, decoradas com algumas arandelas acesas. Há uma porta de madeira logo à frente, com um rastro de sangue avermelhado que vem até aqui... até onde estou pendurada...

Meu olhar se volta para meu traje — antes marrom, agora encharcado de vermelho.

Vermelho *sangue.*

Meu coração para.

O que quer que tenha acontecido durante meu apagão supostamente pacífico acabou comigo amarrada nesta sala desconhecida, coberta de sangue, com um pedaço de algo preso entre meus dentes e uma provável fratura na órbita ocular.

Isso não me parece nada bom.

Olho para dentro de mim, caindo em direção a meu lago, estremecendo com a visão... A extensão, que costuma ser lisa e geada, agora é uma desordem de estilhaços de gelo e icebergs virados para cima.

Que confusão.

Saio depressa dali, voltando o olhar para as paredes úmidas do espaço pequeno e abafado...

Sinto um arrepio na nuca. Como se alguém atrás de mim tivesse se aproximado.

O baque rítmico de passos pesados e barulhentos rompe o silêncio sinistro, e me lembro das palavras de Essi:

"Quando ele se afastou, as botas tiniram..."

Sinto meu sangue gelar.

O barulho me circunda como uma das famosas mansanhas do Breu circundando sua presa, a dança mortal de um predador próximo do topo da cadeia alimentar. Um predador que conquistou o direito de brincar com a comida antes de se agachar para o banquete.

Primeiro, vejo as botas dele, com esporas de metal presas ao calcanhar e cobertas de carne e sangue, o suficiente para que eu rosne antes mesmo de erguer o olhar para o rosto do homem.

Olhos frios e calculistas — orbes cerúleos gêmeos — fixam-se em mim.

Rekk Zharos.

Ele sorri.

— Olha ela aí.

Eu me sacudo contra as amarras com tanta força que corta a carne ao redor de meus pulsos, ficando vermelha e ardendo de uma forma que é insignificante em comparação à dor que infla meu peito.

— *Você matou Essi.*

Minha voz sai quebrada e falhada, trazendo consigo o gosto de sangue.

— Já falamos disso — responde ele, com a voz arrastada, revirando os olhos e se aproximando do meu campo de visão; um pilar de músculos magros e movimentos suaves e felinos, com o comprimento de seu chicote com ponta de ferro o seguindo como uma cauda. — Se quiser pegar um vira-lata selvagem, você deve atraí-lo com a isca certa. Em meu ramo de trabalho, é preciso ser engenhoso. Por mais que você goste de pensar que é especial, não é nada pessoal.

Vou dizer o mesmo para ele enquanto estiver entalhando seu peito depois que me libertar dessas *malditas* amarras. Embora seja uma mentira que ele perceberá quando eu explodir em gargalhadas a cada novo corte. Porque *é* pessoal.

Muito.

Eu me debato contra as cordas amarradas em meu pulso de novo.

De novo.

— Pelo menos *não* era pessoal até você arrancar meu dedo — murmura ele, levantando a mão direita e balançando a ponta enfaixada para mim.

Eu fico quieta, minha língua se aproxima para cutucar a coisa fibrosa enfiada entre meus dentes...

Faz sentido. E a dor que sinto na mandíbula também.

Torço em silêncio para não ter engolido a ponta, me lembrando de ocasiões passadas em que, após um apagão como esses, acordei com dor de barriga e um sabor estranho de carne na boca.

É melhor não pensar muito nessas coisas.

Rekk para diante de mim e tira um estojo de couro do bolso, desenrolando, pegando uma cigarrilha e colocando entre os lábios.

— Então — diz ele, a palavra abafada, enquanto tira um naturi de prata do outro bolso e abre a tampa, expondo a pequena e furiosa chama escondida dentro dela, que agora dança na coroa do instrumento. Ele o usa para chamuscar a ponta da cigarrilha, cobrindo seu rosto com um sopro de fumaça. — Você é uma conta dupla.

A falta de ar vem com tanta rapidez que minha expressão quase se transforma em uma careta.

Merda.

Parece que minha psicopata interior está prestando atenção, coletando palavras poderosas que usa como pedras para me afundar ainda mais nesse lago da perdição.

Eu me esforço para não suspirar.

— Será que sou? — Forço uma careta de espanto que faz com que meu olho pareça prestes a estourar. — Pensei que fossem só vozes estranhas na minha cabeça. Que bizarro.

Ele ergue as sobrancelhas.

— Acho difícil de acreditar.

— Talvez você devesse usar sua imaginação?

Ele dá uma tragada crepitante e depois sopra seu hálito em meu rosto, enchendo meus pulmões com a fumaça espessa e potente.

— Vá com calma com essas coisas — falo enquanto tusso. — Não quero que acabem com seus pulmões antes que eu possa fazer isso.

Com a cabeça inclinada para o lado, seu olhar se estreita.

— Seus olhos estão diferentes. Eram pretos antes. Agora estão azuis.

— Você tem *mesmo* imaginação. Garoto esperto.

Ele resmunga, ainda me observando enquanto dá outra tragada, apertando a cigarrilha com a mão machucada, as próximas palavras sendo liberadas com um sopro de fumaça.

— Kemori Daphidone, trovadora viajante de Orig... qual é o seu nome *verdadeiro*?

— Se você tiver uma morte lenta e traumática, pode ser que eu considere a possibilidade de sussurrá-lo em seu ouvido antes que seu coração pare de bater.

— Você é um prato cheio. — Seu olhar cai para meu busto e depois volta a subir, os lábios se curvando em um sorriso viscoso. — *Mais* que um prato, na verdade.

— *Muito* acima da sua capacidade, seu saco de bosta.

Ele ri e dá outra tragada.

— Sou um homem ganancioso...

— Se vou ter que ouvir suas baboseiras, ao menos me conte algo que eu já não saiba.

— ... e veja, com esse trabalho em particular, sou pago *por cabeça*. Então, sua vadia desbocada, estou oferecendo a chance de evitar retaliação por todos os soldados que tirou de mim. E por isso — anuncia ele, apontando para a mão ferida.

Desvio a atenção para o chicote e então de volta para os olhos dele.

— Acha que tenho medo do seu brinquedinho, Rekk?

— Deveria ter. — Ele exibe um sorriso torto, com caninos afiados e a promessa de dor. — A ponta de ferro *morde*.

— Eu já vi maiores. Mas, olha, se chicotear uma mulher faz com que você se sinta um garoto forte, não me deixe acabar com seus sonhos. Não se preocupe, eu aguento. Tenho culhões o suficiente para nós dois.

Desta vez, quando ele ri, é sem qualquer humor.

Ele agita a mão.

O chicote desliza pelo ar na velocidade da luz, e mal consigo respirar quando atinge minha cintura, rasgando meu traje e cortando a pele.

Cerro os dentes, mastigando a vontade de preencher o espaço com um grito, com o corpo tremendo. Minha carne se inflama com a antecipação, se preparando para o próximo golpe que, sem dúvida, será desferido.

— Você está de boca fechada agora — aponta ele, dando outra baforada na cigarrilha. — Mas, se não tivesse sido tão boca aberta enquanto falava com a musicista na Fenda da Fome, você não estaria nessa situação e sua amiga não estaria morta.

Meu coração para, então dispara de novo, suas palavras se acomodando dentro de mim como pontas de flecha que trituram a carne...

Levvi.

Ele está falando de *Levvi.*

O que significa...

— Por sua vez, ela entregou um bilhete com runas pra você, que usei para localizar seus aposentos.

A sala gira, minha mente agitada se desenredando tão depressa que todos os fios que costumam me manter unida se enroscam e se juntam até se tornarem um emaranhado de nós.

Meu contato. Caso você queira se apresentar junto comigo de novo...

Ela deu um sorriso triste ao dizer aquelas palavras, como se tivessem um gosto ruim em sua boca.

Criadores...

Eu não *precisava* ter mostrado o globo para ela, teria conseguido escapar sem isso. Mas estava com pressa. Distraída. Tão desesperada para completar a porra da missão pela qual havia lutado.

Fui cega. Burra.

Egoísta.

E agora Essi está morta.

Gemo, a nova informação é como um corte selvagem na dor crua e exposta em meu peito, que ainda não teve a oportunidade de cicatrizar.

— Imagine a minha decepção quando ativei a runa de rastreamento e percebi que o bilhete não me levava ao Floreio — acrescentou Rekk, apontando a cigarrilha para mim e batendo a cinza. — Isso significa que você é apenas ralé. A que eles usam para fazer o trabalho sujo. Sabe, o que eu *preciso* é de alguém com laços estreitos com o Flama ou, no mínimo, que saiba a localização do Floreio. Você pode me ajudar com isso?

Sereme.

Eu inclino o queixo para baixo, ainda olhando para ele, os pensamentos se misturando em um terreno eriçado.

Por mais que eu odeie aquela vadia, jamais a entregaria para um sádico imbecil como esse. Isso não só colocaria Ruse em perigo, como também, se esse monstro pegasse o frasco que está pendurado no pescoço dela, muitas outras lâminas que respeito seriam vítimas da Coroa.

Não é uma opção.

Nunca.

— Ah, não me olhe assim. — Ele dá um trago até a chama se apagar, depois deixa cair a bituca, esmagando sob o salto da bota. — Nós dois sabemos que, assim que eu te entregar para a Coroa, a Confraria dos Nobres fará de você um exemplo e as coisas não vão terminar bem para você, minha vira-lata linda e selvagem. Mas, *nesta* sala — acrescenta ele, acariciando o cabo do chicote —, você tem uma oportunidade única de evitar esse destino, caso decida, sei lá... — ele inclina a cabeça de um lado para o outro — *abrir* essa boquinha de novo. Está vendo aonde quero chegar com isso?

— Sim — respondo, por entre dentes cerrados. — E me nego *de coração*.

Franzindo a testa, ele se agacha de forma que eu olhe para ele com o nariz empinado, me encarando com um olhar de confusão.

— Acho que você não entendeu. Estou te dando a chance de *viver*, sua vadia burra.

— Você está enganado. Conheço o jogo doentio e perverso que está preparando. Eu apenas me recuso a participar. Portanto, você pode me bater com seu brinquedinho e rasgar minha pele, mas a única coisa que vai sair de mim é *sangue*.

Minhas palavras ecoam pelo espaço, ricocheteando nas paredes.

Encho minha boca de saliva e *cuspo*.

O cuspe bate no olho dele e eu tenho a glória de ver seu lábio superior tremer, uma careta sombreando o rosto.

Ele estende a mão para limpar o cuspe sangrento.

— Que assim seja, então — zomba ele, levantando-se.

Em quatro passos curtos, ele está atrás de mim, agarrando meu traje.

Algo frio e afiado desliza por minha coluna.

Ouço o som de tecido se rompendo quando a roupa é rasgada como uma folha de forro de pergaminho, e minha pele áspera fica à mostra. Uma lâmina se choca contra o chão — o único aviso que recebo antes que a primeira chicotada rasgue minha pele como uma fita de fogo.

Meu corpo estremece, mas engulo o grito atormentado, me recusando a deixá-lo sair.

A permitir que ele tenha a satisfação de me ouvir uivar.

Outro golpe sibilante corta o ar, esfolando minha carne do ombro até a coluna vertebral.

Um tremor começa no fundo de minhas entranhas e se espalha por meus órgãos, ossos, pele devastada, enquanto ele *golpeia*.

Golpeia.

Golpeia.

O vermelho espirra, meu corpo é talhado repetidas vezes, até que eu possa sentir tiras de mim se soltando, balançando a cada recuo da tempestade implacável de golpes.

Mas não importa a força com que ele chicoteie, o estalo da dor não é nada comparado à agonia que sofri quando Essi se foi. Quando ela soltou o último suspiro e o calor se esvaiu de seus membros.

Quando a olhei pela última vez, desejando que ela criasse asas e voasse para o céu, para que pudesse se enrolar e ocupar seu lugar entre as luas, onde eu sempre a veria. Assim, eu não teria que dizer adeus.

Não de verdade.

Então, eu absorvo os golpes. Rosno entredentes quando sinto minha bexiga soltar.

Imploro que essa *coisa* dentro de mim não apareça de novo.

Essa é minha penitência por ter falhado com Essi, de tantas formas. Por acreditar que eu poderia amar alguém de longe. Por acreditar que ela não sofreria o mesmo destino de todos que passam pelas crostas calejadas do meu coração.

Eu uso os golpes de dor como uma armadura retalhada em meu corpo, o cheiro do meu sangue enchendo a sala até que eu tenha certeza de que estou me afogando nele.

Até que a escuridão que turva minha visão enfim vença a guerra.

Registro no diário

Elluin Nevón

Idade: 9 fases
5.000.030 fases Depois da Pedra

A maior plumalua que eu já vi continua voando pelo céu, gritando. Acho que é uma fêmea porque a ponta fina de sua cauda é muito longa e elegante como a plumalua de mamãin, Náthae.

Acho que ela está procurando esse ovo. Lamentando a perda.

Nos caçando.

Acho isso porque ela é prateada como esse ovo, e nunca vi outro plumalua com um tom de cinza tão metálico.

Poderíamos nos esconder na tenda de nidificação, mas não podemos nos esconder aqui. Não de forma adequada. Tenho medo de que ela nos encontre logo e nos mate por invadir seu ninho.

Continuo implorando para que o ovo choque para que eu possa colocar em volta dele todo o gelo que raspei de um pilar próximo durante os ciclos. Assim que o filhote se soltar, posso levá-lo para dentro da tenda de neve, onde ele ficará seguro com Haedeon até que eu descubra o que faremos em seguida. Como vamos voltar para Arithia.

Parece impossível neste momento.

Haedeon não está melhorando, e não é apenas a plumalua que parece estar nos caçando. Posso ouvir um bando de praga-espinhos em algum lugar próximo, como se pudessem sentir o cheiro da morte no ar. Eles emitem o mais horrível som de chocalho que ressoam o silêncio e assusta meu coração, embora eu não esteja com medo só por mim.

Tenho medo desse lindo ovo que está na neve em frente à nossa tenda de nidificação improvisada. É como um pequeno sol prateado, lançando muita luz. Uso a luz para escrever enquanto me sento aqui, segurando a adaga de escamadraco de Haedeon em minha outra mão.

Nunca havia segurado uma antes. Nunca quis. Mas, se os praga-espinhos tiverem coragem suficiente para atacar, terei de proteger o ovo. E Haedeon.

Mas não gosto da ideia de matar coisas. Não quero matar nada.

Espero de coração que eles não se aproximem muito.

Raeve

CAPÍTULO 19

$\mathcal{S}$enti algo espirrando em minha têmpora e despertei de um sono repleto de fogo e goles de um medo venenoso, a vontade de gritar ameaçando perfurar minha garganta...

Abro os olhos, com os dentes cerrados enquanto solto uma respiração entrecortada e espero que o terror ardente pare de se contorcer. As gavinhas de fumaça recuam, revelando o ambiente escuro, e minha visão se concentra no aqui.

No agora.

Minha coluna trava, o sangue gelando.

Estou jogada no canto de uma...

Cela.

Estou sozinha em uma cela.

Barras cerram três dos lados da pequena caixa em que estou, uma parede de pedra úmida às costas, o teto baixo acumulando umidade em sua face irregular. Uma única lanterna pendente paira sobre cada cela à minha frente e em ambos os lados, até onde consigo enxergar. O ar é uma mistura vil e potente de sangue, vômito, excremento e carne podre.

A bile ameaça subir pela minha garganta, a dimensão de tudo o que aconteceu desde que acordei em minha suíte com Pre me cutucando, em pânico, me atingindo como uma avalanche. Um tremor repentino me deixa com os ossos em frangalhos — uma vibração feroz e indomável que não é causada pelo frio.

Nem pelo medo.

Nem pela dor.

O estremecer terrível de uma alma atormentada.

Meus dentes se chocam, até meus órgãos tremem, e, com esse espasmo terrível de corpo inteiro, vem a lembrança agonizante do que Rekk fez com minhas costas...

Eu gemo, lembrando da forma como o chicote estalou na minha pele, várias e várias vezes, aumentando o tremor implacável que

não

acaba.

Olhando para além da túnica marrom enorme que cobre a parte de cima do meu corpo, vejo algemas de ferro presas no meu tornozelo com uma corrente entrelaçada. Tenho as mesmas algemas presas no meu pulso, a corrente enrolada entre eles está conectada à que está entre meus pés com um pedaço de metal. Sem dúvida para me impedir de fazer qualquer coisa além de sentar aqui e apodrecer em minha própria sujeira.

A dor maçante em meu ombro me informa que o que presumo ser um pino de ferro ainda está cravado bem fundo em meu corpo. Talvez apodrecendo.

Merda.

Ergo uma mão trêmula para arrancar o pedaço fibroso do que também presumo ser o tendão do dedo de Rekk do meio de meus dentes. Eu o afasto com um movimento que faz minhas costas arderem, um uivo serrilhado que ameaça rasgar minha garganta.

Em vez disso, começo a cantarolar minha música calmante, esperando que ela me tranquilize de dentro para fora...

— A-a-achei que você tinha morrido — guincha uma voz aguda para mim da cela à direita, e meu tremor diminui tão de repente que quase acredito que tenha sido fruto da minha imaginação.

Inclino o queixo o melhor que posso, com metade da minha visão cortada, enquanto olho para a criatura que me espreita através da escuridão, os olhos pretos e redondos, garras cinzentas e peludas enroladas nas barras que nos separam.

Um pé-peste. Macho, pela aparência de seu bigode longo ondulado nas pontas, ao contrário das fêmeas de sua espécie, que têm o bigode reto como uma lâmina.

— Surpresa — digo.

Seu nariz preto e brilhante se contrai e meu olhar se volta para os dentes amarelos pontiagudos que se projetam de sua boca, os incisivos longos e um tanto curvados, mais finos na ponta. O rosto dele está quase todo coberto por uma fina pelagem cinza, com um tufo de cabelo preto e áspero enrolado em volta das orelhas.

— Seu olho parece m-m-machucado.

Faço um som neutro.

Para falar a verdade, essa é a menor de minhas preocupações.

— Meu nome é Wrook. Por que você foi p-p-pega? — pergunta ele, soltando a barra para coçar atrás da orelha arredondada, seu olhar percorrendo o sangue seco em minhas mãos fechadas.

— Fiz coisas ruins para pessoas ruins.

Acho eu.

O sangue e as tripas no meu traje sugeriam isso.

— Eu ouvi d-d-dizer que você vai ser j-j-julgada pela Confraria dos Nobres.

Dou uma risada que queima minha garganta rouca.

— É claro que vou.

Nem todo mundo tem uma audiência com a Confraria. Apenas aqueles que eles querem decidir, por meio de um sorteio público, se devem ser esquartejados ou amarrados no coliseu.

Pelo visto fui escolhida. O que não surpreende ninguém.

Com base em minhas interações com Rekk, não há como a Confraria não utilizar essa oportunidade única para atrair mais de Ath. Garanto que esse é o único motivo pelo qual me consideraram digna de um julgamento. Para prolongar. Para que tenham tempo de formular um plano.

O problema é que isso pode funcionar.

— O que o trouxe a este belo estabelecimento? — pergunto, tentando me distrair dos pensamentos torturantes.

— R-r-roubo — responde Wrook, indo para trás, torcendo seu corpo em um nó. Ele ergue o pé com garras para coçar uma comichão que parece implacável atrás da orelha.

— Não é por isso que vocês são tão valorizados? Por que te prender por isso?

— Para punir meu mestre.

Ele se levanta e vai depressa para o canto mais distante de sua cela, onde começa a arranhar a pedra em uma enxurrada de movimentos, arrancando cacos que se espalham pelo chão.

Ergo as sobrancelhas.

Ele é ambicioso. Que bom para ele. Apesar de eu não ter certeza de por que ele está *cavando*. A única coisa abaixo de nós é a toca do troglo-vellus. Ele estaria trocando uma morte por outra, embora talvez preferisse morrer cercado pelo lixo de Ghora e não atrás das grades de uma cela.

Talvez eu deva cavar também.

Um soluço surge do outro lado do corredor, e eu olho para o canto sombreado da cela oposta, vendo o vago contorno de uma mulher curvada, tremendo, a roupa branca rasgada em algumas partes, pés com bolhas e sem sapatos.

— E quanto a ela?

Wrook para de cavar, com o bigode se contorcendo ao olhar por cima do ombro para a mulher.

— Ela se recusou a v-verasversar para a-a C-coroa — gagueja ele.

Meu peito está repleto de pedras afiadas que se chocam contra minhas costelas...

Penso nas tendas erguidas ao redor da cidade, nos soldados posicionados ao redor do perímetro e nas filas de crianças trêmulas que passam pela entrada, uma de cada vez, até o local onde um verasverso está sempre sentado. Pronto para vasculhar suas cabeças e decifrar se podem ou não ouvir alguma das quatro canções elementares.

Há sempre uma carruagem ao lado, esperando para engolir os novos recrutas com suas contas e levá-los a Balgadarte para treinamento. Sempre há uma agitação de pais chorosos definhando ao saber que talvez nunca mais vejam seus filhos dotados.

Sempre um despejo de *outros* petizes, nulos recém-rotulados que saem da tenda com uma orelha sangrando, cuidando da carne talhada.

Suspiro.

O som de botas batendo no corredor faz com que Wrook amontoe um cobertor marrom desgastado sobre o buraco. Ele corre para a frente da cela e franzo a testa quando me dou conta de que todos os outros detentos, com exceção da verasverso, estão fazendo o mesmo.

O motivo fica claro quando as rodas do carrinho de mão rangem no silêncio e o cheiro de mingau chega até mim. A mesma merda que eles servem nos corredores de lama das minas.

A dor em meu peito se faz sentir de forma tão abrupta que mal consigo respirar, o cheiro familiar beliscando aquela fenda crua e visceral em meu coração...

Quando Essi me procurou pela primeira vez, mingau simples era uma das únicas coisas que sua barriga sensível conseguia suportar, por estar tão acostumada com a comida sem graça que conseguia roubar na Cidade Baixa.

Um guarda de cabelo preto, olhos aguçados e barba bem-feita para diante da minha cela, agacha e enfia uma tábua por baixo da porta gradeada. Franzo a testa, levantando a cabeça do chão o suficiente para ver o pedaço de pergaminho esticado sobre ela, preso nos cantos.

Ele joga um pedaço de carvão afiado por entre as grades, e eu não ouso me mover rápido o suficiente para pegá-lo no ar antes que ele tenha a chance de me atingir no rosto.

Babaca.

— Se quer que eu faça um desenho, fique feliz em saber que seu rosto é a inspiração perfeita — provoco, mostrando um sorriso cheio de dentes que faz minha órbita ocular doer.

— Assine para receber a comida — resmunga ele. — E coloque a impressão do polegar também. Se você conseguir sair daqui viva, terá de pagar por cada refeição consumida.

Dou uma gargalhada.

Respiro fundo e me levanto com os dentes cerrados, sibilando em meio à dor lancinante — a carne esfolada em minhas costas se deslocando em uma centena de ângulos diferentes. Uma gota de suor morno escorre de minhas feridas quando me inclino para a frente, meu olhar se arrastando sobre a pequena placa de metal pregada no chão diante de minha cela, indicando o número dela.

Ajeito as mãos algemadas para poder pegar o pedaço de carvão e arranho a ponta cônica no pergaminho:

Prisioneira Setenta e Três

Esfrego um pouco de carvão em meu polegar e o pressiono no pergaminho antes de deslizar a tábua de volta por baixo da porta.

O guarda me lança um olhar de censura.

— O quê? — finjo. — Tem alguma coisa no meu rosto?

Ele estende a mão.

— Carvão, Prisioneira Setenta e Três. Agora.

— Tudo bem — retruco, jogando por entre as grades. — Vou apodrecer de tédio antes mesmo do meu julgamento começar, e a culpa vai ser toda sua.

Ele resmunga, pega o carvão e volta pelo caminho por onde veio assim que o carrinho de gororoba chega à minha cela. Um servo muito menos condecorado da Coroa coloca uma colher de gosma cinza e viscosa em uma tigela de madeira e a desliza por baixo da porta. A tigela desliza até mim e o homem bate uma caneca de metal com água entre as grades antes de empurrar o carrinho pelo corredor, passando uma tigela e uma caneca para Wrook em seguida.

Franzo a testa para a gosma e falo para o servo:

— Como eu deveria comer isso?

Ele olha para mim por cima do ombro e rosna:

— Se vira. Enfia a cara na tigela.

Tantos idiotas, tão poucos dedos para contar todos eles.

Meu olhar se volta para a cela à minha esquerda, onde um homem está usando as mãos para enfiar a papa na boca. Sua estrutura esquelética é cheia de ossos afiados, a pele pálida coberta por pelos finos, partes do corpo cobertas por um pedaço de tecido cinza.

Seu olhar amarelado se volta para mim, o mingau pingando dos pelos da barba rala enquanto ele coloca mais comida na boca.

Sinto um arrepio na espinha.

Olho para Wrook, que está enfiando a ponta de seu rosto comprido na tigela, comendo direto da fonte.

— Aqui — digo, usando meu pé para empurrar minha comida por baixo das barras que nos separam e para dentro da cela dele.

Seus olhos redondos se voltam para mim, arregalados.

— C-c-certeza?

— Toda — afirmo, olhando para o buraco que ele estava cavando, escondido na parte de trás da cela. — Você precisa da energia mais do que eu.

Adoro uma boa dose de esperança, por mais fútil que seja.

Com o braço estendido, as pontas das garras da pata de Wrook se enrolam na borda da minha tigela, puxando para perto.

— V-valeu — diz ele, com pedaços de comida em seu rosto peludo.

— Não tem problema.

Volto para o canto em movimentos lentos e agonizantes, depois me abaixo no chão, fechando os olhos. Ouço os sons nada apetitosos enquanto arranco a pele da lateral de meus dedos.

Minha mente se agita, os pensamentos se revirando em uma velocidade atroz, fazendo com que eu me lembre de outra cela.

Em outra época.

A cela onde nasci, à minha maneira estranha, ligada às suas paredes, ao cheiro e à mulher com quem a compartilhava.

Naquela época, eu tinha algo pelo que lutar. Alguém que eu amava e estimava. Tudo o que tenho agora é um coração ferido e essa fome voraz de vingança que é tão fútil quanto o buraco de Wrook no chão.

Estou presa em uma cela, algemada com ferro, com um pino no ombro, aguardando o momento em que serei julgada pela Confraria. A única maneira de sair dessa é...

Morrendo.

Registro no diário

Elluin Neván

Idade: 9 fases
5.000.030 fases Depois da Pedra

Papaih diz que o fato de reivindicar uma plumalua madura em uma idade tão jovem me torna impressionante, mas eu não me sinto muito impressionante.

Haedeon nunca mais vai voltar a andar porque os ossos se fundiram, mas não da maneira correta. Papaih diz que ninguém tem as habilidades necessárias para quebrá-los de novo e depois consertar um dano tão delicado e profundo sem o abrir, correndo o risco de que se machuque ainda mais.

Pode ser que a plumalua dele nunca voe, porque está com a asa machucada. Porque um bando de praga-espinhos farejou nossa tenda de nidificação improvisada assim que o ovo de Haedeon começou a chocar, e eu tive que nos esconder no calor antes que tivesse a chance de eclodir por completo.

Sim, eu lutei contra os praga-espinhos, mas teria perdido se a enorme plumalua que estava circulando não tivesse aparecido e matado o resto deles. Sim, subi em suas costas e a segurei com muita força por muito tempo até que ela ouvisse minha melodia suave, mas fiz o que tinha de fazer para levar meu irmão para casa. Porque os Criadores não cantavam para mim, por mais que eu implorasse para que ajudassem.

Agora eles não calam a boca.

Raeve

CAPÍTULO 21

$\mathcal{W}$rook arranha o canto de sua cela enquanto eu cantarolo, sentada no canto, batendo o pé no chão ao som da música em minha cabeça. Observo os sulcos e as lombadas do teto, caçando a umidade que forma bulbos nos picos mais proeminentes, tentando adivinhar qual delas vai pingar a seguir. Um jogo que criei desde que fui trancafiada aqui.

Não sei dizer quanto tempo faz. Parece um bom tempo.

Talvez aqueles que me jogaram aqui pensem que, ao me deixarem apodrecer neste buraco de merda, eu enlouqueceria até virar uma pasta. Que me tornaria maleável o suficiente para que, quando enfim for apresentada à Confraria dos Nobres, eu me molde à sua vontade rigorosa.

Para o azar deles, sou bem treinada na arte de morar em um espaço confinado e, se você tiver imaginação fértil, há *muitas* formas de passar o tempo em uma cela.

Passos pesados ecoam no corredor e eu canto mais baixo, com um pequeno sorriso inchando minhas bochechas enquanto Wrook cobre o buraco com o cobertor e se curva em uma bola, fingindo dormir.

Meu olhar vai parar em uma gota de água que *com certeza* será a próxima a cair... e fico decepcionada quando, em vez disso, uma gota cai na ponta do meu nariz, me fazendo contorcer o rosto.

Franzo a testa, estreitando os olhos no glóbulo instável...

Pingue, seu teimoso maldito!

Outra gota cai, respingando em meu joelho, e um suspiro escapa dos meus lábios secos e rachados.

Sou péssima nesse jogo. Não consegui acertar uma vez sequer. Mas, pode esperar, porque eu *vou* decifrar o código antes de ser conduzida ao meu destino.

Um vulto passa pela minha cela em um turbilhão de tecidos brancos e grossos, e uma voz no fundo da minha mente questiona por que um *runi* se daria ao trabalho de aparecer nas entranhas sépticas de Ghora, repletas de "traidores" semidigeridos da Coroa. Quem quer que seja, para diante da cela de Wrook, agachado.

— Ouvi dizer que você roubou o anel errado do feérico errado — murmura o homem, com uma voz grave e áspera que desliza pela minha pele irregular.

Uma voz que *reconheço*.

Meu coração bate ainda mais forte, meu olhar se voltando para o visitante largo e encapuzado enquanto Wrook finge se alongar.

O homem encapuzado da Fenda da Fome, agora vestido como um runi.

Eu me aconchego ainda mais no canto escurecido...

Eu fui tão forte e séria fora do túnel de vento, com minha lâmina de ferro pressionada contra o membro dele. Agora, estou me desfazendo em uma cela, perseguindo gotas de mofo, cheirando a minha própria sujeira e ruína. Sou como um dragão mudando de pele, e a última coisa que quero é aquele olhar avaliador cutucando meus pontos sensíveis que ainda não se calcificaram por completo.

— Um erro que vai custar caro. — Wrook finge bocejar.

O homem reclama:

— Andei procurando você por toda parte, sabe?

As orelhas de Wrook se inclinam para a frente, o nariz se contrai. Ele lambe as patas, usando-as para pentear os pelos do rosto enquanto se agacha.

— Por quê?

— Porque alguém que conheço viu você correndo para o esgoto mais próximo com um lunacaco nas patas.

Meu coração para.

Por que, neste mundo abandonado pelos Criadores, ele está caçando lunacacos?

Wrook leva o pé para trás, para coçar atrás da orelha.

— Não sei do que você está f-f-falando.

— Posso tirar você daqui. Cavar não vai adiantar. Há runas nesse lugar que impedem qualquer um de cavar mais do que trinta centímetros. E eu tenho uma presa de ceifassabre que estou disposto a trocar pelo caco.

Ergo as sobrancelhas.

De acordo com Ruse, os ceifassabres deixam as presas caírem quando trocam de escamas, mas são muito difíceis de serem encontradas.

Penso na primeira vez que comprei uma lasca delas para Essi. Ruse disse que elas não se desprendem até que a fera comece o estirão de crescimento, sendo muitas vezes engolidas pelos vulcões de Gonodraco, já que é ali que os ceifassabres se reúnem para a muda, escondidos de qualquer coisa que os possa machucar em um estado tão delicado. Também descobri depressa que elas valem dez vezes seu peso em pedrassangue de dragão, servindo como um agente de ligação que a maioria dos runis usa em suas gravuras.

O nariz de Wrook se contrai, e ele baixa devagar o pé que usava para se coçar.

— Qual é o tamanho da p-p-presa?

— Do tamanho da minha perna.

Olho para a *tal* perna e arregalo os olhos.

— Fechado — cospe Wrook, sua resposta mais rápida do que o estalar do chicote de Rekk.

Eu sorrio, com o orgulho aquecendo meu peito.

Que bom para ele. Adoro um final feliz.

— Comprarei sua sentença e o tirarei daí antes do nascer — diz o homem enquanto passa pela minha cela. Ele para, farejando o ar, virando a cabeça em minha direção mais devagar do que a aurora se pondo.

Não consigo respirar.

Seu olhar percorre minha forma sombria, como se estivesse tentando passar pelas cortinas de sujeira e sombra até meu rosto descoberto.

Encolho o queixo no peito, os fios soltos de cabelo caindo na frente para me proteger.

Cai fora.

Cai fora.

Cai fora...

— É *você* — murmura ele, e sinto um aperto no coração, os pelos da nuca se eriçando. — Venha para a luz.

— Quem morreu e fez de *você* o rei? — rebato, a voz rouca e a garganta destruída.

— Meu paih.

É a resposta inexpressiva dele, e sinto a risada borbulhar dentro de mim, diminuindo antes que o excesso de movimento tenha a chance de rasgar minhas feridas e fazê-las sangrarem de novo.

— Que engraçado.

O silêncio reina.

Ele se aproxima das barras, os braços cruzados sobre o peito largo, e a ausência desconfortável de som se arrasta por tanto tempo que me incomoda.

— Você está... esperando por algo? — pergunto, franzindo a testa.

— Sim. Que você venha para a luz para que eu possa ver seu rosto.

Dou risada pelo nariz.

Escroto mandão.

— Não, obrigada. Você vai ter que passar por essas barras de ferro e me arrastar para a luz se quiser.

Há um momento de pausa antes de ele agarrar a fechadura pendurada na minha porta, com os nós dos dedos embranquecendo. O metal range e geme, e ele abaixa o braço com força...

Arfo quando a fechadura se solta.

Quebrada.

Ele levanta a mão, fazendo um showzinho enquanto abre os dedos, deixando o pedaço inútil de metal cair no chão com um barulho que ecoa nas paredes no mesmo ritmo que meu coração.

Caralho.

— Não costumo tomar coisas de uma mulher que não sejam dadas de bom grado — resmunga ele, tirando a trava do gancho. — Mas sua voz me faz lembrar de alguém que eu conhecia, e passei cinco torpores sem dormir convencido de que estou ficando louco.

Ele abre a porta com um chute, o som das dobradiças atiçando meus nervos, me lembrando das vezes em que fui arrastada de outra cela — pelos pés, as unhas arranhando a pedra enquanto eu rosnava com os dentes cerrados.

Ele dá o primeiro passo, e eu acomodo os pés embaixo da minha bunda, cerrando os dentes contra um uivo de dor enquanto jogo meu peso contra minhas costas esmagadas, usando meu próprio corpo de alavanca para ficar em pé.

— Detesto ter que dizer isso — sibilo —, mas nunca tinha visto você antes daquele torpor no lado sul do muro.

— Para o seu bem — rosna ele, avançando, preenchendo o espaço com sua figura —, espero que esteja errada.

— E se eu não estiver?

Ele se aproxima da minha sombra, quase o suficiente para que eu estenda a mão e o toque e, quando respiro de novo, é como se estivesse entorpecida pelo perfume forte e caloroso dele.

Ele tira o capuz, revelando seu rosto lindo e austero.

Meus pulmões se contraem ao vê-lo.

Com os lábios cerrados em uma linha, ele dá mais um passo à frente.

— E se eu *não* estiver?

— *Vaghth* — sussurra ele, a palavra escaldante é uma chama em minha consciência.

Minha coluna enrijece, cada nervo do meu corpo formigando de todas as maneiras erradas.

A lanterna suspensa chacoalha como se algo dentro dela estivesse tentando escapar. Uma de suas minúsculas vidraças se abre, um fragmento de chama descendo até a mão em forma de concha que ele estende e coloca diante do meu rosto, como um molde de argila.

Suas sobrancelhas grossas e pretas se unem e ele fica pálido enquanto cerro os dentes, o coração disparado.

Um dos olhos esbugalhado.

Observo aquela chama como se fosse o inimigo cuspido e escaldante que é, esperando que ele a arraste pela minha carne, formando um rastro enrugado.

Ele emite um som como se estivesse sendo sufocado, como se seus pulmões tivessem se esquecido de como funcionar.

Ele ergue uma mão trêmula como se quisesse cobrir minha bochecha, um centímetro de espaço nos separando. O calor que irradia da mão dele mais parece um raio de sol.

— C... — Seu olhar percorre cada canto do meu rosto, mapeando meus traços com uma precisão devastadora. — C-*como*?

Alguma coisa no jeito como ele diz essa palavra me corta ao meio, como se estivesse enfiando aqueles braços grandes e fortes em minhas profundezas geladas, transformando meu lago em uma tempestade de lama.

Abro a boca para falar, mas tudo o que sai é um sopro de ar gelado.

A tensão é palpável no espaço entre nós.

A mão que estava tão perto de acariciar meu rosto se afasta, e ele cerra o punho. Dá um soco na parede logo atrás da minha cabeça, com tanta força que uma rachadura fina se forma na pedra, atravessando o teto.

Um monte de mofo cai sobre nós.

— *Como?* — berra ele.

E eu rosno, o lábio superior descascando dos caninos doendo para avançar e afundar na carne dele.

— Não faço ideia do que você está falando — protesto, querendo que ele caia fora.

Que vá embora.

Querendo que a chama em sua mão se apague antes que ela preencha ainda mais a dor da qual me esforcei tanto para me livrar.

— Ela fala a verdade — diz uma voz trêmula da cela oposta. Da verasverso de cabelo escuro que só parou de chorar oitenta e nove gotas do teto atrás.

Pensei que ela estivesse dormindo.

O homem franze a testa, arranca seu olhar de cinza vulcânica de cima de mim e o aponta por cima do ombro na direção dela.

— Você é uma verasverso?

— Sou. A mulher está confusa com seu interesse. Ela também tem pavor de...

— Já chega — interrompo, minhas palavras ricocheteando nas paredes.

O homem volta a atenção para mim, com o olhar que a tudo devora gravado em muitos tons de descrença.

Ele esmaga a chama em sua mão grande e calejada, embora eu tenha apenas um momento breve de alívio antes que ele tire uma naturi de metal do bolso e feche a tampa, revelando um bulbo vermelho-sangue de chama ceifassabre.

Minha garganta se contrai, um som estrangulado se espreme pelo espaço apertado. Um som cuja existência quero eliminar assim que sai dos meus lábios.

Ele levanta a outra mão, as pontas ásperas dos dedos afastando uma mecha de cabelo da minha testa, deixando uma trilha fervilhante na pele.

— *Tire a mão de mim* — resmungo quando ele coloca a mecha de cabelo escuro atrás da minha orelha.

Seu peito ribomba com um som que me faz imaginar o chão tremendo, a ponta de seu dedo traçando a cicatriz irregular em minha testa. Uma cicatriz que só pode ser vista pela flamadraco — a única substância existente que pode acender um rastro de runas antigas e desenterrar seus fantasmas brilhantes.

— Sua cabeça — fala ele, com a voz rouca —, você foi remendada.

Remendada...

Uma palavra tão engraçada, que significa o fim de algo. Mas toda dor tem um eco se você olhar bem fundo.

Uma ferida nunca desaparece *de vez*.

— Não me lembro disso.

Não é uma mentira.

Ele abaixa o olhar.

— Seu olho. O que aconteceu?

— Tropecei em uma pedra.

Ele inclina a cabeça para o lado.

— Ela se levantou e deu um soco bem na sua cara?

Dou um sorriso falso.

— Coisa estranha, não?

Um segundo de silêncio antes de ele continuar, a voz tão suave e macia que me arrepia até os ossos:

— Quem você está protegendo, Raio de Lua?

Minha vingança frágil e sufocante, por mais fraca que seja.

Talvez minha visão distorcida esteja me fazendo ver coisas, mas tem algo nele. É como se, caso eu dissesse quem *de fato* me socou, não seria mais meu papel cometer esse assassinato, e estou me agarrando a essa promessa de esperança até ser mastigada pela boca de um dragão ou cortada do pescoço ao umbigo.

— Esse não é o meu nome. E não preciso que você trave minhas batalhas tanto quanto não preciso de você nesta cela.

Ele dá um único passo para trás, fechando a tampa de sua naturi, selando a chama de volta no frasco de metal com runas.

— Prove.

Franzo a testa.

— Como assim?

— Vire-se, levante a túnica e me mostre suas costas. Se uma pedra pode causar tantos danos no seu rosto, quero *muito* ver o que ela fez para que esta cela tenha um cheiro tão forte de sangue.

Meu coração vai parar na garganta.

— Eu... *não*.

— Sempre tão teimosa — retruca ele, embalando as palavras como se me conhecesse.

Ele estende a mão na minha direção...

Alguém corre pelo corredor, vestido com outra túnica runi branca semelhante à que esse homem usa — um estratagema óbvio, dada a sua naturi e afinidade com Ignos. A menos que ele seja multitalentoso, eu acho.

O runi que se aproxima passa devagar pela minha cela, olhando para as profundezas sombrias.

— Majestade? — sussurra, e sinto um frio na barriga ao ouvir essa palavra. Ele está com os olhos arregalados, em pânico, o olhar fixo em nós dois. — Os guardas estão chegando. São muitos.

Minhas sobrancelhas se contraem, meu olhar se volta para o homem que está diante de mim — imóvel.

Sem piscar.

Majestade.

A porra da *Majestade.*

Quando minha ficha cai, é como um banho de água gelada, tirando todo o calor do meu corpo.

— Você é um... *rei.*

— Como eu disse. — Há uma breve pausa quando ele levanta o capuz, cobrindo o rosto com uma camada de sombra, embora os olhos ainda brilhem como brasas presas nas órbitas. — Isso é um problema, Raio de Lua?

Uma onda de raiva ardente enche meu peito e minha boca de tal forma que falar se torna impossível. Responder que sim é um *problema.*

O Breu, o Grado e o Lume são governados por irmãos Vaegor diferentes, cada um feito do mesmo tecido vil.

Eu já vi o rei do Grado de longe, Cadok Vaegor. Esse homem não é ele. Isso quer dizer que ou ele governa o Breu ou o Lume.

Dizem que o Breu é ainda mais podre do que este reino e, se os rumores servirem de base, a extensão fria e sombria é governada pelo rei Tyroth Vaegor. Um rei cruel com um coração que dizem ter apodrecido após a perda de sua rainha.

O Lume... bem.

Poucos que se aventuram nas profundezas da parte ensolarada do mundo voltam para contar história, embora se diga que o rei Kaan seja selvagem e sanguinário. Que Rygun — seu ceifassabre ancião — era grande demais para caber em qualquer uma das cabanas da cidade na última vez que ele veio a Ghora. Que ele deixa a fera caçar à vontade em seu reino, incendiando cidades com o sopro flamejante e se banqueteando com o povo, com o qual ele pouco se importa.

Não sei dizer qual opção é pior. Com qual deles eu menos preferiria compartilhar a cela nesse instante, respirando o mesmo ar imundo.

Uma coisa é certa: eu não me curvaria a *nenhum* deles, mesmo que tivessem uma espada apontada para meu pescoço.

Passos de botas ecoam aos montes pelo corredor enquanto retribuo o olhar dele, o barulho parando diante da minha cela. Pelo canto do olho, noto as silhuetas sombrias de guardas fortemente armados.

— Runi — grita um deles —, o que você está fazendo na cela setenta e três?

O rei não desvia o olhar do meu enquanto diz:

— Sou o curandeiro residente. Fui instruído a inspecionar os ferimentos dessa prisioneira.

Olho incrédula para ele.

— Impossível. Todos têm instruções estritas para não entrar nessa cela. Ela é nossa prisioneira mais perigosa.

Eu me sentiria lisonjeada, mas não há espaço para esse sentimento além do poço borbulhante de raiva não diluída que se acumula em minha garganta como um dragão prestes a lançar sua primeira chama.

— Devo ordenar que você saia da cela. Ela é esperada em um julgamento perante a Confraria dos Nobres. Devemos escoltá-la direto para lá.

Isso é música para meus ouvidos. Não quero passar nem mais um segundo na presença desse monstro.

— Sim, *curandeiro residente* — digo, com um sorriso azedo —, por favor, saia de meus aposentos. Não preciso da sua ajuda, nem agora, nem nunca.

O ar entre nós se torna incrivelmente tenso, e ele grunhe, recuando.

Os guardas inundam minha cela em uma enchente de armaduras vermelho-sangue e cheiro de couro polido. Um homem me agarra pelo ombro ferido e me empurra para a frente. Estremeço, sibilando por entre dentes cerrados.

— Ela tem um *pino* — proclama o rei, sua voz uma ameaça de morte velada que eu quero amassar e enfiar goela abaixo nele.

Não quero que ele coloque o pau imperial na mesa por mim. Com certeza não quando ele não se dá ao trabalho de fazer o mesmo por seu próprio povo.

Ele olha para o guarda como se quisesse arrancar a traqueia do homem.

— Por quê?

— Porque ela fala com Clode e Bulder. — Sou mantida no lugar enquanto outro guarda destrava o poste de metal que conecta minhas correntes. — A razão pela qual essa cela estava inacessível.

— Como você sabe? — indaga o rei, enquanto sou presa a uma coleira de ferro que considero usar para estrangular todos eles... até ver a conta elementar vermelha pendurada no lóbulo de um dos guardas.

Talvez não.

— Ela matou uma unidade inteira na Cidade Baixa. Colapsou o pulmão de sete soldados antes mesmo de começar a arremessar lâminas. Massacrou outros doze de uma forma que faria suas entranhas murcharem, forjou uma fenda no chão que levou outros seis, depois arrancou o dedo de um prestigiado caçador de recompensas empregado pela Coroa.

Bem.

Bom para mim. Eu me daria um tapinha nas costas se minha pele não estivesse esfolada.

— Quer encarar? — pergunto ao rei, exibindo um sorriso de cortesia que ele pode levar para meu túmulo, imaginando por que ele não parece nem de longe tão indignado com a matança que promovi quanto achei que ficaria. — Se eu ganhar, você compra minha sentença e eu volto a matar homens maus com pau pequeno e egos grandes o bastante para justificar seus comportamentos doentios. E você pode voltar a... bom, caçar lunacacos.

Sinto o olhar malicioso do guarda ir de mim para o Rei Incógnito, que se aproxima tanto que deve haver menos de um centímetro de espaço entre nós.

O mundo ao nosso redor parece desaparecer enquanto ele me olha com tanta ferocidade que quase esqueço como respirar.

— Não faz mais sentido, agora que encontrei a parte mais importante.

O ar entre nós fica tão tenso que tenho certeza de que bastaria um tapinha para ele se desfazer.

Quando respiro de novo, meus seios estão esmagados contra o peito sólido e musculoso dele.

— Bom, então vai em frente — digo, com a voz rouca —, pegue seu *prêmio*.

— Difícil — resmunga ele. — Está em uma posição complicada. Difícil de alcançar.

Eu bufo.

Por favor.

— Tenho certeza de que você tem os recursos para resolver isso — murmuro, erguendo o queixo, dando uma olhada no soldado atrás dele. — Vamos acabar logo com isso.

— A vontade é tanta assim? — pergunta o rei, e dou uma risada sem humor.

— Sim, claro. Estou *ansiosa* para ser esquartejada ou servida para os fundíferas em um espetinho.

O grande sonho de ninguém.

Sou conduzida para fora da cela, pelo corredor, com passos arrastados, passando por pessoas enjauladas que se agarram às grades.

Estão me observando passar.

Mas o único olhar que consigo sentir é o *dele* — desenhando uma trilha cruzada nas minhas costas, minha túnica sem dúvida repleta de manchas de sangue fresco e velho.

Posso jurar que sinto o chão tremer.

Sou empurrada para outro corredor, fora de seu campo de visão, marchando em direção a um julgamento no qual meu destino será decidido.

Não adianta esperar por um bom resultado. Isso não vai acontecer. Um pensamento que é quase... *libertador*. Isso tira um peso do meu ombro e faz com que meus passos pareçam mais leves.

Abro um sorriso enorme quando sou empurrada para uma escada por um dos guardas violentos...

Ao menos vou me divertir um pouco antes de morrer.

Raeve

CAPÍTULO 22

O ito guardas me escoltam por um salão elevado, a luz se derrama pelas janelas multicoloridas em um caleidoscópio que cobre um dos lados do meu rosto com calor excessivo. Ando devagar, cada passo é uma vitória confusa, minha túnica úmida se agarrando à carne rasgada e pegajosa das minhas costas.

Cada movimento para a frente parece mais pesado que o anterior, como se a gravidade estivesse me esmagando sob a pressão de seu polegar, aos poucos aplicando mais pressão.

Mais.

Manchas pretas borram meu campo de visão quando o guarda à frente puxa minha coleira, fazendo com que eu vire uma esquina. Chegamos à base de uma escadaria encoberta pelas sombras e reprimo um gemido de dor.

Se eu soubesse que essa caminhada seria tão cansativa, talvez tivesse comido minha última porção de papa de aveia em vez de passá-la adiante, como fiz com a maioria delas.

— Continue andando — rosna o guarda atrás de mim, me empurrando entre as omoplatas.

Uma onda de dor incapacitante ameaça dobrar meus joelhos, e meu corpo se sacode, o ar sendo sugado entredentes. A umidade desce quente pela minha coluna.

Estalo o pescoço dos dois lados e começo a subir a escada, um degrau vacilante de cada vez, até sermos lançados em um palco circular de ferro na base de um anfiteatro abobadado. Sou conduzida alguns passos à frente, o metal liso e frio sob meus pés, enquanto minha coleira é conectada a um laço de ferro que se ergue do chão.

Acima de mim, há um corrimão baixo que cobre toda a circunferência, abrigando um círculo de homens, cada um ostentando mais de uma conta elementar.

Os Nobres, mais o Chanceler de olhos pequenos.

Eles estão vestidos com trajes vibrantes que se misturam com o teto — um mural de fundíferas em pleno voo, ostentando plumagens multicoloridas e caudas longas e emplumadas, adornadas com um tufo de penugem na extremidade que esconde seu espinho venenoso.

Olho para baixo e me vejo coberta de sangue, sujeira e sabe-se lá o que mais. Respiro fundo, sentindo meu cheiro, e faço uma careta.

Olho para os Nobres que me analisam de esguelha.

— Peço desculpas — digo, minha voz ecoando pelo ambiente vasto. — Esqueci de tomar banho antes do nosso tão importante encontro.

Silêncio.

— *Não importa, Prisioneira Setenta e Três* — murmuro em um barítono forjado. — *Sabemos que você anda um tanto ocupada.*

Meus guardas voltam a descer a escada, e meu olhar se volta para o segundo mezanino que circunda a sala. Ele é muito mais alto do que aquele a que os Nobres se sentam, com o corrimão na altura da cintura da maioria das pessoas que estão atrás dele, olhando para baixo a partir de seu lugar pago. Aqueles que se divertem ao ver os Nobres decidindo vidas. Não consigo imaginar por quê. Mas, verdade seja dita, pretendo dar um belo show hoje e, assim, fazer valer a pena as pedrassangue que eles pagaram.

Examino os rostos, temendo encontrar alguém que eu conheça e que possa fazer alguma besteira, sentindo como se tivesse levado um chute no peito quando vejo o *Rei Incógnito* olhando para mim de seu lugar elevado entre os plebeus.

Puta merda.

Apesar de ele estar usando o capuz, com o rosto meio envolto em sombras, ainda sinto seu olhar me atravessar, deixando um rastro espinhoso.

Não tenho certeza do que fiz para merecer aquela atenção, mas gostaria de poder voltar atrás.

Desvio o olhar para o trono de pedra vazio situado entre os assentos dos Nobres, imaginando quando o rei do Grado vai se juntar à festa.

Talvez ele vá chegar um pouco mais tarde?

O Chanceler bate o martelo três vezes, meu coração batendo em uníssono. Ele deixa a ferramenta de lado e rompe o selo de um pergaminho; indicando o início do meu julgamento.

Sinto um aperto no peito.

Chego à triste conclusão de que nosso rei presunçoso ainda deve estar em Balgadarte, a decepção me dominando...

Merda. Acabou com minha diversão.

Eu estava *tão* ansiosa para lhe dizer que ele seria melhor cavando merda de búfal do que governando o Grado.

O silêncio é ensurdecedor enquanto o Chanceler me olha por cima do nariz adunco, com contas marrons e transparentes penduradas no lóbulo, a barba avermelhada cortada em duas caudas trançadas.

— A lei do Grado determina que aqueles que ouvem as canções dos Criadores são obrigados a usar contas elementares — anuncia ele, com uma voz conjuradora que ecoa pelo espaço aparentemente projetado para amplificar o som. — Primeiro, nota-se que você não usa nenhuma e que está se apresentando como uma nula.

O escriba a três passos de mim — sentado atrás de uma escrivaninha ao lado de um runi de vestes brancas — risca um pergaminho com uma pena cor de sangue, e o som é tão bem transportado que quase parece que as palavras estão sendo gravadas em minha carne.

— Achei que eu *fosse* nula — retruco, dando de ombros. Uma dor que me rasga a carne se espalha pelas costas e faz minhas entranhas tremerem, e minhas palavras seguintes são ditas entredentes. — Imagine minha surpresa quando Clode sussurrou palavras bonitas em meu ouvido e me ajudou a pulverizar os pulmões de todos aqueles soldados.

Um mar de murmúrios flutua de cima para baixo.

O Chanceler estreita os olhos.

— Pelo que entendi, você falava a língua de Clode com fluência suficiente para indicar que vem ouvindo essas palavras há algum tempo.

Dou um sorriso largo.

— Sorte de principiante.

— Mentira.

Olho de lado para o runi largo e de cabelo loiro, e meu olhar desce, percorrendo os dois botões dourados que adornam a costura central de sua túnica. Um bastão de gravura e uma pequena nota musical.

Verasverso.

Ele me encara com um olhar de pedra, e eu franzo a testa.

— Grosso.

— E Bulder? — pergunta o Chanceler. — E quanto a ele?

Inclino a cabeça para o lado.

— Você nunca desejou que o chão se partisse e mastigasse seus inimigos? Acho que meu sonho se tornou realidade. Que sorte a minha.

— Não é uma mentira.

— Está vendo?

O Chanceler me lança uma carranca fervorosa, como se estivesse *me* imaginando sendo mastigada por um buraco no chão enquanto conversamos.

Ele pigarreia e começa a ler o pergaminho:

— Você, autodenominada Prisioneira Setenta e Três — ele me olha de cima a baixo, com os olhos estreitos, e meu sorriso se alarga ao mesmo tempo que sua carranca se aprofunda —, é acusada de assassinar vinte e três soldados da Coroa...

— Vinte e cinco — corrijo, e a sala se enche de murmúrios de novo quando o Chanceler levanta uma sobrancelha.

— Como?

Se ele vai ler minha acusação, é melhor que todos os fatos estejam corretos.

— Para ser sincera, eu perdi as contas. Mas o guarda que me trouxe até aqui disse que matei vinte e cinco. — O Chanceler abre a boca para falar de novo, mas eu o interrompo rápido: — Além disso, gostaria que ficasse registrado que arranquei a ponta do dedo de Rekk Zharos com os dentes. Só há pouco tempo consegui tirar o que restou do dedo dele do meio dos meus den...

— *Já chega.*

— Que pena.

Ele me esfola com o olhar, e até o escriba faz uma pausa em seu incessante arranhar.

— Você acha isso... *divertido*?

— Você me entendeu mal. — Apago qualquer vestígio de humor do meu rosto, e minha resposta é como uma mordida de carne sangrenta cuspida nele com um rosnado feroz: — Acho *trágico* pra caralho.

Desta vez, não há murmúrios. Apenas um silêncio guloso que rói meus ossos.

— Verdade.

É mesmo.

— Tragam as provas! — grita o Chanceler.

Fico marinando no eco fervilhante de sua explosão enquanto um homem sobe o poço de escadas às minhas costas, carregando dois sacos que joga no chão diante de mim e depois solta os cordões. Ele começa a retirar pedaços de carne preservada, jogando no chão em um semicírculo ao meu redor, cada um com letras esculpidas por minha própria mão.

Inconfundíveis.

Tenho certeza de que ninguém mais tem uma caligrafia como a minha. *Com certeza* ninguém com idade suficiente para estar mundo afora cortando gargantas e jogando corpos na parede. Espero.

— Esses foram retirados de vítimas confirmadas do Fíur du Ath — afirma o Chanceler. — Cada um deles era um membro importante e íntegro de nossa sociedade, e essas perdas foram um golpe devastador para a Coroa.

Eu quase me envaideço, com o peito inflado, prestes a agradecê-lo pelo elogio quando ele balança uma placa familiar em meu rosto, adornada com três palavras gravadas em carvão.

Prisioneira Setenta e Três

— E esta era a sua... *caligrafia* quando você assinou para receber as rações — diz ele, com um brilho divertido em seus olhos cruéis. — Se é que se pode chamar assim. Tenho certeza de que meu petiz poderia fazer um trabalho melhor, e ele mal saiu do berço.

Alguns dos Nobres soltam uma gargalhada que esvazia meu peito e me faz sentir muito inferior. Faz minha bochecha queimar.

Aprendi a escrever com um pedaço de carvão no chão de uma cela e, por mais que eu tente, não consigo evitar que minhas palavras saiam como se eu as estivesse riscando na pedra. Cada letra é um fantasma sujo de fuligem do meu passado, mas eu me recuso a deixar que eles me vençam.

Estalo a língua, olhando de uma placa de pele para outra enquanto o guarda continua a jogar todas elas no chão.

— Ah, parabéns. Você tem um neurônio. — Olho para cima de novo, encarando de volta o Chanceler. — Eu comemoraria, mas tenho certeza de que você fará muito isso durante esse torpor, enquanto estiver fitando seu enorme espelho e batendo uma pro seu micropau.

Arquejos caem sobre mim enquanto o Chanceler fica vermelho, as veias de sua têmpora saltando. Ele abre a boca e, por seus olhos estreitados, posso ver que está pensando em usar uma frase. Uma frase que já usei mais vezes do que posso contar, como demonstram os retalhos de carne que decoram o chão a meus pés.

Seus lábios se afinam e ele limpa a garganta.

Levanta o queixo.

— Você não nega que tirou a vida dessas pessoas?

Olho para cima, diretamente para os olhos sombrios do Rei Incógnito, que não para de me observar, desejando, com toda a gentileza, que ele dê o fora.

Dou de ombros e volto a encarar o Chanceler, os fios de dor atravessando minha carne como veias ardentes.

— Parece um pouco inútil, dadas as evidências, você não acha?

— Não estou gostando da sua atitude — repreende ele, e os outros Nobres murmuram entre si enquanto me olham de cima, com repulsa.

Descrença.

Raiva.

— Bem, peço desculpas por ferir seus sentimentos.

Ele abre a boca, mas eu o interrompo.

De novo.

— No entanto, não gosto de ser forçada a livrar a população dessa *imundície* porque este reino é governado por um imbecil que acredita que ter um pau, três contas penduradas na orelha, um dragão cruel e um exército poderoso significa que ele não precisa resolver os problemas de sua sociedade em decadência.

O mezanino superior irrompe em um tumulto de sons, os Nobres se entreolham, alguns deles erguem as mãos para o alto enquanto falam com o Chanceler. Como se, de alguma forma, fosse culpa *dele* o fato de eu ter um cérebro que pensa e uma boca que fala, mas não ter a autopreservação necessária para evitar usar ambos na presença deles.

Que bom. Espero que eu esteja fazendo espetáculo suficiente para que os Nobres fiquem satisfeitos com minha captura. Que o Rekk tenha *outra* coisa para perseguir, e que Ath se afaste do fogo — mesmo que seja por pouco tempo.

Se é para morrer, que seja com estilo. Não é como se eu tivesse alguma coisa a perder.

Não mais.

O Chanceler bate o martelo na mesa três vezes, fazendo com que todos fiquem em silêncio.

— Você ousa desrespeitar nosso rei em público? — berra ele, as bochechas tão coradas quanto seu manto vermelho.

Eu arqueio uma sobrancelha.

— Essa é uma pergunta retórica ou você quer mesmo que eu responda?

Os Nobres murmuram entre si enquanto eu me balanço para a frente e para trás na ponta dos pés, desesperada para que isso acabe logo. Tem uma tigela de papa chamando meu nome.

Mais uma vez, dou uma olhada no mezanino.

Ele ainda está observando, braços cruzados e apoiados no peito largo.

Suspiro, limpando um pouco da sujeira que está sob minhas unhas.

— Estou morrendo de tédio com esse papo todo. Podemos chegar logo na parte em que você me condena a ser executada por limpar a sujeira? Essa é a parte mais empolgante.

— Você quer morrer? — pergunta o Chanceler, sem se preocupar em disfarçar o choque.

— Não — murmuro, tirando outro naco de sujeira. — Mas estou tão cansada de olhar para essa sua cara feia que a morte está começando a soar bem confortável.

Seu lábio superior se desprende dos caninos e tenho certeza de que a veia na têmpora dele está prestes a estourar. Dou uma piscadela, se bem que, considerando que meu outro olho ainda está meio congelado, deve ser a piscada mais estranha de todas.

Eu tentei.

— Como você se declara? — questiona ele.

— Culpada. De todas as acusações.

— Ela não mente — afirma o verasverso.

— Não me atreveria. — Olho por cima do ombro para o escrevente, encontrando seu olhar arregalado. — E é bem provável que vocês ainda possam acrescentar mais coisas nas acusações. Tenho certeza de que, se você procurar bem, consigo preencher a quota. Sou quase um espetáculo de uma pessoa só.

Outra onda de murmúrios.

Fico surpresa por eles ainda terem assunto para conversar.

— Aqueles a favor de que a Prisioneira Setenta e Três seja apunhalada e esquartejada no próximo nascer da aurora levantem as mãos.

Ignoro a batida frenética do meu coração quando mais da metade dos nobres levanta a mão, incluindo metade da multidão lotada no mezanino.

Eu também levanto minha mão.

A maioria talvez preferisse o coliseu, mas eu prefiro ser cortada enquanto meu coração ainda está batendo do que ser servida a uma trovoada de dragões cuspidores de fogo, muito obrigada.

— Aqueles a favor de que ela seja servida aos fundíferas levantem as mãos.

Outro grupo ergue as mãos e o escriba conta em silêncio.

— Deu empate — anuncia ele, olhando para o mezanino e parecendo contar de novo.

Eu franzo a testa.

Com certeza não.

Conto também — olhando para cima a tempo de ver um "runi" familiar, coberto com um capuz, levantar a mão como se estivesse erguendo um martelo.

Votando.

— Ah, esquece — grita o escriba —, *os dragões venceram... por um voto!*

Sinto um arrepio, meu coração batendo tão rápido que minha cabeça parece girar, com a certeza de que vou desmaiar. Não que isso me impeça de matar o Rei Incógnito com um olhar que espero que ele sinta até os ossos.

Eu deveria morrer como eu *quero* morrer, droga!

O rei abaixa a cabeça, e me imagino a arrancando de seus ombros e vendo-a cair no chão, mas então o Chanceler bate o martelo na mesa de novo.

Eu me retraio, e o olhar despenca em uníssono com minhas entranhas.

— Está decidido. Prisioneira Setenta e Três, você será conduzida ao coliseu no próximo nascer de aurora, e o sino tocará em seu nome. Que os Criadores tenham piedade de sua alma desonrada.

Raeve

CAPÍTULO 23

$\mathcal{S}$ ou escoltada de volta pelos túneis longos e sinuosos da famosa prisão de Ghora, passando por celas que cheiram tão mal quanto eu. Passamos por pessoas que se agarram às grades com as mãos brancas, me encarando com olhos arregalados — rostos magros, lábios rachados e sem cor.

Passamos por um garoto com a bochecha pressionada contra as grades, os olhos tão vidrados e vazios que quase me pergunto se ele está...

Ele pisca, as pupilas se contraem, o olhar se volta para mim.

As cordas do meu coração de pedra se apertam, porque reconheço aquelas íris amarelas. Aqueles cachos dourados emaranhados.

Em um nascer de aurora nebuloso, não muito tempo atrás, eu o encontrei vagando pelo Fosso, com sangue escorrendo do nariz, que parecia tão torto quanto agora, e hematomas em lugares que me diziam que alguém muito mais forte havia descarregado sua raiva nele.

Eu lhe dei um globo flamático. Perguntei a ele se queria minha ajuda de alguma forma. Ele empurrou o globo de volta para minha mão e me disse que queria se virar sozinho...

Desvio o olhar, um arrepio subindo pela minha espinha e explodindo no meu ombro, descendo pelas minhas costas retalhadas.

Sou empurrada para dentro da cela e cambaleio até parar. Um dos guardas me solta da coleira, recoloca o bastão que restringe minha mobilidade e me chuta.

Com força.

O pânico irrompe sob minha costela ao ser arremessada em direção à parede dos fundos, certa de que metade do meu rosto está prestes a ser arrancada, com os pés tão juntos que é impossível erguer uma das pernas para frear o movimento. Em vez disso, inclino meu corpo para o lado e me encolho em uma bola...

Meu ombro se choca contra a parede e a parte de cima das minhas costas bate com força na rocha áspera em uma explosão de agonia que me faz cerrar os dentes, os tremores se demorando e percorrendo todo meu corpo... a dor lancinante de mil chicotadas ardendo em minha pele.

Um grito profundo e ardente sobe por minha garganta, parecendo ecoar nas paredes, com a ponta afilada sendo perseguida por um silêncio arrepiante.

Sibilando em meio ao rescaldo, bato a mão no chão no ritmo da música que me acalma enquanto abro os olhos devagar. Olhando feio para o guarda que me agrediu.

Ele pega a fechadura quebrada do chão e, em seguida, olha para mim como se fosse *minha* culpa que um rei com um punho de ferro a tenha arrancado. Ele tranca a porta com um cadeado novo que arranca de uma das celas vazias e sai com o resto da minha comitiva blindada; seus passos pesados desaparecendo no nada.

Sorte dele que eu estou acorrentada e presa nessa cela; caso contrário, esmagaria seu coração com toda a força por me fazer gritar.

— Então as coisas não correram muito bem? — fala Wrook de algum lugar tão próximo que posso sentir seu bigode se remexendo em meu braço.

— Como esperado — murmuro entredentes.

Ele se aproxima, pousando a garra em meu braço, e agradeço aos Criadores por ele sair daqui. O mundo precisa de mais caras como ele.

Coloco minha mão sobre a dele por um breve momento antes de tirá-la.

Ele faz o mesmo.

Ouvimos o som do carrinho de gororoba rolando pelo túnel. De tigelas deslizando pelo chão, seguidas pela melodia de consumo voraz.

Uma tigela entra na minha cela e eu olho para ela, sem sentir um pingo da fome que estava sentindo antes, a dor oca substituída por um pavor que faz tudo dentro de mim se revirar.

Uso meu pé para empurrá-la para a esquerda, já que, ao que tudo indica, Wrook deve sair em breve.

O macho ossudo faz uma pausa em sua ingestão frenética de comida, com a barba escorrendo enquanto olha para mim.

— Não — resmunga ele, deslizando a tigela de volta para minha cela. — Você vai morrer de fome.

Fito diretamente seus olhos fundos.

— Vou virar alimento de dragão no próximo nascer da aurora. É um desperdício comer isso.

Todos parecem interromper seu frenesi alimentar, o silêncio se banqueteando com o eco de minhas palavras.

— Sinto muito — murmura.

Eu também.

Sinto muito por não ter a chance de vingar a morte de Essi e por deixar esse mundo lindo e imperfeito.

Eu adoro viver, por mais doloroso que seja às vezes. Adoro as cores de nosso reino e a forma como nossas nuvens estão sempre mudando.

Sempre se transformando.

Adoro a maneira como os dragões voam pelo céu repleto de lápides, em liberdade. Adoro sentir a neve caindo e salpicando minha pele e a forma como a brisa gelada, nascida no sul, cutuca meu nariz, fazendo a ponta dele ficar dormente com seu beijo gélido.

A parte de trás dos meus olhos arde quando penso naquela lua pequena e instável que talvez nunca mais verei...

Que amo acima de tudo.

Dou um sorriso discreto para Wrook, empurrando a tigela para baixo das grades de novo.

Dessa vez, ele a pega.

Registro no diário

Elluin Neván

Idade: 18 fases
5.000.039 fases Depois da Pedra

O stern Vaegor — rei do Lume — veio visitar mãin e paih e, bem...
A mim.

Como agora tenho 18 fases, parece que tenho maturidade o bastante para que me vendam a quem der o maior lance, como gado pronto para o abate. Ao menos foi o que o rei Ostern pensou. Que paih concordaria com uma união arranjada entre mim e um de seus filhos, que tem olhos cruéis e um sorriso mais cruel ainda, só porque o Breu tem uma necessidade crescente de produtos agrícolas que estamos lutando para atender.

Para azar de Ostern, eu disse a paih que preferia comer a merda da minha plumalua pelo resto da minha existência a me juntar a Tyroth Vaegor — e estava falando sério.

Paih falou que eu tinha uma boca suja. Que, se eu tivesse crescido nas Planícies Boltânicas como ele, me obrigariam a limpar esterco de morcito por uma fase inteira só por causa desse comentário. Ou que levaria chicotadas por ser insolente.

Eu lhe disse que aceitaria de bom grado as chicotadas em vez de Tyroth Vaegor.

Paih respondeu que foi por isso mesmo que ele deixou aquele lugar e que não me venderia nem por todos os grãos do mundo. Depois me deu um beijo na testa, me chamou de impressionante e me disse para passar um tempo com Slátra e Allume, para que os reis pudessem conversar sobre política sem que uma princesa desbocada ouvisse.

Eu amo paih, mas gostaria que ele parasse de me chamar de impressionante. Se eu pudesse esmagar essa palavra como um inseto para que ela deixasse de existir, assim o faria.

Perguntei a Haedeon se ele gostaria de ir comigo até a capoeira, mas ele ficou olhando para a parede, como sempre faz. Há muito tempo aceitei o fato de que ele *nunca voltou de Subsulnia para casa — não de verdade. Eu jurei que não o deixaria lá, mas deixei.*

Ele não ri mais.

Não come mais biscoitos de manteigaba.

Ele não fala. O que significa que ele também não discute quando eu o empurro para dentro da capoeira para que ele possa me ver trabalhar na asa da Allume, que está ficando mais forte a cada fase que passa. Para ser sincera, acho que em breve ela estará forte o suficiente para fazer seu primeiro voo.

Desde petiz, tudo o que Haedeon queria era montar nas costas de seu próprio plumalua...

Talvez, se eu puder lhe dar isso, ele voltará a sorrir.

Raeve

CAPÍTULO 25

ato com os pés no chão enquanto cantarolo baixinho e devagar, "Balada da Lua Caída" reverberando nas celas, que, fora isso, ecoam um silêncio assustador — a maioria dos outros prisioneiros está em um sono pesado, escondidos em algum lugar fora da realidade, onde espero que sejam mais felizes. Que se sintam mais confortáveis.

Saudáveis e livres.

Tendo em mente que o Rei Incógnito observava da sombra de seu capuz enquanto eu cantava a mesma música na Fenda da Fome, vê-lo descer o túnel da prisão em um turbilhão de runi branco...

Fez sentido.

Ele para diante da minha cela, com os braços cruzados.

— Cai fora — resmungo, deixando meus olhos se fecharem.

— Você nem sabe por que estou aqui.

— E nem quero saber.

Nem.

Um.

Pouco.

Interessada.

Minha fechadura chacoalha e, quando abro os olhos, vejo que ele está enfiando uma chave nela, abrindo.

Eu suspiro.

— O que será que seu *irmão* acha de você roubar as chaves dele e libertar os prisioneiros?

— Não vou te libertar, portanto não se encha de esperança.

Dou risada.

— Encantador.

Ele abre a porta com um empurrão, entrando em minha cela fedorenta.

— E meu irmão só tem olhos para uma coisa — murmura ele, se agachando diante de mim e me envolvendo na mistura robusta de seu cheiro quente.

Um conforto surpreendente nesse lugar inóspito, cujo prazer eu ignoro, optando por respirar pela boca.

— Bem, sinta-se à vontade para dizer a ele que sinto muito por não ter tido a chance de matá-lo antes de morrer. Eu estava muito ansiosa por isso.

— Não tenho dúvidas — diz ele, tirando outra chave do bolso, que usa para soltar a barra que liga minhas duas correntes, colocando no chão ao meu lado. Ele não solta meu pulso ou tornozelo, o que significa que ele tem... *planos* para mim.

Planos com os quais não quero ter nada a ver.

Ele levanta, ficando acima de mim, bloqueando a luz que sai da minha lanterna.

— Levante.

— Morra em um fosso. Ou melhor ainda, em um *coliseu*, sendo devorado por um bando de fundíferas. Encontro você lá.

Babaca.

Eu me satisfaço um pouco com seu suspiro ruidoso.

Mesmo que eu quisesse ficar de pé, não sei se conseguiria. Posso ter feito aquele espetáculo todo no julgamento, mas meu corpo inteiro parece desconjuntado.

Dói para respirar. Para piscar. Dói bater o pé. Há algo correndo em minhas veias que está me deixando com náusea e frio.

Eu costumo gostar do frio, mas é diferente nesse caso. Esse frio parece *errado*, se embrenhando em minha medula como se estivesse me mastigando de dentro para fora, abrindo espaço para si mesmo.

— Agora não é hora de ser teimosa, Raio de Lua.

— Errado. Só tem *uma* coisa que os homens procuram em uma mulher acorrentada — vocifero, as palavras com veneno suficiente para fazer um coração parar. — Se é isso que você quer, pegue aqui mesmo para que meus companheiros de cela vejam o monstro que você é.

Um som rouco borbulha em seu peito, fazendo minha pele se eriçar.

— Não sou esse tipo de monstro, Prisioneira Setenta e Três. Eu não teria *prazer* com você se não fosse de livre e espontânea vontade. Agora, fique de pé por conta própria ou passe pelo constrangimento de ser erguida e carregada.

Suas palavras se cravam entre minhas costelas e me apunhalam onde dói: meu orgulho enfraquecido, cujos resquícios estou determinada a levar comigo para o túmulo iminente, amarrada à estaca em que ele me condenou a morrer.

— A escolha é sua — rosna ele —, faça.

— Eu fiz uma escolha. Você a *tirou* de mim.

— Porque era a escolha errada.

Ele estende a mão como se quisesse me segurar pelo ombro...

Um rosnado surge de minha garganta e eu trinco meus dentes em seus dedos.

— Eu vou *levantar*.

— Então levante.

— Só quando você se virar.

Outro suspiro retumbante antes de ele girar, me dando a privacidade de que preciso para sofrer com o que será uma tarefa monumental que não sei se tenho capacidade de realizar. Neste momento, o chão é meu amigo. A menos que eu esteja de pé — aí ele é meu inimigo.

Pelo menos, de costas, ele não me verá desmoronar.

— Algum progresso?

— Estou estrangulando você em minha mente enquanto falamos — murmuro, apoiando as mãos no chão à minha esquerda. Aperto meus lábios trêmulos e coloco todo meu peso na palma das mãos, rolando para ficar agachada, com movimentos bambos.

O pino em meu ombro se choca contra o osso, e uma dor intensa atravessa meu braço...

Merda.

Fecho os olhos, abro-os arregalados e me levanto, me balançando para ficar de pé. O calor escorre pelas minhas costas enquanto oscilo. Enquanto o ambiente vai e vem... vai e vem...

— Você não vai cair, vai?

Ergo o queixo e firmo a coluna. Encaro a nuca dele, iluminada por uma chama de retaliação.

— Claro que não. Nunca estive tão firme em toda minha vida.

— Ótimo — diz ele. Depois sai da cela com um movimento rápido no manto branco, comandando que eu o siga com um brusco: — Por aqui.

Sou conduzida por um emaranhado de corredores até um túnel silencioso com uma única porta no final, com os nervos à flor da pele quando o Rei Incógnito abre a porta e faz um gesto para que eu passe.

Para entrar antes dele.

— Você primeiro — ordeno, com uma mão me firmando na parede, não acreditando em uma palavra do que ele disse sobre não ser *aquele tipo de monstro.*

Ele é um Vaegor. Um tirano. Os tiranos mentem para si mesmos tanto quanto mentem para os outros.

Eu sei o que acontece nessa prisão. Já ouvi histórias suficientes para apodrecer minhas entranhas por toda a eternidade. Se ele vai fazer o que quiser comigo, eu me recuso a entrar naquela sala às cegas. Prefiro forçá-lo a me olhar nos olhos enquanto ele destrói outra parte de mim. Fazê-lo sentir cada fratura.

Cada hematoma.

Ele fica parado por um bom tempo, depois joga o capuz para trás e entra na sala, sem parar até chegar ao outro lado. Ele se vira e se encosta na parede, cruza os braços e espera como uma estátua de pedra esculpida pelos próprios Criadores. Mandíbula forte, maçãs do rosto marcadas, pescoço musculoso. Cada ângulo foi entalhado com tanta precisão que é quase doloroso olhar para ele.

Franzindo a testa, eu me arrasto para a frente, entrando na sala iluminada por um frasco de luar capturado em uma das muitas prateleiras que revestem as quatro paredes.

Impressionante. Esses são bem difíceis de encontrar.

Observo a cama alta do suturaderme e a cadeira acolchoada ao lado dele, e meu olhar se volta para a mulher que está no canto, cujo cabelo é um punhado de cachos castanhos que combinam com os olhos e a pele, mas que contrastam com o que ela veste, uma túnica runi que vai até o chão.

Ela me dá um sorriso suave que não faz nada para impedir que meu coração afunde.

Não me preocupo em observar os botões que prendem a costura frontal de seu manto — os que simbolizam suas habilidades. Eu já sei o que verei.

Ela é uma *suturaderme.*

— É melhor que isso seja um ménage — rosno.

— Não costumo compartilhar — diz o rei, sua voz baixa e firme. — Mas, se é isso que você quer, pode ser arranjado assim que suas costas estiverem curadas.

Ele sem dúvida se acha hilário, mas eu não estou rindo, meu coração está em uma agitação violenta que não consigo diminuir.

A runi dá um passo em minha direção, com o rosto ainda marcado por um sorriso reconfortante.

— Saudações, Prisioneira Setenta e Três. Eu sou Bhea. Por que não me deixa ajudá-la a tirar a túnica para que eu possa dar uma olhada em vo...

— Não adianta me curar — resmungo, lançando um olhar para o rei. — Seria um desperdício e um abuso da habilidade e da energia dessa mulher.

— Bhea foi bem recompensada pelo serviço e está mais do que feliz em ajudar.

— Ela sabe que estou destinada ao *coliseu*? — Os lábios dele se contraem em uma linha apertada, então, em vez disso, eu encaro Bhea. — Você sabe?

— Eu sei — sussurra ela.

— Então, por que perder seu tempo?

— Porque você está com dor — anuncia o rei, como se isso fosse uma resposta.

— Dor que vai *parar* quando eu virar comida de dragão!

— Por favor. — Bhea dá mais um passo à frente. — Não temos muito tempo se quisermos que eu faça o meu melhor.

Meu pé desliza para trás.

Ela para e, embora o rei não se mova de seu lugar contra a parede, algo surge no vazio entre nós. Como se cordas reais dessem um nó em minha costela, se estendessem pela sala e se ligassem às dele, impossibilitando que eu respire sem que ele perceba.

Minha pele se arrepia e eu me torno consciente de uma forma primitiva de que ele está esperando que eu corra.

Que ele vai me *perseguir*.

Ele inclina a cabeça, como se estivesse avaliando em silêncio meu monólogo interior tumultuado, o que só me irrita. Tenho plena ciência de que, no meu estado atual, eu daria dois passos antes que ele estivesse em cima de mim, me arrastando de volta para esta mesma posição, esperando que eu cedesse.

Merda.

— Sua naturi vai ficar na porta.

— Eu tenho três, Raio de Lua.

— Aquela com a flamadraco, *Majestade*.

Uma linha se forma entre suas sobrancelhas, que desaparece no momento seguinte, quando ele enfia a mão no bolso e tira a naturi, jogando no ar — um arremesso perfeito que cai na minha mão estendida.

Eu a atiro no corredor, ouvindo-a se chocar na pedra.

Isso é uma grande besteira.

Avanço mais para dentro do cômodo, examinando a mesa de trabalho repleta de frascos de extratos, vidros, tigelas, hastes de gravação e recipientes cheios de ferramentas medicinais. São muitas coisas que me fazem lembrar de Essi.

Quanto antes isso for feito, mais cedo poderei ir embora.

Com o coração preso no fundo da garganta, vou em direção à cadeira, abrindo os botões da minha túnica larga.

— Eu estava brincando sobre o ménage — aviso, liberando os dois últimos botões enquanto massacro o rei com os olhos. — Não existe nem uma realidade em que eu transaria com você por vontade própria.

Ele não desvia o olhar do meu enquanto diz, quase suave demais para que eu possa ouvir:

— Vire-se, Raio de Lua. Sente na cadeira para que Bhea possa começar.

Ranjo os dentes com tanta força que fico surpresa por eles não se desmancharem, os dedos cerrados nas costuras da camisa. Não tem por que *nenhum* deles ver minha pele esfolada.

Nenhum motivo.

Sou muito mais forte do que esses cortes em minhas costas, a história que eles contam é um eco que não quero que seja ouvido por ninguém. Um eco que prefiro levar para o túmulo do que ficar aqui sentada enquanto eles o assimilam — mantendo-o vivo de uma forma ou de outra.

Atrás de mim, sinto Bhea se aproximando, estendendo as mãos para me ajudar a baixar um pouco a túnica, expondo meus ombros.

Ela arfa, congelando no lugar.

Movendo-se para a lateral do meu corpo, seus olhos brilhantes percorrem a carne exposta do meu pescoço até o umbigo, com lágrimas nos olhos.

Confusa, olho para seu manto, preso no lugar por mais botões de ouro ou diamante do que jamais vi em uma única costura, e meu sangue se arrepia ao ver o mais próximo de sua nuca. Um pequeno dragão soprando um cogumelo de chamas.

Essa runi não precisa de flamadraco para acender o rastro das runas do passado, porque ela foi abençoada com a visiodraco. Ela vê com seus *próprios* olhos.

O que significa que ela está vendo...

Tudo.

— O que foi? — A voz do rei atravessa a sala como o golpe de uma espada, e meu coração bate mais depressa.

Ainda mais depressa.

Bhea me olha fixamente, e eu balanço a cabeça de leve.

Por favor, não faça isso.

Por favor, não me faça voltar para aquele lugar...

— Nada, Majestade — sussurra ela, piscando, limpando uma lágrima da bochecha.

O alívio me invade como um gole de água gelada.

— Os danos são mais extensos do que eu estava esperando. Vou precisar pegar mais suprimentos no armário de armazenamento no final do corredor.

Com o aceno de cabeça do rei, Bhea sai da sala, fechando a porta atrás de si, deixando o espaço menos cheio, mas, de alguma forma, quase *transbordando*.

Limpo a garganta, com os dedos apertando minha túnica, o silêncio entre nós tangível. Uma substância semelhante à argila que poderia ser moldada em uma de duas coisas: um chifre de guerra ou uma bandeira branca ondulante.

— Isso — resmungo, apontando a mesa de extratos com o queixo —, você trazer uma runi para me ajudar, não muda *nada*.

— Eu ficaria surpreso se mudasse. — Ele se afasta da parede, vindo em minha direção. — Mas, por enquanto, passe esse tempo afiando suas lâminas. Pelo menos até que Bhea termine a tarefa.

— É um pedido e tanto.

Ele encosta em mim, as pontas dos dedos quentes e calejadas passando pelos nós dos meus dedos, seu olhar é um pedido silencioso.

Suspirando, afrouxo o aperto de mão, permitindo que a bandeira branca se erga entre nós. Uma coisa frágil e esvoaçante que pretendo desfazer no momento em que sair desta sala.

— Quer que eu cubra você com um pano antes de tirar isso?

Minha respiração falha.

Todos os três irmãos Vaegor são originários do Lume, onde a nudez é considerada um conforto para alguns — muito menos sexualizada do que é neste extremo sul —, portanto não sou orgulhosa demais para apreciar sua consideração por minha cultura.

Por perguntar.

Abro a boca e a fecho. Por fim, balanço a cabeça.

— Me avise se mudar de ideia.

Com meu aceno de cabeça, e sem quebrar o contato visual, ele desce minha túnica pelos ombros até que ela esteja enrolada em meus pulsos, o ar frio cutucando minha pele enquanto eu estudo seus cílios — tão longos e grossos.

Uma bela distração.

Ele estende a mão para colocar com gentileza o tecido em volta da minha cintura, de modo a não mexer na minha carne dilacerada.

— Você sabe que isso é inútil, certo?

— Não para mim — murmura ele, depois pega minhas mãos nas suas, grandes e robustas... a pele dele de um marrom-claro como uma parede rochosa, a minha é da cor da neve.

Ele me leva em direção à cadeira, me apoiando para que eu consiga erguer a perna e me acomodar apoiando no encosto antes de ele se mover comigo, me oferecendo a dignidade de não erguer o olhar para ver o estrago feito em mim. Uma misericórdia que aprecio nesse pequeno cessar-fogo.

Encosto meu peito na cadeira de acolchoado grosso, as mãos no colo enquanto ele se ajoelha.

Uma batida suave soa à porta.

— Entre — murmura ele enquanto eu mantenho seu olhar severo, como se estivesse olhando para os restos desintegrados de um incêndio que perdeu a chama.

A porta se abre. Fecha. Ouço os passos suaves e arrastados de Bhea e, em seguida, os sons dela se preparando para o procedimento.

O rei mal pisca quando ela limpa um pouco do sangue das minhas costas com um pano úmido, espremendo o excesso avermelhado em um balde no chão. Ele mal pisca quando ela lambuza minhas costas com um agente de ligação — a dor familiar afundando em camadas de carne esfrangalhada antes de ela traçar seus caminhos com o movimento de um pincel delicado.

— Ainda tenho a intenção de matar você se tiver a chance — aviso, com os dentes cerrados.

— Não se esqueça de cortar minha cabeça — sussurra ele. — Ou vou assombrar você por toda a eternidade.

— Eu não acredito nisso.

Nem um pouco. Cortei pouquíssimas cabeças em comparação ao número bem maior de pessoas que matei, e ainda não vi um único espírito me atacar das sombras.

Ele ergue uma sobrancelha.

— Então, em que você acredita? — pergunta ele, com uma voz gutural.

— Vingança.

Todo o calor se esvai de seus olhos, como se parte dele tivesse escapado.

— A vingança é a divindade mais solitária de todas, Raio de Lua. Acredite em alguém que sabe disso.

Abro a boca para falar de novo, mas Bhea interrompe:

— Se eu quiser fazer isso do jeito certo, vai demorar um pouco. E vai doer. Os cortes são profundos. Ela terá que reviver a dor enquanto eu reparo o dano.

Percebo que ela não está me avisando, pois seus olhos são capazes de ver o que a maioria dos outros não consegue.

O aviso é para *ele*.

— Ela aguenta — resmunga ele, com o olhar me desafiando a fazer isso mesmo.

Quando aceno consentindo, Bhea começa a gravar suas runas, revertendo o tempo de vida de meus ferimentos, um golpe vil de cada vez. O rei continua me encarando enquanto sou costurada de mais de cem maneiras, embora não pareça. Parece que estou com rasgos *ainda mais* largos — com minhas entranhas expostas.

Sendo examinadas.

Talvez porque eu esteja acostumada a fazer isso sem um público além da runi que está me remendando. Sem que outra pessoa sincronize a respiração com a minha, como se estivesse me lembrando de respirar.

Sem que outra pessoa aperte minha mão toda vez que eu estremeço, enxugando o suor da minha testa, massageando uma trilha através de minhas juntas esbranquiçadas, como se quisesse acalmar meu coração agitado.

É um momento humilde de paz, apesar da dor que me atravessa. Um momento tranquilo destinado a *gritar*.

Por mais que minha pele seja alisada ou o quão baixo ele se ajoelhe a meus pés. Ainda sou uma assassina marcada para ser executada quando a aurora nascer, e ele ainda é um rei tirano.

Registro no diário

Elluin Neván

Idade: 18 fases
5.000.039 fases Depois da Pedra

E u estava cuidando do alongamento das asas de Allume naquele dya, cantando uma música suave e calmante enquanto ela estendia os ossos finos até onde podiam ir — o que agora é quase a extensão total. Ela estava ficando inquieta, balançando a cabeça e cutucando meu corpo, me encarando com aqueles olhos enormes e brilhantes. Como se estivesse tentando dizer alguma coisa. Ela até lançou uma pequena chama em direção à entrada, o que não é do feitio dela.

Agora percebo que era um desafio.

De repente, ela começou a bater as asas tão rápido que a machucada me atingiu na cabeça e me jogou contra a cadeira de Haedeon. Deslizei pelo chão e aterrissei em uma pilha de pedras de gelo que Náthae, plumalua da mãin, tinha trazido havia pouco tempo, o que nos fez achar que ela poderia estar prestes a chocar.

Bati minha cabeça. Com força.

Quando abri os olhos de novo, Allume havia desaparecido, mas eu podia vê--la através da entrada — voando pelo céu, com a luz incidindo na pele prateada brilhante. Pude ver sua longa cauda sedosa espanando a penumbra a cada vez que ela batia as asas. Podia ver as plumas de chamas aquáticas que ela lançava para o céu, acompanhadas de gritos estridentes. Como um grito de vitória para as luas.

Para seus ancestrais.

Eu me virei para ver como Haedeon estava...

Ele estava sorrindo.

Ele olhou bem nos meus olhos e disse "obrigado" com uma voz tão áspera que acho que as palavras podem ter doído ao sair, e nunca senti uma felicidade tão intensa.

Pela primeira vez desde que subi no trenó de Haedeon, todas aquelas fases atrás, eu me senti impressionante.

Raeve

CAPÍTULO 27

— C erto, esse é o último — diz Bhea, passando um óleo em minhas costas, as mãos macias e delicadas, esfregando toda a tensão de minha carne agora curada.

Lutando contra a vontade de gemer de alívio, abro os olhos, encarando um par intenso de órbitas cinza vulcânicas, uma linha cavada entre a sobrancelha grossa do rei.

— Você está bem? — pergunta ele, apertando mais minha mão úmida.

— Estou ótima — murmuro, puxando-as de seu aperto.

Nunca estive melhor. Ainda bem que ele me torturou até que eu recuperasse a saúde em meus últimos momentos de vida. Que maneira de morrer. Adequada, mas ainda meio merda.

Inclino para trás para poder levantar as mãos sobre o encosto da cadeira sem que a corrente se prenda e pego a toalha pendurada no ombro dele. A que ele estava usando para enxugar minha testa sempre que o suor escorria pelos meus cílios.

— Vou pegar minhas pinças de ponta fina — anuncia Bhea enquanto enfio o rosto na toalha, esfregando a tensão ao redor dos olhos, ouvindo o som de seus passos antes de ela começar a vasculhar alguma coisa.

Enfim assimilo as palavras dela em meio à névoa que encobre minha cabeça.

Pinças?

Ela precisa de pinças de ponta fina pra qu...

Ah.

Tiro a toalha do rosto e vejo o olhar do rei de novo.

— Você vai remover o pino?

Faz sentido. Não quer que nenhum filhote morra engasgado com ele se eu for levada para o oeste e cuspida em um ninho de fundíferas.

— Suas algemas são de ferro — murmura ele, o olhar percorrendo todos os ângulos do meu rosto, como se estivesse mapeando o formato dele... e pousando em meus olhos de novo. — O pino é desnecessário.

— Bem, sim. Mas *eu* sou desnecessária, lembra? Placas de pele... o dedo de Rekk Zharos... acho que você não se deu conta de como chegou perto de ser cortado em pedaços e depois jogado do muro. Mas, ei, obrigada por me remendar antes de eu morrer, mesmo que não faça o menor sentido.

Ele ergue o canto da boca.

— Cortado em pedaços, você diz...

Óbvio.

— Você é o maior homem que eu já vi. — Dou de ombros, disfarçando uma careta porque o pino está doendo *muito*. Isso fica mais evidente agora que minha pele não está mais cortada em tiras. — Não teria como arrastar você até o penhasco depois de cortar sua garganta.

— Mas você não cortou...

Franzo a testa, desejando que ele não jogasse minhas indiscrições na minha cara daquele jeito.

Ele cheira bem.

Eu fiz merda.

Não vamos ficar pensando nisso.

— As pinças não estão aqui — diz Bhea, e aquele sorriso discreto some do rosto do rei no mesmo instante em que ele se levanta.

— Tenho algumas em meu alforje, mas vou demorar um pouco para ir e voltar — anuncia ele, caminhando em direção à janela coberta por uma fileira de madeira envelhecida e meio podre. — Como estamos em termos de tem...

— Me dê uma faca. — Aceno com a mão no ar, fazendo tilintar minhas correntes. — Eu o cortarei.

O rei para de repente, e ele e Bhea me olham como se eu tivesse pedido a eles que, por favor, oferecessem os pescoços para que eu pudesse cortá-los.

Reviro os olhos.

— Não vou esfaquear vocês. Bandeira branca, lembra? Mas também não vou devolver a faca, portanto é melhor me dar uma de que não goste muito.

A única coisa pior do que perder uma faca boa é perder *todas* as suas facas boas, cacete.

A ponta dos meus dedos formiga com a vontade de enfiá-las no pescoço de Rekk Zharos e arrancar sua traqueia com minhas próprias mãos. Agora que estou remendada, a injustiça é ainda mais marcante. Estou mais do que boa para o caçar se não fosse por essas malditas correntes.

— Posso colocar uma pomada — sugere Bhea, voltando a atenção para o rei como se eu nem estivesse presente.

— É uma péssima ideia — reclamo, me reinserindo na conversa. — Estou com um *pino* no ombro.

Agora que estamos todos falando a respeito, estou ficando cada vez mais irritada com o fato de que vou morrer com essa coisa dentro de mim, e acho que é justo que eu consiga um pouco de conforto onde quer que o possa encontrar, obrigada.

Eu me inclino para trás da cadeira, girando para poder ver o rei direito.

— Sem sombra de dúvidas você tem uma faca. Me dê — ordeno, estendendo a mão para que ele a coloque ali. — Qualquer uma. Me deixa cutucar um pouco. Você pode fechar os olhos se for sensível.

Ele limpa a garganta, sem olhar um único instante que seja para meus seios nus, agora totalmente à mostra, enquanto se vira e agarra o parapeito de madeira da janela. Deslizando para o lado, ele olha para fora, xingando baixinho.

— A pomada contém raizacho?

Para anestesiar a dor?

Interessante.

Ele quer aliviar meu sofrimento enquanto sou levada para a morte. E lá estava eu pedindo um serrote para desmembrá-lo com mais facilidade.

— Contém, sim — responde Bhea, enfiando a mão em uma grande bolsa de couro que ela estendeu aberta sobre a mesa de trabalho. Ela puxa um frasco como se fosse uma espécie de troféu, e eu franzo a testa para a pasta verde e grumosa que há dentro. — E ovos de enguieixe fermentados...

Para desinfetar. Porém, mais importante, para você cheirar como se tivessem cagado em você.

Não, obrigada.

— Sabe do que mais? — digo, tentando colocar minha camisa de volta. — Que se dane, estou bem. Nem está doendo. Deixe os filhotes se engasgarem.

— Pode passar. — O rei desliza a cobertura da janela de volta para o lugar, cortando a luz extra. — Não temos tempo para cortar o pino — afirma ele, com um olhar que me atravessa. — A aurora está prestes a nascer.

Meu coração despenca tão rápido que quase vomito.

Droga...

Acho que está quase na hora de morrer.

O lho de canto para a cela vazia de Wrook enquanto me balanço de um lado para o outro, arrastando as costas na pedra para aliviar a coceira que chega até os ossos em alguns lugares, me fazendo querer estraçalhar todo o trabalho duro de Bhea só para saciar a sensação desconfortável.

Parece que o Rei Incógnito cumpriu sua promessa enquanto eu estava fora. Espero que Wrook esteja satisfeito com a presa de ceifassabre e que ele não tenha servido de alimento para a fera à qual a presa pertencia antes.

Não sou burra o bastante para acreditar que esse presente que causa coceira me foi dado de bom grado. Poucas pessoas ajudam outras neste mundo sem esperar algo em troca.

Há uma razão para eu ter sido persuadida a entrar naquele quarto. Ainda estou tentando descobrir qual é.

Abaixando a túnica, estendo a mão para pegar a gosma que Bhea enfiou no buraco feito nas minhas costas, franzindo a testa diante do fedor acre.

Agora vou morrer cheirando a ovos de enguieixe fermentados, suavizados pelo aroma de ervas.

Maravilha.

Pelo menos isso parece ter enfim saciado o desejo estranho e quase compulsivo do rei de eliminar minha dor.

Eu franzo a testa.

Talvez isso tenha a ver com a pessoa de quem ele se lembra quando me vê? Talvez o fato de me curar o tenha aliviado de alguma forma? Fez com que ele se sentisse melhor consigo mesmo?

Deve ser isso.

Respiro aliviada, grata por ter resolvido o enigma. Eu não queria levar essa pergunta para o túmulo.

Uma gota de mofo cai em meu nariz, acabando com meu alívio. Um lembrete de que estou em uma cela. Esperando a morte.

Que estes são meus últimos momentos de vida.

Caralho.

Examinando o ambiente ao meu redor, vejo o contorno dos meus companheiros de cela que descansam, invejando as respirações profundas e lânguidas...

Dormir seria bom neste momento. Eu poderia existir em *outro* lugar por um tempo.

Em qualquer lugar, menos aqui.

Mas minha força de vontade não é o bastante para que eu possa apagar. Estou nervosa demais, como se houvesse uma tempestade de raios presa em meu peito, que me atinge toda vez que penso em fechar os olhos. Até onde sei, os guardas podem estar marchando para cá neste exato instante, prontos para me arrastar para meu fim ardente.

Minha barriga se contrai.

Afasto os pensamentos, mas, assim como Pre costumava fazer, eles continuam se chocando contra mim. Me bicando.

Ela, eu amava.

Eles, eu odeio.

Inspiro fundo e solto o ar devagar, cutucando a pele na lateral do dedo.

Não pense.

Não pense.

Não pense.

Fecho os olhos, batendo o pé ao som da música calma e tranquilizadora que se ouve no fundo da minha mente, sincronizando a batida com os respingos de mofo que caem do teto.

Plof.

Plof.

Plof-plof.

O pelo dos meus braços se eriça...

Abro os olhos.

Um movimento de ar distorcido que surge através das grades atrai meu olhar... não deve passar da altura do joelho. Estreito os olhos quando a coisa se move novamente, revelando uma criatura agachada com um emaranhado selvagem de pelos da cor da neve, combinando com as sobrancelhas e cílios, ainda que contrastando com a pele lisa e rosa-clara no rosto, pescoço, pernas e braços.

Uno deixa o manto cair no chão em um farfalhar de tecido escuro desenhado com runas luminosas, lançando um sorriso malicioso com dentes afiados para mim.

O órgão em meu peito se aperta com tanta força que temo que ele possa rachar no meio.

— O que está fazendo aqui? — sussurro entredentes, inclinando para a frente, dando uma olhada no túnel, o pulso tão acelerado que minha cabeça parece leve e aérea.

As orelhas grandes e carnudas se contorcem enquanto se esforçam para ouvir o som.

— Sereme falou com a Mestre. Ordenou que eu tire você daqui.

Uma raiva gelada ressoa no fundo da minha barriga.

É claro que Sereme ordenou isso. O que significa que ela pretende me substituir por outra. Para alimentar a Coroa com *outra*. E o que é pior, ela colocou *Uno* em perigo para me resgatar...

Ruse deve estar maluca de preocupação.

Uno tira uma picareta de um dos muitos bolsos coloridos costurados em sua roupa de lã, alonga o corpo em pé, pega a fechadura e desliza o pino estreito de metal na abertura...

— *Pare.*

Suas mãos delicadas param, os olhos cor-de-rosa se voltam para mim, com as pupilas em fenda se estreitando. Uma linha se forma entre a sobrancelha, a ponta branca e tufada da longa cauda balançando para a frente e para trás.

— Saia daqui, Uno. Por favor. Você não pode correr o risco de ser pega.

Seus lábios dão lugar aos dentes afiados, as feições redondas como um botão se contorcendo em algo cortante e horrível.

— Você não é a Mestre. — As palavras cortam minha pele, deixando um rastro de ardência. — Não obedeço a você.

Almíscuru teimosa.

Suspiro, olhando de novo para o túnel e depois de volta para seus olhos ferozes.

— Eles sabem que sou uma ameaça. Se eu sobreviver, redobrarão a caçada. — Faço uma pausa antes de aplicar o golpe baixo: — Eles encontrarão *Ruse*.

Uno cerra os dentes e rosna, os lábios se afinando. A cauda avança para a frente, roçando em minha bochecha.

Seus olhos brilham iridescentes.

Uno fica imóvel, sua tez já pálida clareando tanto que a pele se torna translúcida nos lugares onde é mais fina — nas têmporas, na parte interna dos pulsos frágeis, na curva esguia das pernas salientes.

O silêncio se prolonga enquanto ela aguenta uma de suas raras previsões, e eu engulo em seco, observando as manchas prismáticas em seus olhos se agitarem. Os pedaços em rosa coagulam e sobem à superfície, brilhando vermelhas na luz quente.

Ela afasta a cauda do meu rosto tão rápido que parece até que queimo como fogo, a respiração trêmula sendo sugada pela boca de dentes afiados. Uno pisca, retira a chave da fechadura e se agacha, as gotas de uma esperança que eu nem sabia que tinha batendo em minhas costelas.

— Você sabe que estou certa...

Ela enfia a picareta no bolsinho rosa de seu traje de lã.

— Mestre morrerá se você não for ao coliseu. Sereme também. Vi agora.

A frustração domina meu peito e assinto.

Está decidido, então.

— Não estou surpresa — sussurro, forçando um sorriso. — Eu irritei a Confraria dos Nobres. Muito. Imagino que eles virariam a cidade de cabeça para baixo para me encontrar se eu não comparecer à minha execução.

— Virariam mesmo — concorda Uno, com uma certeza estoica. — Transmitirei minhas observações à Mestre. Ela poderá passá-las à mestre dela. Que pode passá-las ao mestre dela.

Meu sorriso se suaviza.

— Faça isso, Uno.

Ela enfia a mão em seu bolso laranja, revelando um pedaço de carvão.

— Venha — diz ela, levantando para que eu veja.

Eu franzo a testa.

Olho para o túnel de novo e levanto a vara de metal para que minhas correntes não se arrastem pelo chão enquanto caminho para a frente. Uno gesticula para que eu apoie a cabeça entre as duas barras, o metal duro nas laterais do meu rosto.

Ela balança o lábio inferior enquanto arrasta o pedaço de carvão pela minha testa.

Reconheço no mesmo instante a forma que ela está desenhando, tão familiarizada com a lua que procuro no céu sempre que estou olhando para o Breu.

— Isso é... *certo* — sussurra ela, e eu engulo o estranho nó em minha garganta.

— Eu sei.

Ela se inclina para trás, com os joelhos salientes em volta das bochechas, me estudando enquanto eu a estudo...

As perguntas estão na ponta da língua. Queria perguntar se vou ser devorada direto na estaca ou levada para Pantânia e servir de alimento para os filhotes, apesar de saber que suas visões são esporádicas. Que os resultados podem mudar e oscilar. Mas decido que é melhor me afogar na ignorância até o fim amargo.

Fecho os olhos, sem desejar essa despedida com gosto de cinzas, ouvindo o som quase silencioso de seus passos arrastados sumindo. Só volto a abrir os olhos quando tenho certeza de que ela se foi, encarando o espaço vazio diante de mim.

Limpo a garganta e me viro para a parede, esfregando as costas, que ainda coçam, na superfície abrasiva.

— Por que uma bola? — pergunta uma voz rouca à minha esquerda.

Olho de lado para o homem que eu julgava estar dormindo debaixo do cobertor imundo, mas que me observa através das grades.

— É uma lua.

Ele franze a testa.

— Então, por que uma lua?

Olho para a frente de novo, batendo o pé ao som da música suave em minha cabeça.

— Porque elas caem.

Mesmo quando não queremos que caiam.

Raeve

CAPÍTULO 28

Sou escoltada pelo Fosso apertado e lotado, ladeado pelos soldados de contas da Coroa, o céu chorando flocos de neve que sujam o chão — uma almofada gelada para meus pés descalços, passando por cidadãos calados.

Não é normal ser conduzida ao coliseu com um desfile de guardas e fileiras de testemunhas silenciosas, mas com uma abundância de pôsteres colados nas paredes alertando sobre minha captura e a hora da execução, consigo entender.

Eles me observam atravessar a fenda fina na multidão, soldados do Grado alinhados de ambos os lados, como cercas vivas protegendo um rebanho de gado. Espadas nas cinturas, olhos estreitos, examinando, talvez esperando para ver se alguém do Fíur du Ath vai dar um passo à frente e se mostrar.

Tentar me ajudar.

Tenho certeza de que ninguém vai interferir. Não depois da previsão de Uno.

Portanto, mantenho meu queixo erguido enquanto passo por rostos que reconheço, feéricos e até mesmo algumas criaturas em quem passei a confiar ao longo das fases. Outros do Ath que desempenharam papéis pontuais mas importantes em minha vida antes de eu cair sobre a mesma espada que passei minha vida afiando.

Para mim, seus rostos brilham como *luas*.

Assim como as que estão no céu, espero que não caiam. Fico triste por não estar por perto para ver este reino restaurado à sua antiga glória. Sereme fará isso, eu sei que fará.

Em algum momento.

Por mais que eu a odeie, a biscate não aceita falhar. Uma semente de esperança que levarei comigo ao morrer.

Os servos da Coroa, impassíveis, seguram tigelas com o que só posso imaginar que seja algum tipo de sangue de animal, salpicando meu corpo com isso. Encharcando-me com o odor metálico, enquanto uma trovoada de fundíferas forma sombras no céu, as asas estrondosas *batendo... batendo...*

Assim como meu coração.

Um grão de neve pousa na ponta do meu nariz e eu olho para cima, sorrindo, certa de que todos pensam que estou sofrendo com o clima frio. Mas me pergunto se nossa Deusa da Água sabe que não. Se Rayne está se despedindo com lágrimas geladas que me trazem uma sensação de conforto — esfriando o fogo em minhas veias e a raiva em meu coração. Afinal, não há motivo para isso. Não mais.

Acabou.

Já era.

Seguirei meu destino assombrada por dois únicos arrependimentos: o de nunca ter esfolado Rekk Zharos do pau até a garganta e o de não ter *vivido* como Fallon me contou antes de morrer. Essa liberdade linda e estimulante que estava sempre fora de alcance.

Ambos os arrependimentos parecem farpas em meu coração quando sou escoltada em direção a uma escada lascada no lado norte do muro, subindo os andares em zigue-zague até que eu esteja quase perto o suficiente das nuvens para pegá-las com a boca.

Para as saborear.

Chegando ao topo do muro, fico na ponta dos pés a cada passo, esticando o pescoço, determinada a dar uma olhada na lua que tanto amo... *uma última vez.*

Só um pouco mais alto, e talvez eu consiga...

Analiso as nuvens baixas, que soltam neve e cobrem o céu em todas as direções, obscurecendo as luas.

Todas as luas.

Sinto um aperto no coração e um formigamento cortante surge atrás de meus olhos.

Sou empurrada para um túnel revestido de arandelas flamejantes e rosno, com a visão nublada bloqueada por pedras e chamas. O som das botas ecoa pela parede e tenho certeza de que pisoteiam meu peito com o peso da decepção, fraturando minha costela. Esmagando meu pulmão.

Ignore isso.

Afaste essa sensação.

Levanto o queixo quando entramos em outro túnel, antes de me guiarem para uma escada espiral que acaba no palco central do coliseu... tão vasto que me faz sentir como um grão de terra no fundo de uma bacia.

Minúscula.

Insignificante.

Uma grossa abertura em pedra abriga uma única camada de assentos que coroa o edifício, protegendo os Nobres vibrantes que vieram me ver morrer, dispostos a arriscar as próprias vidas para testemunhar o espetáculo macabro.

Eles riem, suspiram e murmuram, apontando na minha direção enquanto estou apoiada na estaca de madeira, com os pés perdidos em camadas incrustradas de neve.

Aceno para eles com o braço acorrentado e abro um sorriso.

— Obrigada por virem me mandar para a morte — grito, seguido de um murmúrio: — *cuzões.*

Os guardas empurram minhas mãos para os lados, me amarrando com cordas fibrosas até que eu esteja tão presa que mal consigo respirar fundo. Eles voltam a descer as escadas enquanto luto para respirar com as amarras apertadas.

O pânico é como uma explosão em minhas costelas.

Estou presa. Impotente.

Sozinha pra caralho.

O entendimento é como uma facada no coração, o medo se infiltra pelas minhas veias em uma enxurrada de sangue fervente. As respirações são curtas, cortantes e rápidas, aquele tremor horrível que me abalava na cela voltando com força total.

Talvez percebendo meu súbito desconforto, alguns dos Nobres riem, com gargalhadas que me atingem como se estivessem atirando pedras.

Minha bochecha arde e me recuso a olhar para eles de novo. Em vez disso, encaro o céu, com os olhos arregalados para as feras vibrantes que circulam acima, cortando as nuvens, transformando as cores bonitas em uma íris agitada focada em...

Mim.

Flocos de neve salpicam meu cabelo e meu rosto enquanto tento parar de bater os dentes e diminuir o ritmo acelerado da minha respiração superficial e frenética.

Isso é um terror torporoso do qual vou acordar. Como acontece com todo terror torporoso, você não acorda até que ele te quebre o bastante para você se libertar.

É isso...

Eu só preciso me quebrar. Então estarei livre.

Um movimento estrondoso dentro do camarote imperial chama minha atenção, e vejo uma mulher se movendo em meio a uma equipe de soldados abrindo espaço, a pele pálida contrastando com a coroa vermelha que enfeita um rio de cabelo ruivo.

A rainha...

Achei que ela não participasse desse tipo de evento. Acho que sou importante o suficiente para merecer o privilégio.

O sino alimentar toca, e minha próxima respiração é um soco no fundo da garganta, cada gongo percorrendo meus ossos quando Sua Alteza Imperial chega à balaustrada. Seu olhar recai sobre mim e ela se detém, os olhos arregalados com um lampejo de... algo.

Choque?

Descrença?

Reconhecimento?

Não consigo identificar. Nem tenho batimentos cardíacos suficientes para ligar. Então deixo minha atenção se desviar para o enxame de animais que se aglomera no céu...

Criadores.

Um enorme fundífera pousa no topo da abertura de pedra, com sua plumagem amarela e laranja fazendo com que pareça uma chama furiosa que veio me devorar. Eu me sobressalto quando ela inclina o bico longo e afilado e se lança para o céu, dispersando algumas das feras menores que começaram a descer antes de enfiar a cabeça na tigela.

Tão perto.

Suas pupilas dilatadas se expandem e ela bate com o bico sólido no ar bem diante do meu rosto. Como se praticasse a mordida.

Sustento o olhar escarlate do dragão...

Uma rajada de ar me atinge.

O fundífera balança a cabeça para a esquerda, grasnando para um segundo animal quase do mesmo tamanho monstruoso, agora agarrado à abertura do outro lado do prédio. Ele abre o bico e dá um berro caótico, lançando uma névoa de saliva e fumaça.

Viro a cabeça, tentando me proteger da explosão, e meu olhar vai parar no camarote imperial.

A rainha está segurando o parapeito com as mãos brancas, gritando com os soldados atrás dela... soldados que olham dela para mim, com os rostos pálidos como pergaminho.

Os olhos arregalados e maníacos dela se fixam nos meus, e algo naqueles olhos aquosos perturba meu lago interno. Lágrimas escorrem por suas bochechas, e ela começa a moldar palavras que não consigo ouvir... embora eu consiga *ver*.

Consigo *reconhecer*.

Ela está cantando para Clode, implorando para que ela sopre.

Que *gire*.

O ar ao meu redor se transforma em uma agitação ciclônica de neve e gelo, quase impossível de vislumbrar. A estaca à qual estou amarrada balança como se estivesse prestes a se soltar do palco, meu cabelo ameaçando se soltar das raízes, com as pontas fibrosas alcançando o vórtice em movimento.

Os dois fundíferas guincham e se afastam do topo, as asas batendo contra a agitação do ar que arranca penas vibrantes de suas barrigas, espalhando no redemoinho que leva as criaturas de volta para as nuvens.

Através do movimento feroz da neve que passa pelo meu rosto, olho de novo para a rainha — seu peito se agita com soluços, um sorriso caloroso faz suas bochechas incharem.

Quando me dou conta, a sensação é a de uma refeição pesada em minha barriga após um longo período de fome, e eu franzo a testa.

Ela está tentando assustar os dragões.

Ela está...

Ela está me *salvando*...

Uma batida profunda e gutural sacode o ar, surgindo de todos os ângulos.

Turum.

Turum.

Turum.

O coliseu cai na escuridão, eclipsado por uma sombra terrível que quase me engole por inteiro.

Gritos irrompem da multidão, que agora se agita em seus assentos, correndo para as saídas — tropeçando uns nos outros em sua pressa e pânico. A rainha desvia o olhar do meu e olha para cima, para além do topo do edifício, com os olhos arregalados. Confusa, faço o mesmo.

Meu coração para e não consigo respirar quando o maior ceifassabre que eu já vi mergulha em direção ao coliseu com um movimento das asas ondulantes. Estende as garras gigantescas e se agarra à abertura curva, assentando o peso sobre a estrutura que já não parece forte e resistente. Não se compara a *essa* fera — a cor de uma poça de sangue velho aparentando ser preta nos lugares em que os restos de luz não tocam as escamas largas, do tamanho de um prato.

O mundo inteiro parece tremer, rachaduras surgindo na pedra, pedaços dela se partindo e despencando ao meu redor, esmagando alguns dos nobres que não fugiram rápido o bastante.

Uivos violentos de pânico e dor sacodem a atmosfera.

O dragão estende as asas a uma largura impossível, as membranas abertas tamborilam com a força da canção ciclônica da rainha, as pontas das garras se estendem tanto que imagino que consigam dar a volta no coliseu mais de uma vez.

— Merda — murmuro, imaginando por que uma fera tão grande se preocuparia com um grão tão pequeno de alimento...

A menos que...

Que ela me queira para sua prole.

Sinto um aperto na barriga.

Não só vou morrer, como vai ser bem devagar e no lugar mais *quente* do mundo.

Gonodraco... o local de desova do ceifassabre.

O rei estava certo, eu *sou* assombrada. Todos os espíritos furiosos das pessoas que não consegui decapitar atraíram essa fera para minha execução e agora estão rindo por último.

Bom para eles.

Uma merda para mim.

Fico *totalmente* sem ar quando o dragão enfia a cabeça no coliseu com um golpe turbulento, seu rosto retangular com chifres e presas que enrolam e o moldam em algo monstruoso. Ele sopra seu hálito abrasador sobre mim, me olhando através de globos escuros amontoados em um ninho de brasas.

Algo irrompe das profundezas do meu lago interno já estilhaçado como uma rede que engole meu coração robusto. Garras perfuram minha carne, me injetando com uma canção que sobe pela minha garganta e se assenta na minha língua como uma bola de chamas geladas, abrindo minha mandíbula.

Ela se derrama no ritmo de meus batimentos cada vez mais rápidos, minha voz serrilhada atravessando o barulho. Uma linguagem que não é o idioma comum, mas algo... *diferente.*

Algo que não entendo. E que talvez deva questionar.

O dragão pisca, inclinando a cabeça para o lado enquanto a melodia desconhecida se aglomera em meus dentes como fractais de gelo e neve...

Franzo a testa.

O animal está fazendo mais do que apenas *ouvir* minhas palavras?

Está... as *digerindo*?

Em vez de me digerir?

Pequenas gotas de esperança brotam em meu peito, ao menos até que o ceifassabre abra a mandíbula cavernosa e *ruja* — uma chama ondulante com fedor de carne frita. Meu coração se agita enquanto olho para aquele bulbo de chama avermelhada que brota na base de sua garganta estriada, esperando a explosão incineradora.

Ardente.

A fera ataca.

Dentes pontiagudos me envolvem, me lançando numa escuridão profunda, quente e molhada. Ruídos de rachaduras e estalos me cercam antes que a estaca que me prende se desencaixe do palco e tombe, me arrastando consigo. Minha alma parece ficar para trás.

O medo me tritura até que, por fim, eu apague.

Registro no diário

Elluin Neván

Idade: 18 fases
5.000.039 fases Depois da Pedra

Dormi na capoeira no último torpor, embalada pelo tufo de seda da cauda enrolada de Slátra, sonhando com coisas felizes. No auge da emoção de ver Haedeon voar pela primeira vez nas costas de Allume, com um sorriso radiante, ambos berrando vitoriosos para o céu. Feliz pelo passeio que fizemos juntos, banhados de luar, voando entre os picos irregulares das montanhas, com a neve soprando em nosso rastro devido ao balanço vertiginoso das caudas sedosas de nossos plumaluas — Haedeon mais vivo do que nunca.

Dormi na capoeira no último torpor, sonhando com coisas felizes, enquanto minha família dormia em camas dos quais nunca se levantariam. Enquanto algum tipo de veneno ingerido percorria seus corpos e os estrangulava até a morte.

Mãin.

Paih.

Haedeon.

Sei que seus momentos finais foram dolorosos. Posso ver em seus olhos esbugalhados. Na torção antinatural de suas bocas que não sorriem, não cantam, nem sussurram meu nome, por mais que eu os abrace ou grite para que tentem.

Essa dor tão grande... ela ocupa cada pedaço do meu peito, dificultando a respiração. Me deixando tão pesada que acho que nunca mais poderei me mover. Nem acho que quero.

Como pode alguém que você ama tanto estar aqui em um momento e no outro ir embora?

Simplesmente... se foi?

Allume, Náthae e Akkeri continuam passando pela janelá, gritando, soprando suas chamas. Cada vez que gritam, mais marcas são feitas em meu coração.

Eles devem saber que algo está errado.

Não tenho coragem de mostrar a eles o que perderam. Ainda não. Ainda espero abrir os olhos e descobrir que tudo não passou de um grande e horrível sonho.

Os assistentes de mãin e paih dizem que preciso deixá-los ir. Que precisamos entregar seus corpos de volta aos elementos. Aos Criadores que não estiveram presentes quando eles mais precisaram.

Isso parece muito definitivo.

Não quero que este seja nosso último abraço. A última vez que olharei em seus olhos e direi que os amo.

Não quero que essa parte deles também desapareça.

Eles dizem que preciso usar o diadema de mãin agora que ele enfim se soltou da cabeça dela, mas só depois de sugar até a última gota de vida de seu corpo e a tornar irreconhecível. Agora os Criadores não param de gritar, cuspindo palavras sibilantes que nunca ouvi antes. Palavras que não conheço nem tenho o desejo de aprender. Não neste momento.

Acho que eles também querem que eu use o diadema.

Mãin me disse uma vez que nunca se sentiu tão próxima da morte quanto no momento em que o colocou em sua testa, então talvez eu enfim o coloque... nem que seja com esse propósito exato.

Mais próxima.

Raeve

CAPÍTULO 30

Minha nova cela tem um odor de morte incandescente e enxofre — uma escuridão esponjosa e envolvente que retumba em volta de mim, com ruídos reverberando. Sons gorgolejantes, rangidos e o ritmo pulsante de...

Asas.

Turum.

Turum.

Turum.

Gemo, meu rosto apoiado em uma poça de líquido gosmento que insiste em tentar me afogar, escorrendo sobre minha cabeça e se infiltrando em meu cabelo a cada giro, subidas e descidas dramáticas que arrebatam meu coração.

A lâmina serrilhada do medo corta meu peito.

O ceifassabre não abriu a mandíbula para me cutucar com a muralha de presas na qual meu joelho está roçando. O que quer dizer que, infelizmente, eu estava certa. Só há um lugar para o qual estou destinada, isso se eu não me afogar até a morte em sua saliva antes de chegarmos lá...

Essa fera está me carregando até Gonodraco para que eu sirva de alimento a sua prole.

Puta merda.

Não faço ideia de há quanto tempo estamos voando. Não faço ideia de o quanto essa fera pode voar rápido com sua envergadura gigantesca. Por quinze baldes de pedrassangue, é possível se arriscar e comprar uma passagem só de ida para Gonodraco a partir da capoeira pública de Ghora, isso para aqueles que são burros o suficiente para tentar roubar um ovo de ceifassabre. Mas, de acordo com o anúncio, leva sete ciclos de aurora para chegar... se você conseguir.

Impossível que eu tenha força o bastante no pescoço para durar *sete ciclos de aurora*.

Exalo um suspiro entrecortado, encontrando um pouco de conforto ao pensar que o mais provável é que eu morra antes de ser expelida em um ninho de pedra liquefeita, junto a uma ninhada de pequenas versões famintas dessa coisa.

Um calafrio percorre minha espinha quando os imagino brigando pelos meus restos mortais enquanto cospem chamas brutas que não têm o poder de acabar com minha vida com gentileza. Com certeza estou assombrada, amaldiçoada ou um pouco de cada.

De repente e sem aviso, a fera *mergulha*.

Minha barriga se choca contra minha coluna, a força da queda desalojando a estaca de madeira da boca da fera e me arremessando para trás. Vou parar no fundo da garganta, em um solavanco, os olhos arregalados enquanto analiso a caverna de nervuras e vejo o caroço de chamas que se agita na base, me absorvendo em um calor tão intenso que fico surpresa por minha carne não derreter e se descolar dos ossos.

O passado e o presente se misturam, triturando minhas entranhas...

Basta mais um solavanco para que eu seja engolida pelas chamas.

Para que o fogo *chegue até mim*.

Meu coração bate cada vez mais forte e fecho os olhos, bem apertados. Bato com o pé na estaca no ritmo de uma música alegre, imaginando estar em algum lugar frio e escuro, enquanto a neve salpica meu rosto:

Era uma vez uma alegre andarilha
que tinha um dom para furtar.
Reuniu seu equipamento nas costas,
num saco com arreios de dragão a ostentar.
Foi ao pântano ardente em busca de um ovo de fogo, assim se falava.
Saltava de monte a monte — o que será que ela achava?

Achava!

Em um ninho seco ela entrou, e um ovo inteiro encontrou.
Assim nos contou.
Mas o ovo já tinha começado a sacolejar... sacolejar...
Ela logo escutou um tamborilar... tamborilar...
Chamas começaram a despejar... despejar...
E nossa alegre andarilha a saltar... a saltar...

Era uma vez uma alegre andarilha
que se enfiou no pântano ardente para fugir
dos troncos ardentes da neblina quente a eclodir...
E como um troglo-vellus veio a emergir!

De repente, sou arrancada do fundo da garganta escancarada da fera e arremessada para a frente, o tronco se chocando contra a parede curva dos incisivos com tanta força que sinto meu cérebro se revirar dentro do crânio.

Não ouço mais o *turum* rítmico das asas batendo...

Será que... aterrissamos?

A antecipação que me embrulha a barriga faz a parte de baixo da minha língua formigar.

Criadores, é agora. Estou prestes a ser cuspida em um ninho e devorada.

Não quero ser devorada.

Um som estrondoso ribomba ao meu redor, e o dragão abre a boca, com fios de saliva se estendendo entre os picos penetrantes dos dentes catastróficos — cada um deles muito maior do que eu. A luminosidade se espalha entre a abertura cada vez mais larga, o brilho feroz cortando meus olhos doloridos.

Ainda estou protegendo minha vista quando a fera sacode a cabeça, passa a língua por baixo do tronco e me solta como um pedaço de placa.

Meu coração vai parar na garganta enquanto eu voo pelo céu, bloqueando o grito que ameaça irromper.

Ainda bem.

Eu me recuso a morrer com um lamento. Vou rosnar, amaldiçoar e xingar esses malditos com suas presas e bocas que cospem fogo até que arranquem minha traqueia.

A gravidade me puxa para baixo e caio de cara em algo quente... áspero... que impossibilita a respiração. Mais macio do que eu imaginava que seria um ninho de ceifassabre. Também não é tão quente como eu esperava, embora eu tenha certeza de que a prole compensará isso.

O tronco é balançado para trás, arremessado na outra direção, de modo que eu estou deitada acima *dele* e não o contrário; como um verdadeiro espetinho.

Esses filhotes devem ser enormes. E fortes. E devem gostar de brincar com a comida.

Que maravilha.

Sinto um nó na barriga e um golfo cheio de saliva de ceifassabre sobe pela minha garganta. Inclino a cabeça e tusso, cuspo, vomito, com as vísceras se contraindo enquanto meu corpo rejeita... *tudo*.

Entre cada arroto e ânsia de vômito, abro um pouco mais os olhos doloridos, observando o homem que paira acima de mim, de braços cruzados e uma careta em seu lindo rosto. Um homem com quem me familiarizei a duras penas, e que agora me assiste a vomitar em todos os minúsculos grãos de pedra que imagino serem areia.

Já ouvi falar disso. A primeira impressão é importante e, infelizmente, para essa *areia* que agora está arranhando meus olhos e espalhada por todo o meu rosto e cabelo, começamos mal.

Contudo, estou viva e, no momento, não estou queimando até a morte ou sendo roída. Uma constatação que transforma meus urros de vômito em risadas que sacodem todo o meu peito, parecendo uma das crises maníacas de Clode.

— Estou tão feliz que seja você — falo, entre uma gargalhada e outra. — Até que enfim vou ter o prazer de te matar.

— Acabei de salvar sua vida — responde o Rei Incógnito, com as sobrancelhas erguidas, o manto negro balançando com o vento abrasador que joga mais essa areia de merda nos meus olhos. — Talvez um agradecimento seja mais adequado do que uma adaga enfiada no meu pescoço.

— Se você tivesse quase se afogado na baba de ceifassabre, discordaria — proclamo, olhando para o rosto taciturno dele com a confiança de alguém que não está algemado com ferro e amarrado a uma vara. — Que tal trocarmos de lugar? Vamos ver como você se sente depois de ficar marinando na boca dele por um tempo. Tenho certeza de que também vai querer cortar meu pescoço.

O rei inclina a cabeça para o lado e diz, com a voz rouca:

— Preferia que eu tivesse arrancado você da cela? Que a tivesse tirado de Ghora e deixado uma Confraria de Nobres insatisfeita, ainda espumando pelo sangue de seu clã rebelde? Talvez você tenha batido a cabeça dentro da boca de Rygun, porque parece que toda a sua sensatez está sendo expelida como carne picada.

Rygun...

Isso faz dele o rei do Lume... Kaan Vaegor. Nada mais apropriado e mais a minha cara do que ser arrebatada pelo temido e misterioso rei, e não por aquele que parece ainda estar de luto por sua rainha morta. Ao menos parece que aquele tem um coração. Pelo que ouvi, *este* aqui só tem um dragão muito faminto e uma afinidade com Bulder forte o suficiente para esmagar uma cidade com uma única palavra.

Ótimo. Acho que vou implorar ao Rygun para me pegar de novo e me levar direto para Gonodraco. Me cuspir em um ninho. Prefiro tentar minha sorte de merda com um bando de filhotes famintos.

— Eu bati *mesmo* a cabeça, muito obrigada. Também me engasguei com a saliva do seu dragão, quase fui *engolida* e estou com um cheiro de coisa morta que deve estar impregnado para sempre. Agora, me desamarre logo para que possamos acabar com isso.

— Você não tem medo de Rygun?

Olho para além de sua forma corpulenta, para a fera às suas costas, sentada, com os olhos escuros estreitos na minha direção enquanto exala vapor pelas narinas dilatadas — ignorando o medo agudo que tenta se infiltrar em meu coração incrustado de calos.

Sempre achei que as pessoas se parecem com seus animais de estimação. Isso não é uma exceção.

Tanto a fera quanto o homem são feitos de blocos de músculo, as sombras se projetando na areia cor de ferrugem. Os olhos cor de brasa penetram em minha alma com olhares cortantes que capturam algo dentro do meu peito e prendem com força, me deixando bastante consciente de que, se me *mexer*, o azar é todo meu. Que o aperto só aumentará até que meus olhos saltem das órbitas e o sangue saia de minha boca.

Os dois são assustadores e se deleitam com isso. Ambos são devastadores de se ver... de maneiras totalmente diferentes.

Limpo a garganta, afastando um pouco do cabelo coberto de saliva do rosto com um movimento de cabeça, estreitando os olhos para o rei que me olha com uma expressão tão seca quanto o ambiente árido em que estamos.

— Nenhuma fera é mansa o bastante para embalar uma refeição que se contorce em sua boca se não for para seus filhotes, e sua fera parece comer *bastante* — falo, dando outra olhada em Rygun, imaginando quantas coisas vivas contribuíram para seu tamanho gigantesco. — Ele teria me esmagado se não gostasse pelo menos um pouco de mim. Cordas. Agora.

Kaan continua me observando, imóvel, sem parecer suar a camisa apesar do sol forte que bate em seu rosto, cortando suas feições fortes e marcantes que ameaçam me afastar de meus pensamentos assassinos.

De novo.

— Rápido, estou me queimando.

— Se você me matar, ficará presa nas Planícies Boltânicas sem uma carona, sem acesso à água e, com essa pele, murchará como um plumalua preso ao sol e estará morta antes do nascer da aurora — anuncia ele, afirmando o óbvio. Já posso sentir minha pele torrando. — E isso *se* Rygun deixar você viver depois de me ver sangrando na areia. Ele pode gostar de você agora, mas posso garantir que a lealdade dele é a mim.

Olho de soslaio para a criatura, que sopra mais baforadas de fumaça das narinas dilatadas, com um estrondo poderoso em seu peito que faz com que eu me imagine entre suas presas, esmagada em uma mistura de fragmentos de ossos e sangue espumoso.

— Além disso, você não tem armas, tem um pino inflamado no ombro e, se não me engano, não come há quase dois nasceres. Que tal hastearmos a bandeira branca de novo e você suprimir o desejo de me matar até que tenha se alimentado, tomado banho e não esteja mais sofrendo de uma infecção que está começando a se espalhar pela sua corrente sanguínea?

Como pode falar tanta merda de dragão?

— A única *infecção* que me aflige tem origem direta na sua presença narcisista.

— *Errado.*

O lábio superior dele se desprende dos caninos longos e afiados, fazendo com que os músculos se contraiam no fundo da minha barriga.

Estranho.

Ele se agacha, eclipsando o sol enquanto puxa a gola da minha túnica com tanta força que um botão se solta.

— *O que você está...*

Ele enfia o dedo no buraco do meu ombro, e a pontada de dor é como um atiçador de fogo que atravessa músculos, tendões, osso...

Eu grito, uma explosão rangente da qual me arrependo no mesmo instante.

Ninguém me faz gritar. Sem dúvida não *ele.*

O rei tira o dedo com um barulho e eu rosno, arreganhando os dentes, com respirações curtas e intensas, o que não ajuda nem um pouco a saciar a raiva que cresce em meu peito como um rolo de flamadraco.

Ele cheira o dedo ensanguentado, e as próximas palavras que diz soam tão selvagens que são quase tangíveis contra minha pele arrepiada:

— Posso *sentir* o cheiro.

Um calor úmido borbulha da ferida recém-aberta enquanto estudo todas as partes dele que gostaria de retalhar e destroçar.

— Eu... quero *muito*... matar você.

— Sei muito bem disso — murmura ele, limpando meu sangue da mão —, mas agora não é o momento.

Olho para a fera logo atrás dele, de asas abertas, se deliciando com o sol, e meu olhar vai além, nosso entorno é uma faixa de areia com ondulações, pedaços dela sendo erguidos e revirados em redemoinhos cor de cobre. O ar acima de nós também ondula, distorcendo o horizonte azul-claro coberto de luas enevoadas, quase próximo o suficiente para alcançar e embalar em minhas mãos. Fitas prateadas da aurora se enroscam nos túmulos arredondados, um enfeite encantador para o contrastante terreno devastado pelo fogo.

Sem colinas. Sem árvores. Sem pedras, rochas ou pedregulhos.

Nenhum sinal de vida.

Decerto não tem *água*...

Só eu, um rei e um dragão que tem metade do tamanho de uma montanha.

Ótimo.

— Uma bandeira branca é uma bandeira branca — afirma ele, e volto a observá-lo enquanto ele apoia os cotovelos nos joelhos dobrados e inclina a cabeça para o lado. — Posso libertar você dos grilhões e confiar que não vai desrespeitar as regras do nosso... acordo?

— Talvez não.

— Ao menos você é sincera — murmura ele, deixando escapar um suspiro baixo e sonoro.

Ele estende a mão na lateral de sua bota e pega uma lâmina de bronze com o formato de uma pétala.

Merda.

Devia ter mentido.

Eu me sacudo para me livrar das cordas, sibilando com os dentes cerrados quando ele a leva a meu peito, desliza por baixo do cordão e...

Corta.

Aquela parte da corda se solta, permitindo que eu respire fundo pela primeira vez desde que fui amarrada a essa estaca abandonada pelos Criadores.

Meus olhos devem expressar o tamanho do meu choque, porque há certo humor no brilho que surge nos olhos de brasa do rei.

— Achou que eu ia enfiar a faca em você, Prisioneira Setenta e Três?

— Claro que sim. Você viu quantas mortes foram ticadas no meu pergaminho durante o julgamento, e eu estaria mentindo se dissesse que aquelas eram todas. Com certeza você só tem músculo e nada de cérebro.

Ele ri, cortando outra corda. Mais uma.

Mais uma.

Eu rolo para fora da estaca, caindo de cara na areia no mesmo instante.

Ele me ajuda a levantar e limpa a areia, depois se inclina mais perto para sentir meu cheiro.

— Você tem razão, seu cheiro *está* horrível.

— Vai se foder — murmuro, e ele levanta uma sobrancelha.

— Você queria me matar não faz nem um segundo. Assim não consigo acompanhar.

Eu dou uma risadinha.

— Não se preocupe. Poucos conseguem.

— Isso é um desafio? — pergunta ele, colocando a lâmina de volta na bota.

— Não. Mas vou *desafiar* você a me deixar ir embora.

— E eu me recuso com todo carinho.

É claro.

Espero que ele não se importe quando eu cortar a garganta dele *com todo carinho.*

Ele abre a capa, tirando dos ombros, me permitindo ver de perto a maneira poderosa como seu corpo largo e musculoso se move. Minha bochecha arde quando ele me envolve no tecido arejado, prende o pino embaixo do meu queixo e depois me dá um tapinha no nariz.

— Que gracinha.

— Vou cortar sua língua com essa faca na sua bota.

Ele levanta o capuz sobre minha cabeça, me encobrindo na sombra.

— Eu preferia que você usasse os *dentes*, mas num mundo de troglo-vellus você pega o que dá.

Franzo a testa, a ficha demorando mais para cair do que a aurora ao nascer. Um som de deboche indignado escapa de mim, mas paro no mesmo instante quando ele se agacha, segurando meu tornozelo esquerdo em uma mão e a corrente com a outra, *puxa*, os ombros retesados. Um elo se solta e é catapultado pelo ar.

Bom.

Ele repete o processo com meu outro tornozelo, cortando o comprimento da corrente, que joga para o lado.

— Você é bom nisso. — Balanço as mãos para ele, a corrente de metal presa entre elas balançando com o movimento irregular. — Agora este.

O rei me olha feio e pega um pedaço de corda do chão. Juntando minhas mãos, ele desliza a algema mais para cima em meus braços, depois amarra meus pulsos, dando um nó.

— Hm... não foi isso que eu quis dizer.

Ele solta o restante da corrente de minhas algemas, fazendo mais elos saltarem como se fossem feitos de argila.

— Eu sei.

Saco.

— Baixa performance. Entendo. Não vou julgar.

Com um grunhido forte, ele começa a se levantar, então, em seguida, se lança para a frente, me envolvendo com os braços grandes. E me coloca em suas costas, me erguendo como um saco de grãos.

— *O que você tá fazendo?* — grito, pendurada em seu ombro enquanto ele se aproxima... *do dragão.*

Meu coração vai parar na garganta e quase me engasgo com ele.

— Kaan, *não*. Eu *não* concordei com isso!

Seu corpo se enrijece, os passos se tornam mais lentos, um som baixo e áspero saindo dele.

— Fale de novo...

— *O quê?*

— *Meu nome*, Raio de Lua. Fale de novo.

Se isso me livrar desse passeio alado, gritarei o nome dele para os céus até estourar as cordas vocais.

— *Kaan. Kaan. Kaan. Kaan. Kaan!* Agora, me coloque no chão. Rápido.

Ele enche os pulmões, seu peito inteiro se infla, como se tivesse acabado de respirar pela primeira vez desde que começou um mergulho profundo.

— Você não disse por favor — fala ele, por fim, depois continua caminhando.

O qu...

— Por favor!

— Tarde demais.

Vou quebrar os ossos dele e usar como palito de dente.

Ele alcança a lateral da besta arfante, onde cordas com nós pendem da sela, decoradas com uma série de arreios, e enfia a bota em um deles.

— Me coloque de volta na boca dele!

Ele usa as cordas para nos puxar para cima, um movimento brusco de cada vez, e eu observo com os olhos arregalados de horror enquanto o chão se afasta cada vez mais, desistindo da luta quando percebo que não posso sair dessa me contorcendo ou massacrando, uma constatação que faz meu estômago dar cambalhotas.

Alcançando a cortina de peles remendadas que sela a besta gigantesca, Kaan dá os últimos laços, depois joga a perna sobre a sela e me joga em seu colo.

Montada nele, olho em seus olhos, com a boca aberta, sem fôlego devido à sua presença imensa. Ele me olha de cima a baixo, a respiração pesada se derramando sobre meu rosto virado para cima — o ar entre nós se torna carregado com uma estática que faz minha pele toda se arrepiar.

Criadores.

Embebida no cheiro de couro e na mistura inebriante de seu perfume, a sensação de aperto no fundo da minha barriga anseia por algo a que todas as outras partes de mim se opõem por completo, e me pergunto se seria prudente perguntar a esse homem se ele gostaria de transar antes de eu cortar a garganta dele...

Talvez seja melhor não fazer isso.

— Vou contar até dez para você decidir de que lado quer se sentar, então Rygun vai subir para o céu e você vai ficar presa na posição. — Kaan range os dentes, meu coração despencando um pouco mais a cada palavra mandona.

Abro a boca, prestes a cuspir alguma frase atravessada quando ele começa:

— Um... Dois...

Merda.

Eu me remexo, erguendo a perna direita, conseguindo um ponto de apoio em sua coxa.

— Três... Quatro...

Tento ficar de pé, mas perco o equilíbrio e caio de novo, com o rosto plantado contra o peito dele enquanto ele emite um profundo:

— *Cinco.*

— *Conte mais devagar* — rosno, espalmando as mãos em sua barriga, me apresentando a uma pilha de músculos que mais parecem pedras...

Minha boca fica seca.

— Seis — diz ele, com a voz grave contra minha pele arrepiada. — Sete.

Preciso me mexer logo.

Eu me remexo de novo, ficando em pé, ainda que instável.

— Oito...

Eu me viro para ficar de frente, com o coração batendo forte e rápido enquanto olho ao nosso redor, meus pés formigando com a percepção súbita de que estamos muito no alto.

E que isso é só o *começo.*

— *Nove...*

Criadores, matem esse homem.

Deixo meus pés deslizarem para ambos os lados da sela, aterrissando bem no meio das pernas dele, com tanta força que recebo um grunhido profundo dele em resposta, o que me causa uma satisfação enorme.

— Dez — grito, e ele limpa a garganta, estendendo a mão entre nós para se reajustar... sem dúvida, latejando com o tipo errado de dor.

Eu sorrio.

— Fique à vontade para me deixar no vilarejo mais próximo. Posso encontrar o caminho de lá — digo, decidindo que é um bom momento para atacar, agora que o pau desse homem está machucado.

Imagino que eu tenha duas maneiras de me livrar de sua presença: matá--lo ou me tornar descartável.

— Goste ou não — resmunga ele, me segurando pela cintura e me erguendo para me ajustar em uma posição mais confortável, tão grudada nele que minha bochecha queima por outros motivos além do calor sufocante. — Você vem comigo para Dhoma.

Meu coração dispara.

Dhoma...

São poucos os que vão à capital do Lume e voltam.

Tão poucos, porra.

Talvez porque todos acabem dentro da besta em que estou sentada. Ou isso ou a cidade tem mandíbula, garras e dentes muito mais afiados do que aqueles dos quais escapei por pouco.

Abro a boca, prestes a cuspir uma réplica afiada, quando Kaan se estica ao meu redor e agarra os cabos.

— *Guthunda*, Rygun. *Guthunda*!

A fera se agita embaixo de nós, soprando um bafo fumegante enquanto se levanta da posição agachada, fazendo com que eu sinta como se o mundo inteiro estivesse balançando de um lado para o outro.

— Segure a correia de couro — murmura Kaan perto do meu ouvido, fazendo com que arrepios desçam pela lateral do meu pescoço e minha respiração falhe.

Rosnando, agarro a maldita correia.

— Sabe o que eu odeio?

— Quando dizem o que você tem que fazer? — responde ele, rápido como um piscar de olhos.

— Isso mesmo.

— Bem — acrescenta, dando um puxão na tira de couro, como se estivesse testando meu controle sobre a coisa. Algo que considero uma ofensa profunda, já que não faço nada pela metade. — É um alívio saber que você tem um pouco de autopreservação.

— Eu preferiria ter a *faca* da sua bota — resmungo enquanto a fera dobra as asas contra o corpo.

Sinto o fluxo de energia se formando nas pernas de Rygun antes que ele salte para o céu com um golpe estrondoso de asas, a gravidade me empurrando no peito de Kaan com tanta força que mal consigo respirar.

Somos propelidos para *cima...*

Para cima...

Tudo o que eu tinha a dizer é engolido pelas minhas tripas se revirando, e aperto a correia com ainda mais força. Minha cabeça se aconchega na curva do pescoço de Kaan, seu coração pulsando como uma marreta feroz nas minhas costas, impulsionando-se em uníssono com o bater das asas de Rygun.

Passamos por um pequeno tufo de nuvens, depois nos nivelamos e o mundo inteiro parece recuperar o equilíbrio.

Respiro pela primeira vez desde que saímos da areia, expelindo o ar com um sopro trêmulo.

Sinto falta da boca do dragão. Estava molhada, cheirava mal e havia uma grande chance de ser engolida, mas pelo menos eu não estava agarrada à vida por uma única tira de couro, pressionada em um homem que cheira bem demais para ser esfolado.

— Você está bem? — pergunta Kaan perto do meu ouvido, e todas as células do meu corpo se arrepiam com a proximidade.

Dou uma olhada por cima de Rygun, esperando ser cortada pelo medo ao ver o mundo lá embaixo, as planícies áridas que se estendem por todas as direções como uma onda de água enferrujada. Em vez disso, algo *sensível* incha em meu peito. Algo que me faz querer abrir os braços, inclinar a cabeça e soltar uma gargalhada profunda, crua, real e tão saudável que me dá vontade de...

Chorar.

— *Responda,* Raio de Lua.

A voz dele tem um tom que me tira do meu devaneio. Que me faz lembrar que sou prisioneira de mais um Vaegor cruel — dançando de um grilhão para o outro.

O mundo se divide embaixo de nós enquanto reflito sobre a pergunta de Kaan...

Se estou bem?

— Sim — sussurro, embalando a sensação estranha e vertiginosa com uma delicadeza que eu não sabia que tinha, preocupada que eu a quebre caso a aperte com muita força —, estou bem.

Elluin Neván

Idade: 18 fases

5.000.039 fases Depois da Pedra

Os Criadores estão quietos demais agora, suas vozes são ecos vagos que mal consigo ouvir.

Não sei dizer o porquê.

Talvez a Pedra de Éter esteja tomando tanto de mim que não resta muito para ouvir.

É assim que me sinto. Como se minha alma estivesse sendo sugada pelos tentáculos do diadema, agora magnetizados em meu crânio.

Eu odeio ele.

Nunca saberei como mãin sobreviveu com isso por mais de cem fases, mas talvez eu entenda por que ela levou tanto tempo para trazer Haedeon a este mundo.

E depois a mim.

Talvez eu entenda por que ela chorava na neve tantas fases atrás, quando meu mundo era pequeno e meu coração estava cheio e completo.

Eu mal tenho energia para respirar, quanto mais para comer. No último ciclo, eu decerto não tinha energia para ajudar nos preparativos para a cerimônia fúnebre. Para ficar de pé enquanto Náthae e Akkeri sopravam plumas de chamas verde-água nas piras de mãin e paih — entregando seus corpos de volta aos elementos. Em vez disso, sentei na cadeira de Haedeon e os observei queimar, com o coração tão ferido pelos ciclos em que eu os mantive por perto que quase me joguei no fogo também.

Então chegou a vez de Haedeon.

Em vez de soprar chamas em seu corpo, Allume o pegou, bateu as asas, depois inclinou a cabeça para o céu e levantou do chão com meu irmão agarrado a ela. Ela voou de forma instável em direção à escuridão profunda onde seus ancestrais descansavam, depois se enrolou em uma bola, colocou Haedeon sob sua asa ferida e se solidificou diante dos meus olhos — se entregando à morte em vez de viver uma vida eterna sem aquele que tanto amávamos.

Ou talvez ela soubesse o quanto ele odiava ficar sozinho.

Todos os outros entraram para fazer um banquete em homenagem àqueles que perdi, enquanto eu me deitava na neve e cantava para a lua de Haedeon, traçando o contorno daquela asa pequena e deformada. Até que Slátra chegou, se acomodou ao meu lado e enrolou a cauda em um ninho fofo no qual adormeci.

Ainda não acordei desse terror.

Estou perdendo as esperanças de que algum dya o farei.

Os assistentes de mãin e paih dizem que tenho pouquíssimas opções. Que o povo de Arithia não aceitará uma rainha tão enfraquecida pela Pedra de Éter, a menos que eu esteja unida a alguém que possa ouvir mais de duas canções elementares. E, mesmo assim, ainda não tenho idade suficiente para governar.

Haverá uma reunião em Bothaim na qual meu destino será decidido pelo Tri-Conselho. É claro que não posso comparecer e falar por mim mesma, pois as princesas devem permanecer mudas e veladas em público até a cerimônia de liame — algo que mãin e paih nunca impuseram... mas eles não estão mais aqui.

Sou só eu, e tenho certeza de que o céu está caindo.

Raeve

CAPÍTULO 32

 s nuvens se dissipam à medida que nos aproximamos do sol, com a cabeça de Rygun esticada em direção a ele como um caçador perseguindo a presa. Decido que isso não está longe da verdade, considerando que a zona de nidificação do ceifassabre fica bem abaixo da gigantesca bola de fogo.

Encaixo melhor o capuz do manto de Kaan, me aconchegando em sua cavidade sombria para evitar os raios solares. Envolta em seu cheiro de almíscar derretido, encontro um tipo de conforto suave e profundo que... tem certos efeitos em mim. Faz com que eu imagine guerreiros suados e rosnando queimados sob esse fogo insuportável, um cheiro de sangue quente que turva minha mente e me faz querer me esbofetear.

Com força.

Ele pode ter me salvado do coliseu e ter consertado minhas costas, mas ainda é um tirano. Levando em conta como ele enfiou o dedo em minha ferida e me fez gritar, eu diria que ele tem a mesma tendência à brutalidade de seus parentes. Talvez pior, com a sorte que eu tenho.

Ele me quer para alguma coisa, só preciso descobrir *o quê*.

Resumindo: não posso deixar que ele me leve para Dhoma. Algo em meu íntimo me diz que esse destino vai me engolir por inteiro.

Fíur du Ath acredita que estou morta. O rei do Grado e sua Confraria de Nobres acreditam que estou morta — talvez. Só preciso encontrar uma maneira de escapar de Kaan, ficando livre para caçar Rekk Zharos e depois cortá-lo em pedaços por ter assassinado Essi e ter despedaçado minhas costas.

A vingança crepita em minhas veias, fazendo a ponta dos meus dedos coçarem. Um arrepio percorre minha espinha e eu uso a ponta da unha do polegar para arranhar a pele do lado de outro...

Rygun se inclina para a esquerda, me jogando contra o braço de Kaan, me tirando do lugar entre suas pernas. Limpo a garganta e me coloco de volta lá, seu corpo poderoso é uma montanha empilhada ao meu redor. Como se eu fosse uma gota de neve entre suas fendas.

— Tem um bloqueia-sol no capuz — resmunga ele, com um sotaque tão forte que é como se tivesse sido arrancado da boca dos Criadores, não levado pelas marés do tempo como muitos dos que moram em Ghora.

Tão diferente do meu — forjado em lugares escuros onde as palavras eram cuspidas, assobiadas e gritadas. Onde a única suavidade pertencia ao abraço apertado de alguém que não existe mais.

— Se você o abaixar, poderá olhar ao redor enquanto voamos e antecipar melhor os movimentos de Rygun.

O tom de voz dele me permite entender tudo o que ele não está dizendo. Que eu não vou quase despencar até a morte toda vez que Rygun se inclinar ou atingir uma corrente de ar que o force a se esquivar, mergulhar ou balançar.

Insegura, solto ao arreio e estendo a mão para cima, franzindo a testa ao beliscar e puxar às cegas a bainha do capuz, encontrando botões que consigo soltar e liberando um rolo de tecido que cai diante do meu rosto.

Huh.

Levanto o queixo e dou uma olhada ao redor. O material tem um brilho sutil que me envolve em uma máscara de sombra e até me permite olhar quase diretamente para o sol sem medo de ficar cega.

Observo a vasta extensão de nossos arredores com os olhos arregalados.

A faixa de areia ondulante deu lugar a uma terra queimada pelo sol, rasgada por uma fita de seda azul brilhante que suspeito ser um grande corpo de...

— Ali está o rio Ahgt — anuncia Kaan enquanto eu me maravilho com seus afluentes largos e entrelaçados. A maneira como ele brilha na luz.

O rio se estende até onde a vista alcança, se esticando em direção ao sol, voltando para o céu escuro ao sul — algo que confirmo espiando por baixo do braço de Kaan. Árvores altas e delgadas se prendem às margens oxidadas e ressecadas pelo sol, com as pontas de seus inúmeros galhos ostentando folhas laranja que parecem afiadas o bastante para cortar alguém. Também percebo a presença de uma criatura dourada e serpenteante movendo-se pela terra, deixando um rastro sinuoso.

Olho para a direita e vejo alguns fios da aurora ainda brilhando no horizonte, embora a maior parte já esteja fora de vista.

Acho que logo encontraremos um lugar para descansar.

Estou olhando para o rio de novo, admirando a forma como a água parece fluir de modo tão livre entre as planícies rachadas, quando percebo que Kaan pressiona um pouco o cabo de reboque esquerdo.

A asa direita do Rygun começa a se elevar.

Antecipando o movimento de inclinação, agarro a correia e me inclino de acordo com o balanço dele, achando o movimento quase... *natural*, desta vez conseguindo me manter firme no lugar, entre as coxas poderosas de Kaan.

O sol agora bate no lado direito de nossos corpos, aquecendo minha capa enquanto somos levados em direção a uma faixa elevada de montanhas castanhas que se estendem por toda parte, de norte a sul, emergindo da névoa distante de poeira levantada pelo vento.

— Para onde estamos indo?

— Ali — diz Kaan, apontando para uma depressão distinta na cordilheira gigantesca, que se expande um pouco mais a cada batida das asas de Rygun.

A terra queimada dá lugar a uma selva exuberante e avermelhada, como as que eu só vi em pinturas nas paredes de lojas em Ghora, as montanhas com vegetação intensa diante de nós são tão grandes e vastas que fazem Rygun parecer um alfinete em comparação.

As únicas cordilheiras que eu já vi eram íngremes e pontiagudas, mas essas são o oposto. Como se alguém tivesse jogado conchas de pedra e depois as despejado umas sobre as outras em grandes montes, com nuvens se acumulando ao redor de suas cabeças como tufos de cabelo branco.

Rygun se inclina, mirando em uma fenda cujas bordas altas e irregulares são cortadas pela correnteza do rio bem abaixo.

— Aguente firme — rosna Kaan, juntando as duas alças da correia em uma mão e passando o outro braço em volta da minha cintura.

Minha coluna se enrijece quando ele inclina o corpo para a frente, me forçando a fazer o mesmo, me colocando entre ele e a sela dura, fazendo com que minha pulsação se torne um rugido estridente.

— *Por que não está guiando?*

— Porque ele sabe para onde ir — diz Kaan do lado esquerdo do meu capuz. *Huh?*

Um aperto de corpo denso é o único aviso que recebo antes de nos inclinarmos para o lado, o movimento tão rápido que sinto minhas tripas se sacodirem na direção oposta. Quando enfim voltam para o lugar, Rygun se inclina para o outro lado. Viramos de novo, e de novo, e de novo, passando por penhascos íngremes, cor de ferrugem, entre os quais o rio parece ter aberto caminho, como se estivesse buscando algo profundo. Talvez o outro lado.

Talvez, se ele chegar lá, o mundo se divida em dois.

Nos inclinamos de novo, a inspiração de Kaan esmaga seu corpo tão perto do meu que eu o sinto *por toda parte*. A maneira como ele se flexiona enquanto se prepara para a próxima manobra. O modo como seu braço segura minha cintura, com os músculos salientes se agarrando a mim como se eu fosse cair de alguma forma e mergulhar para meu fim.

Rygun luta contra o desfiladeiro com tanta precisão que percebo que ele já fez isso muitas vezes, dobrando as asas quando o caminho se torna estreito, mergulhando por um momento antes de as abrir de novo.

Chegamos a uma nascente, onde a água desce pela paisagem montanhosa e arredondada em degraus largos e jorrantes, se reunindo em uma grande bacia ao pé. A piscina verde-azulada brilha como uma pedra preciosa sob os raios diagonais do sol, com o lado norte em um bolsão profundo de sombra eterna.

Rygun desce tanto que sua cauda quase se arrasta pela água, e volta para o céu — o corpo tenso de Kaan e meu aperto firme na correia são as únicas coisas que me impedem de soltar da sela, deslizar pelo comprimento da besta e cair na piscina.

Um pouco de água salpica minha capa quando subimos e, a seguir, nivelamos tão rápido que um ganido escapa e sobe pela minha garganta. Rygun bate as asas, nos baixando com suavidade... *e depois desce de uma vez só*. Batemos no chão com tanta força que meu canino perfura o lábio inferior.

O gosto de cobre enche minha boca.

Kaan se afasta, me puxando com ele. Ele tira o capuz, inclinando minha cabeça até que eu esteja olhando direto para a parte de baixo de seu queixo com a barba por fazer.

Ele estala a língua, a almofada áspera de seu polegar passa pelo meu lábio inferior com tanta ternura que todos os músculos do meu corpo ficam imóveis por alguns momentos rígidos antes que meu cérebro tenha a chance de recalcular a rota.

Rei Tirano.

Meu sequestrador.

Enfiou o dedo em minha ferida.

Rosnando, afasto a mão dele e me levanto com dificuldade, com a parte interna das coxas tão irritada e dolorida que minhas pernas cedem no mesmo instante.

Ele me segura, emitindo um som profundo e estrondoso enquanto me vira com facilidade e me coloca de costas, o que arranca um rugido atormentado da minha barriga agora dobrada em seu ombro duro como pedra.

Estou me cansando bem depressa de ser carregada que nem um saco de grãos.

— Seus ossos são afiados — resmunga ele, e bato os punhos em suas costas, sabendo que não vai adiantar nada.

Mas faço mesmo assim.

— Vou mostrar o que é *afiado*.

— Cada palavra que sai de sua boca é afiada, Raio de Lua. — Com uma só mão, ele solta um dos alforjes e o joga sobre o outro ombro. — Já estou meio morto, sangrando a seus pés. Não consegue ver?

Eu bufo.

Até parece.

Com um movimento da perna, ele desce pelas cordas de Rygun, o capuz cobrindo toda a minha cabeça e me impedindo de ver qualquer coisa além da túnica marrom de Kaan esticada sobre os músculos tensos de suas costas. Ele salta os últimos metros até o chão e, em seguida, se afasta do som das respirações profundas e ressonantes de Rygun, seus passos com botas suavizados por algo que, *pelos Criadores*, não consigo ver por causa dessa *maldita capa*.

Ele dá mais alguns passos, larga a bolsa e me joga de seu ombro. Meus pés batem no chão, mas mal tenho tempo de me recompor antes que ele solte a capa do meu pescoço e puxe para longe.

— *O que você está...*

Ele me agarra pela cintura, me levanta e me joga no ar.

Por um instante confuso, eu me imagino despencando por uma fenda e indo direto para o covil de um troglo-vellus, prestes a ser aprisionada por tentáculos escorregadios cheios de excremento provenientes das grandes feridas em suas palmas. Por *um instante confuso*, até que eu seja mergulhada na água fria e cristalina.

Eu me debato, chutando e esperneando, certa de que estou prestes a ser consumida por alguma criatura aquática que, sem dúvida, gosta do sabor da carne de feéricos, até que estico minhas pernas e as apoio em um... chão de pedras.

Ah.

Emergindo, ergo a cabeça acima da água e respiro fundo, bem a tempo de ver a barra de sabão que foi jogada na minha direção. Desvio dela e, em seguida, tiro-a da água para jogá-la de volta de onde veio — a barra bate contra o peito de Kaan, e deixa uma mancha de sabão em sua túnica.

— Você está fedida. *Sabão* vai dar um jeito nisso — explica ele, pegando a barra e jogando de volta para mim.

A água espirra no meu rosto.

Eu pego e atiro em sua virilha.

— Você precisa disso mais do que eu!

— Eu tenho a porra do meu próprio sabonete — rosna ele, pegando a barra pouco antes que ela faça um contato destrutivo com seu pau.

Ah.

Sem saber o que mais posso dizer, mostro a língua para ele. Ele retribui o gesto, e o canto da minha boca ameaça se levantar.

O rei acabou de mostrar a língua para mim.

Resmungando baixinho, ele joga o sabonete de novo e se vira, tira as botas e usa um braço para se abaixar e puxar a túnica por cima da cabeça.

Meu coração para e abro a boca.

As cicatrizes em seus braços se estendem por cada centímetro visível das costas largas e musculosas, cobertas por tantos pequenos pontos de tinta de zibelina que parecem quase apagadas por completo. E por cima dessa extensão escura... uma constelação de estrelas brancas e belas *luas* de pedra. Quase duas dúzias delas, tanto próximas quanto distantes. A maioria do tamanho de um olho, embora algumas sejam do tamanho do meu punho.

Mas não são luas quaisquer.

Mal consigo respirar quando vejo a pequena e instável lua que tanto amo, desenhada com tanto requinte que consigo distinguir a asa deformada.

Algo dentro de mim se detém quando sinto os olhos arderem, com a certeza de que estou olhando pela janela de casa, contemplando uma visão gloriosa.

Algo que eu nunca pensei que veria de novo.

Quase estendo a mão para tocar. Quase traço as curvas e os picos das asas visíveis, a inclinação delicada do pescoço longo e barbela de seda que pendem da papada e da parte de trás da cabeça.

Estou tão envolvida no transe que levo muito tempo para perceber as *outras* luas na extensão escura — luas que também reconheço. Aquelas que se juntam à minha pequena lua na vida real, como se Kaan estivesse sentado sob aquele pedaço de céu enquanto alguém imitava a vista com um bastão de gravura.

De uma forma *quase* perfeita.

Há uma lua que está fora do lugar. A maior — uma lua prateada que eu nunca vi antes, empoleirada logo abaixo da escápula direita, ao lado da minha pequena lua torta.

Eu franzo a testa.

Essa não existe. Não mais.

Essa foi a que *caiu*.

— Não que eu queira te provocar para ser estrangulado com o seu cabelo — diz Kaan, com um tom seco, colocando a ideia *perfeitamente viável* na minha cabeça —, mas, como você ressaltou tão bem, preciso tomar banho. — Ele inclina a cabeça. — Fique à vontade para sair pelo lado oeste da piscina para que eu possa usar a cachoeira para me enxaguar de acordo com seus padrões.

— Você vai demorar um pouco — respondo, pegando meu sabonete e indo para a direita, dando outra olhadela na pequena lua em suas costas. — Espero que tenha suprimentos em seus alforjes. Você vai precisar.

— Você sempre fala as coisas mais doces, Raio de Lua.

— Obrigada. Eu me esforço ao máximo.

— Odiaria ver você *não* se esforçando — reclama ele, puxando o que eu percebi serem os fechos da calça e empurrando o tecido por sua bunda musculosa e revelando a roupa de baixo escura. — Acho que meu pobre coração não aguentaria. Agora, a menos que queira ver, sugiro que volte a atenção para outro lugar.

— Não vou virar de costas para você — protesto, minhas palavras seguidas pelo suspiro audível dele.

— Faça como quiser. Mas, se eu quisesse machucar você, teria aproveitado as muitas chances que tive na cela da qual te *resgatei*.

Kaan se vira.

Arregalo os olhos e o órgão em meu peito para de funcionar.

Ele é como um bloco de pedras, os músculos da barriga tão definidos que quase não parecem reais. E, apesar de tudo isso ser impressionante, está longe de ser o motivo que fez meu pulmão parar de funcionar de repente.

Mais cicatrizes pálidas marcam quase todos os centímetros de pele na frente dele também — grandes e pequenas.

Longas e curtas.

Algumas são linhas finas, perfeitamente identificáveis, como se tivessem sido cortadas por uma faca. Outras são grossas e confusas, cicatrizadas de maneira tão furiosa que quase posso *sentir* o que quer que tenha sido serrado em sua carne. Há ferimentos distintos de facadas e outras marcas que parecem ter sido feitos por algo com dentes afiados que mordeu e arrancou nacos de carne.

Concentro meu olhar na gravura redonda, plana, preta e prateada que pende de uma tira trançada de couro em volta de seu pescoço, absorvendo a forma complexa de um ceifassabre e um plumalua entrelaçados.

Franzo a testa, contendo a vontade inusitada de perguntar se posso examinar de perto.

Kaan despe a calça, pega uma pequena algibeira do alforje e avança para o lado oeste da piscina. Meu olhar desce para a roupa íntima, cujo tecido *não* disfarça o contorno de sua virilidade, grossa e pesada, entre coxas musculosas marcadas por antigas cicatrizes de...

Prendo a respiração. Me viro, sentindo a bochecha aquecer com um rubor intenso.

Queimaduras.

Ele tem *queimaduras.*

Eu o ouço jogar algo na margem, a água se agitando com as ondulações. Olho de relance por cima do ombro para onde Kaan caminha em direção a uma cachoeira que deságua nessa pequena piscina, protegida de todos os ângulos por uma folhagem felpuda cor de cobre.

As linhas sinuosas da carne derretida fazem parecer que uma serpente flamejante chicoteou sua coxa. Mais de uma vez.

O caroço em meu peito parece mais pesado do que o normal.

Como será que isso aconteceu? As queimaduras parecem quase... distendidas. Como se tivessem acontecido quando ele era petiz, e o tecido da cicatriz tivesse se esticado conforme ele crescia...

Sacudo a cabeça, afastando o pensamento.

Rei Tirano.

Perigoso.

Tem um dragão muito faminto.

Mais uma vez, eu observo suas muitas *outras* cicatrizes enquanto ele se ensaboa com o próprio sabonete, espalhando a espuma nos espessos pelos negros sob os braços...

Ele é um guerreiro e o maior homem que já vi em todos os sentidos, tamanho e formatos. Ele talvez já tenha olhado nos olhos da morte mais vezes do que eu.

Droga.

Fugir pode ser mais difícil do que eu imaginava. Não me oponho a desafios, mas prefiro enfrentá-los quando não estou em desvantagem — amarrada e com um pino de ferro alojado na porra do meu ombro.

Ele forma bolhas de sabão na barba e no cabelo, se enfiando embaixo da cachoeira para se enxaguar, enquanto eu não consigo manusear a barra de sabão por baixo da túnica pesada para poder me lavar. É difícil com as mãos amarradas em uma posição tão estranha.

— Aposto que você está desejando ter mentido sobre suas intenções assassinas quando me ofereci para soltar suas mãos mais cedo — zomba Kaan.

— Você não faz ideia — murmuro, *também* desejando ter uma muda de roupa extra para poder arrancar essa túnica do meu corpo. Enfim me livrar dessa roupa áspera de prisão.

O sabonete escorrega de minha mão quando eu estava *prestes* a enfiá-lo sob o tecido, e eu resmungo, me conformando em esfregar o rosto e o cabelo, tirando a presilha de minhas mechas grossas e emaranhadas pela primeira vez em... algum tempo.

Tão concentrada na tarefa de tentar desembaraçar as mechas encharcadas, levo tempo demais para registrar a sensação *estranha* que faz cócegas na minha pele, causando arrepios.

Franzo a testa.

— Esta água faz cócegas.

— Mergulhe mais fundo — diz Kaan, se inclinando para trás, permitindo que a cachoeira passe por cima de sua cabeça de novo antes de sair de baixo da água. Com um movimento das mãos, ele afasta do rosto o cabelo na altura dos ombros, passando-as em seguida pela barba. — Ela tem propriedades de cura.

Bem, isso é útil.

Ele caminha pela piscina, indo em direção à margem, com gotas de água salpicando seu belo corpo. Faço o que ele disse, já que preciso de força se quiser escapar depressa quando a oportunidade surgir, mergulhando baixo o suficiente para que as ondas que ele faz se dobrem sobre meus ombros.

Kaan pega a pequena algibeira que deixou na margem, soltando o cordão de couro. Segurando a bolsa, ele vasculha o conteúdo até revelar um par de pinças, o que faz meu coração ir parar na garganta.

Porra... tinha me esquecido disso.

Eu afundo tanto que a água bate em meu queixo enquanto me afasto, mantendo os olhos estreitos fixos nos dele — aquele olhar duro agora me perfura como duas pontas de flecha.

— Se você enfiar isso em mim, vou dar uma joelhada no seu pau.

— É melhor do que ser assassinado — diz ele, avançando pela água.

— Você com certeza vai *desejar* ter morrido — aviso, com os dentes cerrados, embora toda a minha confiança se dissolva no momento em que minhas costas colidem com a parede de pedra que cerca este lado da piscina.

Merda.

— Só tem uma coisa que me levaria de volta àquele lugar sombrio — murmura ele, a sinceridade tão pungente em suas palavras que meu coração para, algo inerente em mim esperando.

Ouvindo.

Se perguntando.

— E *nunca* vou permitir que aquilo aconteça de novo — finaliza ele, se aproximando e me olhando como se eu estivesse atrapalhando essa prerrogativa. Essa promessa estranha que ele parece ter feito a si mesmo.

— O que isso tem a ver com o pino no meu ombro?

— *Tudo* — resmunga ele, me agarrando pelo colarinho e me puxando para perto.

No mesmo movimento, abaixo as mãos amarradas, agarro a roupa íntima dele e o seguro bem onde preciso... meu joelho preparado para avançar e bater com tudo no pau dele. Considerando o tamanho do meu alvo, estou mais do que confiante em minhas chances de desferir um golpe devastador.

Nós dois congelamos, com a energia que se espalha entre nós e que faz com que todas as células do meu corpo fiquem nervosas.

Seu olhar se suaviza e o suspiro dele é palpável contra minha pele.

— Foi uma longa viagem. Não vou desamarrar seus pulsos porque não estou com vontade de me suturar nesse torpor, e você não vai conseguir tirar esse pino do ombro sozinha. Ele está cravado muito fundo no osso.

Abro a boca para falar, mas ele me interrompe:

— Seus lábios já estão um tanto mais pálidos do que o normal e seu coração está batendo mais rápido. No próximo nascer, você estará com febre, se sentirá letárgica, pesada. No nascer seguinte, estará morta.

Franzo a testa.

Não consigo sentir o cheiro da infecção que ele se gaba tanto de perceber. E, para nosso azar, confiança não é uma palavra que eu use com facilidade.

— Então, como vai ser? O caminho mais fácil ou o mais difícil? Prefiro não colocar você contra a parede se puder evitar, mas tenha certeza de que farei isso se você não me der outra opção.

Sustentando seu olhar ardente, eu me agarro a ele com os punhos cerrados e um orgulho de pedra.

Não é que eu não queira tirar o pino. Eu quero. Só que prefiro fazer isso sozinha. Quando você permite que seus captores enfiem armas na abertura de sua armadura, já pode se considerar acabada, com as tripas se esparramando.

O coração enfraquecendo.

Morrendo.

— Você não tem como ser forte se estiver morta — murmura ele, tão baixinho que até Clode teria dificuldade em ouvir.

Suspiro, a lógica como um firme golpe em minha coluna.

Odeio a sensação de minhas vértebras se soltando conforme largo a roupa dele e me viro, descansando a bochecha na pedra coberta de musgo, observando a cachoeira borbulhante que desce pelas fendas salientes.

— Como você sabe que essa piscina tem propriedades de cura? — pergunto, tentando me distrair do fato de que acabei de ceder para esse homem e aceitar sua ajuda.

De novo.

Isso me irrita.

Tenho certeza de que ele irá cobrar todos esses favores que devo, de que está se preparando para enfiá-los goela abaixo quando julgar conveniente. Por exemplo, quando ele precisar que alguém seja sufocado de dentro para fora ou desmembrado. Ou ainda outra opção na qual nem pensei.

As possibilidades são infinitas.

Kaan limpa a garganta, tirando o colarinho do meu ombro ferido.

— Passei grande parte da minha adolescência e algumas de minhas fases posteriores como guerreiro do clã Johkull. Eles sempre ficaram perto dessas montanhas e, em tempos mais recentes, reivindicaram a cratera formada pela lua caída de ceifassabre, Orvah. — Franzo a testa, pois suas cicatrizes de repente fazem muito mais sentido... — Eu costumava me esgueirar para cá durante o torpor, ficava de molho até não sangrar mais, e depois voltava antes que a aurora nascesse.

— Você é o rei — murmuro enquanto ele enfia a pinça em meu ferimento, fazendo todos os nervos sob minha língua formigarem. As próximas palavras saem forçadas entredentes: — *Por que... você passou a maior parte de... sua adolescência em... um clã de guerreiros?*

— Porque meu paih me mandou para lá quando eu tinha 9 fases, depois que descobriram que eu só conseguia ouvir Ignos e Bulder — murmura ele, com a pinça cravada em minha carne, enquanto o sangue escorre quente pelo meu ombro, se misturando com a água. — Ele disse que, se eu sobrevivesse aos métodos de treinamento duros e exaustivos deles, quem sabe eu ganharia seu respeito.

Meu coração se aperta de forma dolorosa.

Criadores...

Se aquele homem ainda estivesse vivo, eu o cortaria do queixo ao umbigo e depois faria uma trança com a porra das tripas dele enquanto ele ainda estivesse consciente.

— *O que... a-a-conteeeeeceu com... ele?*

— Cortei a cabeça dele e dei para Rygun comer.

As palavras são como um chute nas costelas, quase me deixando tonta.

Merecido, mas...

— *P-por quê?*

— Porque eu estava de luto por alguém que amava muito. Descobri que meu paih havia feito algo imperdoável e me vinguei em nome dela porque achei que ela não poderia se vingar. Agora me arrependo.

— *Qual era... o n-nome dela?*

— Elluin — murmura ele, e *puxa*, liberando o pino.

Abro a boca em um grito silencioso, certa de que ele acabou de sugar metade do meu esqueleto pelo pequeno orifício.

Porra. Que dor.

Eu me viro, olhando para a coisa sangrenta entre nós, Kaan estuda o comprimento, talvez verificando se não se quebrou ao sair — aquele nome ecoando em minha mente com os estalos de dor que ainda me atingem.

Elluin...

Eu coloco um pouco de água no ferimento enquanto ele mergulha o pino, passando o dedo para cima e para baixo em seu comprimento.

Meu olhar se estreita em seu amuleto, absorvendo o desenho intrincado — os dois dragões se abraçando de uma forma tão íntima que me pergunto se é um símbolo do amor perdido deles.

Uma onda de... *algo* me invade.

Tristeza?

Inveja?

Não, claro que não.

— O que aconteceu com ela?

Seus olhos se voltam para os meus.

— Ela morreu — sussurra ele, com tamanha finalidade que as palavras parecem uma facada em minha barriga.

Kaan sai da água, pega roupas limpas da mochila e guarda as outras. Ele enfia os pés na bota, pega a capa e sobe a escada de pedra em direção a Rygun — deixando-me marinando em uma flor de sangue e inquietação.

Raeve

CAPÍTULO 33

Encharcada, formigando pelo corpo todo e com uma ferida no ombro que agora coça sem parar, sigo pelo mesmo caminho que Kaan para a escada de pedra vermelha, franzindo a testa para os tufos de grama cor de cobre que brotam nas rachaduras. Fazendo uma pausa para passar a mão nas folhas macias.

Ver folhagem dessa cor é... estranho. No Grado, tudo o que consegue brotar debaixo da neve é de um tom vibrante de verde. E, apesar de gostar dele, prefiro quando é assim.

Parece mais resistente. Mais difícil de morrer.

Se eu morasse aqui, talvez conseguisse manter algum tipo de vegetação viva.

Algo liso e redondo chama minha atenção, meu olhar desliza para uma escama de ceifassabre escura e avermelhada, com metade do tamanho da minha mão, que caiu em meio à grama. Deve ser de Rygun, talvez tenha caído de sua perna em uma das trocas de pele anteriores.

Está aqui. Neste degrau. E estou sem nenhuma supervisão.

Talvez eu não seja tão amaldiçoada, no fim das contas?

Eu a pego, dando uma olhada no topo da escada enquanto uso os dedos para prender a escama no meio do pulso, para que ninguém a veja, meu coração batendo tão forte que estou quase convencida de que todo par de ouvidos nesta selva pode escutá-lo.

Respiro fundo para me estabilizar, a vitória correndo em minhas veias com tanta potência que quase danço.

Circulando, nada para ver aqui.

Um som estrondoso faz com que meu olhar se volte para o céu, para as nuvens densas que se acumulam acima de mim.

Franzo as sobrancelhas.

Ouvi dizer que chove aqui, onde o ar está bem acima do ponto de congelamento, e que essas áreas montanhosas são um local exuberante para a formação de tempestades. Tudo o que conheço é o granizo cortante e a neve suave e gentil...

As nuvens pálidas se avolumam e aumentam, e eu me arrepio apesar do calor pegajoso, uma corrente elétrica presa no ar que eu não consigo ignorar.

Chego ao topo da elevação bem a tempo de ver Rygun saltar sobre a borda do enorme planalto gramado, a cauda farpada sendo a última coisa a desaparecer — a montanha inteira parece se deslocar com ele.

Há um rugido clamoroso, o baque das asas e, em seguida, ele está voando para o céu.

Kaan caminha em direção ao penhasco com algo redondo e que se mexe em suas mãos, fazendo uma careta enquanto observa a fera atravessar o desfiladeiro e desaparecer de vista.

— Para onde ele vai? — pergunto, me aproximando, avaliando minhas chances de alcançar o homem a tempo de o empurrar do penhasco.

— Como você — murmura Kaan, acenando para mim com o inseto preto brilhante —, Rygun é alérgico a ajuda.

Franzo a testa, olhando para a criatura, com as pernas finas balançando, presas em forma de garra saindo do que suponho ser o rosto, mordiscando o ar.

— O que é isso?

— Um carrapato que encontrei embaixo da axila de Rygun, na parte das escamas que ainda estão se firmando depois da última troca de pele. — Ele joga a coisa a seus pés, esmagando com o calcanhar da bota. O inseto estoura, as vísceras roxas se espalhando pela grama. — Se não forem cuidadas, elas liberam uma toxina que transmite raiva para um dragão. — Ele me lança um olhar duro, sombreado por cílios grossos e pelo céu que escurece. — Não há cura para um animal decidido a incendiar cidades e matar tudo em seu caminho, exceto uma morte rápida e misericordiosa.

Meu sangue gela.

Incendiar cidades...

Matar tudo...

Morte rápida e misericordiosa...

Nada disso faz sentido para um rei que, pelo que dizem, faz *vista grossa* quando suas feras agem assim. Ao menos foi isso que ouvi dizer.

Fico confusa, meu olhar se voltando para o respingo roxo no chão.

— Vem comigo. — Kaan coloca um alforje sobre o ombro, abraça outro e se dirige a um caminho que atravessa a folhagem densa à frente. — Se você quiser comida, é claro — acrescenta. — Não pode escapar até comer alguma coisa. Vai acabar desmaiando e indo parar bem onde começou.

Ele tem razão.

Suspirando, eu o sigo, a corda em volta dos meus pulsos agora inchadas de umidade.

— Acho que sem querer você amarrou isso apertado demais — digo, olhando da esquerda para a direita.

Tento rastrear os sons de chilrear que continuam riscando o ar, como se alguém estivesse arrastando gravetos para cima e para baixo em troncos ocos e com ranhuras.

— Posso assegurar — retruca ele, chutando um galho caído para fora da trilha como se isso o ofendesse pessoalmente — que não foi um acidente.

— Se minhas mãos caírem, as algemas de ferro também cairão, e então chamarei Clode para sufocar você enquanto dorme.

— Que promessas bonitas — pondera ele, em um tom tão seco que poderia tirar toda a umidade do meu corpo.

O caminho se abre para outro planalto, embora esse abrigue uma casinha de pedra que parece ter crescido direto do chão. Ela tem dois andares, com janelas de formato estranho, nem redondas nem quadradas, mas algo no meio disso. A casa é torta para um lado na parte inferior e no segundo andar para o outro, já o telhado é pontudo. As paredes são irregulares em alguns lugares e inclinadas em outros, como se pequenos polegares as pressionassem no lugar.

Congelo no lugar, paralisada, com um sorriso no canto da boca.

É como se um petiz tivesse desenhado o prédio em um pedaço de pergaminho, depois o trazido à vida com um sussurro em suas paredes, dando força e substância para se manter de pé.

A parede mais ao fundo ostenta uma treliça improvisada, com galhos entrecruzados e envoltos em uma trepadeira repleta de molinésias roxas e gordas, cujo aroma deixa cítrico o ar quente. Abaixo dela, há fileiras de canteiros elevados, cada um deles com uma série de legumes e verduras, alguns dos quais parecem até estar na fase de dar sementes...

Ergo o olhar, analisando a estrutura, sem conseguir afastar a sensação de que esse lugar não é mais tão frequentado como antes, apesar da sensação de aconchego que enche meu peito só de olhar para ele.

Eu me pergunto que música o lugar deve entoar, imaginando que seja profunda, estrondosa e feliz. Mais contente do que uma placa de pedra comum. Eu me pergunto se Clode gira em torno de suas bordas arredondadas, bebendo um pouco de sua serenidade.

Acima de tudo, eu me pergunto por que, só de olhar para ela, sinto os olhos arderem, bolhas de emoção que estouro mais rápido do que o Kaan estourou aquele carrapato.

O rei se move entre os canteiros do jardim, deixa cair as sacolas carregadas no chão e, em seguida, puxa um tufo exuberante de vegetação pela base. Ele tira uma raiz de canim da sujeira, com o comprimento ondulado polvilhado de terra cor de ferrugem que cai de volta ao chão quando ele a sacode e depois a bate contra meu peito.

Franzindo a testa, enrolo os braços em volta do vegetal, embalando enquanto ele repete o processo várias vezes, aumentando a pilha até que eu mal consiga enxergar por cima dela.

— Você vai fazer sopa de legume para Rygun? — murmuro, imaginando como ele espera que eu possa ver por onde ando com os braços tão cheios.

— Vou fazer o suficiente para que não precisemos parar em nenhuma aldeia antes de chegarmos a Dhoma — responde, despejando algo que é muito mais difícil de equilibrar sobre a pilha e quase me derrubando. — Prefiro não ser visto com você, se puder evitar.

Vá se foder você também, Kaan Vaegor.

— Também não gosto muito de ser vista com *você*. A menos que eu esteja carregando sua cabeça na ponta de uma estaca.

Ele coloca mais um vegetal na pilha sem sacudi-lo, fazendo com que a terra caia sobre mim e se espalhe no meu cabelo, grudando em minha pele úmida.

Talvez ele esteja se cansando de mim...

Que bom.

Vou continuar provocando até que ele baixe a guarda, e então entrarei em ação. Até que gosto das chances que tenho de sobreviver na montanha, repleta de água e vegetação fértil. Na verdade, acho até que posso *prosperar*, ganhar força conforme avanço para o sul. Acho que essas montanhas devem levar a algum lugar perto de Pantânia. Talvez, se eu encantar um fundífera adulto, seja fácil caçar Rekk Zharos. Minhas opções são infinitas agora que estou livre.

Bem...

Meus pensamentos se voltam para meus pulsos amarrados com cordas. Para as algemas de ferro que ainda estão presas em meus braços e tornozelos.

Quase livre.

Primeiro, tenho que me afastar desse homem e do dragão dele e desses vegetais que, *pelos Criadores*, estão imundos. E desta casinha aconchegante com sua vista bela e idílica e um calor que me diz que ela abrigou muito mais felicidade do que eu jamais entenderei.

— Acho que já temos o suficiente — resmunga Kaan, colocando um punhado de ervas sobre a pilha antes de eu o ouvir recolher os alforjes, o som dos passos das botas pesadas fazendo meus ouvidos despertarem. — Venha comigo.

Ahh...

— Como?

— Siga o tom sedutor da minha voz — diz ele, de forma arrastada, e eu reviro os olhos, tentando acompanhar o som de seus passos... deslizando meus pés descalços pela grama rasteira em um ritmo lento e constante enquanto tento não tropeçar.

Acabo batendo nas costas dele e fazendo ainda mais terra cair em mim, reprimindo uma tosse para não derrubar o que carrego. Espero enquanto ele coloca os alforjes no chão e abre a porta, ouvindo o rangido das dobradiças de metal antes que ele saia do meu caminho.

Estou prestes a entrar na casa quando ele diz:

— Espere. Primeiro vou tirar isso dos seus braços. Não quero que suje o tapete ainda mais do que o necessário.

— Já ouviu falar em balde? Você acabou de me jogar em uma piscina e jogou uma barra de sabão na minha cabeça. Agora estou mais suja do que antes.

— Não — responde ele, reduzindo minha pilha, uma raiz vegetal bulbosa e cheia de mato por vez. — Antes, você cheirava a vômito, raiva e coisas mortas. Agora você cheira a terra. Esse cheiro me acalma.

— Você não parece muito calmo.

Ele retira o último vegetal, transferindo-o para uma grande tigela de madeira com o restante da comida.

— Estou calmo. — Ele me lança um olhar sombrio. — Você que teve sorte de não ter presenciado meus outros temperamentos.

Ainda.

A palavra não dita soa entre nós como um martelo.

Sustento o olhar penetrante dele, sentindo a terra rolando pela minha bochecha e caindo da minha mandíbula. Eu também tenho muitos temperamentos que gostaria de testar contra a *falta de calma* dele.

Grunhindo, ele desvia o olhar e caminha pela sala.

Tento me limpar, jogando mais sujeira na grama enquanto observo o interior aconchegante e eclético da residência, repleto de uma variedade suave de móveis orgânicos — a maioria em tons que lembram o Lume.

Laranja-queimado, âmbar quente, preto, bronze...

Uma grande cozinha ocupa metade do piso, com três longas bancadas que percorrem as paredes em forma de um U gigante. Há um balcão que divide o espaço em dois, e a metade direita do cômodo é decorada com dois assentos baixos e uma mesa pequena — tudo sem nenhum espaço embaixo. Como se tivessem crescido do chão, adornados com almofadas volumosas e mantas com tufos.

Uma escada torta à direita leva ao que deve ser o segundo andar. Meu olhar se volta para as janelas — vidro marrom que distorce a visão. É peculiar e orgânico como o resto dessa pequena casa.

O que chama mesmo minha atenção são os entalhes em pedra que revestem os peitoris das janelas. Ceifassabres de todas as formas e tamanhos, embora não passem do tamanho do meu punho. Não há dois iguais, alguns com mais presas do que outros, mais ou menos lanças adornando as pontas de suas caudas. Quase como se tivessem vida e personalidade próprias.

— Que lugar é esse? — pergunto, parada na soleira da porta.

— Era o retiro de minha mãin — diz Kaan de seu lugar diante da bacia, enxaguando um vegetal sob a torneira aberta. Ele o coloca em uma tigela diferente, depois pega outro e o encharca.

Era...

Eu não sabia que a mãin dele tinha falecido. Nunca pesquisei a história do reinado do Lume para além do fato de que cada irmão Vaegor governa um dos três reinos.

Agora, me pego desejando ter feito essa pesquisa.

Olho em volta, sem conseguir afastar o peso em meu peito, esmagando minha capacidade de respirar de forma apropriada.

— Há algum outro lugar onde eu possa passar o torpor?

Ele para o que está fazendo, virando um pouco a cabeça enquanto indaga:

— Algum outro lugar?

Parece errado entrar na morada aconchegante e caseira da mulher cujo filho fantasiei matar.

— Este me parece um espaço de família — murmuro, observando as obras de arte espalhadas pelas paredes. As alcovas tortas e as prateleiras cheias de pedaços e peças que só podem ser lembranças preciosas. — Eu não sou da família.

O rosnado grosseiro de Kaan preenche o espaço de forma tão abrupta que eu me sobressalto, encarando-o assustada quando ele diz:

— Entre na casa, Prisioneira Setenta e Três. Ou você vai ficar sem comer.

Seus ombros parecem tensos e rígidos, e há algo no ar que torna difícil respirar. Parte de mim quer dizer a ele que se engasgue na ordem e que tenha uma morte dolorosa, mas então minha barriga ronca alto o bastante para acordar um dragão adormecido.

Kaan ergue uma sobrancelha.

Eu reviro os olhos. Mordo o lábio inferior. Tento forçar essa situação em um lugar que se encaixe de modo mais confortável sob minhas costelas.

Não sei muito sobre as tradições do norte, mas uma vez li que é considerado falta de educação não oferecer algo em troca de abrigo. Talvez essa seja a resposta. E talvez eu não deva derramar o sangue de Kaan enquanto estiver aqui.

Isso seria errado, acho.

— Não tenho nada para oferecer em troca do tempo que passarei sob o teto da sua mãin.

Há um momento de total quietude antes de Kaan mover a cabeça um pouco mais — o suficiente para que nossos olhos se encontrem.

— Seu nome serve.

Meu nome...

Abro a boca, fecho ao reconsiderar, depois balanço a cabeça e digo, de repente:

— Raeve.

Ele fica pálido.

Respira fundo... devagar. Como se estivesse consumindo uma refeição pela qual estava ansioso havia mais tempo do que eu gostaria de imaginar.

— Só Raeve?

Outro nome percorre minha alma como um grito ardente.

Cotovia de Fogo.

Cotovia de Fogo.

Cotovia de Fogo.

— Só Raeve — confirmo, afastando o outro. Para longe.

Desfeito.

Ele concorda devagar, parecendo engolir em seco.

— Bem, obrigado pela troca — responde, seguido por um suave: — Raeve, por favor, entre na casa da minha mãin.

Ele trata meu nome com tanto cuidado e precisão que um arrepio sobe e desce por minha espinha — uma sensação que tento ignorar, passando pela soleira da porta e entrando no espaço que mais parece um abraço caloroso. Talvez seja esse o motivo da minha irritação.

Não tive um desses desde...

Limpando a garganta, levanto o queixo e me dirijo ao balcão, sentando em uma das três banquetas que parecem ter sido esculpidas de um único tronco de madeira, colocando as mãos atadas sobre a superfície.

Kaan volta a enxaguar, o tempo passando. Ele termina de limpar os vegetais, corta-os em cubos com uma lâmina cuja localização eu tomo nota e, em seguida, os empilha em uma panela grande com água, ervas e sal. Coloca no fogo e fecha a tampa.

Ele abre a portinha gradeada de metal do fogo, depois tira um braseiro do bolso e abre a tampa. Volto a atenção para outro lugar enquanto ele sussurra uma palavra estridente que faz com que um bulbo de chama passe pela abertura, acendendo a pilha de gravetos pré-empacotados em uma chama crepitante.

Fechando a grade de metal, ele se vira, seu olhar quente percorrendo a lateral do meu rosto enquanto olho por uma das janelas para o mundo além. O cômodo escurece a cada momento — mais e mais nuvens se aglomeram no céu, sugando a maior parte da luz, exceto os lampejos de laranja que passam pela grelha.

Kaan fecha a tampa de novo.

— Você não gosta de fogo.

— Não gosto de homens com o pau maior que o cérebro. — Eu o fuzilo com um olhar que espero ser o bastante para cortar sua observação pela raiz. — Infelizmente, isso elimina metade da população.

O silêncio sangra entre nós, vítima de minha ira cortante.

Com os braços cruzados, ele me observa. Sem pestanejar.

Inflexível.

Eu o observo com a mesma intensidade, afiando mais farpas para atirar, caso ele decida abordar de novo o assunto. Um assunto que, de verdade, não é da conta dele.

Ele estala a língua e se move ao redor do balcão.

Sem me mover, vigio pela minha visão periférica enquanto ele vai até a porta e pega os alforjes, jogando sobre o assento longo e almofadado. Ele traz o menor para o banco e abre a algibeira. Vasculhando, retira um estojo de couro e o desenrola, mostrando uma coleção organizada de ferramentas. Ele pega um martelinho de uma das seções, um prego cônico de outra e aponta para minhas mãos com o queixo.

Franzindo a testa, eu as levo até ele, lembrando tarde demais de que tenho uma escama presa entre os pulsos.

Meu coração bate tão forte que quase vai parar em minha garganta.

Merda.

Imploro em silêncio para que ele não note enquanto apoia minhas mãos em um pedaço de pano dobrado, encosta o prego no pino da algema direita e bate nela.

Minha sobrancelha se ergue quando o pino desliza para fora, permitindo que ele afrouxe a algema de ferro e a solte, ainda que ele não dê sinais de que vai fazer o mesmo com a algema do meu pulso esquerdo.

— E a outra? — pergunto, apontando para ele minhas mãos ainda atadas. Ele as afasta com um tapinha.

— Pode até ser estranho, mas não estou disposto a ter meus pulmões picados.

— Bem, e quanto às cordas? — Empurro as mãos em seu peito de novo. — Eu tive a oportunidade perfeita para empurrar você do penhasco mais cedo, mas não fiz isso. — Só porque me distraí com a história do carrapato, mas ele não precisa saber desse detalhe vergonhoso. Não costumo ser tão ruim em... matar. — Isso me permitiria ter um pouco de liberdade com as mãos, com toda certeza. Um pequeno sinal de boa-fé? — brinco, piscando para ele.

— Pé — ordena ele, com a voz arrastada, e faço uma careta.

— Pelos Criadores, o que você acha que eu sou? Algum tipo de animal imundo que sai por aí colocando os pés cheios de lama em balcões fofos e de formato esquisito?

Ele franze a testa.

— Você acha que é esquisito?

Eu dou de ombros.

— Um pouco.

— Huh — diz ele, analisando a peça, com uma linha profunda ainda gravada entre a sobrancelha grossa.

— Isso só deixa ainda mais fofo, na minha humilde opinião. Queria ter um igual.

Acho que eu poderia ter, mas não conseguiria moldar direito uma pedra nem que minha vida dependesse disso. A desvantagem de bloquear tanto Bulder é que só sei falar algumas palavras rudimentares, e nenhuma delas funciona muito bem.

E o fato de que eu não tenho uma casa para colocar balcão nenhum.

Ai.

Kaan pigarreia e bate com a mão na tampa.

— Pé, Raeve. Antes que a sopa queime.

Mandão *e* não me escuta...

Com certeza precisa morrer.

— Não vou colocar meu pé imundo na ilha da sua mãin, rei Kaan Vaegor. Ponto-final.

Ele inclina a cabeça para o lado.

— E *eu* não vou me ajoelhar diante de você por medo de levar um chute na cabeça que vai me deixar inconsciente, para que você possa roubar uma lâmina da gaveta, cortar meu pescoço e fugir.

Uma preocupação válida, sendo sincera.

— Pé. A menos que queira ficar com as lindas tornozeleiras — provoca ele, e eu coloco a porra do pé no banco ao lado, manchando a superfície com terra.

Ele me encara.

Eu sorrio.

— Você é muito teimosa — diz ele, se movendo para agachar ao lado da banqueta.

— É muito gentil de sua parte dizer isso. Eu afio essa arma todo dya.

— Dá para perceber — murmura ele, soltando a algema de um tornozelo machucado e depois do outro. Quando termina, ele coloca as ferramentas no estojo e o enrola, guardando na algibeira, e uma lufada de ar frio vem de lá de dentro.

Franzo a testa e vejo, de relance, algo prateado e cintilante no interior. Algo que para as batidas do meu coração, e minhas próximas palavras são cortadas com uma lâmina serrilhada:

— O que mais tem aí?

— Não é da sua conta.

— Seu precioso lunacaco?

Ele me encara com um olhar que me arrepia até os ossos, depois fecha a algibeira. De costas para mim, vai em direção ao fogo, levanta a tampa da panela e mexe a sopa.

Afasto uma mecha de cabelo seco do rosto, olhando da algibeira para Kaan e de volta para a algibeira. Coçando a pele ao lado do meu dedo, bato o pé no chão, respirando tão forte que tenho certeza de que vai ajudar a tirar o peso do meu peito.

Mas isso não acontece.

Lunacacos têm tonalidades diferentes, dependendo da fera caída da qual se separaram. A maioria é desenterrada por aqueles que trabalham nas minas — de quedas de lua de épocas há muito esquecidas.

Houve apenas três quedas de lua documentadas desde que as pessoas começaram a escrever nossa história em pergaminhos, e cada uma delas ocorreu em tempos recentes.

Um ceifassabre adolescente com apenas 3 fases que caiu nas Planícies Boltânicas. Um fundífera grande o suficiente para destruir um pedaço do muro, espalhando no céu uma nuvem de poeira e areia que podia ser vista de Ghora. E um *plumalua...* o primeiro a cair em mais de um milhão de fases. Talvez mais.

Essa fera não era pequena e sua queda não foi leve.

Ela não despencou sem produzir uma carnificina.

Prateado como as fitas da aurora, aquele monstro brilhava com a luz de mil luas antes que a gravidade perdesse o controle sobre ele. Antes de cair explodindo em um monte de lunacacos que abriram uma cratera do tamanho de uma cidade nas profundezas do Breu.

Ou pelo menos foi o que me disseram.

Já vi cacos dele antes, em um lugar onde fui refeita mais vezes do que posso contar — aqueles cacos gloriosos eram uma das únicas formas de brilho que não me causavam algum tipo de dor.

Não sei por que Kaan está colecionando pedaços do plumalua que foi arrancado do céu há mais de vinte fases, mas meu instinto me diz que esse é um segredo que deve ser mantido em sua algibeira de couro.

Só por esse motivo, deixo que o silêncio coroe o momento.

Raeve
CAPÍTULO 34

$\mathcal{D}$ e pé, do outro lado do balcão, Kaan divide a atenção entre mexer a sopa e transformar uma das escamas de Rygun em uma lâmina, esculpindo com uma ferramenta de ponta redonda.

Deve ser muito útil ter um suprimento disponível de escamas de ceifassabre, já que a maioria das lâminas feitas de escamadraco mantém sua borda afiada para sempre. Elas também são mais leves do que qualquer metal e mais resistentes quando moldadas do jeito certo — e é por isso que tenho tantas, apesar de serem tão caras no Grado.

Tinha.

Tinha, caralho.

Agora Rekk deve estar com grande parte delas, aquele merda. Mal posso esperar para enfiar uma tão fundo em sua garganta que ele vai se engasgar.

Kaan inspeciona a lâmina improvisada de todos os ângulos, com o cabelo solto caindo no rosto. A túnica preta está enrolada até o cotovelo, expondo marcas de cortes acima e abaixo dos antebraços musculosos, com metade dos botões abertos, mostrando os densos músculos do peito que ficam tensos a cada aperto forte da ferramenta. Outra lasca da escama, no tamanho de uma unha do polegar, se desprende e cai na tigela grande de barro em que ele está trabalhando.

Desvio o olhar para a panela de sopa borbulhante, o vapor escapando pela tampa que balança...

Matá-lo está ficando mais difícil a cada hora que passa.

Achei estranho o fato de ele não ter soldados de contas por perto. Nenhuma comitiva poderosa. Ao menos não durante a parte da jornada que está compartilhando comigo. Mas estou começando a me perguntar se ele só não precisa de proteção. Talvez confie tanto nas próprias habilidades que qualquer corpo extra seja uma bagagem indesejada que ele não se dá ao trabalho de carregar.

Volto a olhar para a algibeira dele...

Ou talvez ele só quisesse viajar sozinho porque não quer que as pessoas saibam que está caçando lunacacos.

De qualquer forma, ele sabe como moldar uma bela de uma lâmina.

Olho de relance para ela, a inveja me percorrendo enquanto ele coloca a linda arma na tigela com o excesso de cacos e a apoia em um dos bancos do fundo, longe do meu alcance.

Rei Tirano esperto.

Kaan se dirige ao fogo e levanta a tampa de nossa refeição, liberando uma explosão de vapor que ele afasta, mexendo a mistura aromática com uma colher de pau antes de pegar um pouco do caldo para soprar. Ele encosta a colher nos lábios e prova...

Minha barriga ronca e eu tusso em um esforço para abafar o som, mas não antes de Kaan levantar uma sobrancelha e me lançar um olhar que ignoro.

Gostaria de não estar com tanta fome. Parece errado aceitar uma refeição de alguém que pretendo matar. E decapitar. Só para garantir.

Ele serve duas tigelas de barro cheias de sopa, com um vapor forte saindo de cada porção cheia de gruminhos. Minha barriga faz outro som gorgolejante, sinto a bochecha arder quando ele coloca uma colher de cobre na tigela e desliza a refeição em minha direção. Ele pousa a própria cumbuca à minha direita, senta no banco ao meu lado e começa a comer a refeição.

Meu olhar vai do rosto dele... para a tigela... a colher... meus pulsos amarrados por cordas...

Certo.

Manejo com pouca habilidade o cabo da colher na minha mão, descobrindo que, se inclinar os braços para a direita, posso pegar a sopa em um ângulo que *deveria* me permitir colocá-la na boca.

Deveria.

Levanto uma pequena porção da tigela, me inclinando para a frente...

Meus dedos se atrapalham, fazendo com que a sopa se espalhe por toda parte.

Com os dentes cerrados, tento de novo, desta vez levando a colher até a metade da minha boca aberta, com a língua enrolada, antes que o utensílio se solte da minha mão, salpicando meus braços e peito com a sopa.

Minha colher cai no chão, junto com as gotas restantes de minha paciência.

Tento sair da banqueta, mas Kaan agarra meu ombro, como se quisesse me manter no lugar.

— Eu pego...

Eu giro a cabeça e cravo meus dentes em seu antebraço tão rápido que mal percebo o que está acontecendo até que esteja fazendo. Até que o gosto de seu sangue esteja em minha boca e ele me coloque de pé, encostada em uma parede com a coxa enfiada entre as minhas. Com minhas mãos presas acima da cabeça e agarrando meu queixo com a mão.

Nossos corpos estão colados, as respirações se misturando entre os dentes.

Nossos narizes e testas se chocam quando a luz que restava desaparece do cômodo, a única fonte agora vinda das entranhas do fogo, fazendo com que Kaan pareça uma sombra furiosa sobre mim, os olhos brilhando na escuridão.

— Você quer jogar duro, Raio de Lua? Podemos jogar duro. Mas só depois que você comer.

— Isso é uma ordem, *Majestade*?

Juro que as manchas avermelhadas em seus olhos se acendem, seu corpo é uma força ressonante pressionada contra mim. Muito quente.

Mas não quente o bastante.

— Há uma diferença entre ter alguém *cuidando* de você e ter alguém dando ordens. Entenda isso.

Dou uma risada sem qualquer humor, inclinando o queixo para a frente.

— Você me dá uma tigela de sopa e espera que eu coma com as mãos amarradas? Sua percepção de *cuidado* está distorcida.

Não acredito que estou pensando isso, mas sinto falta das minhas algemas. Ou melhor, da corrente presa entre elas. Pelo menos eu podia fazer coisas, como me esticar. E coçar. Meus pulsos estão tão unidos que limpar a bunda vai ser uma experiência e tanto quando eu enfim chegar à latrina.

— Tente se abrir para aceitar *ajuda*, Raeve. Você se admiraria ao perceber que um grão a mais não incomoda. Um simples pedido de ajuda não te torna fraca. Faz de você alguém de *verdade*.

Abro a boca para dizer a ele que não quero a ajuda de um rei Vaegor tirano quando minha barriga ronca de novo, dando seu voto indesejado.

Algo barulhento e rancoroso se lança sobre o telhado, um ataque estrondoso diferente de tudo que já ouvi.

Meu coração salta para a garganta, meu olhar se desviando do de Kaan e percorrendo a sala, procurando por rachaduras nas paredes, já que é óbvio que o prédio está desmoronando.

Será que uma lua caiu?

Não deveríamos estar correndo? Escondidos embaixo da mesa?

Por que caralho ele está tão calmo?

— É só uma tempestade mais forte — explica ele, sua voz é um toque carinhoso em meu coração encolhido.

Meu corpo relaxa.

Ah.

— É um tanto... barulhenta — aponto, ainda procurando rachaduras nas paredes. -- Tem certeza de que não é uma lua caindo?

— Absoluta. Você está segura.

Eu encaro seu olhar de cinza vulcânica.

— Discutível.

— Você *está* segura.

— Porque você precisa de mim para alguma coisa... é sempre assim. O que será? É melhor deixar tudo às claras agora, não acha? A expectativa machuca *mesmo* quando apunhala você pelas costas.

Ele franze a testa.

— Tudo o que eu quero de você é que tome a porra da sua sopa. E, talvez, que passemos por esse torpor sem mais derramamento de sangue... sei que você tem dificuldade com esse conceito.

Estreito os olhos, procurando as fissuras em seu olhar, encontrando apenas uma convicção firme como pedra.

— Você é um bom mentiroso, tenho que admitir.

Um rosnado ferve em seu peito e ele solta meus pulsos, dando um passo para trás. Por algum motivo estranho, a sensação é quase como se estivesse abrindo uma costura, minha respiração é solta com um tremor.

Ele se vira, pega minha colher, enxágua na torneira e a coloca de volta na tigela. Acomodado em seu banquinho, ele continua a comer em um silêncio estoico, em grande contraste com o barulho da chuva no telhado.

O ar fica mais tenso a cada segundo.

Meu olhar se volta para a mordida em seu braço, com o sangue pingando no chão. Ainda escorrendo pela minha boca.

Eu me encolho.

Eu o fiz sangrar na casa da mãin dele. *Merda.* E derramei sopa por toda parte.

No fim das contas, sou uma hóspede de merda.

Minha barriga ronca de novo e penso na minha linda Essi, que se foi. Ela sempre cozinhava para a gente. Adorava fazer experiências com todos os alimentos diferentes que eu trazia dos mercados.

Eu sempre lhe agradecia, valorizando o esforço.

Tenho quase certeza de que não agradeci a Kaan quando ele me ofereceu a refeição. Só comecei a lutar com a colher depois de vê-lo preparar a comida da minha posição um tanto relaxada no banco.

Uau.

Sou mesmo uma hóspede de merda.

Por mais que eu não goste do homem e de tudo o que ele representa, deveria ao menos demonstrar minha gratidão pela refeição aromática que ele preparou para nós dois. E perseverar na tentativa de colocar um pouco dela em minha boca.

Com um suspiro profundo, me afasto da parede e me acomodo de volta no banco, ainda com o sangue dele em meu rosto enquanto digo:

— Me desculpe pela falta de respeito, e obrigada pela comida. Agradeço por todo o esforço que dedicou à refeição.

Kaan para a colher a meio caminho até a boca.

— O prazer é meu, Raeve.

Assinto, jogo o cabelo por cima do ombro com um movimento de cabeça, lanço um olhar tímido para ele e inclino o corpo para a frente, projeto os lábios e enfio a cara na tigela, sugando um longo gole do caldo.

Deixo escapar um gemido.

Está.

Uma.

Delícia.

O sabor não é forte demais nem muito salgado. Dá para sentir o gosto das ervas que ele usou. Sinto até um sabor meio cítrico. Não sei o que é, mas gosto.

Estou prestes a enfiar a cara na tigela de novo quando Kaan irrompe, com a risada profunda e grave, alta o suficiente para combater os clamores vindos do céu.

Minha bochecha esquenta e quase me irrito com ele de novo, mas então sua risada provoca algo em mim, como uma fita grossa traçando minha costela, subindo pela minha garganta e explodindo boca afora, tão rápido que também sai do meu nariz com um jato de sopa que cobre o balcão.

Minha narina arde como se eu tivesse acabado de expelir chamas, mas a risada continua, meu corpo inteiro tremendo com a força dela.

Nunca ri assim antes. Não de verdade. Eu não sabia que poderia me sentir assim...

Bem.

Por que estou me sentindo tão bem?

Lágrimas escorrem pela minha bochecha, a sopa pinga do meu nariz e do meu queixo, minha barriga doi enquanto o som continua se derramando...

E derramando...

Demoro um pouco para perceber que o homem ao meu lado ficou quieto.

Minha risada diminui, os músculos do rosto se afrouxam. Abro os olhos de novo, olhando de soslaio para Kaan.

Meu coração para.

Ele está me observando com uma intensidade assombrosa que ameaça descascar um dos muitos calos que cobrem meu coração. Um olhar que pressiona meu peito. Minha alma.

O tipo de olhar que faz com que a coluna, o coração e os joelhos cedam em um mesmo golpe rápido.

O ar entre nós se esvai, faminto por algo que com certeza não tenho como preencher, e percebo que posso ter me enganado a respeito dele. Que ele não me quer por minha afinidade com Clode ou Bulder, ou pela facilidade com que mato. Ele quer algo muito, muito pior...

A mim.

Só a mim.

— Não faça isso — digo, com irritação.

— Fazer o quê?

— Fingir que somos próximos. Não somos. Eu não conheço você e você não me conhece. Estou planejando sua morte neste instante.

Um tique em sua mandíbula pulsa, e algo brilha em seus olhos que me arrepia até os ossos.

— Claro.

Limpo a garganta, me desvencilho de seu olhar e me concentro na sopa. O silêncio continua crescendo, rasgando o peito antes que ele pegue um pano na bancada e use para limpar meu rosto.

Eu não o impeço.

Não o impeço de pegar minha colher e me alimentar como um petiz. Não o impeço de servir outra porção, que ele também me alimenta antes de me oferecer uma caneca de água recém-tirada da torneira.

Não o impeço de limpar a sopa da minha camisa quando terminamos. De me guiar pela escada torta, por uma porta de madeira inclinada que é alta de um lado e baixa do outro, e para um espaço aconchegante de dormir com uma única janela torta e uma grande cama coberta com almofadas e cobertores suficientes para me afogar.

Um espaço para dormir que tem o cheiro *dele*.

— A única saída é descendo as escadas e escapando pela porta dos fundos. Isso se você conseguir passar por mim sem fazer barulho, já que estarei dormindo na poltrona. Se conseguir, vou adorar caçar você, então fique à vontade.

— Latrina?

— Por ali.

Ele aponta para uma porta muito menor e de formato mais estranho, enquanto um raio lá fora ilumina seu belo e bárbaro rosto com tons assustadores.

Levanto as mãos amarradas.

— Como eu vou...

— Tenho certeza de que você vai dar um jeito — murmura ele, depois fecha a porta com tanta força que eu pulo.

Raeve

CAPÍTULO 35

$\mathcal{E}$u empurro a escama pressionada entre meus pulsos amarrados até que caia no meu colo, depois a prendo entre os joelhos e começo a trabalhar. Com o olhar fixo na porta, esfrego a corda na borda afunilada, cortando os fios em incrementos desgastados.

Ela corta muito mais rápido do que eu estava prevendo, minha mão escorrega quando a corda cede...

A escama corta meu braço e eu respiro fundo, serrando a mandíbula com força contra a dor.

Porra... merda... bolas de dragão!

Que inferno, Raeve...

Uso os dentes para desfazer as amarras antes de pressionar a mão no corte, o sangue escorrendo pelos espaços entre meus dedos e pingando na cama.

Suspiro.

Acho que quebrei a regra de *não derramar mais sangue durante o torpor.*

Com certeza está na hora de eu mesma me expulsar.

Corro para o banheiro e abro a torneira de cobre, pouco visível na luz fraca, movendo o braço sob o fluxo de água e fazendo o que posso para limpar o sangue. Rasgando uma tira da camisa, amarro o ferimento, usando os dentes para dar o nó antes de sorrir com o meu trabalho manual — a vitória estourando em rajadas vertiginosas sob minha costela.

Posso ter me ferido, mas estou livre.

Livre!

Sim, porra. Agora só preciso sair daqui.

Uso a latrina, desfrutando da liberdade de poder limpar minha bunda de modo confortável. Colocando o cabelo atrás das orelhas, volto para o espaço de dormir, dando outra olhada na porta ainda fechada.

Atraída pelas gavetas no final da cama, abro a primeira e procuro algo mais confortável do que as roupas ásperas com as quais pensei que morreria, encontro uma camisa preta macia como manteiga. Pego uma calça, tão macia quanto, que é curta o suficiente para chegar talvez aos joelhos de Kaan.

Ou seja, deve ficar gigante em mim.

Dou de ombros e coloco a calça, descobrindo que ela tem um cordão que me permite prendê-la na cintura.

Mantenho o cabelo preso sob a camisa grande que agora expõe meu ombro enquanto me arrasto de volta à cama. Ajeito os cobertores em volta de mim apesar do calor úmido, escondo a escama e as amarras cortadas debaixo das cobertas enquanto vigio a porta.

Dando tempo para Kaan dormir, eu espero — enterrada no cheiro de creme e pedra derretida.

A tempestade uiva, a chuva cai sobre o telhado e bate na janela pequena. O espaço me parece escuro e sombrio enquanto espero o momento certo, cutucando a pele ao lado dos dedos, imaginando todas as coisas sangrentas que farei com o homem que matou Essi e fez picadinho das minhas costas.

Estou indo atrás de você, Rekk Zharos....

Seu maldito.

Mas, primeiro, tenho que escapar de um rei.

A bro a porta, minha respiração suave e constante. Minha mente está calma, estável por aquele lugar tranquilo para onde vou quando tenho um trabalho a fazer.

Com a escama na mão direita, me dirijo para a escada, sincronizando meus movimentos com a batida feroz da tempestade que açoita a casa, arrastando a mão esquerda pela parede para me firmar. Desço em direção ao térreo, com movimentos suaves e lentos, a quatro passos do final quando um raio acende o cômodo.

Acende *ele*.

Minha bochecha esquenta, o trovão ressoa enquanto eu consumo a visão de Kaan Vaegor esticado no enorme sofá.

Pelado.

Mais um relâmpago e vejo a manta fofa sobre sua virilha, cobrindo *aquela* parte do corpo, mas deixando à mostra as cicatrizes e o porte feroz e formidável.

Criadores.

Ele é tão grande que as pernas ficam penduradas na ponta do sofá, com os pés apoiados no chão e as pernas entreabertas.

Outro trovão e engulo em seco, erguendo o olhar para o observar, com um travesseiro embaixo da cabeça inclinado para o lado, os dois braços enfiados embaixo dele...

Balanço a cabeça, admirando.

Tive muito tempo para pensar enquanto estava sentada no quarto, envolvida em seu cheiro, esperando até ter certeza de que ele estaria dormindo. Percebi que ele me mostrou bondade quando eu não lhe mostrei nenhuma. Com certeza não fiz nada para merecer a *dele*.

E o modo como ele me olhou enquanto eu ria...

Exalo um suspiro lento e silencioso, observando a inclinação relaxada de seu rosto. Tranquilo.

Sereno.

Meus dedos coçam, mas não com a necessidade de matar. Não é a sensação que tenho quando penso no homem que estou prestes a caçar.

Eles coçam com a necessidade de *tocar*. De traçar a linha robusta das sobrancelhas, depois o nariz — um pouquinho torto. Como se alguém tivesse lhe dado um soco uma vez e Kaan não tivesse se dado ao trabalho de colocá-lo de volta no lugar.

A vontade de enfiar as mãos em sua barba espessa e puxá-la, depois acariciar seus ombros, o peito como pedra. De traçar as depressões em sua barriga, descendo pela trilha de pelos pretos e lisos que passa por baixo do cobertor...

Fico vermelha enquanto meu corpo todo esquenta.

De todas as coisas que já vi em minha vida, ele é uma das mais magníficas. Posso admitir isso para mim mesma agora que estamos nos separando.

Mais um motivo para eu ir embora.

Talvez ele seja um bom homem. Um rei bom e honrado. Não tenho coragem de descobrir. Eu sou toda errada de uma forma que ele nunca entenderá, condenada a uma existência solitária com a qual já me acostumei.

Portanto, não, eu não quero matá-lo. Não mais.

Tudo o que quero é me ver livre dele.

Encaro a porta e me afasto dos últimos degraus, passando na ponta dos pés pela poltrona. Minha mão está se acomodando na maçaneta da porta quando minha mente percebe o eco assombroso de suas últimas palavras. Palavras que eu mal havia absorvido quando Kaan as disse, pois estava muito concentrada em outras coisas.

"A única saída é descendo as escadas e escapando pela porta dos fundos. Isso se você conseguir passar por mim sem fazer barulho, já que estarei dormindo na poltrona. Se conseguir, vou adorar caçar você, então fique à vontade."

Um arrepio me percorre enquanto analiso a convicção em seu tom, com a nítida impressão de que nem mesmo uma *queda de lua* o impediria de me encontrar...

Olhando por cima do ombro, meu coração bate forte.

Mais forte.

Que merda. *Tenho* que o matar. Senão, nunca me livrarei dele. Ele vai me assombrar. Me assombrar *de verdade*... do jeito que prometeu.

Essa sensação estranha rasga minha garganta. Como se fosse uma garra subindo pelas camadas de carne, músculos e tendões, apertando a traqueia, reforçando o aperto.

Me sufocando.

Percebo com um sobressalto que estou *hesitando*.

De novo.

Não sei o que devo pensar disso. Nunca havia lidado com isso antes de este homem aparecer. Eu mato. É isso que eu faço. Se alguém precisa ser eliminado, eu o mato.

Essa decisão devia ser fácil. Ele está no caminho. Tire-o do caminho.

Por que não é fácil?

Fecho os olhos, voltando ao momento em que descobri que ele é um dos três reis Vaegor. À raiva que senti, reforçada por tudo que eu sabia das coisas horríveis que, de acordo com os boatos, ele tinha feito.

Coisas monstruosas. Hediondas, coisas imperdoáveis.

O mundo será um lugar melhor com um irmão Vaegor tirânico a menos.

Sim. É isso.

Esse é o gancho.

Fecho a boca em torno da ponta afiada do pensamento enquanto procuro dentro de mim aquilo que me permite afastar todas as emoções que sinto por Kaan, até sobrar apenas um mero esqueleto que deixo em minha margem interna; junto toda a curiosidade crescente e começo de consideração e amarro em uma pedra. Com uma forte determinação, eu me arrasto pelo meu lago, com fragmentos de luz prateada surgindo por baixo do gelo, como se algo brilhante e chamativo estivesse deslizando pela água.

Me seguindo.

Eu sinto um arrepio, coloco a pedra em um buraco esculpido na vastidão escura, depois limpo as mãos.

Pronto.

Já vai tarde.

A presença enorme e luminosa avança em um movimento rápido, parecendo perseguir a pedra como um predador caçando sua presa. Seu brilho desaparecendo nas profundezas com um zunido ondulante que faz com que a água gelada suba pelo buraco e se espalhe pelos meus pés.

Sem conseguir respirar, pisco algumas vezes e volto para o presente, com o coração batendo forte e depressa...

Ela nunca perseguiu algo que eu tenha descartado antes. Pelo menos, não que eu tenha notado.

Um calafrio sobe pela minha espinha e eu balanço a cabeça, me concentrando, ignorando o que quer que tenha acontecido.

Preciso fazer isso.

Cair fora.

Ir atrás de Rekk Zharos.

Com uma indiferença absoluta em relação ao meu alvo adormecido, eu me aproximo do assento, com a escama de Rygun firme em minha mão. Em um movimento rápido, eu me posiciono sobre o rei, apontando a arma afiada para seu pescoço...

Kaan abre os olhos, brilhando como potes de brasas crepitantes, enquanto meu lago interno entra em *erupção* — o feixe complexo de emoções descartadas é cuspido de volta em mim, batendo em meu coração, onde afunda entre as fendas, se infiltrando em todo meu ser.

Eu ofego, atravessada pelo fogo nos olhos de Kaan. Pela força do *sentimento* que acabou de me infectar como uma doença — dez vezes mais potente do que era quando o joguei fora.

Um gemido escapa quando reprimo a vontade de enfiar a mão entre minhas costelas, abrindo um buraco em minha cavidade torácica. Para coçar o órgão pulsante como se fosse uma picada de inseto, ou talvez enfiar meus dedos bem fundo e retirar essa... *sensação.*

Pesada. Inchada.

Viva.

As narinas dele se dilatam, seu olhar se volta para meu braço machucado e depois para meus olhos, enquanto inspiro e expiro. Enquanto duelo com minha determinação fraca, tentando entender por que meu desejo de matá-lo se transformou em uma poça de desespero para estar mais perto.

Não apenas mais *perto...*

O mais próximo que pudermos estar.

Essa necessidade estranha de beijá-lo corre em minhas veias. De nos chocarmos um contra o outro até nos fundirmos de maneiras intangíveis. De saboreá-lo e senti-lo se mover dentro de mim.

Um estremecimento delicioso e faminto sobe por minha espinha.

Outro relâmpago acende a ferocidade de seu olhar e seu peito se acalma, como se todo o fôlego tivesse acabado de sair do pulmão.

Mais devagar do que o nascer da aurora, ele tira os braços de baixo da cabeça, uma mão forte pousa em minha cintura. Segurando com força. A outra mão se acomoda na lateral do meu rosto, embalando-o de uma forma que parece familiar de um jeito estarrecedor. Tão *certo* que me faz querer quebrar meu coração pulsante em pedaços porque, sem dúvida, ele está confuso.

— Estou vendo você, Raeve...

Não consigo respirar, e a escama ainda está encaixada no pescoço de Kaan.

— Eu não... não sei o que...

— *Você* — rosna ele, apertando a lateral do meu rosto com um puxão carinhoso, os olhos iluminados com um brilho esmagador. — Eu estou vendo *você*, porra.

Sua voz é como uma ferida irregular — crua e sangrenta. Dolorosa de uma forma que faz com que a sensação em meu peito arda com uma pulsação mais profunda e destrutiva que fico *desesperada* para remover. Ou, no mínimo, para me distrair dela.

É muito real. Muito lancinante.

E isso...

Por que isso parece tão certo?

A sala se acende de novo, iluminando-o com detalhes devastadores. Corpo forte e orgulhoso, com cicatrizes demais para contar, cabelo desgrenhado, lábios com uma forma perfeita e macia que imagino pressionados nos meus, se movendo com os meus, *reivindicando* os meus...

Caralho.

— Do que você precisa, Raio de Lua?

Ceder a essa comichão primitiva na esperança de que isso aplaque a faca emocional agora alojada em meu peito.

Com movimentos desajeitados, alcanço o cós da minha calça, solto a amarra e afrouxo o material apertado antes de agarrar a mão dele que está na minha cintura e a empurrar para baixo, na frente do meu corpo.

Um som estrondoso emana de seu peito, vibrando por minhas pernas abertas e me encontrando, macia, agora pulsando com uma batida faminta. Uma sensação na qual pretendo cair de cabeça, com uma venda nos olhos.

— Quer que eu toque em você?

As palavras são uma faísca que desce por minha espinha.

Mais baixo.

Meus músculos se afrouxam, fazendo minha carne esquentar enquanto eu concordo com a cabeça, em um movimento rápido e desesperado.

— Sim — imploro, mexendo os quadris, tentando roçar em seus dedos que não estão bem onde quero. — *Por favor.*

Ele rosna, a virilidade grossa inchando sob minha bunda, ficando dura como uma rocha. Outro movimento meu incendeia cada nervo naquele ponto sensível entre minhas pernas e eu gemo, um som profundo e inebriante que é como uma fratura de desejo na sala.

Kaan aproxima a mão do meu centro sensível, fazendo com que meu corpo se arrepie, meus mamilos se contraiam em picos duros e doloridos, esperando pela sensação áspera de sua pele na minha suavidade desejosa.

Eu estou latejando de ansiedade, sabendo que ele está perto.

Muito perto.

Minha respiração falha de novo quando ele passa o dedo pela minha carne molhada, a provocação suave me atinge como um raio de prazer voraz.

— Pode me cortar se quiser que eu pare — diz ele, a voz rouca, o polegar deslizando pela minha bochecha. — Terei o maior *prazer* em sangrar embaixo de você, portanto não seja tímida.

— *Toca em mim* — gemo, minha voz estridente com uma necessidade que não reconheço.

Não em mim mesma.

Seus dedos percorrem minha extensão exposta, trilhando ao redor de minha fenda inchada e excitada.

Minha mente se confunde — *esvazia* — e outro gemido profundo e inebriante sobe pela minha garganta.

Ele também geme, rouco, enquanto traça um caminho, círculos lentos e firmes que me atiçam e me desfazem no mesmo movimento delicioso. Ele tira a outra mão do meu rosto e a enfia por baixo da camiseta roubada, apalpando meu seio dolorido, brincando com o mamilo, enviando zumbidos de prazer elétrico por todos os meus ligamentos delicados.

Puta merda.

Jogo a cabeça para trás, o lábio inferior preso entre os dentes.

Me entregando aos movimentos dele.

— *Mais* — gemo, e ele belisca o pico sensível.

Eu ofego, com a atenção voltada para meus seios, e então levo um choque quando ele enfia dois dedos em mim.

Eu gemo para o céu agitado enquanto ele estoca bem fundo, depois fica imóvel.

Mantém os dedos ali.

Outro toque em meu mamilo, outra pontada de prazer que se derrama em mim.

— Pegue o que você quiser, Raio de Lua.

As palavras provocam algo dentro de mim, minha mente se dispersa para algum lugar brilhante e arejado.

Um sonho, talvez.

Algum lugar com cheiro de sal, especiarias e flores doces e suculentas. Um lugar onde a única coisa que importa é... *isso*.

Nós.

Eu me liberto da luminosa linha de pensamento tecida sob meu lago gelado.

Desesperada para afastar do meu peito aquela sensação de *certeza*, tão linda e impossível, persigo a pulsação de êxtase entre minhas coxas afastadas. Essa distração inebriante e primitiva que consigo compreender.

— Eu preciso de você — gemo, jogando a escama de lado, ouvindo-a se espatifar no chão. — Agora.

— Sou *todo* seu, porra.

— Não, eu preciso de *você* — rosno, tentando nos trocar de lado.

Parecendo entender, ele emite um som gutural e, em um movimento rápido e poderoso, nos vira, me fazendo parar de respirar.

Ele puxa minha calça e a joga de lado, minhas pernas agora abertas embaixo dele. Meu núcleo excitado, exposto, dolorido e pronto para receber seu membro grosso e duro, que agora está encostado na parte interna da minha coxa nua.

Estou prestes a me mover e segurá-lo — guiá-lo à minha abertura latejante — quando o vejo olhando para mim com a intensidade de um deserto ressequido, desesperado por uma gota de chuva que seja. O tipo de olhar que *consome*. Que agarra as cordas do coração e as trança pela eternidade... unindo-as para sempre.

Será que ele não vê que as cordas do meu coração são grossas e desgastadas?

Ele segura minha perna com a mão calejada, bem perto do meu joelho. Me exponho ainda mais. A outra mão se aproxima e cobre a lateral do meu rosto com uma ternura cativante, seu polegar se arrastando para a frente e para trás em meus lábios entreabertos.

Meus batimentos desaceleram...

Param.

Ele é tão lindo, se derramando sobre mim como lava derretida. Tão, tão lindo que é tentador deixá-lo cair na ilusão que acho que ele está criando a meu respeito.

A *nosso* respeito.

Tomá-lo em meu corpo e lhe dar um pouco do que ele está buscando de forma tão óbvia em meus olhos.

— Tem certeza de que quer isso, Raio de Lua?

As palavras profundas e ásperas soam roucas e cortantes... mas, de alguma forma, não são. De alguma forma, são as palavras mais gentis que já ouvi.

"Pode me cortar se quiser que eu pare..."

"Pegue o que você quiser..."

"Tem certeza de que quer isso, Raio de Lua?"

Criadores.

Ele com certeza não é o monstro que eu pensava que era.

— Toda — respondo, com a voz áspera, inclinando a cintura para oferecer um ângulo melhor. — Quero você *dentro* de mim, Kaan Vaegor.

Ele geme, as pálpebras se abaixam ao me olhar de novo com outra onda de intensidade tenra que se sobrepõe à ânsia entre minhas pernas. Faz com que o desejo no meu peito se acenda com vigor renovado e, de repente, tenho certeza de que uma mão mergulhou na minha garganta, perfurou a lateral do meu esôfago e agarrou meu coração de pedra.

Ele toca em si mesmo, alinhando o corpo com o meu conforme digo:

— Mas, primeiro, você tem que parar de olhar para mim como se isso fosse mais que uma foda.

Ele se encolhe, como se tivesse sido atingido pela ponta de metal de um chicote farpado.

— Você só está procurando por alívio, *nada além disso*?

Concordo, rebolando a cintura.

— Certo. — Outro relâmpago, e vejo que seus olhos se fecharem. — Bem... você não vai encontrar isso aqui, Prisioneira Setenta e Três.

Sua voz é monótona.

Desconexa.

Separado de... seja lá o que for *isso*.

Ele se ajoelha, soltando minha perna, me deixando aberta e exposta — sua virilidade grossa está ereta e a postos; cheia de veias, com uma gota perolada de sêmen vazando da ponta.

Ele afasta o cabelo do rosto, e mantém os lábios apertados em uma linha firme, enquanto a confusão se debate sob minhas costelas.

Ele está... *me zoando*?

Ele está pronto, ele quer isso. E eu estou aqui, implorando. Por que não um pouco de alívio para que possamos seguir em frente?

Pisco, olhando para os olhos dele, os meus arregalados.

— O que você está...

— Levante e volte para o quarto. Descanse um pouco. Teremos uma viagem longa e ininterrupta quando a tempestade passar.

Seu tom é tão frio que, por um momento, eu não respiro. Não me mexo.

Abro minha boca...

— *Levante. Agora. Porra.*

As palavras ecoam pela sala com tamanha violência que tenho certeza de que serei esmagada por elas se não me mexer.

Rápido.

Desço da poltrona e pego minha calça descartada, segurando-a junto ao peito enquanto me aproximo da escada, olhando nos olhos dele enquanto minhas bochechas ardem com uma vergonha que não entendo.

Não *quero* entender.

Sacudindo a cabeça, eu me viro e subo correndo a escada acompanhando o retumbar da tempestade estrondosa.

Raeve

CAPÍTULO 36

Bato a porta e me apoio nela, com o pulmão arfando e o coração acelerado. Ainda corada e cheia de *desejo* entre minhas pernas trêmulas.

Que porra foi essa?

Tiro o cabelo do rosto, resmungando ao sentir o cheiro *dele* que agora mancha a ponta dos meus dedos. Como se ele tivesse se infiltrado em meus poros e se fundido comigo, criando um aroma que é *nosso* de um modo tão carnal.

E o cheiro é bom. Tão bom que parte de mim quer descer as escadas agora mesmo e pedir desculpas. Deixar que ele me foda como se isso entre nós dois significasse algo. Deixá-lo entrar no meu coração.

Na parte *estúpida*.

Um relâmpago ilumina o quarto, e meu olhar se estreita na janela iluminada que está sendo atingida pela tempestade, minha cabeça se inclina para o lado quando um trovão sacode a vidraça...

Sou pequena o bastante para conseguir passar por ali.

Só o suficiente.

Na verdade... desse lado da casa há uma treliça bastante conveniente para eu usar como escada!

Obrigada, pequena casa torta.

Sorrio e empurro a porta, atravessando o cômodo enquanto visto minha calça curta e prendo na cintura, enfiando a camisa para dentro, assim há menos de mim para enroscar em algo. Talvez eu não seja capaz de matar Kaan Vaegor, mas ainda preciso fugir.

Para longe, muito longe, antes que mais danos sejam causados.

Subo na cama elevada e depois na mesa lateral.

Ao chegar à janela, olho por cima do ombro até a porta antes de abrir o trinco e empurrar a vidraça. A tempestade está batendo no telhado como mil mãos espalmadas — uma distração estrondosa para o sonzinho que sai das dobradiças da janela.

Enfiando o braço pelo buraco, me agarro à treliça e me arrasto até o dilúvio, os pés formigando com uma onda de paranoia. Não tenho tempo para remoer a sensação estranha das gotas pesadas de chuva atingindo minha pele enquanto escapo.

Caia fora... caia fora... caia fora...

Eu me seguro na treliça, tentando evitar a folhagem exuberante e cheia de frutas enquanto desço, caindo ensopada no chão também encharcado que espremo entre meus pés. Uma pequena sensação de vitória pulsa em minhas veias e corro para a trilha da floresta, meu coração batendo no ritmo da tempestade furiosa.

Estou fora. Estou livre.

Agora é hora de colocar uma distância entre nós.

Minha mente se volta para uma época diferente, uma região diferente. Quando eu estava fugindo de um lugar vil durante outro tipo de tempestade, correndo por entre redemoinhos de neve que grudavam no meu cabelo e ameaçavam fechar meus cílios.

É difícil ignorar a grande diferença. Naquele momento, eu estava fugindo de um lugar de dor, fome e sofrimento. Agora, estou escapando de um lugar de prazer, refeições saudáveis e risadas de doer a barriga.

Não pense nisso. É o certo a se fazer.

Isso é o certo.

Todas essas coisas boas não são para você.

Repito para mim mesma a cada passo que dou entre poças e troncos caídos, a folhagem densa da selva parecendo me engolir enquanto traço o caminho que percorremos para chegar aqui, ao mesmo tempo que a tempestade grita e estremece. Desacelerando, chego à clareira onde Rygun aterrissou antes, aliviada por ver que a fera não voltou.

A chuva torrencial cai ao meu redor e eu olho para a direita, observando o penhasco íngreme que margeia o planalto.

Se correr naquela direção, não há muitos lugares para onde eu possa ir. E, com um rei guerreiro — que deve estar familiarizado com essas montanhas — decidido a me caçar, serei pega em pouco tempo.

Mas se eu *descer*...

Posso seguir o rio até o muro. Terei um suprimento constante de água potável, uma vista maravilhosa do rio Ahgt e a cobertura de sombra das árvores da costa.

O que mais eu poderia querer?

Corro para a esquerda, parando um momento para olhar o penhasco e mapear o caminho que escolhi.

— Criadores — murmuro.

O penhasco é uma queda vertical que se nivela em outro planalto, abrigando uma foz agitada que é alimentada pela cachoeira cujo fluxo agora está inverso, com a água subindo em vez de cair. A piscina transborda, na direção de outro penhasco, onde deságua em uma segunda foz bem abaixo — a que eu vi quando chegamos. Ainda que ela não esteja nem um pouco parecida com o que era antes.

Agora é uma foz de captação inchada jorrando água no desfiladeiro com uma força perigosa.

Estremeço.

Não é o ideal, mas é isso ou o penhasco atrás de mim e um provável beco sem saída.

A chuva diminui um pouco, um único feixe de luz atravessando as grandes nuvens acima...

Dou de ombros, interpretando isso como um sinal.

Ao me virar, empurro a algema de ferro mais para cima para não atrapalhar, dando uma olhada na passarela de selva antes de me agachar. Passo meus pés pela margem, encontro um ponto de apoio na pedra e lanço o corpo, engolindo o aperto no peito que sempre sinto quando estou pendurada na borda de algo traiçoeiro.

A pedra é escorregadia, mas resistente o bastante para que eu possa escalar em uma progressão semiconfiante, com movimentos rápidos e metódicos.

Ao me aproximar da base do penhasco, salto os últimos metros, aterrissando no gramado do planalto. Eu corro em direção à borda da piscina para ver a água revoltosa batendo nas laterais, embora ainda esteja a alguns metros de desafiar as amplas margens de segurança da ribanceira.

Vai dar certo.

Por um momento, observo a cachoeira inversa, que se precipita sobre a borda com tanta força que é difícil não ficar maravilhada...

Rayne é uma Criadora extraordinária. Uma força tão dominante.

Eu me viro, me aproximando da ponta do penhasco, quando um movimento rápido arrebata meu olhar. Um bando de pássaros marrons saindo da selva, gritando enquanto disparam para o céu.

Meu coração vai parar na garganta.

Os pássaros não voam durante as tempestades, todo mundo sabe disso. Eles se agacham. Se escondem.

Será que se assustaram com alguma coisa?

Uma semente profunda de compreensão se afunda meu peito, me atravessando com raízes ardentes de adrenalina.

Ele está vindo.

Merda.

Começo a descer o penhasco, sem me preocupar em verificar o posicionamento de minhas mãos. Rasgando meus dedos e pés com o frenesi de minha descida desgastada.

Se Kaan me encontrar, não terei como fugir de novo. Pelos Criadores, ele não vai tirar aqueles malditos olhos de mim.

Um rangido terrível rasga o ar, e olho para cima a tempo de ver uma explosão de água — uma torrente de trovão, pedras e árvores arrancadas — vindo em minha direção tão rápido que mal tenho tempo de respirar antes de ser atingida, arrancada da parede.

Algo duro bate na minha cabeça.

Fica tudo escuro.

Registro no diário

Elluin Neván

Idade: 18 fases
5.000.039 fases Depois da Pedra

Eles vieram me buscar enquanto eu estava dormindo, enrolada sob as peles na cama de mãin e paih, como fazia quando estava doente. Onde eles cantavam canções que sempre me faziam sentir melhor.

Eles vieram me buscar com uma comitiva de guardas cheios de contas do Lume, do Grado e da cidade neutra de Bothaim, residência do Tri-Conselho.

Eles deviam saber que eu lutaria apesar de meu estado de fraqueza, pois me alvejaram com um pino de ferro antes mesmo de eu abrir os olhos.

Covardes de merda.

Permitiram que eu pegasse uma única sacola com meus pertences antes de colocarem um véu em mim, me algemarem com ferro e me escoltarem para fora da suíte de dormir. Os ajudantes de mãin e paih devem ter lutado, pois também estavam amarrados, de joelhos, sendo vigiados ao longo dos corredores, enquanto eu era levada para fora, para onde uma trovoada de fundíferas estava empoleirada ao longo dos muros de Arithia. Sobre os telhados dos prédios de Arithia e voando pelo céu, soprando chamas alaranjadas e fazendo as pessoas da cidade gritarem.

Disseram que eles não vieram para conquistar meu reino. Que estão apenas ajudando a protegê-lo até que eu possa me unir ao homem que foi escolhido para mim pelo Tri-Conselho.

A porra do Tyroth Vaegor.

Um dos três filhos do rei Ostern. O que tem olhos cruéis. O homem que paih prometeu que não me trocaria nem por todos os grãos do mundo.

Eu gritei com eles. Disse que preferia apodrecer. Ganhei um tapa na lateral da cabeça de um dos guardas do Lume.

Tudo ficou escuro por um tempo.

Recobrei a consciência nas costas do maior fundífera que eu já tinha visto. Slátra nos seguiu, gritando sem parar, por todo o caminho até a Fortaleza Imperial, perto da capital do Grado, onde passaremos o torpor.

Agora não consigo dormir. Não posso fazer nada a não ser olhar pela janela, cuidar desse peito repleto de luto e ver Slátra passar pelas nuvens coloridas, lançando chamas geladas, enquanto meus fundíferas de escolta continuam tentando levá-la de volta para as sombras do Breu.

Assim que a aurora nasce, estamos prontos para voar pelas Planícies Boltânicas, direto para a ilusória capital do Lume... Dhoma. Lá, passarei as próximas três fases aguardando até atingir a idade de coroação, após a qual Tyroth e eu faremos nosso liame. Até lá, seria "estranho" se eu vivesse sob o mesmo teto que o homem agora encarregado de governar meu reino.

Meu. Reino.

Mais cedo, enquanto eu estava aqui sentada vendo Slátra arrancar três fundíferas do céu e fritar as penas de muitos outros, a jovem rainha do Grado veio me visitar em meu quarto de hóspedes. Ofereceu remover o pino de ferro de minha coxa.

Conversamos em voz baixa enquanto ela trabalhava, e ela se desculpou pelas ações de seu homem — o rei Cadok Vaegor —, que ofereceu sua ajuda ao Tri-Conselho e enviou sua tropa de mercenários fundíferas para me capturar.

Tive a sensação de que ela se arrepende de ter deixado o homem "entrar em seu espaço de sono", concebendo um petiz que os forçou a um liame que uniu o Lume e o Grado em um nó firme.

Tirei o véu e deixei que ela visse meu rosto, esquelético como está.

Ela me envolveu em um abraço forte e caloroso, me lembrando que ainda há bondade no mundo.

Juntas, assistimos a Slátra travar uma guerra solitária até que a rainha terminou de remendar meu ferimento e se retirou para seus aposentos. Ainda assim, descanso no peitoril da janela, que foi runado para evitar minha fuga, e rezo para Clode, apesar do silêncio assustador provocado por essas algemas de ferro.

Peço a ela que diga a Slátra para lutar sua batalha neste torpor, mas, assim que a aurora nascer, que dê meia-volta. Que volte para Arithia, se enrosque na capoeira e espere por mim.

Plumaluas não sobrevivem ao sol, e eu não posso perdê-la. Meu coração não aguenta mais um golpe.

Prefiro morrer a vê-la se transformar em pedra.

Raeve

CAPÍTULO 38

A água fria espirra em meu rosto, me fazendo recobrar a consciência. Uma pancada incessante na têmpora me faz achar que talvez tenha rachado o crânio.

A água corrente arrasta minhas pernas enquanto me agarro a algo redondo, com os braços sobre a curva do objeto e a bochecha pressionada contra a superfície nodosa. Deve ser uma árvore.

Em algum momento, devo ter tido força suficiente para me agarrar a alguma coisa que flutuava, me salvando do afogamento certo. Que bom.

Abro os olhos para uma mancha de água alaranjada e o céu azul acima, com a aurora do meio-dya. Penhascos pálidos e avermelhados ladeiam o rio que estou percorrendo em ritmo acelerado. Um desfiladeiro, mas não se parece com aquele pelo qual voamos para chegar à habitação. Isso significa que eu me afastei mais, ainda que, levando em conta a cor rica dos penhascos, não o suficiente para me distanciar do Lume.

Merda.

Acho que vou desmaiar um pouco mais. Dormir para não sentir esse estrondo desenfreado em minha cabeça. Com sorte, acordarei mais perto do muro.

Deixo minhas pálpebras pesadas se fecharem...

— *Gafto'in nahh teil aygh' atinvah!* — As palavras grosseiras ecoam pelo desfiladeiro, me cutucando. — *Agní de, agní.*

Essa não é uma língua que eu já tenha ouvido.

Talvez seja melhor averiguar.

Levanto a cabeça, viro, depois encosto a bochecha esquerda no tronco e abro os olhos. Uma forma grande está correndo ao longo da margem estreita, tentando acompanhar meu ritmo. Acho que é um homem.

Tenho certeza de que ele não pode me alcançar dali, o que é bom.

Estou muito cansada para fazer paradas.

— Oi.

Tchau.

Fecho os olhos de novo.

O tronco para de repente, me projetando com tanta força que quase caio. Resmungo e, ao abrir os olhos, vejo que estou presa em detritos, e meu tronco bate e se encaixa em uma pilha de árvores derrubadas.

A figura embaçada se aproxima, gritando mais palavras que não entendo. Mas acho que ele não está gritando comigo, pois sua cabeça está voltada para outra direção, embora ele continue apontando para mim.

Um pavor frio corre em minhas veias, uma sensação inerente que me diz que preciso me levantar.

Agora.

Tiro um braço pesado do tronco, depois o outro, e mergulho na água de imediato, perdendo contra sua força agitada — percebendo meu erro já que não tenho energia para chutar ou me flutuar até a superfície.

Meu pulmão se rebela, lutando para respirar, sugando um bocado de água que parece tão pesada e *errada*...

Mãos me agarram.

Sou arrastada para o céu, puxada em direção à ribanceira e tirada da água, com destino à borda acentuada da costa antes de ser jogada no chão com tanta força que toda a umidade que suguei é logo expelida em uma ânsia de vômito.

A água lamacenta jorra, sem discriminar meu cabelo encharcado e a terra que estou visando, e o ar entra em meu pulmão entre tosses que estalam no peito.

Minha barriga e meu peito continuam a convulsionar em sincronia cambaleante, enquanto eu olho de relance para minha companhia entre as agitações violentas.

É um homem enorme e musculoso, de olhos amarelos como um clarão do sol, vestindo calça de couro que pende da cintura bem definida. Ele está repleto de cicatrizes pálidas, e o longo cabelo ruivo é adornado com espirais de fios de cobre. A tira de couro presa em seu peito está carregada com uma série de armas requintadas — lâminas de escamadraco e lâminas de bronze em forma de pétalas esguias, semelhantes à que Kaan tem. Há também uma ferramenta parecida com um gancho, parecida com a que eu vi sendo usada para puxar aquele enguieixe de baixo do gelo ao sul do muro.

No que eu me meti agora?

O homem se abaixa e sua mão enorme com cicatrizes aponta para minha algema de ferro.

— *Guil dee nahh?* — pergunta.

E eu balanço a cabeça, imaginando que ele deve estar perguntando sobre a evidência do meu aprisionamento no passado.

— É só enfeite. — Arroto, seguido por outro jato de vômito. — Não é — *mais vômito* — lindo?

Sem dúvida, não gostaria que ele pensasse que sou uma prisioneira fugitiva que evitou por pouco ser dilacerada por uma trovoada de fundíferas. Talvez eu acabe voltando para lá de novo.

O homem se vira, gritando mais palavras desconhecidas para outro ao longe, que está de pé na borda severa da costa, tirando os detritos da tempestade de uma rede de pesca danificada.

Estou tão ocupada vomitando as tripas no chão que levo muito tempo para perceber as marcas nas costas do homem mais próximo de mim. Uma tatuagem pontilhada de algum tipo de pássaro, com as asas esticadas em torno da costela, como se o estivesse abraçando por trás.

Eu franzo a testa — *vômito* —, continuo franzindo a testa.

Isso me faz lembrar dos pontos que compõem a... a tatuagem de Kaan.

Quando enfim me dou conta, sinto outra onda de água subindo pela minha garganta e espirrando no chão.

Guerreiros das Planícies Boltânicas.

Deve ter sido aqui que Kaan passou a adolescência.

Minha náusea diminui no mesmo instante e começo a xingar, usando a parte de trás do braço para limpar meus lábios trêmulos.

Mais gritos no idioma que não reconheço, e agora outro homem corre em nossa direção. O que está mais próximo agarra meu braço e me ajuda a ficar de joelho.

Há muitos clãs espalhados por essa terra devastada, rachada e granulosa, onde ninguém mais tem a vontade de ganhar a vida, e parece que caí nas garras de duas dessas pessoas cujo modo de vida é ainda *mais* misterioso do que o daqueles que residem perto de Dhoma.

Mas de uma coisa eu sei.

Esses clãs produzem guerreiros com habilidades inigualáveis.

Acho melhor evitar esse lugar.

O homem diante de mim se ajoelha, a barba avermelhada escondendo metade do rosto bronzeado e cheio de sardas, e seu olhar cortante me atravessa. Ele estende a mão para a frente e levanta um fio de meu cabelo encharcado.

— *Achten de. Kholu perhaas?* — diz ele, apontando para o longo fio de cabelo envolto em vômito enrolado em sua palma, olhando para o outro homem que agora se aproxima, este dando de ombros. — *Sheith vené Rivuur Ahgt... en?*

Recolho meu cabelo e empurro a mão dele para longe.

Ele franze a testa e me agarra pelo ombro, me ajudando a ficar de pé. Assim que coloco os pés no chão, eu me solto de seu aperto, dando um passo para trás, erguendo uma mão para segurar minha têmpora latejante.

— *Acht etin aio?* — pergunta o homem, gesticulando para mim.

— Eu não entendo.

Ele leva a mão à têmpora — no mesmo local onde a minha está latejando — e suas próximas palavras são ditas tão devagar que é óbvio que ele está tentando me ajudar a compreender.

— *Surva etin agaviein?*

Ele está perguntando como bati com a cabeça?

— Eu caí de um penhasco.

Sua careta se aprofunda e ele murmura algo para o homem a seu lado — mais palavras que não entendo.

Posso dizer, pelos olhares que me dirigem e pela linguagem corporal geral, que eles estão discutindo como me levar daqui para *outro lugar*. Não quero descobrir onde é esse lugar nem o que eles querem fazer comigo lá. Estou com dor de cabeça. A última coisa que tenho vontade de fazer é quebrar pescoços.

A menos que seja o de Rekk, é claro.

— Bem, isso foi ótimo, mas tenho que pegar uma árvore — falo, sacudindo o polegar em direção ao rio caudaloso que parece muito diferente de como estava no ciclo anterior, agora tão alaranjado e cheio de detritos, sem dúvida arrancados pela tempestade. Para meu azar, ele não está nem de longe tão tranquilo e convidativo, não que isso vá me impedir de pular nele no momento em que outro tronco passar.

Os homens se olham com incerteza, trocando de novo aquelas palavras estrangeiras antes de avançarem como um só — quase pisando na minha poça de sopa meio digerida.

A rigidez resoluta em seus olhos enrijece minha espinha.

Que merda.

Parece que não vou esperar por outro tronco, afinal.

Giro, prestes a pular no rio jorrante, quando um borrão de movimento chama minha atenção até o penhasco no lado oposto.

Um pedaço de rocha se desloca, despencando antes de bater contra a margem do rio abaixo. Eu não acharia estranho se não fosse pelas marcas de garras que também traçam o penhasco, como se algo invisível estivesse *escalando*.

Franzo a testa.

Bati a cabeça com força demais?

— *Jakah tu...*

Olho para trás e vejo os dois homens encarando o outro lado do rio com os olhos arregalados, a pele tão pálida que as sardas se destacam em uma diferença gritante.

Talvez eu *não* esteja vendo coisas...

Ouço um uivo agudo e viro a cabeça para trás, vendo uma enorme mancha metálica agora pousada na margem oposta, contrastando com os tons quentes da pedra.

— O que está acontecendo? — murmuro, pronta para pular no rio e nunca saber a resposta para esse enigma em particular.

A forma se torna mais nítida, se transformando em uma fera prateada e peluda que parece que poderia me engolir em duas bocadas, com sabres metálicos gêmeos saindo de cada lado da mandíbula superior — tão longos que ultrapassam o queixo.

Os grandes olhos pálidos me olham fixamente, sem piscar, atravessados por uma linha de ardósia que contrai e aperta.

Contrai e aperta.

Como se ele estivesse imaginando o gosto que eu teria se fosse golpeada por sua bocarra mastigadora.

— *Condu Destih*! — grita um dos homens atrás de mim, apontando para além. Como se eu já não pudesse ver a enorme criatura empoleirada do outro lado do rio, sem dúvida grande o suficiente para engolir nós três.

— Espero de todo coração que essa coisa não consiga...

Ele *salta*.

Meu coração para.

Por um momento, tudo o que vejo é a criatura enorme voando pelo ar, com as garras estendidas e dentes à mostra, como se estivesse prestes a me caçar. Até que um dos homens agarra meu braço e me puxa para trás.

Eu caio como uma meleca, e um baque forte me diz que a criatura aterrissou no nosso lado da margem.

Puta merda.

Eu me esforço para me levantar de novo.

Para *fugir*.

Por fim consigo me levantar e me viro, encontrando o animal entre nós e o rio. Ele é uma mistura de névoa prateada quase transparente e um felino forte e robusto, com uma cauda tufosa e uma juba esvoaçante que se emaranha com o vento. Como se os fios estivessem dançando com Clode.

Meu coração salta para a garganta quando ele senta, apoiado na traseira enorme e poderosa, com as pontas perfurantes de seus sabres quase riscando o chão.

Ele me olha bem nos olhos, levanta o lábio superior e *rosna*.

Eu suspiro.

Sobrevivi a uma trovoada de fundíferas e quase morri engasgada com saliva de ceifassabre para ser comida por *essa* coisa?

— *Conduh Destih gah te nahh* — diz um dos homens ao meu lado, com o tom de voz carregado de admiração. — *Conduh Destih. Conduh Destih... vené feir* Kholu.

Conduh Destih? Que por...

Arregalo os olhos, o coração batendo depressa.

Condutor do Destino...

É a porra do *Condutor do Destino*.

A criatura é mais lenda do que realidade, já que quase nunca é vista em carne e osso. Aqueles que a viram costumam ser considerados loucos ou delirantes, contando histórias sobre a fera que os incita a tomar uma decisão diferente daquela que pretendiam.

Empurrando-os *fisicamente*. Como um manejador mandão.

As pupilas da criatura se dilatam, a língua grande e achatada sai para lamber o focinho, como se estivesse confirmando a revelação.

Meus ombros relaxam e parte da tensão se esvai de meu corpo.

De certo essa coisa não sai por aí comendo gente...

Não é?

Olhando para trás, me pergunto qual dos dois homens a criatura está aqui para conduzir, e meu coração para quando vejo que ambos estão de joelhos — olhando para mim com reverência. Devo admitir que não era o que eu esperava depois de vomitar minhas tripas na frente deles.

Estranho.

— Eu só vou... sair do seu caminho — digo, sustentando o olhar chocante do Condutor enquanto dou um passo para a direita.

Ele se move para os lados, mantendo a posição firme entre mim e o rio, com um rosnado baixo fervendo em seu peito tufoso.

Franzo a testa, dando uma olhada por cima do ombro para os outros, certa de que eles *também* devem ter se movido — meu coração bate forte quando os vejo ainda no mesmo lugar, olhando para mim com as sobrancelhas erguidas.

Só pode ser brincadeira.

Não.

Isso não está acontecendo.

Estreitando os olhos para a criatura, eu mudo meu peso como se estivesse prestes a pular para a esquerda, depois me jogo para a direita e corro pela margem o mais rápido que minhas pernas podem me levar, fazendo uma curva em direção ao rio...

Um rosnado corta o ar uma fração de segundo antes que algo grande e denso me atinja, me derrubando. Eu me arrasto pelo chão, com a certeza de que meu ombro está esfolado quando paro na terra.

Gemendo, levanto sobre os cotovelos feridos para poder olhar direto para os olhos da criatura que agora está fazendo voltas lentas e rastejantes entre mim e o maldito rio.

— Não!

Ele rosna, e o som parece um corte de dente de serra.

Talvez ele saia por aí comendo gente.

— Eu quero ir por ali! — protesto, apontando para a direção em que a água está fluindo.

O Condutor do Destino começa a aumentar o ritmo de seus movimentos em passos largos, diminuindo o espaço entre nós, com sua mensagem evidente.

Levanta, porra.

— Isso é uma bela merda de sanhaço — resmungo, me forçando a ficar de pé.

Ele continua a se mover em voltas amplas, se aproximando a cada passo.

Eu ando para trás, mantendo os olhos sobretudo no animal, embora dê uma olhada de vez em quando por cima do ombro. Não demora muito para eu perceber para onde ele está me conduzindo.

Em direção aos *guerreiros*.

Paro, corrijo a postura e estreito os olhos para a fera.

— Eu *não* vou com eles — digo, apontando para os homens.

Ele *ruge* — mostrando uma mandíbula cheia de dentes afiados, e seu hálito me golpeia com tanta força que tenho de apertar os olhos. O som ricocheteia nas paredes do cânion como uma salva de tiros ecoando.

Talvez eu vá com eles no fim das contas.

Resmungando, inclino o rosto para o céu e fecho os olhos, passando os dedos pelo cabelo molhado e emaranhado.

Tudo o que eu quero é cortar o pescoço de Rekk Zharos. Será que isso é pedir demais?

— Que merda!

Meu xingamento ecoa nas paredes, me atingindo repetidas vezes.

Tenho certeza de que entrar em guerra com essa coisa não terminaria bem. E eu não posso caçar Rekk se estiver morta.

Eu me deixo sentir uma resignação gelada, giro e corro em direção aos guerreiros, lançando alguns olhares cortantes à criatura que agora está rondando perto o suficiente dos meus calcanhares para que ela possa atacá-los se quiser.

Ao alcançar os dois homens, paro e ergo as mãos, demonstrando o quanto estou descontente.

— Vamos acabar logo com *isso*, seja lá o que for. Tentem alguma gracinha e arranco as tripas de vocês com as unhas.

Franzindo a testa, eles me fitam por um longo tempo, trocam algumas palavras entre si e depois inclinam a cabeça para mim, quase como um sinal de... *respeito*. Fazem o mesmo com a criatura às minhas costas e, em seguida, gesticulam em direção a um caminho que se abre através do penhasco íngreme e cor de ferrugem deste lado do rio.

— *Vené, Kholu.* — Eles apontam para a frente. — *Vené.*

Não faço ideia do que a outra palavra quer dizer, mas *vené* deve significar "venha".

Na verdade, sendo bem sincera, é a última coisa que quero fazer.

Lanço outro olhar mordaz à minha fera majestosa e mítica.

— A menos que Rekk Zharos esteja naquele caminho, bem encurralado para eu abater, vou ficar furiosa. Só para você saber.

O Condutor do Destino lambe os beiços, se aproxima e me empurra para a frente com sua cabeça grande e peluda.

Reclamando baixinho, sigo os guerreiros, parando na base de uma escada de pedra cortada no penhasco, lançando um olhar desolado para o rio.

Um passo mais perto e um golpe lateral na cabeça.

O Condutor do Destino rosna, e eu rosno de volta, mostrando os dentes para a fera.

— Pare de ser tão mandão — reclamo, subindo as escadas, perseguida pelo som de suas patas grandes batendo na pedra atrás de mim. — Você venceu.

Raeve

CAPÍTULO 39

O caminho é como uma rachadura formada na casca do mundo, que se estende em todas as direções, parecendo não ter fim.

Nenhum.

— Um passeio e tanto — murmuro enquanto andamos para a esquerda, subindo mais um lance de escadas. Ou talvez eu esteja apenas impaciente, sendo conduzida por um felino enorme, perto o suficiente para que eu possa sentir seu hálito quente soprando na minha nuca.

Viramos para outro lado e o ar fica mais denso com o cheiro forte de carne assada. Passamos por uma entrada alta e sublime emoldurada por...

Ossos.

Dois ossos colossais, tão grandes que só podem pertencer a *uma* coisa. Um dragão que morreu antes de ter a chance de voar para o céu, se enrolar e se transformar em pedra, levando um destino muito mais terreno.

Arregalo os olhos quando cruzamos a entrada macabra para uma enorme cavidade torácica, quatro vezes maior do que imagino que seja a de Rygun. Como se a besta gigantesca tivesse caído havia muitas fases, seu cadáver decomposto pelos elementos.

A maior parte da cavidade foi escavada, com algumas pontas inclinadas que alcançam as fendas no teto — buracos feitos entre alguns dos arcos das grossas costelas, permitindo que a luz do sol passe.

O chão está repleto de tendas abobadadas feitas de peles lisas de animais, todas costuradas umas às outras, me lembrando do cobertor de sela de Rygun. As tendas parecem rochas tombadas, pintadas no mesmo tom de terreno queimado dessa parte do mundo. Talvez camuflando esse lugar de qualquer pessoa que estivesse voando acima e que pudesse olhar pelos buracos no teto.

Inteligente.

Arcos de pedra emolduram a entrada de cada habitação, todos muito bem esculpidos, ostentando criaturas de todas as castas. Mas, na maioria, *dragões* — sua realeza gravada na pedra com detalhes imaculados.

Um guincho me faz olhar para as paredes da cavidade torácica repleta de morcitos. Bestas aladas com menos da metade do tamanho de um fundífera comum, parecendo calombos em pedra coriácea. Disfarçados com perfeição, não fosse pela forma como suas cabeças giram em pescoços atarracados, com olhos grandes e sombrios piscando.

Um deles se solta da parede e voa pelo teto, gritando, com as cordas da sela esvoaçando em seu rastro. Minha mente se agarra à visão como um bebê recém-nascido em busca de conforto. Buscando uma âncora neste lugar que não conheço.

Minha chave para a aclimatação: não se deixe abater pelo excesso de detalhes.

Escolha algo.

Aprimore sua concentração.

Não se afogue.

Sou conduzida por um caminho que serpenteia entre as tendas apertadas, com grupos de mulheres cobertas de seda e homens de peito nu circulando pelo espaço, forjando armas com pedaços de madeira, bronze ou as maiores placas de escamadraco que já vi. Outros estão tecendo tesouros de fios de seda dourada ou se reunindo em torno de fogueiras fumegantes com espetos de metal, cada um carregado de pedaços de carne assada que temperam o ar com aquele cheiro rico de caça.

Embora muitos deles tenham cabelo ruivo e pele bronzeada, com muitas sardas, também há pessoas com cabelo branco. Cabelo preto. Cabelo castanho. Com pele de todos os tons. Como se pessoas de todos os cantos do mundo tivessem caído pelos buracos no teto e encontrado um lar aqui.

Noto que muitos dos habitantes deste lugar ostentam tatuagens semelhantes às de Kaan, mas representando várias criaturas, algumas mais como um contorno em vez de uma representação completa e sombreada.

— *Kholu venéo!* — grita um dos guerreiros que me trouxe até aqui, e as palavras parecem ecoar pela caverna silenciosa.

Todos param as atividades, e vejo seus olhos arregalados me observando, depois a criatura me seguindo como uma majestosa sombra prateada que eu com certeza não pedi. Mas, porra, cá estamos.

Algumas das mulheres gritam, com os olhos lacrimejando ao repetir as palavras:

— *Kholu venéo!*

— *Kholu venéo!*

— *Kholu venéo!*

Todos largam as ferramentas, algumas pessoas saem aos empurrões das barracas e se ajoelham, beijando o chão como se estivessem agradecendo a Bulder por... *alguma coisa*.

Além dos meus dois acompanhantes, de mim mesma e do meu Condutor, que está rondando, nenhum homem, mulher ou petiz permanece de pé.

Uma onda de náusea sobe pela minha garganta, fazendo a parte de baixo da minha língua formigar. Não tenho certeza se os aborreci ou se os deixei muito, muito felizes, mas qualquer uma das opções é preocupante.

Se eles me reverenciam... *expectativas*.

Se eles me temem... *morte*.

Essa é a fórmula geral com a qual o mundo parece ser fabricado, e ambas as coisas desperdiçam muito tempo. Tenho um homem para caçar e estrangular com seus próprios intestinos. Não *tenho* tempo a perder.

Eu cutuco a pele das laterais do meu dedo, lançando outro olhar condenatório para a fera que me conduz para a frente.

— Você está em apuros.

Ela escancara a mandíbula e boceja, esticando a boca de tal forma que eu quase poderia engatinhar por sua garganta.

É bom ver que alguém está tranquilo.

Sou conduzida por um pequeno declive e, em seguida, desço pelo que só posso imaginar que era a garganta da fera caída, com as vértebras se projetando do chão apenas o suficiente para expor um túnel ósseo — um buraco que imagino ter abrigado a medula espinhal do dragão. O caminho é iluminado por runas brilhantes gravadas nas laterais, dando ao túnel uma tonalidade alaranjada.

Deve ter sido necessária uma grande afinidade com Bulder para encontrar esses restos mortais, para os escavar com tanta precisão sem perturbar a posição.

Ainda estou maravilhada quando chegamos a duas abas de couro penduradas no alto. Meus acompanhantes as abrem e se afastam para me dar espaço suficiente para passar.

Franzo a testa, parando no lugar.

— Não tenho certeza se quero e...

O Condutor do Destino me dá uma cabeçada nas costas, me empurrando pela abertura e para dentro do enorme crânio do dragão.

Olho de relance por cima do ombro e faço uma careta para a criatura mandona antes de observar o ambiente curvo e úmido gravado com mais daquelas runas luminosas, o chão forrado com couros pintados em uma variedade de pontos coloridos, listras e linhas irregulares.

À esquerda, há uma mesa baixa que percorre toda a extensão do espaço. Placas de madeira estão empilhadas com pedaços de carne que estão sendo esculpidos por um homem de cabelo branco que empunha uma lâmina enorme de bronze.

Ele faz uma pausa no momento em que me vê, os olhos se arregalam e se voltam para a fera às minhas costas. Ele logo cai de joelhos, beijando o chão.

Paro para pensar se deveria ter feito isso quando vi o Condutor do Destino pela primeira vez.

Beijar o chão.

Em vez disso, tentei fugir dele, gritei com ele, rosnei para ele e, basicamente, mandei ele se foder. Ele talvez me dê um destino de merda e, sendo sincera, é de se esperar. Com certeza tenho sangue suficiente em minhas mãos para justificar isso.

Noto um grupinho de mulheres vestidas com seda dourada sentadas em torno de cestos cheios da folhagem esguia e afiada que vi do céu. Elas as estão envolvendo em pedaços de carne-seca, mas suas mãos param quando olham para mim e depois para a sombra que me ronda.

Seus olhos ficam incrivelmente redondos.

Elas também beijam o chão antes de se levantarem, dando olhadelas para a entrada enquanto juntam suas coisas e saem correndo. Franzindo a testa, olho por cima do ombro, para além do meu não amigo, com os olhos arregalados.

Um grande número de pessoas está entrando por entre as abas de couro, dividindo-se em ambos os lados, enchendo o espaço que ladeia os tronos gêmeos de pedrassangue na extremidade do ambiente. Não sei como não os notei antes, já que são enormes, dominantes e esculpidos com tantos detalhes que acho que devem ter levado muitos ciclos de aurora para serem construídos.

Uma mulher ocupa o trono à direita, há um bebê mamando em seu peito. O cabelo claro cai ao redor do rosto como água corrente, a pele tão clara que tenho certeza de que um único raio de sol faria com que ela chiasse como um plumalua preso no Lume.

Seus olhos verdes brilhantes se arregalam ao me ver, depois se suavizam com algo parecido com alívio antes de ela olhar para o homem largo à sua direita, colocando a mão no braço dele. Apertando com leveza.

As feições dele são duras e severas, a barba curta alinhada ao maxilar forte, os olhos me encarando como minissóis por baixo da sobrancelha castanha- -avermelhada e franzida em uma carranca incrédula. Ao contrário dos outros homens de peito nu, seu ombro largo e cheio de sardas está coberto por cordas carregadas de haste de cobre, e ele usa uma coroa óssea que desce pelo cabelo comprido, com uma orelha perfurada por uma argola preta.

Eu franzo a testa.

É a mesma que *Kaan* usa...

Ele olha para a mulher à sua esquerda com os olhos arregalados, colocando a mão sobre a dela. Os dois inclinam a cabeça em nossa direção em uma reverência combinada, embora eu suspeite de que isso seja mais voltado à criatura que me trouxe até aqui, considerando seu status mítico. Com certeza não é por *minha* causa.

Não pode ser por minha causa.

Estou usando uma algema, pelo amor dos Criadores. E há vômito no meu cabelo.

Minha bochecha esquenta quando aproximo as mechas sujas de vômito do meu nariz e cheiro, fazendo uma careta com o cheiro azedo.

Merda. Não achei que estivesse tão ruim assim.

— Isso é o que acontece quando você não me deixa pular no rio — reclamo para meu indesejado Condutor. — Sou apresentada a pessoas importantes cheirando a bile.

Sua única resposta é dar um salto à frente e dar uma volta em torno de mim, me forçando a parar.

— Mensagem recebida — murmuro, e ele se senta ao meu lado.

Ele levanta uma pata, lambe e a passa pelo rosto com um tipo de contentamento suave que com certeza não aprecio... cercada por estranhos, de pé em um crânio de dragão no meio do nada.

O espaço está tão cheio que quase não há ar quente e úmido para respirar, e o homem no trono levanta a cabeça. Seu olhar se desloca entre mim e a criatura ao meu lado.

Com um sorriso caloroso, ele balança a cabeça. Como se estivesse afastando algum tipo de descrença.

— *Kholu*...

— Sim — digo, dando uma olhada em todos os espectadores silenciosos e de olhos arregalados. — O povo continua falando isso.

De novo, ele olha para a mulher ao seu lado. Os dois encostam a cabeça um no outro, ambos desfrutando de alguma forma de alívio que posso ver com clareza em suas expressões.

O homem segura a cabeça do bebê e dá um beijo em sua testa...

Desvio minha atenção do momento íntimo a que é estranhamente doloroso de assistir e olho para o céu, percebendo que o vasto teto abobadado está repleto de crânios com dentes. O suficiente para eu chegar à rápida conclusão de que essas pessoas não têm escrúpulos em matar.

Nós nos daremos bem, desde que eles não tentem *me* matar.

O talvez-rei se levanta devagar. Todos na sala, exceto a mulher de cabelo branco, socam o próprio peito antes de fazer uma reverência tão baixa que as bocas encontram o chão de novo.

Eu talvez devesse fazer o mesmo. Não quero irritar ninguém, visto que tenho uma enorme desvantagem numérica e ainda estou presa em uma algema de ferro.

Limpo a garganta, me ajoelho e, em seguida, inclino a cabeça, mantendo a postura por um longo momento.

O homem desce do trono alternando o olhar entre mim, o Condutor do Destino e os dois homens que me tiraram do rio — agora, ambos estão na lateral.

— *Hagh toth*? — pergunta, fazendo uma pausa.

O homem com a tatuagem de pássaro responde:

— *Rivuur Ahgt at nei del ayh.*

— *Rivuur Ahgt... uh surt?*

— *Ahn...*

Um segundo de silêncio antes de o homem coroado falar de novo:

— *Teni asg del anah te nei. Tookah Téth ain de lei... Sól aygh tah* Kholu!

Minha mente está à deriva, com as garras lutando para se agarrar ao agora. Ao presente.

Tudo isso começa a me lembrar de um lugar diferente, de uma época diferente. Quando eu estava tão confusa quanto estou agora quanto a que porra estava acontecendo, e meu vocabulário não conseguia ir além de alguns grunhidos que eu usava para tentar explicar minhas necessidades.

Por dentro, recito minha canção calmante enquanto o talvez-rei volta para seu trono, e uma mulher alta se destaca na multidão. Ela está vestida com uma abundância de pintura corporal acobreada e um manto de contas pretas que faz barulho quando ela se aproxima de nós com passos longos, balançando os quadris. Seus pés estão descalços e o cabelo castanho-avermelhado é tão comprido que cobre metade do manto.

Encaro seus olhos, e por um instante não consigo respirar.

Eles são brancos.

Sem enxergar.

Mas quando ela olha em minha direção, eu me sinto o *oposto* de invisível — atravessada pela sensação de que ela vê demais.

— *Kholu* — sussurra ela, sorrindo antes de levantar as mãos para o céu. — *Kholu venéo. Haf de neil da nu...* Tookah te!

O local irrompe com gritos vitoriosos e o bater de punhos na carne, fortes como meu coração acelerado, antes que a multidão se torne um alvoroço de movimento — uma energia sobre o espaço que causa arrepios de antecipação.

— Pelos Criadores, em que você me meteu? — digo entredentes para a fera ao meu lado, que apenas se enrola em uma grande bola de pelo, enfia o rosto sob a cauda e parece adormecer, oscilando entre sua forma sólida e uma mancha nas laterais.

Hmm.

Talvez, se eu o ignorar por um tempo, ele deixará de existir por completo. Então, poderei ir embora.

Dois homens corpulentos se destacam da multidão que grita, o maior deles é tão grande que sua mão poderia passar em volta do meu pescoço e esmagá--lo com um único aperto, seu cabelo da cor do barro chega até o meio das costas. Quando ele se vira para fazer uma reverência às pessoas que ocupam os tronos, vejo que suas costas estão *cheias* de pontos, a imagem definida de uma serpente enrolada em torno de sua constituição musculosa. O homem menor tem cabelo castanho e pele marrom com sardas, espalhado nos ombros de guerreiro um morcito com as asas estendidas.

Ambos se voltam para mim, fazendo uma reverência ainda mais profunda.

Franzo a testa, minha atenção se voltando para a mulher sentada no trono, buscando respostas em seus olhos. Tudo o que encontro é um sorriso suave e reconfortante que me faz querer rosnar.

Não quero conforto. Quero a verdade nua e crua para que eu possa desco-brir em que esse *Condutor do Destino* me meteu e como posso sair de cena no momento em que a criatura baixar a guarda.

Ouço sons de passos atrás de mim e olho por cima do ombro, vendo uma grande criatura coriácea de seis patas sendo conduzida pelo caminho entre a multidão. Ela não tem orelhas e tem três pares de olhos pretos e brilhantes, agrupados em cada lado de seu rosto comprido, com a mandíbula balançando enquanto mastiga algo preso entre os molares.

Minha carranca se aprofunda. Acho que é um búfal, mas os que eu vi têm uma pelagem grossa e felpuda. Essa criatura parece tão estranha... *nua*.

Ele bufa, se acomodando entre mim e os dois homens que me observam com curiosidade.

A mulher de olhos leitosos se coloca entre mim e o animal pacífico e ru-minante. Com um único movimento, ela arranca uma lâmina curva de bronze de uma bainha que eu não havia notado presa à sua perna e corta a garganta do animal mais rápido do que eu posso rastrear.

Meu pulmão se contrai, o coração bate forte.

O pobre animal solta um grito estridente e seu sangue derramado fica preso em uma tigela, enquanto minha cabeça fica leve e aérea. A fera é levada ao chão com gentileza, em uma posição ajoelhada semelhante à minha. Mas imóvel.

Morta.

Estremeço.

Já matei pessoas da mesma maneira. Mas ver essa criatura pobre e inocente soltar seu último suspiro gorgolejante mexe com algo dentro de mim. Faz com que eu me sinta enjoada.

Que se foda.

Vou cair fora.

Eu me levanto e giro, indo em direção à saída quando o Condutor do Destino salta na minha frente, rosnando. A multidão suspira, murmurando enquanto eu arreganho os dentes e rosno de volta.

Ele abaixa a cabeça e se aproxima, me empurrando para meu ponto de partida.

— Estou gostando cada vez menos de você — informo, com rancor, depois balanço a cabeça e me viro, voltando para trás, com a raiva agitada batendo em minha costela como fitas de água gelada.

Essa barreira verbal está se aprofundando a cada segundo. Se eu não descobrir logo o que está acontecendo, vou surtar.

O homem e a mulher no trono franzem a testa para mim, trocando olhares cautelosos entre si enquanto eu cutuco a pele dos lados do meu dedo, observando os dois guerreiros serem pintados com sangue de búfal como se fosse algo para se orgulhar.

Tento não olhar para o animal morto. É difícil quando ele está bem ali, ainda sangrando em uma tigela.

Um grupo de mulheres surge ao meu redor como uma cerca, interrompendo minha visão do pobre animal morto. Em fileiras, até que eu esteja escondida atrás de uma parede circular de pessoas esculturais e vestidas em seda, a maioria de costas para mim.

Todas as células do meu corpo se enrijecem, meus olhos se movem para a esquerda e para a direita. É preciso que eu note os olhares nervosos entre as poucas pessoas que ainda estão de frente para mim para me dar conta de que estou rosnando.

Uma delas dá um sorriso discreto e dá um passo à frente.

— *Eh tah Saiza. Téth en. Aygh ne.*

— Eu não entendo. Nada disso.

Ela levanta as mãos.

— Meu nome é Saiza. Está tudo bem. Não machucar.

As palavras pacíficas de Saiza pouco fazem para acalmar meus ânimos, embora eu consiga abaixar meu lábio superior sobre os dentes, grata por alguém falar minha língua.

Isso é bom. Posso trabalhar com isso.

— Por favor, me diga o que está acontecendo.

— Precisamos limpar seu corpo — explica ela, e minhas sobrancelhas se erguem.

— Porque tenho vômito no cabelo? Posso assegurar que há uma solução muito fácil para isso. É só me levar de volta ao rio e me jogar lá dentro.

Um sorriso discreto surge em um canto de sua boca, seus olhos cor de clarão de sol se aquecem, me fazendo lembrar de Ruse.

— Porque você é *Kholu* — sussurra ela, apontando para algumas marcas coloridas pintadas no couro sob meus pés, se agachando para tocar em uma linha preta. — Seu cabelo é como os olhos do morcito... em sua língua — explica ela, depois aponta para um rabisco azul-celeste. — Você veio até nós pela eterna faixa azul... o *rio Ahgt*.

Questionável. Ele me pareceu bastante lamacento.

Ela traça uma linha vermelho-escura que se enrola em torno dessas marcas como uma corda que amarra um buquê, partindo para a direita, embalando uma impressão de três luas.

Um ceifassabre.

Um fundífera.

Um plumalua.

Saiza traça outra linha que circunda toda a imagem, prateada como minha companheira indesejada enrolada ao meu lado.

— Foi predito que o Condutor do Destino traria você até nós. Que seus filhos amarrariam as luas ao céu — diz ela, com um tom de admiração. — *Para sempre.*

Meu coração para e ergo o olhar para encontrar o dela.

— Bem, isso é uma bela merda de sanhaço — protesto, indicando as pinturas com o queixo. — Não sou Kholu e *nunca* terei filhos.

As palavras são uma arma que atravessa o espaço entre nós, com a ponta afiada em meu coração de pedra.

Nunca.

O Condutor do Destino abre um olho, me observando.

— *Nunca* — repito, colocando cada grama de repúdio em meu tom enquanto encontro seu olhar cortante.

Ele suspira, de um jeito fundo e estrondoso que traz o ar num sopro para meu rosto, e algo se instala em meu peito. Como se tivesse tocado em mim e acariciado meu coração exausto.

Talvez seja só eu, mas tenho a forte sensação de que ele não me quer aqui para... *isso*.

— Não conheço esse sanhaço de que você fala — fala Saiza —, mas Sól nunca se engana. Ela fez essa previsão há muitos ciclos, e ela mesma chamou você de Kholu. O Condutor do Destino a acompanhou até aqui, então o Tribunal Tookah prosseguirá, como foi ordenado pelos próprios Criadores e aprovado por nosso Oah e Oah-ee. Rei e rainha em sua língua.

Outro julgamento?

Resmungo.

Quantos mais desses eu terei de enfrentar antes de enfim matar Rekk Zharos?

Encaro o problemático Condutor do Destino que ainda está me observando com preguiça, sua cauda balançando para a frente e para trás.

— Isso é culpa sua.

Um vibrato feito por um gongo sacode o ar, e o eco se afunila antes de bater de novo, fazendo minha pele se eriçar. Outra mulher entra em meu círculo de relativa privacidade, carregando uma tigela de água com sabão.

— Posso tirar suas roupas e prepará-la para o tribunal? — pergunta Saiza, e eu suspiro, pegando a bainha da minha camisa grande demais.

— Claro — murmuro. — Vamos acabar logo com isso.

Quanto mais cedo eu for *limpa*, mais cedo terminarei esse julgamento e mais cedo poderei ir embora.

Assim espero.

Um pedaço de seda é passado em volta do meu círculo protetor de mulheres, que atuam como uma cortina, antes que Saiza me ajude a tirar minhas roupas roubadas, depois enxágue meu cabelo e passe uma esponja em mim — pintando meu corpo com espuma ao som da batida assustadora do gongo.

— Você tem uma forma linda — elogia ela, dando tapinhas em minha pele com um pedaço de pano absorvente. — Que curvas adoráveis.

— Obrigada — murmuro, com a mente em outro lugar.

Outra.

Merda.

De.

Julgamento.

Por que eles estão me *julgando*? Não é como se eu tivesse matado algum deles.

Acho que não.

Talvez eles queiram questionar as minhas intenções de procriação, já que acham que vou produzir num passe de mágica uma prole que salvará o mundo?

É melhor não. A cada fase tomo um tônico que torna meu útero inóspito, e não tenho *nenhuma* intenção de perder uma dose.

Duas outras mulheres passam faixas de sangue de bufál em minha pele antes que uma longa tira de seda vermelho-sangue seja enrolada em minha cintura e amarrada com um nó. Outro pedaço é enrolado ao redor de meus seios, um cordão carregado de hastes de cobre é colocado ao redor de minha cabeça e ajeitado acima do busto.

O gongo soa de novo — logo seguido por uma rápida incursão de batidas.

A cortina cai, minha faixa de privacidade se dissolve e vejo os dois guerreiros pintados me observando com afinco. Estou prestes a perguntar a Saiza se são eles que vão me julgar, mas então o Condutor do Destino chega bem na minha cara e me empurra para ficar de pé, espalhando um pouco do sangue recém-pintado.

A multidão começa a se dispersar, passando pela saída. E meu não amigo peludo me conduz na mesma direção, enquanto a incerteza se agita em meu peito, causando um aperto.

Comprimindo.

Escolha algo.

Aprimore sua concentração.

Não se afogue.

Cantarolo minha música calmante, com o olhar fixo no fluxo de pessoas diante de mim enquanto conto meus passos, imaginando que cada um deles me aproxima um pouco mais daquela maldita palavra mística que está sempre só um *pouco* fora de alcance...

Liberdade.

Raeve

CAPÍTULO 40

Sou conduzida por um labirinto de túneis ao ritmo do gongo, o ar espesso e estagnado se tornando mais fácil de ser inalado momentos antes de entrarmos em uma cratera grande e empoeirada. Arregalo os olhos ao ver a altura e largura quase impossíveis — grandes o bastante para enfiar quatro coliseus e ainda ter espaço para se mover.

É como se algo tivesse colidido com o chão com tamanha velocidade que a pedra foi deslocada.

Franzindo a testa, eu me lembro do que Kaan dissera antes...

"Passei grande parte da minha adolescência e algumas de minhas fases posteriores como guerreiro do clã Johkull. Eles sempre ficaram perto dessas montanhas e, em tempos mais recentes, reivindicaram a cratera formada pela lua caída de ceifassabre, Orvah."

Acho que este lugar é isso. A cratera de Orvah. A pequena lua que caiu há pouco mais de oito fases.

As pessoas se aglomeram no espaço atrás de mim e do meu Condutor como se fossem água corrente, e minha mente se agita enquanto observo o ambiente rachado.

Há tendas espalhadas pela circunferência, cada estrutura robusta consistindo em quatro postes de madeira cravados no chão e um tecido de couro remendado esticado entre eles, formando um teto. Eles projetam sombras retangulares ocupadas por tapetes trançados e muitas urnas de barro gravadas com runas brilhantes.

Entre as tendas, há várias prateleiras de madeira com armas empilhadas, a maioria das quais eu nunca vi antes: bastões ligados por corrente a uma bola de espinho, que parecem capazes de rachar um crânio; espadas gigantes em forma de gancho; e pequenas lâminas planas com dentes perolados na borda. São *tantas* armas que fazem o arsenal de Ruse parecer brincadeira de criança.

A cratera é coberta por uma faixa de areia, mas, quando olho para os grãos que cobrem meus dedos dos pés conforme sou escoltada, noto fragmentos cinzentos no cenário avermelhado.

Ferro. Para anular aqueles que conseguem ouvir as canções elementares, sem dúvida.

Franzo a testa e, em seguida, olho para o céu pulverizado com as gavinhas prateadas da aurora, uma dispersão de luas ceifassabre escuras elevadas à distância. Cordas desgastadas se misturam com crânios nas bordas da cratera, grande parte delas branqueadas pelo sol. Uma delas tem pedaços de carne em decomposição e tufos de cabelo ainda pendurados no osso, e um pequeno pássaro de cor marrom está empoleirado nele.

Dando bicadas.

Meu coração dispara.

Ao contrário dos crânios da tenda de onde acabamos de sair, esses não são de animais mortos. Eles têm cabeças arredondadas e caninos afiados, sendo que o mais fresco mantém os restos podres de uma orelha pontuda.

Eles são *feéricos*.

Criadores... isso é um ringue de *batalha*.

É assim que será meu julgamento? Esperam que eu lute?

A ponta dos meus dedos formiga, a inquietação me percorrendo como uma serpente.

O gongo continua a soar enquanto sou guiada ao redor da circunferência da cratera, passando por tenda após tenda, vendo as pessoas diante de nós se organizando na grande cúpula semelhante às que vi na cavidade torácica do dragão caído. Ainda que *esta* seja muito maior e com muitas entradas, cada uma emoldurada por mais daqueles arcos trabalhados com primor.

Saiza para diante de uma das aberturas, tira uma flor tecida de uma das poucas cestas espalhadas pela tenda e a oferece a mim.

— Você gostaria de reverenciar Orvah?

Meu coração quase vai parar na garganta e me engasgo ao perguntar:

— O ceifassabre caído?

Saiza concorda, sorrindo com suavidade.

— Ele não se despedaçou com o impacto. Foram necessários muitos guerreiros para rolá-lo para o lado da cratera. Agora, nós prestamos muitas homenagens a ele na esperança de que nenhuma outra lua caia no lugar em que vivemos.

Com os batimentos acelerados e intensos, aceito a flor, olhando de relance para o meu Condutor oscilante, que abre o focinho e boceja de novo, se esgueirando em direção a uma das portas e se enrolando em uma bola sonolenta.

Acho que isso é uma permissão.

Engulo em seco e coloco a mão entre os tecidos da tenda, mantendo a respiração firme enquanto entro, aspirando o ar quente e úmido preso sob as peles.

Meu coração para.

Aninhada na areia diante de mim está a mais espetacular lua sarapintada. Como se o ceifassabre tivesse passado por poças de tinta preta e bronze que afundaram em suas escamas pequenas e sobrepostas.

A parte de trás dos meus olhos formiga enquanto o assimilo. A baixa estatura e a falta de espinhos são um tributo à sua adolescência. A asa esquerda do dragão está enrolada ao redor do corpo, a cabeça com presas esparsas quase toda escondida sob ela, mas ainda exposta o suficiente para que eu quase possa ver a metade de seu rosto, as pálpebras fechadas. Parece que ele acabou de cair em um sono calmo e tranquilo do qual nunca mais acordará.

Umas das frágeis cordas do meu coração se contrai ao pensar nisso, porque esse dragão... é tão *pequeno*. Um pouco menor que o dobro da minha altura. É grande o suficiente só para sustentar um cavaleiro, como fica evidente pelos restos deteriorados de uma sela presa em seu dorso escamado.

Sinto como se tivesse uma mão em volta do meu pescoço, apertando com força.

Com muita força.

Embora alguns dragões *optem* por voar para o céu quando sentem que seu tempo chegou ao fim — para se enrolar e se solidificar —, muitos não tomam essa decisão por conta própria.

Muitos são vítimas devastadoras de guerras travadas por *nós*.

Depois, há aqueles que não conseguem chegar ao céu. Que morrem na terra, na neve ou na areia e apodrecem onde jazem, com o sangue fossilizando. E, mais tarde, são extraídos por *nós*.

Usados por *nós*.

Estendo a mão, parando um pouco antes de meus dedos roçarem as escamas de pedra, pois o luto que sinto em meu íntimo insiste que eu dê meia-volta. Que eu pare de olhar.

Não, não é insistente.

Um *pedido* gentil, mas presente.

Uma *súplica*.

Limpo a garganta e me ajoelho, colocando minha flor tecida no chão, na base do dragão, como os outros estão fazendo, acrescentando às pilhas crescentes de oferendas — antigas e novas. Depois, ouço a súplica. Respeito seu pedido desesperado e triste.

Eu me viro e não olho para trás.

Sou conduzida a uma plataforma elevada sob a sombra, um alívio para minha pele já rachada.

Olho para meu não amigo felino que se enrola ao meu lado, soltando um ruído de satisfação. Ele coloca o rosto sob a cauda longa e espessa e parece dormir.

Claro que não se espera que eu lute. Caso contrário, ele teria me levado direto para o ringue.

Sem dúvida.

As pessoas terminam de prestar suas homenagens a Orvah e, em seguida, se aglomeram nas placas de sombra. Os dois homens encharcados de sangue se ajoelham diante de mim, o maior deles erguendo um colar sobre a cabeça. Ele se curva, com a mão estendida, e meus olhos se estreitam no pingente preto gravado com uma serpente. A mesma imagem que está em suas costas.

O pingente está pendurado em seu punho cerrado, balançando ao vento, me fazendo lembrar daquele que Kaan usa — embora menos intrincado.

Menos *atraente*.

Saiza se inclina para perto do meu ouvido.

— Você deve aceitar o málmr de Hock agora.

— Por quê?

— É parte importante do julgamento — explica ela, e eu franzo a testa, estendendo a mão.

Ele o deixa cair na palma da minha mão aberta, com o fio enrolado e áspero contra minha pele. O homem de cabelo escuro também estende o seu, um diadema marrom com um morcito em relevo. Não é tão polido nem trabalhado com elegância como a outra peça.

— Agora aceite o de Zaran e coloque os dois málmr no tapete diante de você.

Eu faço o que ela diz, franzindo ainda mais a testa quando os dois homens batem os punhos contra o peito três vezes, depois levantam e se dispersam em direção a estantes de armas separadas.

— Então... vamos assistir à luta deles? — pergunto, e Saiza assente.

— Claro que sim.

— O que isso tem a ver com meu julgamento?

— Este *é* o seu julgamento — responde ela, e eu ergo as sobrancelhas.

— Eu só tenho que ficar aqui sentada e ver os dois se batendo?

Ela concorda.

Franzo a testa, a inquietação ainda alojada em meu peito.

Zaran escolhe uma espada com uma curva parcial que lembra a serpente nas costas de seu oponente, enquanto Hock escolhe o bastão ligado à bola com pontas de metal, feito para espancar. Uma arma que parece combinar com o homem monstruoso.

Olho para a parte de baixo de outra grande tenda, onde Oah e Oah-ee estão sentados em tronos de pedrassangue, a mulher sendo abanada com uma enorme folha plana enquanto alimenta seu bebê inquieto. Sól também está lá, sentada em um trono menor à direita de Oah.

Toda a atenção deles está concentrada nos homens que se aproximam do epicentro achatado do ringue.

O vento agita meu cabelo em uma faixa preta, mas pouco faz para afastar o calor. Não é capaz de abalar a tensão que se estende por toda a cratera quando Hock e Zaran começam a se cercar com passos largos e sorrateiros, com os olhos fixos e os lábios superiores separados por dentes à mostra. Parece que eles estão seguindo os mesmos passos agitados dentro de mim, enquanto o gongo bate em um ritmo que sacode minha costela.

Zaran se abaixa, rosnando enquanto ataca Hock, com a lâmina curva cortando a barriga dele tão depressa que sinto um aperto na minha.

Isso não é um treino. Eles estão lutando para *matar*.

Puta merda.

Zaran é empurrado para trás. Ele cai de bunda no chão, mal saindo do caminho do golpe do bastão de Hock, que acerta o chão em vez de o peito do oponente, um golpe que seria poderoso, capaz de arrancar os músculos, e que faz uma explosão de areia ser lançada para o céu.

Estremeço, assistindo enquanto os homens cortam, golpeiam, se esquivam e balançam, rasgando cortes profundos na calça de couro e na pele um do outro, salpicando a areia de vermelho.

A inquietação se faz perceber em meu peito de novo, dessa vez com mais intensidade.

Muito mais.

Algo não está certo.

— Estou confusa. O que isso tem a ver comigo?

Levantando uma única sobrancelha, Saiza me lança um olhar divertido.

— Tudo, Kholu. Eles estão lutando *por* você.

Meu coração para e as palavras seguintes saem engasgadas:

— Eles estão lutando até a morte para me *entreter*? Está falando sério?

Ela franze a testa.

— Não, não é para entreter.

— Então por q...

— Isso é um Tribunal *Tookah* — diz ela, tentando alisar um pouco do meu cabelo rebelde atrás da minha orelha pontuda.

Com a outra mão, ela faz um gesto em direção aos homens que estão lutando na areia, com os punhos em riste. Mais sangue jorra com a ferocidade de seus golpes violentos.

— Eles estão lutando pela grande honra de estarem liame a você. A honra de construir uma vida e gerar descendentes com Kholu é a maior que alguém poderia desejar. Fixar as luas no céu para sempre garantirá o futuro dos descendentes de todo o clã Johkull, dos descendentes deles e dos que vierem *depois*. Garantir essa paz é um grande privilégio.

O discurso dela me fere, pouco a pouco, cortando pele, tendão e osso em golpes rápidos e gelados...

Não.

Não, não, não, não...

Hock usa a lâmina de Zaran para cortar o pescoço de seu oponente em fendas curtas e profundas, abrindo metade da carne. O resto se solta do corpo imóvel, agora esparramado na areia, e eu esqueço como respirar. Como se Clode tivesse sifonado todo o ar dos meus pulmões.

Agachado sobre o cadáver sem vida, como uma fera que se banqueteia, Hock bate os punhos no cabelo coberto de sangue de Zaran e levanta a cabeça dele como um troféu, rugindo triunfante ao sacudi-la, com o sangue escorrendo do ferimento sangrento.

A multidão ruge, dando socos nos peitos, o gongo soando no ritmo dos meus batimentos.

Hock põe os olhos em mim e o calor se esvai do meu corpo, e um mal-estar violento explode em meu peito.

Não, não, não...

— Hock é o seu vencedor — murmura Saiza em meu ouvido, e meus pensamentos se agitam como um emaranhado de fios farpados. — Você tem sorte. Para além do roskr e de Oah, ele é nosso lutador mais forte. Agora haverá uma grande comemoração e, depois disso, ele a levará até a tenda dele para mostrar as peles de suas matanças, sobre as quais, esperamos, você criará muitos filhos e filhas fortes nos próximos ciclos, quando seu liame se fortalecer.

Filhos e filhas...

Um peso se instala em meu peito e barriga, fazendo com que eu me sinta esmagada, mas de alguma forma tão incrivelmente... *vazia*.

Sem conseguir respirar, olho de relance para o Condutor, que agora dorme um sono profundo. Tão perto de se tornar invisível que tenho certeza de que poderia enfiar minha mão através dele.

Não me surpreende que ele esteja se escondendo. Ele deveria ter *vergonha* de si mesmo.

Estou prestes a dizer isso a ele quando Hock avança, chutando a areia conforme caminha. Ele bate a cabeça de Zaran no chão diante do meu estrado.

Eu arfo, olhando para o rosto frouxo do homem. Para a confusão de tecido, tendão e osso.

O sangue se acumula na areia.

Ainda estou olhando para ele, tentando entender como caralhos vim parar aqui, com poucas roupas, pintada de sangue e olhando para uma cabeça decepada, quando Hock se ajoelha diante de mim. Ele pega seu málmr sujo de areia do tapete e estica o braço, tentando enfiar o laço em minha cabeça. Como uma algema em meu pescoço.

A raiva explode sob minha costela.

— *Não* — rosno, recuando.

Hock arregala os olhos com um misto de confusão e ira maldisfarçada.

Ele rosna, me agarrando pelos ombros e me puxando mais para perto, ao som de murmúrios estrondosos...

Dou uma cabeçada nele e sinto seu nariz estalar com a força, me afastando para ver o sangue esguichando de suas narinas dilatadas.

O mundo ao nosso redor para.

Eu me levanto, me afastando ainda mais, enquanto ele se aproxima da minha sombra, rosnando em meio ao fluxo de sangue que jorra de seu rosto.

— Vou lutar por mim mesma!

Grande parte da plateia fica em silêncio, com alguns poucos sons de choque. Talvez daqueles que entendem a língua comum.

Hock para, olhando para Saiza, que traduz meu pedido frenético, com a testa franzindo acima dos olhos tempestuosos de clarão solar.

Ele olha para o Oah.

— *Géish den nahh cat-uein?*

Suas palavras são um choque brutal de sons, com a tensão aumentando.

O Oah parece deliberar, sua Oah-ee de olhos arregalados e mais pálida do que antes. Ela olha para mim, com seu bebê agora enrolado e gritando em seu peito.

Seus lábios se movem, com palavras suaves que chegam direto a meus ouvidos em um movimento suave do vento.

— *O que você está fazendo?*

Ela pode falar minha língua, então.

Ela também pode falar com Clode.

Interessante.

— Eu não escolhi isso — esbravejo, a seda avermelhada amarrada em minha cintura balançando ao vento, meu corpo inteiro tenso com a vontade de me *mover*.

De *lutar*.

Meu olhar se volta ao Condutor do Destino, que agora me observa por meio de olhos apertados que têm uma aparência muito mais sólida do que o resto do corpo.

Embora ele ainda esteja enrolado, sinto sua inquietação no ar entre nós. Como se estivesse esperando para ver qual será meu próximo passo fora da linha. Mas, se esse é meu destino — se é para isso que ele estava me conduzindo —, não aceito.

Nem um pouco.

Nos últimos ciclos de aurora, embalei Essi enquanto ela morria, me despedi de Pre, levei um tiro com um pino de ferro e recebi tantas chicotadas que desmaiei de dor. Fui dada de comer a uma trovoada de dragões, quase fui engolida, fui rejeitada pelo único homem que fez meu coração bater mais forte, fui arrancada de um penhasco e estou bem perto de chegar a meu limite.

Não vou aceitar o málmr desse homem, por mais excepcionais que sejam suas habilidades de batalha. Prefiro enfiar o discozinho tão fundo em seu crânio, atravessando olhos e perfurando o cérebro molenga dele, a carregar os filhos desse homem.

Não faço ideia de quem ele seja e não quero saber. Antes de mais nada, eu nem *quero* ter filhos. Se eu tiver que entrar em guerra com o Condutor do Destino para evitar isso, assim o farei. Seja ele uma linda besta mística ou não.

Uma gota de sangue de Hock escorrega pela linha do meu nariz, meu lábio superior se desprende.

— Lutarei por *mim mesma*.

Minhas palavras sibilam pela cratera.

A Oah-ee engole em seco, se inclina para seu homem e sussurra algo em seu ouvido. O olhar dele vai de mim, para Hock, para meu adormecido Condutor e depois volta para mim. Ele diz algo para sua Oah-ee, e ela suspira, trêmula, olhando para o bebê aninhado entre dobras de seda dourada.

O silêncio se faz presente.

Ela passa a mão sobre a testa do bebê, depois limpa a garganta, embora suas palavras ainda saiam engasgadas quando me olha nos olhos e anuncia:

— Desde que o Condutor do Destino não a impeça de entrar no ringue, não nos oporemos à sua decisão.

Raeve

CAPÍTULO 41

C onforme Saiza me pinta com mais faixas de sangue, finas como pergaminhos, permaneço imóvel como uma estátua. E observo Hock andando de um lado para o outro no campo de batalha arenoso, com o olhar fixo em mim, enquanto suga e respira fundo com os dentes arreganhados, como um animal feroz e carnívoro que está se preparando para avançar e devorar a presa.

Suspiro, empurrando minha algema para uma posição mais confortável.

O plano de fuga era simples: descer o penhasco e seguir o rio até o muro; me manter na sombra o melhor que pudesse; encantar um fundífera; caçar Rekk Zharos e, finalmente, o torturar até a morte. Agora, a apenas dois passos da linha de largada, preciso decapitar esse homem.

Olho de novo para meu Condutor quase invisível, que agora é pouco além de uma mancha metálica estrondosa, amaldiçoando o momento em que ele entrou em minha vida.

Saiza desenha outro filete de sangue em espiral na minha barriga.

— Você não gosta do homem que ganhou por você?

Ganhou por mim...

Não foi isso que aconteceu.

— Eu não escolhi esse homem — repreendo, e ela franze a testa, com confusão em seus lindos olhos cor de bronze.

Ela arrasta o pincel pelo meu nariz, sobre meus lábios, queixo e pescoço.

— Ele já caçou muitos grulos selvagens, grandes feras com presas, quase impossíveis de serem abatidas. Tem uma tenda grande, envolta e forrada por muitas peles. Prova de sua força célebre. Você é Kholu. Seus descendentes amarrarão as luas ao céu e trarão grande paz. Você não quer um liame forte?

Eu me irrito.

Tem como ser mais clara do que estou sendo?

Não existe nenhuma realidade em que eu vá levantar essa seda e permitir que esse homem entre em meu corpo. Nenhuma realidade em que eu vá colocar um único pé em sua tenda impressionante. Nenhuma realidade em que eu exponha meu pescoço para ele em demonstração de um respeito profundo e natural.

Prefiro que ele corte meu pescoço de orelha a orelha.

— Não quero saber desse homem, desse título, de *nada* — resmungo, olhando feio para a mancha de partículas metálicas de ar ao meu lado, esperando que o Condutor do Destino esteja prestando bastante atenção. — Meu corpo é meu e farei com ele o que quiser. *Nada* além disso.

Saiza fica pálida e abaixa o olhar e a cabeça em sinal de submissão.

— Eu entendo, Kholu. Temos valores diferentes. Peço desculpas por ter me excedido.

— Tudo bem.

Eu só quero que isso acabe.

De vez.

Saiza dá um sorriso discreto e, em seguida, pinta mais redemoinhos ao longo do meu braço enquanto volto a observar os movimentos de Hock — estudando a maneira como seu corpo se desloca. A forma como ele joga o peso de um pé para o outro. Os danos já infligidos em sua forma corpulenta.

— Você sabe lutar? — pergunta Saiza, e eu balanço a cabeça. — Como um *guerreiro* luta?

Olho para ela com a testa franzida.

Ela para.

— Ninguém luta como aqueles do clã Johkull. Somos os mais fortes das Planícies Boltânicas. É por isso que ganhamos esta terra onde nenhuma lua cairá de novo — diz ela, apontando para a cratera que nos cerca. — Tudo o que Hock precisa fazer é conseguir que você se submeta e o tribunal chegará ao fim. Já você precisa *matá-lo* para se consagrar como vencedora. Para ganhar o direito de matar grulos selvagens e construir sua própria tenda. Para isso, você deve cortar a cabeça dele.

Não perco meu tempo explicando para ela que não tenho o mínimo interesse em matar grulos selvagens e construir tendas. Depois de matar Hock, voltarei para o rio e seguirei seu curso até que ele congele e, por fim, encontre o muro. Se o Condutor do Destino tentar me impedir... bem.

Espero que não chegue a esse ponto. Eu adoro animais e detesto a ideia de matá-los.

— Já arranquei a cabeça de outros homens antes — murmuro entredentes. *Apesar de, claro, não ter sido o bastante, considerando o quanto sou toda amaldiçoada.* — Não será diferente dessa vez.

Um período de silêncio cheio de tensão se segue enquanto Saiza continua a me preparar para a batalha que se aproxima, tirando meu colar de cobre e o colocando de lado. Ela penteia meu cabelo e, depois, faz uma trança que chega na altura da cintura, amarrada com um pedaço de barbante enquanto o gongo continua a soar.

Quando estou pronta, olho de relance para o Condutor do Destino, que aparece de novo, abrindo os olhos para me ver.

As pupilas dele se dilatam enquanto sustento seu olhar feroz e intenso.

— Não tente me impedir.

Tudo o que recebo é um movimento de cauda, como se dissesse: *"Pode ir. Volte para o ringue, que é seu lugar. Faça o que tem que fazer".*

Toda a congregação parece prender a respiração quando ergo o queixo e saio da sombra, irritada, me recusando a dar mais atenção à fera. Nem uma única gota dela.

Ela não vai me deter. Eu sei que não vai. Eu deveria saber que era isso que ela queria o tempo todo: que eu voltasse ao ringue de batalha, que derramasse sangue.

Talvez o Destino — seja quem for o *Destino* — precise que Hock e Zaran sejam eliminados por algum motivo, e o Condutor tenha me levado até aqui para que isso aconteça. Seja qual for o motivo, é difícil não ter a sensação de que estou sendo *usada* de novo.

Eu já deveria estar acostumada com isso.

Eu me dirijo a uma prateleira de armas, tirando algumas dos ganchos e descobrindo logo que são pesadas demais ou têm cabos grossos demais para que eu consiga segurá-las com firmeza. Pego um machado de ferro discreto com uma alça de couro amarrada que fica confortável no meu pulso, jogando de uma mão para a outra antes de usá-lo para cortar o excesso de tecido da roupa, que poderia me atrapalhar.

Jogando ao vento o pedaço de seda tingido de sangue, entro no ringue, me movimentando em um círculo lento e constante em torno do perímetro externo e mantendo contato visual com Hock. Ele trocou a clava com espinhos por uma lisa, com certeza relutante em me desfigurar nessa luta para ganhar o "direito" de estar liame comigo.

Que merda de sanhaço.

Estalo o pescoço de um lado para o outro, estabilizando minha respiração até que fique profunda e lenta.

Calma.

Esperando que *ele* dê o primeiro passo.

Hock balança a cabeça, xingando baixinho antes de o rosto se distorcer com um rugido estridente. Ele avança, chutando areia enquanto atravessa a arena como uma fera em disparada.

Eu espero até que ele esteja tão perto que posso sentir as vibrações de seus passos. Posso ver as chamas alaranjadas em seus olhos amarelos e ousados.

Eu me inclino para o lado, curvando a parte superior do meu corpo para longe de seu corpo oscilante ao mesmo tempo que a plateia arfa em uníssono. Giro o tronco, o golpeando com o machado.

O sangue jorra, minha arma atravessando a pele e a carne, atingindo o osso, talhando a lateral do corpo dele. O golpe não foi fundo o bastante para matar, me dou conta... e me afasto, olhando fixamente para meu oponente, que ruge enquanto aperta um punhado de areia.

Hock leva a mão ao ferimento, inspecionando a mancha de sangue que agora cobre a palma. Um lampejo de choque espontâneo acende seus olhos, seguido por uma explosão de raiva violenta o suficiente para chamuscar a pele.

Já vi homens olharem para mim dessa forma, logo antes de eu perfurar seus corações.

O olhar de *orgulho ferido*.

Não dou tempo para que ele possa digerir essa emoção. Corro, me esquivando para a esquerda e para a direita. Chamo a atenção dele para meus pés, esperando que ele fique confuso com a direção do meu movimento seguinte e não com o que minhas mãos estão fazendo.

Com um movimento do pulso, jogo um punhado de areia no ar no momento em que Clode lança o vento em uma rajada, borrifando nos olhos dele, me ajudando de livre vontade.

Hock ruge.

Eu sorrio.

Também te amo, Clode!

Sinto sua falta!

Logo que Hock começa a limpar os próprios olhos, mergulho em suas costas, envolvendo seu pescoço com o braço, prestes a cortar a jugular com meu machado quando ele me agarra pelo braço e projeta o corpo para a frente.

Sinto minha lâmina raspar na arma dele durante meu breve voo pelo ar e me preparo para o impacto, de modo que, quando colido com o chão, saio rolando no mesmo instante. Evito um golpe cego de arma, que bate no chão às minhas costas.

Eu me levanto depressa, observando ele se afastar, esfregando o corte raso demais em seu pescoço.

Merda.

Ele me encara com os olhos injetados de sangue, fervendo, berrando palavras violentas enquanto enfia a mão no bolso da calça. Talvez tentando verificar se as bolas ainda estão no lugar.

Sem permitir que ele tenha tempo de se ajustar, ataco de novo, me esquivando para a esquerda e para a direita, a alguns saltos longos de distância quando ele liberta a mão.

Quando vejo uma fina gavinha dourada em seus dedos, já é tarde demais, já estou avançando naquela direção. Balanço o machado ao mesmo tempo que ele estica a mão, lançando no ar a pequena serpente sibilante entre nós, com a mandíbula aberta.

Presas à mostra.

Minha arma corta a coxa de Hock no instante em que a cobra atinge meu peito com uma mordida que arde.

Eu rolo, caindo no chão, me ponho de pé de novo e dou um passo para trás. Fico observando a pequena serpente se movendo pela areia — quase se misturando aos grãos.

Que.

Porra.

É.

Essa.

Eu me concentro na dor latejante na parte superior do meu seio esquerdo, sem tirar os olhos do babaca que agora está sorrindo para mim a alguns longos saltos de distância. Como se ele já tivesse vencido, apesar do fato de exibir três cortes recentes que estão pingando sangue por toda a areia.

— Quem anda por aí carregando *isso* no bolso...

Um súbito lampejo de tontura me faz cambalear, e eu estendo a mão para me equilibrar ao som dos suspiros e murmúrios da multidão.

Criadores... aquela serpente injetou veneno em mim.

Hock ri e depois ataca.

Eu também ataco, porque não tem como ficar parada enquanto esse maldito vem para cima de mim de novo.

Segurando o machado com força, penso entre quais costelas dele devo cortar, me esquivando para a esquerda, outra pontada de tontura fazendo o chão balançar com tanta violência que tropeço um passo.

A arma colide com meu ombro, e uma explosão de dor atravessa minha clavícula e desce até meu cotovelo.

Eu me afasto e deixo o braço ao lado do corpo, olhando para o homem que me persegue, a respiração cortando meu pulmão ressecado...

O que foi isso?

Meu desvio foi *perfeito*... até que não foi mais.

Oscilo de novo e o medo explode atrás da minha costela, a compreensão surgindo como fitas de aurora nascendo em minha barriga, se emaranhando na minha espinha, subindo pela garganta.

O veneno está se movendo depressa dentro de mim.

Rápido *demais*.

O mundo inteiro parece se inclinar para o lado, meus passos oscilando com ele, me forçando a colocar a mão na areia para me segurar. Um lampejo de satisfação ilumina a feição de Hock, o lábio se curva em um sorriso vitorioso.

— Seu *maldito* desgraçado — rosno, e ataco, me esquivando de um lado para o outro, até que me abaixo e deslizo pelo chão. Eu sacudo o machado e corto através do músculo da panturrilha no mesmo instante em que sua arma passa em um *borrão* pela lateral do meu rosto.

Ele ruge, projetando o corpo para a frente enquanto tropeça, afastando-se o bastante para poder verificar o corte em sua calça, a ferida recente derramando sangue pela parte de trás da perna.

Hock arregala os olhos, incrédulo.

— Não conseguiu aceitar que ia perder para uma mulher com metade do seu tamanho, né? — Eu me levanto, ainda zombando. — Eu vou *acabar* com você e depois vou colocar sua cabeça decepada no Grado — rosno, atacando de novo...

O mundo balança de repente, me levando com ele. Minha mão voa para tentar me segurar no que eu penso ser o chão, mas é só ar.

Com o coração aos pulos, cambaleio até me agachar de um jeito estranho, me apoiando no chão *de verdade*... o coração batendo mais forte.

Puta merda.

Vejo o olhar cortante de Hock enquanto ele testa seu peso na perna machucada...

Isso não é bom.

Preciso acabar com isso, *depressa*.

Eu me levanto, andando em um arco amplo que Hock imita com passos mancos. Com o olhar fixo em meu oponente, que rosna sem parar, puxo o couro que envolve o cabo do machado, desfazendo o material esticado e resistente.

Anda, babaca. Faça alguma coisa.

Ele ataca.

Eu também — convergindo em sua direção em um ritmo acelerado.

Algumas longas investidas de distância, ergo a mão para trás e atiro o machado. Que corta o ar com a velocidade de um relâmpago, indo parar no peito do meu oponente...

Hock se move mais rápido do que a arma voadora, se esquivando dela com um mergulho dramático do imenso corpo. O machado passa reto e eu salto, me agarrando a ele. Escalando sua forma machucada e chutando o corte na parte de trás de sua perna.

Hock inclina a cabeça e ruge, caindo de joelhos com tanta força que o chão treme; a multidão fica ofegante enquanto eu amarro a fita de couro em volta de seu pescoço grosso e aperto.

Aperto.

Ele se engasga, os sons escapando de sua boca que, sem sombra de dúvidas, está escancarada, o combustível que me estimula a continuar. Hock pode parecer uma montanha e se mover como se tivesse saído um guerreiro do útero, mas seu pescoço ainda é delicado.

Ele ainda precisa *respirar*.

Aplico toda a minha força para manter a amarra tensa, os músculos dos meus braços e do peito se rompendo com uma ardência dilacerante devido ao esforço imenso. Hock se agarra ao pescoço, mas não consegue enfiar os dedos sob o couro e, em vez disso, joga o corpo todo para a frente.

Usando o peso a seu favor.

Eu, que já previa esse movimento, prendo minhas pernas ao redor de sua cintura, me tornando um passageiro voluntário da mudança. Batemos com força no chão, nossos ombros esquerdos se enterrando na areia quente.

Ele se debate, com a coluna arqueada, tentando me arrancar de seu corpo. Eu aperto minhas pernas e punhos, me movendo com seus movimentos frenéticos, me agarrando a ele como um parasita, sugando sua vida.

As tiras de couro cortam minhas palmas, estou com os dentes arreganhados, meu cérebro tão cheio de sangue que minha cabeça fica leve e aérea. O mundo balança ao nosso redor, como se estivéssemos em uma balsa em um lago de areia sinuosa, e eu *sei* que essa é a única chance que tenho.

Se não acabar com ele agora, estou fodida.

— *Morra, seu trapaceiro de merda!* — rosno, despejando o que resta de minha força para retorcer os braços, puxando a tira de couro com ainda mais força.

Ele estica os braços para trás, tentando bater em minha cabeça, agarrando minha trança. Ele a puxa, mas, pela falta de força, consigo perceber que ele está desfalecendo.

A expectativa borbulha quente em meu peito.

Meu couro cabeludo queima devido a seus puxões desesperados que se tornam mais fracos...

Ainda mais fracos...

Toda a tensão se esvai de seu corpo, e a cabeça dele tomba para o lado no momento em que seus braços caem. O alívio me atravessa como uma tempestade de neve, subindo pela minha garganta como uma expiração lacrimejante.

Eu consegui.

Ele apagou.

Agora vou cortar a cabeça.

Lutando para respirar, olho através da névoa das ondas de calor, direto para o brilho severo do sol, localizando minha arma que parece ao mesmo tempo próxima e tão distante.

Solto a tira de couro, empurrando o corpo grande e flácido de Hock com minhas mãos feridas, tentando livrar minha perna esmagada sob seu peso. Quando enfim consigo me libertar, me levanto, bambeando; o mundo inteiro está inclinado, vacilando. O machado antes um só, depois se dividindo...

Se dividindo de novo.

Eu me concentro em um deles e avanço, me agachando para pegá-lo, mas encontrando apenas grãos de areia, a ilusão se desintegrando como se fosse feita de neblina. Resmungando, cambaleio, tentando me equilibrar, a mordida em meu peito latejando com uma dor profunda e destrutiva que estimula minha vontade de cortar o pescoço dele. De o agarrar pelo cabelo e erguer meu troféu sangrento, sair daqui e *nunca* mais olhar para trás.

Com o olhar fixo, procuro a arma.

Onde está...

Onde está...

Onde está...

Concentro o olhar na ponta afiada, brilhando no sol, protegida na areia à minha direita. Um novo fluxo de alívio me resfria por dentro.

Eu me estico, estendo a mão.

Uma sombra surge no meu campo de visão, o único aviso que recebo antes que algo duro *atinja* a lateral da minha cabeça.

A dor explode em minha têmpora enquanto meu corpo voa rápido demais.

Devagar demais.

Luzes piscam em minha visão que está diminuindo, e caio na areia com tanta força que meus dentes perfuram minha língua, algo quente escorrendo pela lateral do meu rosto enquanto eu olho para a lateral da cratera.

Sem piscar.

Imóvel.

Fico ali... deitada. A pálpebra pesada, a cabeça mais pesada. Me sentindo mais fraca e mais frágil do que quando acordei confusa naquela cela há tantos ciclos de aurora... há muito tempo, bem no início.

Minha mente letárgica se agita enquanto tento transformar essa realidade nova e distorcida em algo que faça sentido...

Ele não morreu?

Eu não o estrangulei por tempo o bastante?

Ele estava me fazendo de idiota?

Levante-se, Raeve.

Resmungando, rolo de lado, então me impulsiono usando as mãos e joelhos.

Oscilo.

Ergo a cabeça, vendo o dobro de barracas. O dobro de pessoas. O dobro da grande e brilhante bola de sol.

Meus braços cedem e meu rosto se choca com a areia.

A arma de Hock rodopia pelo ar, parando ao lado do meu machado antes que eu seja coberta pela sombra ampla do meu oponente.

Levante. Logo. Porra!

Rosnando, enfim consigo me levantar e girar.

O chão parece torto.

Mais pesada do que jamais me senti, tropeço com a inclinação violenta do mundo, mal conseguindo me segurar.

Hock se aproxima de mim, com os músculos ondulando a cada passo, o pescoço cortado com marcas profundas e avermelhadas que combinam com seus olhos, o branco agora manchado de vermelho devido à tensão do sufocamento. Fazendo com que ele pareça selvagem.

Raivoso.

— *Gúide* — rosna ele, o que deve significar "se submeta", porque Saiza está gritando o mesmo do lado de fora.

— *Gúide, Kholu.*

— *Vai se foder* — falo, com a voz arrastada, cuspindo um bocado de sangue no chão, minhas pálpebras ameaçando se fechar. — E meu nome é Raeve, seu trapaceiro de merda.

Ele resmunga, atacando. Dá um soco tão rápido em minha mandíbula que mal percebo que estou caindo, observando as fileiras de crânios passarem em um movimento rápido, até que me choco contra o chão. Todo o ar se esvai de meu pulmão e eu tusso, tentando recuperar o fôlego. Tentando me levantar de novo...

Ele monta em mim, colocando todo seu peso sobre mim.

Subo minha mão por sua coxa direita e passo meus dedos pelo couro aberto, no longo corte que Zaran fizera antes com a espada arredondada.

Hock ruge, agarrando meu pulso e depois o outro. Ele os prende no chão acima da minha cabeça, o gongo batendo de alguma forma, preenchendo o ar com sua pulsação angustiante, jogando areia em meus olhos.

As costas da mão de Hock se chocam com minha bochecha com tanta força que o mundo inteiro se rasga para o lado, minha cabeça estalando com o movimento, minha boca frouxa e coberta de areia.

Meu corpo se desliga da ferida. Da dor.

Da capacidade de me mover.

— *Gúide.*

Prefiro morrer a ficar presa a ele contra minha vontade. O Condutor do Destino decerto deve saber disso.

Essa criatura me trouxe até aqui — até este momento exato — sabendo que nunca me submeterei. Isso significa...

Que isso é um *assassinato.*

Meu assassinato.

Eu definitivamente deveria ter me curvado para a fera.

— Gúide! — repete Hock; um comando arrasador que rasga o ar.

— Vai se foder — sopro através de torrões de areia sangrenta.

Que se foda o Condutor do Destino.

Que se foda *tudo.*

Uma gargalhada se desmancha em minha garganta quando ele aperta meu cabelo com tanta força que tenho certeza de que está prestes a arrancar grandes pedaços do meu couro cabeludo. Usando para levantar minha cabeça de novo, ele faz uma careta para mim. Minha visão se divide, converge.

Divide de novo.

O gongo continua soando, cada vez mais forte, até que a arena inteira se torna um redemoinho de vento e areia pulsantes.

Continuo a rir na cara de Hock, mesmo quando ele levanta a outra mão...

Uma sombra eclipsa o sol.

Um rugido rasga o ar.

Hock inclina a cabeça para o céu, com a mão ainda preparada para me golpear, quando um ceifassabre aparece, arrastando a garra monstruosa pelas cordas e crânios entrelaçados e os levando para o céu.

Chovem crânios, que caem na areia como pequenas quedas da lua.

As pessoas gritam, mas meus batimentos gritam mais alto.

Tenho certeza de que estou imaginando coisas ao ver Rygun descer até a borda da cratera com um baque que faz o chão tremer. Ao ver Kaan aproveitar as cordas de Rygun para se impulsionar até o declive, apenas com seu málmr no pescoço, sem camisa, seu belo rosto sulcado pela fúria de um milhão de homens enlouquecidos.

Tenho certeza de que estou imaginando coisas ao ver a bota de Kaan bater no chão. Ao ver ele cerrar as mãos, avançando em minha direção com passos que parecem sacudir o mundo, enquanto seus lábios moldam palavras que reconheço, os tendões de seu pescoço tensos enquanto ele fala o dialeto de Bulder.

Tenho certeza de que estou imaginando coisas quando a cratera começa a tremer, e um golpe de alívio quase me corta em duas, apesar da rachadura enorme que se estende pelo chão. Apesar do modo como aqueles olhos cor de brasa estão fixos em mim — com poucas roupas, esparramada na areia embaixo de outro homem que pretende reivindicar o *direito* de ser meu liame...

Não deve ser um bom momento para elogiá-lo por suas habilidades de caça, mas, cara, é *tentador*.

Raeve

CAPÍTULO 42

A presença de Kaan domina a cratera, cada passo longo sendo saudado por outro tremor do solo, o corpo dele feito uma torre de músculos ondulantes, coberto pelo suor que brilha ao sol, as cicatrizes pálidas em contraste com o tom de ferrugem ao redor.

O cabelo dele está puxado para trás, e ele franze a sobrancelha cheia de fuligem ao me encarar com ferocidade, sem desviar o olhar. Isso faz com que um fio se forme entre minhas costelas, bem lá no fundo do lago congelado que tenho dentro de mim, e ele se prenda em algo pesado e relutante que não consigo identificar.

Começo a tremer, batendo tanto os dentes que é de se admirar que não se quebrem. Culpo o fato de que é provável que meu crânio esteja prestes a se romper. Não é algo mais profundo, não mesmo. Não estou tremendo feito um ovo prestes eclodir por causa da sensação estarrecedora de alívio no peito. Alívio por ele estar aqui. Comigo.

Isso...

Com certeza não é por causa disso.

Com exceção de Hock, todos os outros membros do clã formam um punho com a mão e batem no próprio peito quatro vezes, o clamor retumbante preenchendo a cratera com um sonido de respeito. Kaan faz isso uma vez só; uma imagem de ruína e raiva.

Ele desvia o olhar para o homem ainda em cima de mim, e as chamas ardem tanto nos olhos dele que eu deveria ficar com medo.

Assustada...

Mas não fico.

— *Dagh ata te roskr nei.* Ueh! — A voz densa e grave dele expele as palavras desconhecidas com uma ferocidade tão palpável que sinto cada sílaba raspar minha pele arrepiada.

Ele bate com o punho no peito de novo, desta vez abrindo a mão, movendo as unhas pelo peito no sentido diagonal. Quatro arranhões perceptíveis surgem: irados e marcantes.

— *Gagh de* mi *dat nan ta*... aghtáma.

As palavras cortam como lâminas, o que me faz estremecer. Não preciso compreender a língua para entender que o rei está... bem...

Putaço.

Hock se levanta, pau a pau com Kaan no quesito porte físico.

— *Agath aygh te nei dahl Tookah atah. Agath dein*... vah! *Lui te hah mát tuin.*

Ele imita o gesto de Kaan, arranhando a própria pele, e então faz o mesmo com a outra mão, criando um vergão em forma de X no peito ofegante.

Kaan rosna:

— *Heil deg* Zaran *dah ta réidi*. Heil deg dah ta réidi!

Hock cospe no chão, repete o gesto do arranhão e *ataca*. Kaan faz o mesmo. É como duas montanhas enormes se fundindo.

Colidindo.

Sinto o movimento como um rochedo sendo arremessado em minha costela.

Com as cabeças pressionadas juntas, as mãos cerradas com firmeza na lateral do corpo, os dois *rosnam*. Uma intimidade tão violenta naquele quase abraço que fico convicta de que a energia emanada é poderosa o bastante para abrir outra fissura no solo.

De repente Saiza está ao meu lado com outra mulher, as duas me erguendo, envolvendo meus braços em seus pescoços e me arrastando em direção à barraca.

— O que estão dizeendo? — gaguejo, por causa do bater de dentes, piscando sem parar para tentar desanuviar a visão, que começa a ficar embaçada.

— Hock está alegando que venceu a batalha entre vocês, embora você não tenha se submetido — explica Saiza enquanto me carrega, passando por Sól, que está indo na direção de Hock e Kaan em passadas longas, balançando os quadris. — Kaan está dizendo que você não está livre para ser reivindicada por ninguém. Que não foi criada com nossos costumes e não está habituada a essas tradições. Ele está exigindo a anulação do embate. Como *roskr* de Hock, *superior* a ele, na sua língua, ele exige que Hock aceite a grande vitória sobre Zaran e saia do ringue de batalha, assim adicionando um ponto ao próprio *réidi*. Hock, por sua vez, está desafiando a ordem do *roskr* e quer lutar contra Kaan. Se ele ganhar, vai adicionar muitos pontos a mais ao próprio *réidi*.

Sinto o coração apertado. Pensar em Kaan lutando até a morte contra Hock me causa uma sensação espinhosa e desconfortável no peito.

— Kaan é-é-é o rei do Lume. — Faço força para falar. — Hock ousaria desafiar a coroooa?

— Sua coroa não significa muita coisa aqui. Não reivindicamos parte de reino nenhum. Só o *réidi* importa. Nós só batemos no peito quatro vezes pelo *roskr-éh*. O *supremo*.

Franzo a sobrancelha e olho por cima do ombro para os homens rosnando e ainda cuspindo palavras um para o outro.

— Se Kaan é o maissss f-f-forte, por que ele não é Oah?

— Ele era, até o paih dele morrer — sussurra Saiza quando chegamos à barraca. — Ele ofereceu ao *uith-roskr*, o segundo supremo, os ossos de nossos ancestrais Oahs. Oah Knok tem sido um Oah digno.

Foco o olhar em Oah Knok enquanto me colocam no estrado, e então me viram e me posicionam no tapete, e encostam algo úmido e frio em minha têmpora dolorida.

Volto a ficar tonta, a cena à frente se dividindo e misturando.

Dividindo de novo.

Rygun está majestoso na arena sentado na borda, como em um pedestal, seu tamanho colossal projetando uma sombra em metade da cratera. Em meio à cara medonha pontiaguda, os olhos escuríssimos acompanham todos os movimentos de Kaan com uma intensidade pungente... não ajuda o fato de ele se multiplicar a cada vez que o mundo se divide.

Eu me sinto o oposto.

Não há um único pedacinho de mim que queira observar a luta se desenrolando. Um torpor atrás, eu não teria nem pestanejado ao observar Kaan Vaegor ser degolado em uma arena. Em vez disso, eu teria *comemorado*.

Agora, o mero pensamento me faz querer vomitar.

Não entendo. Nem quero entender.

Não quero ver.

— Bem — murmuro, com a voz rouca, levando a mão trêmula à cabeça para tatear o machucado, franzindo quando sinto o sangue entre os dedos —, enquanto eles estão ocupados, que-que-que tal se eu me fingir de morta e vo--vo-você me jogar de volta no rio?

— Não é assim tão simples, lamento.

Não é assim que se fala.

— O Condutor do Destino fo-fo-foi embora — continuo, com a voz arrastada, olhando para os arredores oscilantes sem ver a criatura em lugar nenhum. — Eu acho que pode, sim, ser tão si-si-simples assim se acreditarmos o suficiente.

Ela limpa um pouco do sangue de meu peito.

— Eu não acho que tenha ido embora, só está escolhendo ficar invisível.

Franzo a testa, olhando ao redor da cratera, ainda tentando dar sentido àquele caos predestinado.

Sem sucesso.

Toda vez que acho que enfim entendo, os grãos da compreensão escapam pelos meus dedos.

Se o destino me quisesse morta, aquele teria sido o momento de concretizar o desejo.

Então *o que* é que a criatura quer?

— Você está com uma mordida de serpente *vahli* — comenta Saiza, passando a ponta do dedão pela picada ardida na lateral de meu seio, ficando pálida. — Como foi que isso aconteceu?

Acho que ninguém viu Hock tirar seu píton de bolso e o lançar em cima de mim. Imagino quantos adversários foram vítimas dos métodos vis e desonrosos dele.

Não respondo, sobretudo porque não faz diferença.

Está feito. Assim que eu sentir que consigo ficar de pé sem desabar, vou voltar lá e cortar a cabeça do infeliz, então fundir o cérebro dele com o punho.

Saiza arregala os olhos, se virando na direção da arena.

— *Gas kah ne*, veil dishuva! — brada ela, com escárnio, e as palavras são tão afiadas que juro que dariam para cortar a pele.

Ela se levanta e vai até o amontoado de vasos às minhas costas, fazendo barulho enquanto remexe os itens e resmunga baixinho. Acompanho o barulho que ela faz até receber uma caneca com água gelada, talvez coletada de um dos vasos rúnicos. Embora pareça quase...

Granulosa.

— Beba isso — instrui Saiza entredentes, lançando outro olhar duro na direção de Hock. — Misturei um antídoto na água, ele causa uma sensação estranha, mas vai combater o veneno.

Inclino a cabeça em agradecimento, com o rosto se contorcendo enquanto engulo as bolinhas da mistura amarga e com textura gelatinosa, sentindo os goles gelados se infiltrando depressa em minha corrente sanguínea. Resfriando de dentro para fora.

Amenizando parte das oscilações em minha mente.

Sól se agacha, pega um pouco de areia entre os dedos, então despeja na própria língua enquanto bebo o resto da mistura em uma golada só, fazendo careta. Inclinando a cabeça, Sól começa a entoar, esticando a mão ao céu. Então para, bate com a palma das mãos no solo, pega dois punhados de areia e sacode as mãos tão depressa que a maior parte cai.

— O que ela está fazendo?

— Lendo a vontade dos Criadores — sussurra Saiza, pegando a caneca vazia de minha mão.

Devagar, quase de forma sinistra, Sól abre os dedos, com os olhos leitosos analisando os grãos que sobraram no aperto frouxo.

— *Gath attain de ma veil set aygh te* — declara ela, com as palavras murmuradas de algum modo ecoando pela expansão arenosa. — *Hailá atith ana te lai...*

Um silêncio toma a multidão, e o rosto de Kaan fica pálido. Ele me lança um olhar arregalado, o que me arrepia até os ossos.

— Ela disse algo r-ruim?

— Sól anunciou que uma vez que já derramaram sangue em sua homenagem, você não pode sair da cratera sem que lhe reivindiquem. Se fizer isso, mais luas cairão neste lugar em que sangue foi derramado por motivos vis, e o clã Johkull vai perder o santuário. E muitos vão padecer. A palavra dela é definitiva.

De repente minha tremedeira para, como se tivessem injetado argamassa em todos os músculos de meu corpo.

Kaan engole em seco e se afasta de Hock, mantendo o olhar no meu. Então vem em minha direção, com uma suavidade aguda no olhar enquanto remove o málmr do pescoço.

Meu sangue vira gelo.

Ele se ajoelha diante de mim e abaixa a cabeça, fazendo uma reverência tão profunda que as costas ficam à mostra... as mãos em forma de conchas esticadas, segurando o lindo málmr...

Silêncio.

Até o rebuliço do vento parece ficar estático.

Minha garganta fica tão entalada que é difícil respirar.

Olho para a peça (o ceifassabre escuro e a plumalua prateada aconchegados no abraço eterno), admirando o acabamento primoroso. O amor que ele aplicou a cada cavidade e curva do entalhe.

Uma visão me assola com tanta intensidade que fico sem fôlego.

O málmr de Kaan entre meus seios nus, meu corpo todo suado enquanto me contorço de prazer, olhando para além do meu umbigo. Para minhas coxas abertas, que são seguradas por mãos grandes e poderosas...

Para os olhos âmbar de Kaan, que estão em brasa por mim, a língua dele consumindo a minha...

Desfaço a alucinação como quem estoura uma bolha, arfando em busca de ar, o que só faz minha cabeça girar. Faz martelar com uma dor ainda mais profunda e intensa. Por mais que eu tente arrancar a aparição da mente, ainda sinto o resíduo oleoso de posse que lustra minhas entranhas.

Uma certeza singular se apodera de meu coração como as raízes de uma cordilheira... impossível de deslocar.

Quero aceitar esse objeto belo e perigoso.

Segurá-lo.

Apertá-lo junto ao peito.

Nem que só por um segundo.

Munida por essa única partícula de consciência, ignorando as implicações problemáticas de que certamente vou me arrepender em um outro dya, depois que passarmos por este entrave traiçoeiro, estico a mão, envolvendo o málmr com os dedos e o aninhando ao peito.

Algo se firma dentro de mim como uma chave se encaixando na fechadura, mas não analiso muito. Nem começo a averiguar.

Isso não é de verdade.

É sobrevivência.

Kaan continua agachado à minha frente, sem nada nas mãos, mantendo a posição por tanto tempo que até o grupo ao redor começa a cochichar, alguns até a arfar.

— O que ele está fazendo?

— Ele está pedindo para você deixar sua marca no *réidi* dele — explica Saiza, com a voz rouca, tomada pelo espanto. — Está dizendo que respeita você mais do que a si mesmo, e, o mais importante, mais do que a própria honra.

Sinto uma palpitação no coração, e arregalo os olhos.

— Eu... — *Não sei o que fiz para merecer isto.* — Isso não faz nenhum sentido.

— Ele a está anunciando como a *roskr* dele. A *superior* dele. Se aceitar esta honra, o título dele vai passar para você caso ele sucumba neste dya.

Caso ele sucumba...

Uma dor cortante e repentina atravessa meu peito como o golpe profundo de uma adaga.

— O qu... — Minha voz falha, e olho para Saiza, fazendo a pergunta com os olhos e torcendo para que ela entenda, com a certeza de que se eu tentasse falar, só sairiam sons desconexos.

O que isso significa?

Saiza me lança um olhar gentil, colocando a mão em minha bochecha.

— Significa que, se Kaan perder, ninguém vai poder se opor a qualquer decisão que você tomar. Você pode ir embora, apesar de ter sido reivindicada, sem enfrentar desonra alguma porque será considerada superior a Hock.

Cada pedacinho de mim é tomado por uma onda de compreensão densa e básica, e exalo, trêmula.

Ele está garantindo que vou escapar...

Aconteça o que for.

Foco o olhar no homem diante de mim, algo se avolumando no fundo de minha garganta e fazendo com que seja difícil de engolir, de ultrapassar esse inchaço, e percebo o quanto eu estava certa em fugir.

Em ir embora.

É muito, *muito* fácil me importar com ele.

Saiza passa os dedos pelo meu sangue em minha clavícula e o usa para pintar minha mão.

— Você pode escolher marcá-lo e aceitar esta grande honra.

Fecho a mão em um punho, abro, olho para o sangue na pele e então para o málmr em minha outra mão.

Não mereço isso. Nem um pouco. Só que também não quero desrespeitá--lo ao recusar esse belo gesto que significa muito mais do que esse homem magnífico acredita que valho.

O silêncio impera, e tento afastar os sentimentos, empurrando tudo para bem fundo em meu ser ao mesmo tempo que olho para o mural pintado nas costas dele. Para a lua vacilante que tem metade do tamanho de meu punho... como se eu pudesse puxá-la e aninhar na minha palma.

Caio em direção a ela, de coração, colocando a mão pintada na lua que tanto amo.

Kaan se treme todo, a sensação vibrando por meu braço e para dentro de meu coração pesado, fazendo com que eu prenda a respiração.

Ele se levanta; depressa demais.

Devagar demais.

Parte minha que é estranha e desconhecida quer esticar a mão e segurá-lo. Quer gritar para que ele fique aqui.

Quer implorar para que ele viva.

Kaan mantém o olhar focado no chão e ergue o punho, bate no próprio peito seis vezes, então se vira... indo na direção da estante de armas ao som dos arquejos e murmúrios da multidão.

Raeve

CAPÍTULO 43

$\mathcal{A}$ tensão corta o ar, com centenas de olhares raspando minha pele. Impregnando-a.

Analiso a multidão à espreita, então olho para Saiza, a pele clara, os olhos arregalados enquanto observa o rei se afastar.

— Por que seis vezes?

— Eu não sei ao certo — responde ela. — Cinco vezes para Oah. Nunca ouvi falar de seis.

Engulo em seco, apertando o málmr de Kaan com mais força.

Ele vasculha as armas empilhadas em uma estante próxima, pondo peças para o lado, até enfim pegar uma faquinha que eu notei antes... a que tem tantos dentes afilados pela borda da lâmina lisa que poderia ser uma bocarra.

Ele passa o objeto de uma das mão a outra, solta um grunhido, então arranca a bota e a descarta.

— *Hach te nei, Rygun* — diz ele, grunhindo, apontando para a própria fera, com as palavras severas ecoando nas paredes brutas da cratera. — *Hach te nei, ack* gutchen!

Eu me inclino para perto de Saiza.

— O que ele está dizendo?

— Ele está comandando que Rygun recue... seja qual for o desfecho da batalha.

As últimas palavras pesam como rochedos em meu peito.

Com os olhos flamejantes ainda focados em Kaan, a fera estufa o peito ao respirar fundo e liberar um som tão mordaz que preenche a cratera com a promessa de uma violência impetuosa que entendo com perfeição.

Com perfeição *demais*.

Kaan lança outra ordem:

— *Hach te nei, Rygun*. Ack!

Rygun espalha as asas, vira o rosto para o céu e solta outro guincho agudo; o som é acompanhado por uma miríade de chamas vermelhas que chamuscam, se espalham e estalam contra o azul-claro.

O povo grita, se agachando sobre seus petizes para os proteger do calor. Outros se jogam no chão, como se isso fosse salvá-los caso o enorme dragão resolvesse abaixar a cabeça e lançar as chamas na cratera.

Também me agacho, mas por diferentes motivos... me encolhendo toda ao ver que minha pele se *ilumina* com os resquícios de um milhão de runas desbotadas. Com uma cor tão chamativa que a luz emanada pelas gravuras antigas é capaz de rivalizar e a de uma lua de plumalua vindo nas profundezas sombrias do Breu.

Estou tão agachada, tentando não olhar muito para o resíduo de runas desenhadas em minha pele, para as camadas e camadas de pequenas gravuras usadas para me remendar mais vezes do que o número de luas no céu, que esqueço Saiza ao meu lado. Ao menos até abrir os olhos e notar que ela me observa com atenção.

Ela olha para meu corpo inteiro, então foca o olhar no meu. Meu coração quase sai pela boca, e tento falar...

— Não me admira você ter rido — comenta ela, então estica as mãos para trás de mim, jogando um cobertor em minhas costas e ombros. — Os indestrutíveis sempre riem.

Não a corrijo. Não digo que já fui destruída incontáveis vezes. Que ri porque a dor que senti no peito mascara *qualquer* dano que sequer possam infringir em minha pele e ossos.

Em vez disso, abro um sorriso grato e atordoado, me embrenhando no tecido trançado e volto a observar Rygun lançar sua fúria ardente no céu, como se tentasse fritar as luas.

Parece que ele está bastante insatisfeito por receber ordens. Sendo justa, se eu conseguisse me livrar da algema de ferro, eu mesma estaria assumindo as rédeas da porra do destino.

A chama dele para com brusquidão, e ele dispara para o céu, fazendo cair uma chuva de pedregulhos do ponto em que as garras estavam cravadas na borda da cratera. O dragão ergue as asas colossais, propelindo um vendaval esvoaçante para dentro da cratera, e forçando todos nós a protegermos o rosto contra a rajada de areia.

Ele voa mais alto... mais alto... até estar longe o suficiente para o povo do clã ficar confortável em reaparecer.

Fico com a boca seca conforme Kaan segue para o centro da cratera, onde Hock voltou a andar de um lado ao outro, empunhando outra vez a arma com espetos que usou para derrotar Zaran. A arma que imagino girando no ar com uma velocidade indetectável, colidindo com o rosto de Kaan.

Despedaçando o crânio dele.

Eu me encolho, sentindo o corpo reviver o tremor terrível, e mais sangue escorre por minha têmpora. O antídoto está agindo para eliminar as falhas em meu equilíbrio, mas não tão rápido.

Não o suficiente.

Mesmo assim, eu me forço a ficar de pé. Saiza corre para me ajudar a levantar, agindo como um pilar no qual posso me apoiar. A outra mulher volta a pressionar o tecido na ferida em minha cabeça, besuntando com algo denso e potente enquanto os homens ficam se cercando, um rondando o outro, passos largos que esmagam meu peito.

Por fim, eles *avançam*... colidindo em um baque agressivo de ira ardente, de novo e de novo, cada choque sob grunhidos ricocheteando tanto por meus ossos que me sobressalto.

Feridas se abrem.

Sangue jorra.

Armas ficam vermelhas e molhadas.

Não há um ritmo nos gestos ondulantes que me lembram da terra se rachando e pedras se partindo. De terremotos sacudindo o mundo com força o bastante para nos fazer cair. Os dois são uma dança caótica de músculos proeminentes e atenção feroz que não quero ver, não quero ouvir, meu peito ficando mais apertado à medida que vão aparecendo novas cicatrizes na linda pele de Kaan.

Mas, apesar da sensação de impotência, não consigo não observar.

Saiza se inclina para perto de mim.

— Você deveria se sentar, Kholu. Está com as pernas trêmulas, e o corte na sua cabeça está sangrando muito.

Kaan não consegue desviar de outro ataque que dilacera o ar, retalhando pedaços de pele de sua barriga.

Um grito estrangulado escapa de minha garganta, e o olhar sanguinolento dele foca em mim no momento em que algo doloroso assola meu peito, como um verme carnívoro.

Meus joelhos cedem.

Saiza me abaixa até eu me sentar no tapete conforme Hock desfere uma série de golpes letais. E eu aperto o málmr de Kaan como se o gesto em si pudesse firmar o corpo dele e protegê-lo dos ataques sucessivos que acontecem

sem

parar.

Rosnando, Kaan avança na arma do oponente em um movimento de força letal, aceitando um golpe pontiagudo no peito para conseguir segurar o braço de Hock, e acho que outro som agudo se insinua por minha garganta.

Acho que pode ser o nome dele.

Acho que talvez eu o tenha ordenado a *viver*.

Sibilando e cuspindo sangue por entre os dentes, Kaan passa a arma denteada na parte interna do bíceps de Hock, rompendo o músculo com um rastro de vermelho.

A clava cai no chão.

Hock urra.

Kaan urra mais alto, dá a volta no outro homem enorme e segura o cabelo dele, puxando tanto a cabeça do outro para trás que o pescoço de Hock fica visível para mim.

Meu coração começa a palpitar, o resto do mundo virando um borrão no vácuo.

Focando o olhar no meu, Kaan ergue a arma denteada e ensanguentada até a extensão de pele e começa a *serrar*.

Estremeço.

Os gritos de Hock começam ferozes e frenéticos antes de virarem um grunhido gorgolejado enquanto seu pescoço vai se fragmentando pouco a pouco de forma caótica, como uma trituração de ossos, os penachos de sangue cascateando pelo peito em espasmos como uma aurora rubra.

O corpo dele despenca. A cabeça fica.

Algo quente escorre de meus olhos. Pinga em minha bochecha.

Kaan passa por cima da massa imóvel que virou Hock e vem em minha direção, eliminando o espaço entre nós. Ainda segurando o cabelo de Hock enquanto o mundo começa a se alternar e afastar.

Alternar e afastar.

Kaan chega perto de mim, com os dentes à mostra, com o peito ferido e ensanguentado. Ele coloca a cabeça de Hock no solo diante do estrado baixo, e sinto o mesmo peso dentro de mim, um som engasgado escapando de minha boca trêmula.

Olho para baixo, absorvendo a ruptura brusca e gotejante no pescoço de Hock, os olhos arregalados. A boca aberta em um grito perpétuo que tenho certeza de que nunca pararei de ouvir. O motivo pelo qual eu mesma corto a respiração de homens como Hock.

Kaan entra em minha linha de visão como um dragão se ajoelhando, tendo acabado de provar que ele consegue ser mesmo o monstro que achei que fosse. Mas, agora, só sinto um alívio frio e profundo.

Enlaço o sentimento delicado e vulnerável. Penduro em uma de minhas costelas, onde posso olhar para sua decomposição sempre que sentir meu coração se agitando do jeito que faz agora. Porque é o que acontece quando me envolvo de *qualquer* forma.

Morte.

Encaro os olhos avassaladores de Kaan, uma escuridão se desenrolando naquelas profundezas ardentes, tão descontrolada que me causa um senso estranho de calma. Faz com que eu me sinta menos sozinha neste mundo fodido.

Ergo o málmr dele e passo a alça de couro pela cabeça, colocando o entalhe pesado entre os seios.

A escuridão fica mais intensa.

Mais audaz.

Um som retumbante emana do peito dele, fazendo uma centelha de tranquilidade crescer em mim, mesmo com o mundo ondulando com tanta violência que meu corpo todo titubeia com o movimento.

Ele me segura, me levanta.

Ele me aninha próximo ao peito.

Então os passos dele estão martelando, *martelando...*

Ou talvez sejam as asas de Rygun.

Devagar, tomo consciência da sombra. Do vento. Do urrar intenso e feroz que rasga o ar, e do fato de que é provável que estejamos indo embora.

Coloco a mão no peito de Kaan, extraindo conforto do bater de seu coração, abrindo os olhos bem a tempo de ver uma mancha prateada escalando a lateral da cratera.

Indo embora.

Algo em que resolvo não dar tanta atenção, certa de que essa linha de pensamento só pode levar a mais dor.

Sofrimento.

Perda.

— Raio de Lua.

— Hum...

— Por favor, não me assuste assim de novo.

Assustar?

Que bela coisa a se dizer.

— Não devia desperdiçar essas palavras bonitas comigo, Majestade — murmuro, grogue, desejando não encontrar tanto conforto no cheiro dele.

Na sensação dos braços dele ao meu redor.

Nele.

— Você devia guardá-las para alguém especial.

O grunhido gutural dele é a última coisa que ouço antes de ser engolida pela escuridão.

Registro no diário

Elluin Neván

Idade: 18 fases

5.000.039 fases Depois da Pedra

S látra sobrevoou as Planícies Boltânicas enquanto eu estava presa à sela de um fundífera, implorando que alguém de contas azuis invocasse uma nuvem de umidade e a abrigasse dos raios chamuscados do sol. A condutora ignorou todas as palavras.

Todos os pedidos.

Todos os malditos gritos.

Slátra me seguiu até Dhoma, com a pele prateada borbulhando e estourando. Voando até que as asas estivessem com buracos demais para que conseguisse continuar no ar.

Ela despencou e senti o que restava de meu coração se soltar do peito e despencar com ela, desesperada e impotente enquanto ela rastejava pelas dunas em chamas, soltando sons estridentes dos quais nunca conseguirei esquecer. Nem conseguirei esquecer o brilho leitoso dos olhos dela por ter encarado o sol enquanto guinchava... de novo e de novo.

Duvido que um curandeiro consiga ajudá-la a recuperar a visão, nem espero que ela confie em alguém o suficiente para deixar que se aproximem e tentem.

Eu, com certeza, não confiaria, nem a culparia se ela nunca mais me deixasse abraçá-la.

Mas ela deixou.

Assim que ela se encolheu na segurança de uma capoeira perto da Fortaleza Imperial, ela me aninhou tão próximo ao peito que sentia o bater tremulante de seu coração, que mal resistia. Só por mim. Disso, tenho certeza.

Ela não queria me deixar aqui sozinha.

Quase lhe implorei para se solidificar ao meu redor e dissipar nossa dor.

O rei Ostern concordou em me deixar dormir na capoeira com ela, contanto que a entrada ficasse bem resguardada.

Não sei por que ele se dá ao trabalho. Nós dois sabemos que eu jamais sairia dali sem Slátra. Desde que recebi a Pedra de Éter, não consigo mais invocar uma nuvem por tempo o suficiente para levá-la de volta pelas planícies. O que significa que estou presa aqui, neste lugar quente e úmido, enquanto meu reino é governado por um homem vil que eu mesma não escolhi. Um horror que não se compara à dor que sinto toda vez que olho para a minha bela plumalua ferida...

Nunca vou me perdoar por subir na garupa dela tantas fases atrás. Por grudar nela até que me ouvisse.

Confiasse em mim.

Nunca vou me perdoar por levá-la para longe de casa. Eu faria qualquer coisa para voltar para a minha.

Kaan
CAPÍTULO 45

E u me inclino sobre o corpo mole de Raeve antes de nos lançarmos para baixo, atravessando um aglomerado de nuvens. Saímos rasgando com um movimento das asas de Rygun, as montanhas incrustadas de florestas passando por baixo de nós bem mais devagar do que eu gostaria.

— *Hast atan, gaft aka.*

Mais rápido, meu amigo.

A adrenalina enfurecida de Rygun se agita em meu peito, me dando a sensação de estar queimando de dentro para fora.

— *Hast atan, Rygun!*

Ele urra... soprando uma pluma de chamas avermelhadas por uma teia de nuvens baixas, dissolvendo-as.

A cordilheira chega a um ponto elevado, e ele persegue o vento ascendente com um impulso das asas, disparando sobre o pico arredondado que culmina no mirante abobadado que abriga vários ceifassabres e um fundífera. Os condutores tocam trombetas em erupções fortes para saudar nossa chegada, e enfim vejo a Prézea se estendendo a perder de vista.

Absorvo o corpo de água amplo e imprevisível como o alívio bem-vindo que é, com Rygun urrando para a constelação das luas ceifassabres, que estão espalhadas acima da profundeza turquesa cintilante. Para as luas fundíferas também... embora essas sejam poucas.

Casa.

O alívio atenua parte do peso em meu peito.

— Quase lá — murmuro perto da cabeça de Raeve, coberta pelo capuz, enquanto Rygun passa tão perto do mirante que tenho certeza de que a cauda roça no telhado.

Ele encolhe as asas e mergulha para baixo rente ao penhasco em direção à capital protegida do Lume, disposta ao redor da costa inclinada. Como se Bulder tivesse passado uma lâmina no cume bulboso e talhado uma gruta ampla o bastante para aninhar a segunda maior cidade do mundo.

A luz do sol castiga as habitações castanho-avermelhadas e arredondadas, similares às montanhas das quais foram originadas, com o povo gritando e acenando dos passadiços texturizados. Petizes pulam para cima e para baixo, com os braços esticados enquanto comemoram, urram e fingem voar sobre os paralelepípedos.

Rygun mira na Fortaleza Imperial que sobrepõe tudo, se projetando da montanha como uma adição adornada por vitral nas janelas e grandes arcos, cercados por videiras de flores ukkah pretas das quais a mãin gostava tanto.

O paih costumava minar o crescimento delas, mas eu, não. Elas têm minha autorização para engolir a cidade.

O *reino* inteiro.

Rygun nos desce até uma área plana de pouso, o ar ameno com o cheiro de sal e carne assada. Seguro Raeve com mais firmeza quando Rygun toca o chão, de modo tão pesado que uma fissura, que vou ter que consertar depois, se abre no solo.

Me desvencilho da sela, com o coração ficando apertado quando vejo Veya correndo por um dos arcos, com o cabelo castanho comprido agitado pelo vento. Ela está trajando o couro de montaria, o qual suspeito que ela use até para dormir, e o sorriso aberto em seu rosto desaparece quando percebe o sangue que me cobre... a mulher que carrego nos braços...

— Merda — murmuro, descendo com o auxílio das cordas.

Adoro que ela me recepcione. De verdade. Mas, pela primeira vez na vida, eu a teria dispensado por completo para conseguir entrar sem...

— Quem é essa?

Minha salvação. E o real motivo pelo qual você provavelmente vá me estripar com seu punhal de bolso antes que eu sequer entre na Fortaleza.

Pulo os últimos degraus e caio na pedra, analisando o couro escamado de Rygun.

— *Glatheiun de, Rygun. Hakar, glagh, delai.*

Obrigado, Rygun. Banhe-se, se recupere, descanse.

Ele solta um guincho ensurdecedor e dispara até o céu, lançando uma rajada de vento sobre nós que agita a trança preta comprida de Raeve, pendurada para fora da capa que joguei sobre ela como proteção do sol.

— Kaan, quem é essa aí nos seus malditos braços, *pelo amor dos Criadores*?

Eu me viro na direção da porta.

— Eu te amo, Veya, mas não posso entrar nesse assunto aqui. Preciso de Agni.

Agora.

Estou quase passando pela porta quando Veya grita às minhas costas... com a voz tão esganiçada que imagino uma lâmina apontada para mim.

— Kaan Llúk Vaegor. Diga quem caralhos é essa, ou eu juro que vou encher sua cama de besouros nojentos a cada torpor pelo resto de sua existência infeliz!

Suspiro e me viro para ela.

Lançando outro olhar cortante, ela se aproxima, abaixando o olhar. Então afasta o capuz, coloca o cabelo ensanguentado de Raeve para o lado...

E solta um arquejo.

Abaixo a cabeça, com o coração ficando mais apertado ao ver o rosto de Raeve... a pele tão pálida que está quase translúcida.

Meu peito se inflama.

As feições dela estão flácidas demais, com os cílios grossos quase tocando a bochecha ferida, os lábios carnudos soltos.

Não comprimidos com raiva.

Não repuxados em uma careta cortante.

Não lutando contra um sorriso, como aconteceu quando mostrei a língua para ela.

Os dedos trêmulos de Veya pairam sobre o rosto de Raeve, como se quisesse tocá-la. Como se estivesse com medo de que, se fizer isso, ela vá desaparecer.

Um sentimento que conheço muito bem.

Olho para o ponto em que ataduras cobrem uma ferida profunda na lateral da cabeça dela. Uma ferida que segue o mesmo rastro da cicatriz que vi por meio da flamadraco.

A atadura está mais ensanguentada do que da última vez que cheguei...

Caralho.

Talvez enfim notando que parte do sangue no corpo de Raeve foi *pintado* ali, Veya me lança um olhar, então afasta mais a capa, expondo o traje de seda vermelha de Raeve. Expondo meu málmr pendurado no pescoço dela, o entalhe encostado no peito cheio de sangue.

Veya cambaleia para trás, com os olhos arregalados e marejados, me culpabilizando.

— *Como...*

— Ela está ferida — interrompo, com um rosnado, cobrindo Raeve com a capa de novo para preservar o pudor dela durante o caminho pelo corredor.

— Parei na cabana de um suturaderme no caminho, mas ele só conseguiu estabilizá-la para fazer a viagem até aqui.

Veya engole em seco, acena uma vez com a cabeça, então enxuga uma lágrima da bochecha, sem me olhar nos olhos enquanto diz, com a voz rouca:

— Venha. Acabei de passar por Agni. Ela estava indo para o salão de banquete.

$\mathcal{A}$vanço pelos túneis grandiosos iluminados por arandelas flamejantes, com Veya logo atrás. Passamos por guardas recostados nas paredes; batendo o punho direito no peito.

— *Hagh, aten dah* — gritam muitos deles quando passamos, preenchendo o ar com o clamor de boas-vindas e respeito.

Seguimos por outro túnel extenso, sendo a Fortaleza quase do tamanho da própria Dhoma, uma cidade *dentro* de si mesma, encapsulada dentro da cordilheira, se derramando em fissuras escondidas com astúcia mais adiante na cordilheira. Espaço o bastante para alojar a cavalaria inteira, as famílias deles e os dragões daqueles que conseguiram cativar uma criatura.

Houve uma época em que o lugar inteiro era mantido só para a família imperial, mas o enchi com barulho o suficiente para abafar a praga do silêncio depois que arranquei a cabeça de paih e tomei a cidade assombrada pelo fantasma *dela*. Houve uma chuva de sangue, a Prézea ficou vermelha e Rygun desfrutou de um banquete naquele dya.

Achei que fosse me fazer sentir melhor.

Não fez.

Fazemos uma curva, irrompendo em meio ao ruído desordeiro e às conversas no salão de banquete quando Pyrok sai pela porta escancarada com uma caneca de hidromel na mão grande. As mechas rebeldes de seu cabelo vermelho estão bagunçadas pra caralho, como de costume, pendendo no ombro cheio de cicatrizes, e as argolas pretas estão à mostra nos mamilos, lábio, septo e orelha.

Ele me olha de cima a baixo, assobia baixinho e dá meia-volta, voltando a entrar no salão.

— Acabou a hora da refeição! Peguem os pratos e vazem. É, você também. Não, você não... você fica bem aí, querida Agni. Suas habilidades milagrosas serão necessárias.

Bondade dele ser útil, para variar. Acho que nossa aparência deve estar pior do que pensei.

Passo pela porta a tempo de vê-lo esticar a mão pela mesa de pedra comprida, usando o braço para empurrar tudo para a extremidade da mesa: pratos, talheres e cálices de cobre caindo no chão, derramando hidromel, carne e fatias de pão dahpa temperado em toda a pedra.

As pessoas se afastam, saindo do salão amplo em uma debandada silenciosa que mal percebo, indo em direção à mesa metade vazia, que é iluminada por uma única faixa irregular de sol se infiltrando pela fissura no telhado. Coloco o corpo apático de Raeve ali, bem diante de Agni, cujos olhos estão arregalados. A capa branca de runi forma um contraste grande com a pele escura dela, mais de vinte botões de ouro, prata e diamante alinhados na costura do meio.

Uma ostentação das várias honrarias dela. Mais até que da irmã, Bhea.

Agni olha entre as feridas sangrentas em meu peito e a atadura ensanguentada na testa de Raeve.

— Ela primeiro. Por favor.

Ela acena, colocando uma mecha de cabelo castanho atrás da orelha antes de afastar a capa e examinar o corpo maltratado de Raeve, estalando a língua.

Olho para Pyrok.

— Pode ir buscar Roan? Acho que uma ajuda extra cairia bem.

— Não dá — responde ele, girando o piercing no lábio inferior. — Ele não está aqui.

— Cadê...

— Em Bothaim. Tentando dar uma olhada naquele livro de novo. Ele tem certeza de que tem mais páginas que não foram transcritas nem divulgadas ao público.

Suspiro.

Pyrok dá de ombros.

— Na minha opinião, o lugar tem estado em uma extrema paz sem meu irmão ranzinza por perto. E sem você também.

Lanço um olhar a ele, que se esconde atrás do copo de hidromel.

Agni remove a atadura para avaliar a ferida sinistra de Raeve, balançando a cabeça.

— Tem uma fratura no osso — murmura ela, cutucando a lesão de um jeito que me faz querer vomitar. — Eu vou ter que fundir o crânio para repará-lo antes de cuidar da pele. Ela tem muita sorte de não ter morrido por conta disso.

Eu teria partido o mundo em dois se ela tivesse morrido.

E então teria me partido em dois.

Ela usa a atadura para secar a ferida.

— Alguém precisa pegar um pano e um balde de água para mim, e meus materiais também. Pyrok, você parece estar precisando se ocupar. Tudo isso aqui é sangue *dela*?

De maneira surpreendente, Pyrok se apressa para fora do salão como se alguém estivesse o perseguindo, embora lance um olhar analítico entre Veya e mim. Minha irmã está parada do outro lado da mesa, estreitando os olhos para mim como uma flecha armada e apontada.

— Não — respondo, mantendo o olhar no de Veya. — Grande parte é sangue de búfal, meu sangue e o sangue de outro homem.

— Seu desgraçado maldito — brada Veya, com um grunhido, então avança em mim por cima da mesa, agitando o braço.

Deixo que ela me acerte três vezes, na mandíbula, na barriga e na porra das feridas no peito, antes de segurar os pulsos dela e a empurrar na direção de Grihm, que apareceu e se encostou na parede atrás de Veya, em silêncio, assim que ela começou a falar.

Com a mão grande e clara envolvendo os pulsos dela, ele passa o outro braço pelo peito de Veya, olhando para mim através do monte de cabelo cor da neve que, pela maior parte, esconde os olhos gélidos, o tique pulsando em sua mandíbula quadrada. O único sinal, em qualquer situação, que indica que este homem está tenso.

Veya rosna, olhando para mim com a ferocidade de um ceifassabre adolescente incativado: os olhos ardentes, os dentes caninos à mostra. Sem conseguir se soltar de Grihm.

— *Como você pôde levá-la para aquele lugar?*

— O *desfiladeiro* a levou para aquele lugar — corrijo, grunhindo e enxugando o sangue que escorre de meu lábio. — Cheguei lá bem a tempo.

— Ela está usando a vestimenta do Tribunal Tookah, Kaan. Um *Tribunal Tookah*.

— Estou ciente, Veya.

— Quem era o homem?

— Hock.

Os olhos dela ficaram mais escuros, e o corpo, rígido.

— Que bom — declara ela, sem mais relutar contra Grihm... não que ele a solte.

Nem ela pede para que ele a solte.

Minha irmã levanta o queixo.

— Como ela o matou?

A fúria atravessa minhas veias como resquícios de chamas quando não consigo afastar da mente a imagem de Raeve esparramada na areia, toda ensanguentada, com aquele homem, que tinha a total intenção de reivindicá-la para si, em cima dela. Quando não consigo afastar a imagem da risada dela, como se debochasse da própria morte iminente.

"Não devia desperdiçar essas palavras bonitas comigo, Majestade."

Caralho.

Fecho as mãos em punhos.

— Ela não matou.

Veya estreita os olhos, focada no málmr no pescoço de Raeve, então os arregala.

— Pelos Criadores...

Solto outro grunhido, sentindo a energia esmagadora pulsar por minhas veias de novo.

Meus músculos.

Detenho Pyrok quando ele volta ao cômodo. Pegando o balde, uso o pano úmido para limpar a ferida de Raeve, então removo o sangue do rosto dela conforme Pyrok ajuda Agni a espalhar os extratos pela mesa. Quando ele levanta a cabeça, fica estático, e o jarro em sua mão cai no chão.

Espatifando-se.

— Pelo amor da porra dos Criadores, quem é essa, e por que ela se parece com Elluin Neván? Ela morreu — diz ele, olhando de mim para Veya e para Grihm, com a pele ficando tão pálida quanto a de Grihm. — Eu sou o único que acha que está enlouquecendo?

Não.

Agni olha entre nós como se achasse que *todos* enlouquecemos, colocando um pouco de um líquido roxo em um paninho e passando pela boca de Raeve.

— Ela não se reconhece como Elluin — explico, enfiando o pano no balde de novo e passando as mãos pelo cabelo para afastá-lo do rosto. — Para ela, seu nome é Raeve, e ela só se lembra do que aconteceu das últimas vinte e três fases para cá.

Minhas palavras ecoam pelo salão, me provocando.

— Ora... porra — murmura Pyrok. — Você tem certeza de que é ela mesmo? Que não trouxe uma pobre errante para casa porque ela parece com Elluin?

— Você acha que eu faria isso? — rebato, grunhindo.

Ele dá de ombros.

— Não vou mentir, já vi umas bizarrices neste último éon.

Pigarreio.

Justo.

— É ela. Qualquer dúvida que eu poderia ter tido caiu por terra assim que ela disse ao Alto Chanceler do Grado que ele tem um micropau... isso na audiência para determinar o assassinato dela.

Há um momento de silêncio antes de Pyrok rir, pegando um cálice aleatório da mesa.

— Um brinde a isso. — Ele vira o recipiente, então o coloca na mesa de novo com um baque. — Eu odeio aquele merdinha decrépito.

— Se ela não se lembra — contrapõe Veya, com uma precisão lenta e estável —, como explica o fato de ela atender pelo *nome do meio*?

Balanço a cabeça.

— Eu não sei, Veya.

— Então como ela está aqui? Viva?

— Eu também não sei.

Ela franze a testa em um gesto de frustração que sinto em meu âmago.

— Bem, quais são as primeiras lembranças que ela tem *desta* vida?

Balanço a cabeça de novo.

Veya enfim se solta de Grihm, e o homem cruza os braços sobre o peito largo, com o olhar focado em minha irmã quando ela vem em direção a mim com uma guerra nos olhos injetados.

— Você sabe de *alguma* coisa?

Que se foda essa porra.

— A única vez que tentei investigar, ela comparou o tamanho do meu pau ao do meu cérebro — explico, brusco. — *E não foi um elogio.*

Parte da raiva some dos olhos de Veya, com o cantinho da boca tremendo enquanto Pyrok ri. Lanço um olhar a ele, que afoga o som em um gole do hidromel de outra pessoa.

Ele não vai rir tanto quando ela direcionar a língua ferina a ele.

Agni entrega a Pyrok o tecido ensopado de roxo.

— Balance isso na frente do nariz dela por alguns instantes. Eu não quero que ela acorde no meio do processo, e você parece estar precisando fazer algo melhor com as mãos do que ficar bebendo o hidromel dos outros.

— Agni, você sabe muito bem como sou bom em fazer várias coisas ao mesmo tempo — responde Pyrok, abrindo um sorriso para ela.

A bochecha de Agni fica vermelha, e ela balança a cabeça, murmurando baixinho.

— Onde você a encontrou? — questiona Veya, parecendo imune às merdas saindo da boca de Pyrok.

— Trombei com ela na Fenda da Fome, mas ela estava com parte do rosto coberta. Achei que eu tivesse perdido a cabeça.

Ainda acho.

— Depois a encontrei apodrecendo em uma cela. — Esfrego a barba enquanto Agni passa um agente de colagem pela pele clara que já beijei mais vezes do que saberia dizer. — Uma verasverso confirmou que ela não se lembra de nada antes de eu a encontrar por acaso. Nada.

— Então ela não sabe que...

— Não — interrompo Veya.

Ela abre a boca, fecha, balança a cabeça.

— E você tem *certeza* de que viu Slátra...

— Juro pela vida dela — retruco, grunhindo, as palavras ricocheteando nas paredes como uma das exalações retumbantes de Rygun.

Vi. Vivi com a lembrança dolorosa pelas últimas cento e vinte e três fases; dormindo e acordado.

Nunca vou superar a imagem ou a pontada afiada de dor que me atravessou o peito com a imagem. Mesmo com ela aqui, nessa mesa, *respirando*...

Em algum momento, vou acordar da utopia. Tenho certeza. Vou acordar de sobressalto na cama e perceber que foi tudo um sonho belo e cruel.

Veya dá a volta na mesa e afasta o cabelo da orelha pontiaguda, ali no ponto em que foi cortada.

— Ela tem a marca do sul de uma nula. — Minha irmã franze a testa, olhando as duas orelhas. — Não tem contas. Nem um buraco em que pendurar. Os Criadores ainda falam com ela?

— Clode e Bulder — informo, cruzando os braços. — Embora eu não tenha certeza sobre os outros dois.

Endireitando a coluna, ela replica minha postura... com o dobro da ferocidade, mas metade do tamanho.

— Nas veias dela corre o *sangue Neván*, Kaan. E ela não está usando a Pedra de Éter cala-canção. Se Tyroth descobrir que ela está aqui, ele vai aparecer botando fogo em nossa porta antes de conseguirmos nos preparar. Seria estupidez dele não fazer isso, e nós dois sabemos que ele não tem nada de estúpido.

— Estou bem ciente dos riscos.

Ela inclina a cabeça para o lado.

— Bem... vai fazer o quê?

— Eu não sei. Mas, se quer falar de estratégia de guerra, agora não é o momento.

Estou cansado.

Bravo.

Sangrando.

Faminto.

Tenho um milhão de coisas com as quais lidar e só tenho interesse em *uma* delas.

Volto o olhar a Raeve, com Agni ao lado dela misturando extratos, se preparando para o procedimento...

— Você está com medo de que ela o veja e... se *lembre* dele? — indaga Veya, estreitando os olhos de um jeito que parecem flechas de ferro perfurando meu peito. — Que te abandone de novo? Que aquele bilhete seja *verdade*?

Não permito que ela veja a dor que as palavras causam. Como as sinto golpeando a lateral de meu corpo, retalhando músculos, tendões e ossos, então saindo do outro lado.

Sim.

Sim.

Sim, caralho.

Mas perdi o direito de ser mesquinho em relação a ela.

Observo Agni trabalhar, Pyrok revezando entre a tarefa como ajudante de suturaderme e o desfrute do hidromel surrupiado.

— Ela é um sonho que se realizou, mas não só *meu* sonho — afirmo, preenchendo o espaço com pedradas cheias de verdade. — Não mais.

Até o ar parece ficar estático, e um silêncio sinistro cobre o salão, me corroendo por todos os lados.

Olho para minhas mãos ensanguentadas, estico-as, analiso os dois lados antes de esmagá-las em punhos.

— Ela é muito mais do que uma jogada de poder. Muito mais do que o amor da minha vida. Tem alguém que precisa mais dela do que *qualquer* um de nós, e não é nosso irmão, caralho — rebato, grunhindo e olhando para os olhos vidrados de Veya.

Ela fica sem reação, e uma lágrima escorre por sua bochecha.

— Eu vou contar a verdade a ela devagar, com delicadeza... ainda que seja doloroso. Então ela vai escolher o próprio caminho. Tomar as próprias decisões.

Aconteça o que acontecer.

Veya abaixa a cabeça enquanto outra lágrima escorre pela bochecha.

Desvio o olhar.

Ela nunca chora, então, quando acontece, parece que o mundo está se fragmentando. Parece que fracassei na tarefa de protegê-la.

De novo.

Abro as mãos, fecho de novo, tremendo com uma quantidade esmagadora de energia irrestrita.

Agni usa uma ferramenta de metal para abrir mais a ferida de Raeve, assim obtendo acesso direto à fenda no crânio para poder remendar o osso...

Também desvio o olhar; querendo eliminar a imagem da mente. Mas a coisa já cravou as garras ali.

Bem fundo.

— Volto depois — murmuro, então aceno com a cabeça para Grihm e me encaminho para a porta, esperando pelo golpe final de Veya bem antes de acontecer.

— Ninguém consegue sofrer o que ela sofreu sem acabar num poço de flamadraco, ela lembrando ou não. Tenha cuidado, Kaan, ou ela vai se queimar por completo e virar cinzas nas suas mãos.

Solto um grunhido, avançando pelo salão, com o som da bota de Grihm atrás de mim.

Eu sei.

Kaan

CAPÍTULO 46

S igo por túnel atrás de túnel, o ar frio por causa das runas reluzentes gravadas nas curvas da pedra avermelhada, com as arandelas flamejantes guinchando para mim enquanto passo.

É provável que aqueles que não conseguem ouvir Ignos achem que as chamas estão felizes por estarem vivas, não importando o tamanho.

Errado.

Uma chama em um castiçal vai se esticar e se remexer quando alguém passar, berrando por mais sustância para queimar. Desesperada para *crescer*.

Ignos não gosta de ser pequeno e modesto. Ele deseja tapetes aos quais chamuscar. Florestas a dizimar. Campos de grama seca a aniquilar.

Invoco uma chama pequena à minha mão, e a coisa se contorce na palma com um entusiasmo sibilante enquanto passo por guardas afastando contra a parede, com os punhos batendo nos peitos desnudos ou vestidos.

— *Hagh, aten dah.*

— *Hagh, aten dah.*

— *Hagh, aten dah.*

Os gritos respeitosos deles vão ficando mais distantes, nem se comparando à ira retumbando por meus ossos, esquentando meu sangue, lambendo meus órgãos com uma malícia ardente.

Faz ciclos que não durmo. Desde que acordei com Raeve em cima de mim, uma das escamas de Rygun apontada para meu pescoço, os olhos dela queimando com a promessa de uma morte que eu preferiria que fosse ela a executar em vez de outra pessoa.

Antes de os olhos se suavizarem.

Antes de eu ter um vislumbre de... *algo*. Uma emoção terna que tomou meu peito. Fez com que eu pensasse que as lembranças dela ainda estavam lá dentro.

Em algum lugar.

Em *algum lugar*, caralho.

A aurora nasceu e caiu três vezes enquanto Rygun cortava as planícies para fazer com que chegássemos em Dhoma o mais rápido possível, e ainda assim não tenho vontade de dormir; há uma quantidade violenta de energia correndo por minhas veias, preenchendo meus músculos. Fazendo com que eu imagine sangue em minhas mãos, dedos rasgando a carne, ossos rachando com a força de meus punhos.

Os passos pesados de Grihm ecoam os meus ao mesmo tempo que estalo os dedos, virando-me na escadaria ampla que se derrama em uma arena de treinamento escura.

Sussurro e minha chama se divide em fragmentos, flutuando no ar, atendo-se aos cabeçotes inflamáveis de várias tochas nas paredes. Engolindo-os em guinchos sibilantes e projetando um furor de luz âmbar na caverna vasta, redonda e rústica.

Não montei este espaço com uma precisão cuidadosa. O teto não é alto nem calcetado com imponência. Não me dei ao trabalho de dar um polimento elaborado às paredes.

O espaço é o que preciso que seja, nada além disso. Uma arena do tamanho de uma cratera feita para trocar socos e rasgar a pele. Para quebrar ossos e puir temperamentos ferozes antes que criem uma vida sanguinária própria.

Pisando na areia salpicada de grãos de ferro, as vozes em minha cabeça se calam como uma chama sendo apagada. Sigo para o epicentro da arena, com o barulho das portas se fechando, seguido pelo som de Grihm descalçando a bota.

Alongo um braço pelo peito, e faço o mesmo com o outro. As cicatrizes finas que tinham começado a se formar em algumas das feridas se abrem de novo com o movimento, o sangue quente escorrendo por meu peito e pingando na areia.

— Eu não estou a fim de me conter — alerto, circulando.

O casaco de Grihm está no chão com as botas, a cabeça abaixada ao soltar as cordas da túnica preta antes de tirar a peça pela cabeça, expondo as costas, a pele clara é um caos rugoso. Como se tivesse derretido, alguém tivesse remexido ali, e então a coisa tivesse se solidificado de repente.

Ele começa a se virar e desvio o olhar.

— Nem eu — responde, com a voz áspera, e reluto para manter a expressão neutra e rígida.

Para conter o choque ao ouvir a voz dele; o som rouco um tributo à pouca frequência com que é usada.

Ele avança em minha direção, olhando-me por trás das mechas bagunçadas e claras que escondem o rosto, o ombros largo se flexionando conforme ele fecha as mãos em punhos na lateral do corpo.

— Que bom — respondo, com um grunhido, e *ataco*.

Colidimos em um baque de golpes de punho fechado que mais destroem do que constroem, nosso sangue jorrando na areia à medida que usamos o perigo em nosso ser da única forma que sabemos fazer.

Punhos acertando a pele.

De rosnado para rosnado sanguinário.

Ira para ira.

Veya
CAPÍTULO 47

A gni fecha as persianas de madeira, bloqueando a maior parte da luz enquanto coloco Elluin em cima da grande cama em uma das suítes de hóspedes, posicionando as mãos dela em cima do próprio peito. Me detenho ao observar a pele maltratada até nas laterais dos dedos, e franzo a testa.

Interessante...

Talvez seja um péssimo hábito ou ela está salivando com o pensamento de ter o sangue de outra pessoa nas mãos.

Eu me pergunto qual das opções é.

Puxo a coberta sedosa até o queixo dela, afastando uma mecha de cabelo recém-penteado da testa agora curada. Não restou nenhum vestígio da cicatriz que ela teria exibido para sempre como uma versão de merda do diadema que já portou.

— Você fez um bom trabalho — digo a Agni, que inclina a cabeça em agradecimento, parando na base da cama. Com o olhar focado em Elluin, ela morde o lábio inferior, contorcendo os dedos, como se estivesse considerando algo. — Algum problema?

— Tem. — Ela olha para mim, inspirando devagar. — Tem algo que eu não queria mencionar na frente dos homens. Sobretudo porque eles pareciam... tensos. Eu não queria colocar lenha na fogueira, por assim dizer.

Então ela vai contar para aquela que avançou por cima da mesa e socou o rei três vezes antes que a segurassem para ficar quieta?

Boa.

Eu me camuflo no retrato da perfeita compostura e respondo:

— Pode falar.

Ela fica com as bochechas coradas.

— A paciente, ah... Como sabe, o dom de visiodraco é forte na minha linhagem familiar. Então, quando limpamos o sangue da pele dela, vi a mancha de várias camadas de runas. Muitas, *muitas* runas.

Franzo a testa, olhando para Elluin.

— Recentes?

— Não dá para saber ao certo. — Agni dá a volta na cama, afastando as cobertas. — Mas ela tem *uma* ferida que não parece ter sido remendada por runas. Tem um brilho em um tom de prata que nunca vi. Bem... aqui — finaliza ela, apontando direto para o coração de Elluin.

Sinto calafrios.

— Uma ferida letal — continua. — Ninguém conseguiria sobreviver, considerando que curar uma facada no coração requer mais tempo do que o paciente, no geral, tem de vida restante.

Sinto o rosto ficar pálido.

Pelos Criadores...

Engulo o nó crescente na garganta, esfregando as mãos nas bochechas e então enfiando os dedos no cabelo.

— Não conte isso ao rei. Não até sabermos por quê... ou como.

Agora é o rosto de Agni que fica pálido, revezando o olhar entre mim e a porta às minhas costas. Ela faz uma breve reverência, pigarreia e volta a atenção a Elluin.

Franzindo a testa, olho para a porta, saindo para o corredor bem a tempo de ver Pyrok sumir ao virar lá no final.

Suspiro.

Avançando até lá, chego à sala de estar e deixo meu olhar vagar pelo amontoado de assentos de couro de búfal cercando a mesa de pedra baixa, que já testemunhou um número maior de jogos de Saltari do que existem estrelas no céu austral.

Pyrok está sem camisa e esparramado em um assento largo, com o cabelo comprido e despenteado do mesmo tom flamejante da chama que dança entre os dedos dele.

— Não conte ao rei, não é? — comenta ele em censura, erguendo as sobrancelhas.

— Não me olhe assim — murmuro, indo para o assento de frente ao dele e me jogando ali. — Ele está tão *feliz* por ela estar de volta que não está fazendo perguntas suficientes. Além do mais, não se trucida inimigos com uma faca cega. Tem que a amolar até estar afiada o bastante para dar conta do recado.

Pyrok passa a chama de uma das mãos para a outra como se fosse uma bola, a iluminação projetando sombras ferozes e angulares no rosto dele.

— O que você sabe?

Que Elluin foi morta com uma facada... ao contrário da história que nos enfiaram goela abaixo como se fôssemos petizes desesperados por uma migalha de sustância.

— Vou reformular a pergunta — diz Pyrok, revirando os olhos verde-esmeralda. — O que você *de fato* sabe vai nos levar a travar uma guerra munidos de um exército incipiente?

Dou de ombros.

Ele xinga, espreme a chama na mão, com os dedos soltando vapor ao passá-los pelo cabelo, e diz:

— Para alguém que nunca esteve *oficialmente* em uma guerra, você tem bastante sede pela coisa.

— Para que viemos nos preparando por todas essas fases se não para extirpar a imundície e desfazer todo o trabalho sanguinolento do paih?

Sentando-me em cima de uma das pernas, eu me viro e começo a desenlaçar o colete de couro na parte da frente e nas laterais do corpo. Afrouxo a peça, retiro pela cabeça e removo a túnica marrom frouxa, expondo as marcas de açoite de fogo que expõem a bagunça que fizeram na pele bonita de minhas costas.

— Você sabe que não mantive *isso* aqui porque acho bonito — declaro, lançando um olhar a ele por cima do ombro, embora ele continue focado nas cicatrizes... o olhar pulando de um corte profundo e mutilado para o outro. — Eu as mantive para que toda vez que eu olhe no espelho seja relembrada de por que Tyroth e Cadok têm que *apodrecer*.

Nada como ganhar o próprio Tribunal Tookah, então alguém de seu próprio sangue lhe fazer em pedacinhos por sujar o nome da família.

Sim, tenho fome de guerra. Conquistei esse direito. Por setenta e oito vezes, para ser exata.

Pyrok pigarreia, abaixando a cabeça quando me viro de volta, e recoloco a túnica, sem me dar ao trabalho de vestir o colete.

— Eu não tive a chance de arrancar a cabeça do paih — prossigo, esticando a mão para pegar um caneco de conhaque e me servir de um copo. — Vou arrancar a deles.

— Bem, se quiser que eu frite o pau deles, me avise.

— Talvez eu queira. Na hora eu vejo. — Aceno com o queixo para as cartas de Saltari e o dado de oito lados na caneca de barro comprida ao lado. — Tire uma para nós.

— Eu odeio quando você fica mandona — responde ele, grunhindo, então se senta e pega o baralho, dissipando parte da tensão crescente.

— Se eu não for mandona com você, ninguém vai ser. Do jeito que vai, você é tão útil quanto um maravilhoso tapete manchado de hidromel.

— *Maravilhoso*, é? Eita, porra — murmura, gabando-se e estufando o peito, apoiando o cotovelo no joelho enquanto se inclina à frente e embaralha as cartas. — Fico lisonjeado.

— Lógico que fica.

Ele dá uma piscadela, manuseando os pedaços de pergaminho duro. Vou pegando cada uma que desliza na mesa à frente, com as feições neutras apesar do jogo *delicioso* que tenho na mão.

Esse jogo me ama.

— Eu não quero jogar apostando ouro. Já tenho ouro o suficiente. — Formo um leque de cartas na mão, reordenando-as de melhor para pior; da esquerda para direita. — Quero apostar favores.

Pyrok solta uma risada de deboche.

— Imagino que você tenha tirado o plumalua?

— Eu não sei do que está falando — respondo quase em um ronronar, piscando bem devagar para ele.

Ele me lança um olhar seco, então coloca o restante das cartas no tabuleiro que nunca sai da mesa. A coisa já absorveu mais hidromel do que Pyrok... e isso já diz muito.

— Minha vez — declaro, pegando a caneca com o dado. — Porque sua cara me irrita.

— Você disse que eu era maravilhoso.

— Aham. — Rolo o dado na mesa, conseguindo um seis, e pego a décima oitava carta na extremidade esquerda. Querendo adicionar um floreio ao jogo, coloco a maritraça de cabeça para baixo no encaixe vazio. — Maravilhosamente *irritante*.

Pyrok ri, balançando a cabeça. Ele joga o dado, pegando a carta enquanto pondera, o sorriso amenizando o rosto.

— Grihm já viu suas cicatrizes?

— Óbvio que não. Por quê?

Ele adiciona a carta ao conjunto na mão, colocando outra no encaixe da quadrícula.

— Só pensei alto. Não conte o que para o rei?

— Não vou dizer e, se tentar arrancar a informação da pobre e vulnerável Agni com sua vara encantada, vou te matar quando estiver dormindo.

— E o mais fodido de tudo é que acredito em você — murmura ele.

Abro um sorriso afiado, que some no segundo seguinte.

Rolo o dado de novo, pegando a mansanha, com o rosto neutro e rígido enquanto digo:

— Elluin tinha um diário, sabe? Uma vez a flagrei o enfiando em um buraco na parede. Na suíte em que ela está dormindo agora, na verdade.

— E o que isso tem a ver? — indaga Pyrok, servindo-se de um copo de conhaque enquanto pondero qual das peças na mão trocar.

— Não pareceu importante antes. — Dou de ombros, colocando o aconchoelho de cabeça para baixo no encaixe vazio da quadrícula. — Agora, parece.

— Certo, e... cadê o diário?

Ele pega o dado na caneca e consegue um sete, embora não demore a descartar a carta que pega e deixá-la de cabeça para baixo na quadrícula.

— Eu acho que ela levou para Arithia — opino, conseguindo um dois e, desta vez, sacando o fundífera.

Ao que parece, a sorte está fungando meu cangote.

— Mais de cem fases atrás — comenta ele, com um tom sarcástico que não me agrada nadinha. — Deve ter virado pó.

— Lá faz frio. — Olho para ele por cima de meu jogo, mantendo o contato visual enquanto coloco o tresfluxo de cabeça para baixo ali. — Uma atmosfera perfeita para a conservação de objetos.

Ele me olha como se eu fosse estúpida, o que nós dois sabemos que está longe de ser verdade.

— Acha que você consegue ir visitar Tyroth e não arrancar a cabeça dele, obrigando seu único irmão decente a travar uma guerra que ele vai começar em desvantagem?

Ele bate com uma carta na mesa, e franzo a testa para o pé-peste larápio me encarando do lado pintado.

Que fofo. Ele acha que tem truques na manga.

— Eu não sou *tão* irresponsável assim. — Estico a mão à frente para que ele roube, sem ver, qualquer carta que quiser, e abro um sorrisinho quando ele pega a lesma da névoa bem à direita. — E você é ruim pra caralho neste jogo.

Ele faz uma careta para a carta que escolheu, grunhindo enquanto a adiciona ao jogo na mão.

— Eu odeio jogar com você. Já espiei por cima de seu ombro enquanto você joga. No geral você organiza as cartas boas da direita para a esquerda.

— E *bem* por isso que organizei da esquerda para a direita — contraponho, virando o copo antes de colocá-lo na mesa. — Saltari.

— *Mas já?*

— Quer que eu fale mais alto?

— Não — murmura ele, abaixando o ceifassabre que derroto com meu plumalua, todas as cores sumindo da carta dele... como se o ceifassabre tivesse sucumbido. — Eu sabia, caralho.

Abaixo o búfal, mas ele o derrota com um troglo-vellus, também vencendo a rodada seguinte quando o almíscuru dele derrota meu inseru.

Talvez enebriado com o gostinho da vitória iminente, ele abaixa o praga-espinho que logo derroto com a mansanha antes de colocar o fundífera no último encaixe, sabendo que não tem nada que reste no baralho dele para me vencer.

— Perdeu. — Encho o copo e me recosto no assento, dando um bom gole, o conhaque deixando um rastro ardente por minha garganta; quando respiro em seguida, é por entredentes. — Eu me reservo ao direito de solicitar um favor. Para ser usado em uma data posterior.

— Eu nunca mais jogo com você sozinho. — Ele se joga no assento de novo, usando o braço dobrado de travesseiro. — Não é tão ruim quando você ganha de mim e de Grihm ao mesmo tempo.

Ele cospe uma palavra baixinho que faz uma faísca de chama se desgarrar de uma das arandelas. Fica voando na mão dele enquanto ele a gira entre os dedos, parecendo uma cobra rastejando.

Olho para o teto, os lindos azulejos bronze, preto e vermelho formando a cara do ceifassabre raivoso do paih, Grohn. Sempre ali nos encarando. Sempre julgando minhas imprudências... ou ao menos era o que o paih dizia depois de descobrir que eu estava transando com um dos guardiões da capoeira depois que eu tinha me entregado aos Criadores para escapar de quaisquer futuros Tribunais Tookah.

Ele chamou isso de impróprio. Deplorável.

Constrangedor.

Ele *também* disse que a mãin ficaria desolada se soubesse que morreu dando à luz a uma vagabunda imunda.

Falei que era uma vingança doce e prazerosa e decidi que a mãin teria sorrido para mim, dado um tapinha em minha cabeça e dito para eu transar com quem eu quisesse. Ou com ninguém, se fosse de meu desejo. É difícil ter certeza considerando que nunca a conheci, mas ela fez quem sou, e gosto de pensar que herdei dela todas as características maravilhosas que tenho.

Com certeza não foi do desgraçado que me criou.

— Acho que vou dar um pulo no Breu — murmuro, dando mais um gole, o líquido deixa um rastro ardido pela garganta outra vez, aquecendo minha barriga. — Eba. Quer vir junto?

— Nem ferrando.

— Eu poderia obrigá-lo — retruco, devagar, erguendo o copo acima da cabeça, fechando o olho para ver Grohn através dos fractais... o maldito ameaçador. — Cobrar o favor que acabei de ganhar.

— Você não é tão cruel.

Ele tem razão. Não sou.

Para meu azar.

Suspirando, viro o copo, fragmentando ainda mais a cara horrenda de Grohn, me lembrando de como o paih o incitava a perseguir o povo pelas planícies se alguém o desagradasse de alguma forma.

Sinto um tremor.

— Não vai esperar que Elluin acorde? Para se reapresentar?

— Ainda não decidi.

O que *quero dizer* é que não confio em mim mesma o suficiente para não avançar nela como fiz com Kaan, apesar da incompreensão e confusão que sem dúvida eu teria dela em resposta.

O que ela fez foi, de muitas formas, totalmente imperdoável.

Talvez o diário vá reparar em parte o vácuo que ela formou em meu coração quando foi embora sem nem se despedir de mim e deixando só um bilhete patético para o homem que ela, em teoria, amava.

Elluin Neván

Idade: 18 fases

5.000.039 fases Depois da Pedra

E u cantava para Slátra ao mesmo tempo que relaxava em meio à cauda felpuda dela quando os guardas que vigiavam a capoeira abriram os portões de repente. Pela porta, o maior ceifassabre que já vi entrou, absorvendo a luz.

Um homem saltou da garupa da criatura.

Alto.

Largo.

Lindo.

Pelos Criadores, ele era lindo.

Tinha algo no movimento dele que me fez imaginar uma montanha desmoronando.

Ele olhou para mim com olhos que pareciam brasas crepitando, e acho que meu coração parou de funcionar.

Os pés dele também pararam.

O momento pareceu se estender mais e mais, e quase implorei para que Slátra erguesse a asa e bloqueasse a visão dele. Que me desse algo atrás do qual eu pudesse me esconder para recuperar o fôlego. Ela não fez isso, embora tenha, sim, levantado a cabeça e grunhido na direção do dragão enorme que nos olhava como se estivéssemos ocupando o lugar de repouso dele.

Sendo justa, é provável que fosse isso mesmo, mas aquela capoeira era a única que Slátra conseguiu acessar considerando suas lesões.

Não me dei ao trabalho de me cobrir com o véu. O homem já tinha visto meu rosto e a Pedra de Éter presa à minha testa como a doença que é.

Ele foi incitando sua fera para fora, então voltou um tempo depois sem o dragão.

Desta vez, Slátra não grunhiu.

Ele arriscou alguns passos em nossa direção, perguntando o que tinha aconte-cido com os olhos de Slátra... a voz dele tão áspera, densa e tomada pelo sotaque do Lume que quase não compreendi as palavras, me perguntando com que frequência ele falava. A julgar por todas as cicatrizes nos braços dele, concluí que ele passava a maior parte do tempo gritando, não falando.

Ele perguntou qual tinha sido a última vez que eu comera. Se eu estava morando ali embaixo.

Não respondi à pergunta alguma. Não porque sou proibida de falar com des-conhecidos, mas porque eu não tinha força.

Estava cansada.

Cansada de perder as coisas que amo. Cansada de tentar arrancar este diadema estúpido da testa para conseguir dominar o poder necessário para levar Slátra para casa e tomar o trono do desgraçado que acha que é meu dono. Cansada de ser re-baixada por homens que acreditam que sabem o que é melhor para mim e para o reino de que tanto sinto falta, no momento sendo governado por um homem cruel, egoísta e ganancioso a quem eu não confiaria meu pior inimigo.

Só estou... cansada.

Raeve

CAPÍTULO 49

Uma palavra escaldante está queimando minha língua, crepitando em meus lábios, a desesperança me pisoteando como um mundo aglomerado em meu peito. A dor em meu coração está vazando...

Vazando...

Acho que estou vazando junto, tentando segurar algo fora de meu alcance. Os dedos esticados. Tentando, em desespero, se entrelaçar com...

Algo importante.

Algo...

Meu.

Mas vou desaparecendo...

Desaparecendo...

Desaparecendo com delicadeza...

Sendo puxada rápido demais. Devagar demais.

Com frio

Vazia...

Eu me sobressalto, luto para respirar, enfio as unhas no peito, na costela, na barriga. Tentando me desemaranhar dos tentáculos pegajosos do terror torporoso que pareceu muito real.

Muito agonizante.

Bato no meu rosto e abro os olhos para observar o espaço úmido, os feixes de luz se infiltrando pelas cortinas fechadas que acho que já vi antes. Em algum lugar. Talvez em um sonho. Mas não estou mais sonhando. Acabei de acordar.

Acabei de acordar...

Onde estou, caralho?

Passo os dedos pelo cabelo, afastando do rosto e tentando juntar os fragmentos sangrentos das lembranças retalhadas.

O Condutor do Destino...

O búfal ajoelhado, imóvel, com sangue escorrendo do pescoço cortado...

Dois homens desconhecidos destruindo a pele um do outro, tentando reivindicar o direito ao meu corpo.

O punho de Hock acertando meu rosto...

Kaan degolando Hock...

Kaan...

Arfando, toco o málmr pesado em meu pescoço e o seguro com as mãos em concha, admirando os dois dragões abraçados...

Pelos Criadores. Aquilo aconteceu.

Aquilo.

Aconteceu.

Mesmo.

— Merda — murmuro.

Olho em volta de novo, para as paredes feitas de pedra avermelhada, o teto um choque de preto, bronze e vermelho-escuro em forma de mosaico. O espaço tem poucas mobílias, a maioria parece criada a partir da parede ou do chão... a enorme cama, as mesas de cabeceira idênticas, o armário se projetando da parede mais distante, cheio de cestos trançados servindo de gavetas.

Leve. Simples. Orgânico.

Abaixo a cabeça, vendo que trocaram minha vestimenta, passando os dedos pelo vestido reto preto de seda que me garante a maior modéstia possível neste calor absurdo. Um bom sinal de que aceitar o málmr de Kaan *não* vai me levar a ter uma vida de parideira, observando os pedaços de couro costurados no teto enquanto carrego uma prole mítica destinada a salvar o mundo das quedas de luas iminentes.

Isso é bom.

Posso lidar com isso.

Deixo o málmr cair contra meu peito, afasto a coberta e me levanto, meio cambaleante. Olho para o espelho de corpo inteiro, com uma moldura dourada e acobreada encostado na parede. Franzo a testa para o reflexo.

A roupa preta se derrama pelas curvas de meu corpo, o decote cobrindo meu busto farto, a barra chegando ao meio da coxa e deixando as pernas compridas e claras expostas. O tecido combina com perfeição com o tom do meu cabelo solto que me cobre como um lençol de seda, indo até a cintura em mechas compridas e onduladas.

Alguém me deu banho, me vestiu e penteou meu cabelo. Não sei o que fiz para merecer tais atos.

Eu me aproximo, levando as mãos ao rosto e percebo que minha bochecha está corada por causa do calor, minha boca está de um tom mais vermelho... meu corpo, tão desalinhado com a temperatura excessiva, que todos os meus vasos parecem estar trabalhando dobrado.

Virando a cabeça para o lado, afasto as madeixas pesadas do ponto dolorido em minha têmpora, passando os dedos pela pele impecável.

Franzo mais a testa.

Nenhuma cicatriz em homenagem à clava que rachou meu crânio.

Hum.

Kaan deve ter providenciado um runi para me suturar de novo. Que gentil. Um tratamento exemplar para uma prisioneira ainda atada a uma algema de ferro. Não que eu esteja reclamando. Com certeza uma porrada a mais na cabeça teria acabado comigo.

Desvio o olhar, prestes a afastar a persiana para ver *onde* neste mundo esquecido pelos Criadores fui parar, quando uma visão me assola, me acertando como outro golpe na cabeça, fazendo com que eu sinta como se o mundo estivesse tombando.

Despencando.

Seguro o espelho polido, empurrando para o lado, expondo uma cavidade oca na pedra atrás. Enfio o braço no buraco, puxando o caderno de couro que seguro junto ao peito...

A lembrança se desintegra, como a terra escapando pelos vãos entre os dedos, se recusando a ficar inteira por mais que eu tente modelá-la de novo.

Sinto o coração indo parar na garganta, dificultando a respiração.

Que merda foi essa?

Engolindo em seco, volto a olhar para o espelho, com a mão trêmula se estendendo à moldura e segurando com força. Empurro para a direita, e meu coração quase salta pela boca e então despenca de volta ao lugar quando vejo uma cavidade rústica. Vazia. De um tamanho que só caberia um caderno mesmo, nada mais.

Meu sangue gela, virando uma gosma grossa e frígida...

A porta atrás de mim se fecha, e me viro, soltando o espelho. A coisa pesada faz um barulho ao voltar para o lugar enquanto contemplo a mulher encostada na porta, com uma bota de couro escorada na parede. Ela corta fatias brancas de uma fruta preta e redonda com uma lâmina pequena de escamadraco e as morde, preenchendo o ar com uma doçura ácida.

A pele da mulher é marrom-claro, e o cabelo comprido é grosso e de um tom quente de castanho, intercalado com luzes naturais que complementam os olhos âmbar. Está preso em uma trança lateral, decorada com contas marrons.

Há sardas no nariz e na bochecha dela, uma elegância travessa na estatura escultural da qual é difícil desviar o olhar. Ela é linda ao extremo, emanando uma aura de confiança que é palpável no quarto pequeno e abafado.

— Quem é você?

— A irmã babaca de Kaan com a qual você não quer arrumar problema — responde ela, com os cílios se erguendo enquanto ela me olha de cima a baixo, então volta a fatiar a fruta, mastigando a polpa suculenta.

Meu estômago ronca, se contraindo ao redor de seu vazio, mas estreito os olhos para a lâmina. Bem ciente de que essa mulher irritadiça está armada.

E eu, sem dúvida, *não*.

— Você não gosta de mim — deduzo, me movimentando à direita para encostar a cintura na mesa de cabeceira. Ela não desvia o olhar da fruta e eu pego o castiçal apagado: comprido, dourado e pesado o bastante para deixar alguém inconsciente com um mínimo esforço. Precauções. — Você nem me conhece.

— Discutível.

Arqueio a sobrancelha.

— O que isso significa?

Ela ergue os olhos, aquele olhar cortante raspando meu rosto até focar no málmr entre meus seios, que faz o tecido sedoso marcá-los.

— Isso *aí* significa algo, sabe? Não é só aceitar e depois jogar na caixa de joias para usar com a roupa preferida.

Engano dela, não tenho roupa nenhuma.

Ela faz contato visual comigo de novo e volta a morder a fruta, mastigando conforme rumino o jeito que ela está me olhando; emanando hostilidade suficiente para me fazer me sentir bem indesejada. Talvez, se ela tivesse visto como Kaan serrou fora a cabeça de Hock enquanto o outro homem ainda estava bem e consciente de verdade, não ficaria tão preocupada com a possibilidade de eu partir o coração precioso dele.

— Cadê ele?

Ela engole a fruta, fatiando outro pedaço.

— Deve estar sendo suturado. Ele ficou bem ferrado depois de tentar te salvar de uma vida de parideira, de viver com os peitos de fora e a barriga carregando o bebê de um brutamontes qualquer.

Levanto a outra sobrancelha.

— Deixe-me adivinhar — continua ela, perfurando a fatia de fruta com a ponta da faca enquanto encosta a cintura na porta, voltando a me olhar de cima a baixo, agitando a arma feito um ponteiro. — Ele levou você para uma cabana pitoresca nas colinas, cozinhou, então olhou para você como se a amasse mais do que a própria vida. Então você fugiu, caiu em uma cachoeira e acabaram arrancando sua roupa em um lugar cheio de guerreiros seminus?

Meu rosto fica pálido.

— Como você sa...

— Porque sou magnífica. Também sou leal, mas *insuportável* se arranjar encrenca comigo. — Ela leva a faca à boca e pega o pedaço de fruta com os dentes, mastigando. — Ainda estou resolvendo em qual categoria você se encaixa.

Para o azar dela, não sinto autogratificação a partir da aprovação dos outros. Isso sem contar que estou com tanta fome que poderia comer uma pilha inteira desses orbes carnudos e estranhos de fruta, e a ouvir mastigar o alimento crocante e de cheiro cítrico está despertando em mim uma inveja tão intensa que estou tendo dificuldade em domá-la. Nunca comi aquilo antes, mas estou cheia de água na boca.

— Você ficaria surpresa com o quanto isso pouco me importa — murmuro, sendo torturada ao ouvir mais uma mordida crocante a ponto de quase saltar para o outro lado do lugar de dormir e derrubar a mulher só para comer o restante. — Se a conversinha acabou, fique à vontade para me indicar a saída, assim posso aproveitar minha recém-liberdade de não estar mais acorrentada, presa ou encurralada.

Faço um gesto com a mão para a enxotar. Ela só fica me encarando, com a cabeça inclinada para o lado enquanto mastiga o último pedaço da fruta.

— Kaan cresceu ouvindo com frequência que não era bom o suficiente. Ele nunca vai admitir, mas, na mente dele, acredita não merecer a honra de isso *aí estar* no seu pescoço — declara ela, acenando com a faca para o málmr de Kaan.

Não acho que ela entende... O medo fala mais alto e tudo mais.

É provável que ele esteja ansioso para pegar isso de volta.

Com um sorriso cortante, ela finaliza:

— Se você o machucar de novo, eu vou te machucar.

Ela se desencosta da porta e a escancara, deslizando para o corredor no momento em que as últimas palavras proferidas fincam os dentes em meu cérebro e *grudam*.

— Como assim "de novo"? — rebato, com um rosnado, indo até a porta sem soltar o castiçal.

Ela continua andando, fazendo a curva no fim do corredor quando uma palavra fica entalada em minha garganta, sem controle; minha boca formando o som como se partindo apenas da memória muscular.

— Veya!

Ela para no lugar, virando a cabeça, devagar.

Certeira.

O olhar arregalado dela colide com o meu como sal atingindo uma ferida sensível e vulnerável que não está fora do meu corpo, e sim *dentro*. Em uma porção da margem que cerca meu lago congelado que não é tão abundante quanto era antes. A altura da água diminuiu uns centímetros, expondo pedras escuras que doem.

Talvez eu esteja vendo coisas? Talvez sempre tenha sido assim?

— Do que você me chamou?

Franzindo a testa, esfrego a cabeça, me perguntando com quem eu a estou confundindo. Com alguém, certeza. Eu conheço alguma Veya? Devo conhecer.

— De nada. Eu não sei. Vá embora, você está me dando dor de cabeça.

Meu corpo deve ter entrado no estado de inanição, restringindo o fluxo de sangue para abastecer as partes mais importantes.

Droga, preciso comer. E beber água.

Ela volta depressa pelo corredor, seus olhos parecem brasas flamejantes. Ao jogar o caroço da fruta no chão, ela bate com a mão no peito e proclama:

— Eu sou Veya. *Eu*. Você se lembra de mim?

Sinto meus olhos se revirarem tanto que quase pulam fora da cabeça.

De novo, não.

— Não. Meu cérebro só vomitou a palavra certa. Nunca vi você na vida — respondo, e bato a porta na cara dela, trancando. — Vamos conversar de novo depois que você aprender a arte de compartilhar.

Ouço a bota dela colidindo com a madeira antes de ela bradar a plenos pulmões:

— Eu vou dar um jeito nisso. Ouviu? *Eu vou dar um jeito nisso.*

Ela só pode ser maluca.

— Isso, faz isso — respondo. — Cuidado para não distender o cérebro.

A única resposta que tenho é o som dos passos pelo corredor.

Afastando-se.

Suspiro, jogando o castiçal na cama, e volto para perto das persianas de madeira, separando e quase me cegando. Levanto a mão para proteger o rosto do raio de luz e calor feroz, arregalando os olhos quando enfim a visão se ajusta ao brilho forte.

— Uau — sussurro, segurando a maçaneta de madeira rústica na porta à frente, abrindo.

Saio para a pequena sacada de pedra que dá para uma civilização amontoada sobre uma baía enorme, se estendendo até o horizonte empoado, com as bordas borradas pelas ondas de calor oscilantes. Uma pena considerando que algo na ponta ocidental desperta meu interesse. Faz com que eu queria remover as camadas de distorção e ver o que se esconde ali embaixo.

Olho direto para a cidade abaixo.

Daqui de cima, no meio do caminho de um penhasco sinuoso, os edifícios parecem um amontoado de rochedos ferruginosos, alguns pavimentos em espirais de mosaicos, outros cobertos por janelas arredondadas que brilham ao sol. O céu azul-claro está carregado de luas escuras ceifassabres, assim como algumas luas fundíferas coloridas refletindo a água turquesa sedosa que se estende a perder de vista, o sol escaldante posicionado logo à frente, me ensopando de calor.

Inspiro fundo, balançando a cabeça...

Parece que cheguei em Dhoma.

Raeve

CAPÍTULO 50

asculho os cestos trançados e encontro uma bota preta que vai até o joelho com sola grossa e cadarço na frente. Ao calçá-la, percebo que cabe certinho e me apaixono de imediato.

É perfeita para esconder facas e pisotear dedinhos.

Saco um tecido preto simples de outro cesto, desdobro e vejo que é um casaco com capuz.

— Hum — murmuro, vestindo a peça e checando meu reflexo no espelho; me virando para a esquerda e para a direita.

Que.

Coisa.

Linda.

Ainda vejo o vestido sedoso por baixo, conferindo um efeito em camadas que também serve como uma porção portátil de sombra, ao mesmo tempo que mantém meu corpo arejado.

Admiro a barra indo até o chão e as mangas boca de sino que quase chegam à ponta dos meus dedos esticados. Uma extensão conveniente para esconder *boa parte* da algema, assim não fico parecendo uma fugitiva enquanto perambulo pela cidade, na caça de uma Ornato da Pena.

Na mesma gaveta, encontro uma calça que parece pequena demais, e solto o cinto preto, prendendo-o ao redor da cintura. Se eu fechar no último buraco da peça, cabe.

Coloco o capuz, confiro o reflexo de novo e sorrio.

Perfeito.

Pegando o castiçal, saio do quarto, seguindo pelo corredor que dá em uma sala de estar abobadada. Franzo a testa ao olhar para o teto: um mosaico de ceifassabre que parece estar prestes a soprar fogo em cima de mim.

Um arrepio desce até meus pés.

Kaan precisa demitir a pessoa que decorou antes que alguém tenha um infarto e morra.

Olho ao redor: um terço da parede é uma extensão de portas de vidro com vidraças amarronzadas, com vista para um pátio pavimentado adornado com uma lareira. Há vasos enormes segurando videiras exuberantes que parecem trajar o edifício, carregadas de flores escuras do tamanho de minha cabeça, que acompanham o sol.

O cômodo em si tem uma atmosfera aconchegante, apesar da arte horrível no teto, com mais videiras cobrindo as paredes internas, embebidas na luz do sol entrando pelas muitas janelas; aquelas flores escuras deixam um cheiro doce e pungente no ar.

Ao redor de uma mesa de pedra da altura de meu joelho, sentados em assentos pomposos de couro, estão dois homens enormes. Um está virado para mim, com a expressão escondida por um monte de mechas de cabelo claro que cobrem os olhos. O outro está me olhando por cima do ombro, com a sobrancelha erguida, o rosto e o ombro cheios de sardas. O caos de seu cabelo vermelho faz parecer que ele acabou de acordar de uma soneca do meio do dya.

Ambos seguram cartas de Saltari, com algumas outras viradas para baixo na mesa também adornada com um copo de... *alguma coisa* na cor âmbar e um prato de petiscos com cara de crocantes.

— Eu adoro esse jogo — comento, indo na direção da mesa e parando para surrupiar um item do prato. Passo o croquete na pasta clara e o coloco na boca, torcendo o nariz ao sentir o gosto da mistura cremosa, que parece ter notas de algo com gosto de terra. — Não amei *isso*. O que é?

— Creme de trufa — responde o ruivo cheio de piercings. — Importamos de um vilarejo próximo. O fungo que usam para fazer é difícil de cultivar, então custa um bocado de ouro.

Coloco o resto na língua e confirmo que, de fato, é terrível.

— Com certeza não amei. — Jogo outro petisco crocante na boca e mastigo, erguendo as sobrancelhas. — Vocês se redimiram. Isso, *sim*, é uma delícia.

Intenso.

Salgado.

Gorduroso.

Até estala em minha boca a cada mordida explosiva.

Eu me sirvo de outro.

— O que é isso?

— Gordura de búfal frita.

Hum.

Não seria minha preferência considerando que acabei de ver um sangrando dentro de uma tigela, mas, num mundo de troglo-vellus, você pega o que dá.

Seguro o prato contra o peito, envolvendo com o braço algemado, o que ainda segura o castiçal roubado. Mastigo outro petisco de gordura.

— Vocês não ligam, né? — pergunto, apontando para o recipiente.

— Não o suficiente para te impedir — responde o homem sem camisa, com a sobrancelha tão arqueada que quase some entre as mechas bagunçadas e vermelhas. — Você quer uma bolsa para carregar o castiçal?

Sorrio.

— Que gentil! É, vou querer.

Ele troca um olhar com o homem calado e se levanta, indo até o bar de bebidas, pega uma bolsa fina de algodão e a esvazia, despejando um monte de tangerinas no banco. Volta para perto de mim e abre a bolsa. Enfio o castiçal ali dentro, e ele ajusta a alça em meu ombro.

— Obrigada. — Olho entre os dois. — Vocês não precisam que eu mate ninguém em troca, não, né?

O silêncio se estende por tanto tempo que quase repito a pergunta.

— Aah, não. Essa vamos dispensar — afirma o ruivo.

— Boa.

Estranho... Não é assim que costuma funcionar.

— Me avisem se mudarem de ideia. Estou tentando me livrar de trabalho bélico, mas o rei de vocês salvou minha vida algumas vezes, então faço questão de oferecer esse favor único. — Ajeito melhor a bolsa no ombro. — Onde fica a porta da frente?

O homem no assento continua me olhando como se eu fosse uma criatura estranha que ele nunca viu, e me pergunto se ele está doente por causa de sua pele pálida. Coitado. Melhor eu me mandar antes que eu contraia também, do contrário nunca vou conseguir voltar ao muro para esfolar Rekk Zharos do pau ao pescoço.

O ruivo aponta para trás de mim.

— Naquela direção. A décima oitava porta à direita é o caminho mais rápido para o centro da cidade.

Eu me viro, vendo um corredor em que não tinha reparado; ladeado por janelas com feixes de luz se infiltrando.

— Tão prestativo. — Retiro outro petisco da tigela encostada ao peito e me viro, acenando para eles com a mesma mão. — Foi bom encontrar vocês.

Que tenham uma excelente vida.

O silêncio me persegue enquanto sigo pelo corredor, desfrutando da gordura frita e da glória de estar livre.

Em teoria.

Não acordei em uma cela, ou amarrada, nem na boca de um dragão. Ninguém me chamou de nula imunda nem fez a mão que uso para apunhalar coçar muito. Não fui jogada no chão assim que saí da suíte, nem pintada com o sangue de uma fera sacrificada, nem atada a uma estaca e oferecida aos ceifassabres. Ninguém me chamou de "Kholu" nem ordenou que eu ali ficasse e gerasse uma *prole salvadora de mundos*, nem estou sendo conduzida por um felino prateado místico.

Estou cautelosa, mas otimista de que minha breve estada em Dhoma vai ser bem menos traumática do que eu tinha previsto.

*D*ois guardas grandes com cara de poucos amigos seguram a maçaneta das portas duplas e as abrem.

— Pelos Criadores — murmuro, estreitando os olhos contra a torrente impressionante de luz do sol.

Pego o último petisco e mastigo ao sair para o calor pegajoso de cheiro doce, inalando fundo.

Soltando um suspiro.

A liberdade tem gosto de gordura de búfal frita e ar quente demais, mas nunca estive mais grata. A única coisa que poderia acabar com meu otimismo aguçado é um rei enorme de olhos âmbar, cheio de cicatrizes, que serrou a cabeça de alguém por mim.

Sinto o coração se contorcer, como se tentasse se enfiar entre as costelas. Uma sensação que quero eliminar na marra.

Quanto mais depressa eu sair daqui, melhor.

As portas se fecham atrás de mim, e me viro, notando um outro conjunto de guardas ladeando a porta para o exterior. Analiso a armadura de escama-draco, a forma como os dois homens estão com o cabelo escuro solto pelo ombro, cada um armado com uma espada bronze em uma das mãos e uma lança de madeira na outra.

Lambendo o resto do tempero salgado do dedo, me aproximo do homem à direita que não está nem estreitando os olhos nem suando por causa da luz do sol violenta em cima de si.

— Pode segurar isso para mim? — pergunto, entregando a tigela vazia a ele.

Ele franze a testa e olha para o cordão pendurado em meu pescoço, erguendo as sobrancelhas. Então abaixa a cabeça por alguns longos instantes, como se fizesse uma reverência, e olha para o recipiente de barro. Pigarreando, ele estende a espada, que seguro, agradecendo enquanto coloco a tigela na mão dele.

Chegando para trás, brando a arma ao redor, sentindo como é manejá-la. Franzo a testa. Ainda não encontrei uma espada pela qual me apaixonasse de cara.

— Pesada demais para mim. — Aceno com o queixo para a adaga presa à coxa dele. — Mas vou ficar feliz em trocar por isso aí. E pela bainha.

Depois de hesitar um momento, o guarda troca um olhar com o outro antes de colocar a louça no chão, com a lança. Ele solta a bainha, e primeiro sinto a adaga na mão antes de devolver a espada surrupiada.

— Foi bom fazer negócios com você — comento, dando uma piscadela.

Ele pigarreia, voltando à posição com a louça no chão entre os pés. Percebo que umas gotinhas de suor estão agora em sua testa.

— Uma pergunta rápida. — Coloco a bolsa com o castiçal no chão e abro o casaco, levantando a borda do vestido para prender a tira de couro ao redor do quadril e da coxa. — Vocês não costumam dar gente de comida aos dragões aqui, costumam? Como, digamos... não sei, um coliseu gigante e sangrento com uma estaca no meio à qual é *bem* desconfortável de se estar amarrada?

Espio os dois homens trocando olhares desconfiados. Eles negam com a cabeça ao mesmo tempo, e ergo as sobrancelhas.

Interessante.

— E os petizes? O que acontece com eles?

— Eles frequentam a Academia Drohk — revela o guarda à esquerda, com o sotaque nortista intenso, abaixando a cabeça.

— E os nulos?

— Eles têm a opção de descobrir se possuem afinidade com as runas. Se não, podem escolher estudar outra coisa e receber aprendizado.

Um aprendi... *hum?*

— Entendi — respondo, inclinando a cabeça enquanto prendo outra fivela às cegas.

As portas se abrem.

O homem grande e sem camisa com cabelo vermelho bagunçado está no corredor adiante, de braços cruzados, sobrancelha arqueada.

— Perturbando os guardas?

— Meio presunçoso da sua parte.

— Sua reputação a precede.

Ele enfia a cabeça para fora da porta e olha para a esquerda, depois para a direita, como se verificando se estamos todos inteiros ainda.

Ou se o pessoal dele está inteiro ainda.

O olhar de esmeralda vai da louça no chão à bochecha vermelha do guarda até minha arma recém-embainhada.

— Vejo que você já armou um esquema para conseguir equipamentos. Agiu rápido.

Abaixo a barra do traje.

— É um talento oculto. Qual o seu?

— Porra nenhuma. — Ele gesticula para a escada que vai descendo até a cidade labiríntica abaixo. — Vamos.

Meu peito fica apertado, volto a franzir a testa.

Será que não sou tão livre quanto achei que fosse?

— O que fiz para merecer uma escolta?

Ele me olha de cima a baixo, erguendo as sobrancelhas.

— Você parece uma turista desacostumada ao calor. Se vai penhorar um castiçal de ouro de verdade, é melhor fazer um bom negócio. Se um comerciante vir você comigo, não vai tentar te passar para trás.

Bem, isso é atencioso. Embora eu me pergunte se ele seria tão solidário se soubesse que pretendo trocar o dito castiçal por punhais de escama de ceifassabre dignos de um arsenal inteiro.

— Obri...

— A menos que eles tenham me flagrado com as filhas deles — prossegue ele, dando de ombros. — Ou com os filhos. Então é provável que se recusem a fazer qualquer negócio com você.

Pelos Criadores.

— Você não estava no meio de uma partida de Saltari?

— É. E eu estava perdendo. Grihm é letal quando está mal-humorado, e já estou com o orgulho ferido. Além do mais, alguém roubou nosso lanche e o conhaque acabou.

Certo.

Acho que não consigo me livrar dele.

— Nesse caso — respondo, me agachando para pegar a bolsa do chão —, podemos?

Ele enfia as mãos no bolso da calça de couro marrom justa e vai guiando o caminho, com passos longos fluidos e leves apesar do tamanho agigantado. O sol bate em nós como o sopro distante de uma flamadraco, então coloco o capuz mais para a frente, mergulhando o rosto na sombra, e de imediato amenizando o desconforto.

— Meu nome é Pyrok.

— O meu é Raeve. Embora eu suspeite de que já sabia disso.

— Acertou.

Ele estende a mão esquerda ao longo do corpo, em minha direção, com os dedos do meio e indicador esticados, os outros dobrados. Franzo a testa, olhando nos olhos dele, então de novo para a mão antes de repetir o gesto, tocando nos dedos dele com os meus.

O homem abre um meio sorriso que é tão despreocupado que chega a ser contagioso.

— Muito bem.

Foco o olhar escada abaixo enquanto passamos por edifícios labirínticos trajando mais das florzonas escuras que Essi teria adorado.

Sinto uma pontada no órgão em meu peito e esfrego, tentando aliviar a dor.

— Então, Raeve, em que tipo de loja você queria largar o castiçal?

— Em uma Ornato da Pena. Se tiverem uma.

Ele me lança um olhar de soslaio.

— Temos, sim.

Arregalo os olhos.

— E o nome é esse mesmo? Ornato da Pena?

— *Pergaminhos, penhores e todo tipo de suprimentos runi* — cantarola ele, e o alívio se espalha por mim, se alojando perto do peito.

Suavizando meus passos.

Eu sabia que a loja existia em outros lugares, só não tinha certeza se haveria uma tão ao norte. Hoje é meu dya de sorte.

— Você precisa de uma pena?

— Preciso.

Várias *penas* com pontas cortantes e pontiagudas, afiadas o bastante para decepar todas as partes importantes de Rekk.

Devagar.

De modo doloroso.

— E depois preciso de uma bebida doce e uma bela vista — complemento, ajeitando a alça da bolsa para ficar mais apoiada no ombro e lutando contra o ímpeto de coçar a pele, que está começando a ficar sensível, na lateral do meu dedo.

— A bebida parece a melhor parte do plano. Qual vista está procurando?

— A melhor que puder encontrar.

É uma cidade grande. Imagino que, se eu tiver uma vista ampla o bastante, em algum momento vou conseguir identificar onde fica a capoeira das caronas sem forçar ninguém a dar com a língua nos dentes. Então vou saber aonde devo ir depois de ter me livrado deste recurso pesado de ouro e estar carregada de uma quantidade letal de armas, empunhando uma algibeira cheia daquelas frutas pretas crocantes que Veya estava comendo.

Na minha frente.

Lasca por lasca, cada uma crocante e suculenta.

Sinto água na boca de novo...

Se eu sair deste lugar sem umas frutas dessas, nunca vou me perdoar.

Raeve

CAPÍTULO 51

$\mathcal{A}$ aurora jaz baixo, se deslocando para o oeste enquanto transitamos por entre edifícios circulares da cor de barro queimado. Vasos brotam do chão, dando suporte a plantas, árvores e videiras que escalam a cidade densa e orgânica; os artistas de rua estão empoleirados em cantos inclinados, entoando melodias com flautas de cobre.

Nós nos acotovelamos em meio a pessoas vestindo trajes que decoram, seguram e giram em seus corpos como véus inteligentes, e não consigo evitar ponderar se *todo mundo* em Dhoma tem a mesma vestimenta em marrom, preto ou ferrugem e apenas a usa de forma diferente... com um alfinete aqui, um grampo ali, um cinto de cobre ao redor da cintura.

É o que parece.

Cotovias de pergaminho pairam sobre nossa cabeça, mergulhando em direção às mãos estendidas do povo sorridente e risonho. Parece que ninguém está faminto, tem um talhe na orelha ou não tem onde morar. Não que eu consiga ver, ao menos.

— O povo parece gostar de viver aqui — comento, observando dois petizes correndo um atrás do outro, com as risadas cadenciadas atingindo as mais belas notas. Duas pessoas, que suponho serem os pais, observam de baixo de uma árvore torta, lambendo porções de algo cremoso aninhado dentro de cones pretos. — É legal.

E eu não poderia ter estado mais errada sobre este lugar.

Pyrok me lança um olhar de soslaio.

— Ouvi dizer que você morava em Ghora até ser...

— Oferecida aos dragões?

— Sim. Isso. — Ele tira uma ficha de ouro lisa do bolso e lança no ar, pegando em seguida. — Já viajou para outros lugares?

Existe uma leveza fácil na forma que ele faz a pergunta, mas ainda causa a sensação de tocar em uma brasa.

Penso no trajeto frio ao norte, em direção ao muro depois que enfim escapei de... *lá*. Penso nos horrores com os quais me deparei.

Contra os quais lutei.

A solidão que se infiltrou tão fundo que se alojou no osso.

— Só para cá — respondo, afugentando as lembranças. — Embora, pela maior parte, eu estivesse inconsciente ou dentro da boca de Rygun. Eu não chamaria aquilo de ver os pontos turísticos... a menos que conte ver a bola de fogo no fundo da garganta do dragão ameaçando me fritar.

Um lembrete perfeito de que esta cidade pode emanar um brilho radiante e alegre, mas o belo rei ainda me carregou para lá e para cá feito um palito de dente. Um motivo *perfeito* para eu não me apaixonar pelo lugar. E é tão quente aqui; odeio o calor. E Rekk ainda precisa ser esfolado vivo, curado, e então usado como um maldito tapete.

— Você parece estar me levando em um passeio — comento, apontando para uma árvore entrelaçada ao redor de um edifício como uma coroa retorcida, ostentando flores acobreadas grandes que parecem asas batendo. — Tenho certeza de que já passamos por ali, quando a aurora estava *bem* mais alta no céu.

— Relaxa — responde Pyrok, devagar, parando perto da carroça de um comerciante. — A menos que tenha que estar em outro lugar?

Tenho que não estar aqui. Nesta cidade íntegra e convidativa onde é fácil demais conviver com as pessoas. Fácil demais *querer* conviver.

Fácil demais me envolver.

— Sempre há um lugar onde se estar. O que você vai comprar?

— Hidromel. — Ele troca a ficha por uma caneca terracota cheia de uma bebida avermelhada e me olha por cima do ombro, com a sobrancelha arqueada. — Quer um?

— Talvez depois.

Mais fichinhas de ouro cintilam ao sol quando o comerciante as coloca na mão de Pyrok. O troco, imagino.

Pyrok continua seguindo ao meu lado, assobiando com o ondular dos passos, me conduzindo no que imagino ser outra rodada do passeio.

— O ouro é a moeda de vocês?

— É, sim. — Ele dá um gole na caneca, então sibila com satisfação. — Este reino não apoia a mineração de sangue de dragão fossilizado — explica, com um tom rígido que não estava ali antes. — A mineração incita o *derramamento* do sangue.

Franzo a sobrancelha.

— Vocês *usam* o sangue aqui? Para fins medicinais?

Ele dá de ombros.

— O que chega à cidade não foi minerado pelo povo que vive sob a proteção deste reino.

Interessante.

Dou a volta em um artista produzindo uma melodia bonita de um grande instrumento de cordas feito de madeirabrasa que me chama a atenção.

A atenção de meu ouvido.

Que me faz querer parar, sentar e *ouvir*.

— Então o Lume tem reservas inexploradas de pedrassangue? — pergunto, olhando para a esquerda, sem encontrar Pyrok em lugar nenhum.

Só... *sumiu*. Como se engolido pelo solo.

Eu me viro, vendo as mechas irregulares de cabelo vermelho seguirem por um beco lateral, o homem no mínimo um palmo mais alto do que todo mundo. Pyrok acena com a mão para que eu o siga sem se dar ao trabalho de me esperar, e reviro os olhos, me espremendo entre a multidão para acompanhar o ritmo.

— Obrigada por avisar — murmuro.

— Eu avisei. Não é culpa minha se não estava prestando a atenção.

Ele para, encostando em uma parede revestida em mais videiras ferruginosas que exibem as flores pretas, com uma das mãos ainda no bolso enquanto segura o hidromel na outra.

— Por ali — orienta ele, acenando com o queixo. — Mande um oi meu para Vruhn.

Eu me viro, voltando a atenção à porta de madeira no edifício abobadado do outro lado, com uma placa envelhecida pendurada na marquise.

Sorrio e seguro a maçaneta, parando para olhar por cima do ombro.

— Precisa de alguma coisa?

— Só se Vruhn tiver decidido estocar conhaque junto com a coleção de asas de inseto — responde ele, então dá um bom gole na bebida.

Balançando a cabeça, entro na loja circular, absorvendo o cheiro de couro e poeira. Observo a parede curva de prateleiras repletas de livros, extratos, hastes de gravura e pedaços de pedra vulcânica. Há presas de ceifassabre penduradas no teto, suspensas por correntes de cobre, cada uma com rótulos de preço que não significam nada para mim porque não tenho costume de usar o ouro como moeda.

Vamos torcer para que essa coisa pesada que vim carregando pela cidade valha o bastante para conseguir os materiais de que preciso, e com sorte ainda sobre umas moedas para eu contratar um caroneiro que me leve de volta ao muro.

Vou seguindo por um labirinto de prateleiras até chegar aos fundos da loja, onde há um mosaico de asas de inseto pequenas, médias e grandes, o que me faz franzir a testa.

Eu me pergunto onde fica o depósito de armas...

Foco o olhar em um homem com cabelo branco crespo que se projeta em todas as direções... Vruhn, presumo. Ele está sentado atrás de um balcão de pedra bagunçado misturando extratos. Percebo que contas brancas e azuis estão entrelaçadas no cabelo.

Ele franze a testa, parando o movimento com a mão, e ergue a cabeça. Os olhos aéreos me fazem firmar os pés no chão e meu batimento acelerar.

São leitosos como os de Sól, formando um grande contraste com a pele escura dele, e me olham como se me *atravessassem*.

Meu coração quase sai pela boca quando alguma coisa surge à frente de minha memória, como um pedaço de carne sendo jogado no carvão em brasa:

Olhos grandes cor de marfim fitam, inexpressivos, minha direção, um hálito gelado acertando meu rosto enquanto um nariz frio, luminoso e coriáceo cutuca meu peito. Meu peito tão cheio de amor. Tão cheio de...

Mágoa.

Tanta mágoa...

— Bem-vinda ao Ornato da Pena — diz uma voz contundente, me trazendo de volta ao aqui.

E agora.

Afugentando a imagem inquietante do meu lago interno, pigarreio, olhando para o homem, me esforçando para não desviar do olhar leitoso dele.

— Oi. Eu...

— Veio aqui para penhorar um castiçal que roubou da Fortaleza Imperial. Estou bem ciente, Raeve.

Franzo a testa, estreitando os olhos para o roupão branco do homem, analisando os muitos botões na frente da costura, vendo uma que ostenta um nó tachado de fios.

— Você é um tecemente — murmuro, com a voz aguda por causa do espanto. — Achei que fossem caçados e forçados a trabalhar para as famílias imperiais.

— Um fato doloroso — responde Vruhn, sua voz é como uma corda rangente. Ele inclina a cabeça para o lado, com a haste de metal para mistura entre o dedão e o indicador. — Você, minha querida, tem uma mente interessante.

As palavras me enchem como uma argamassa, deixando meu corpo pesado.

Carregado.

— Tem uma... *profundeza* escondida com incontáveis mágoas e segredos — afirma ele, com um aceno ágil de cabeça. — Como consegue aguentar?

Forço o pulmão a se encher de ar. Eu o convenço a funcionar.

— Ignoro — falo, com a voz rouca. — Na maior parte do tempo.

— Aah. — Ele coloca a haste em um pano dobrado, franzindo a sobrancelha cheia. — Você veio adquirir uma carga de punhais de escamadraco, seis de ferro, uma bandoleira, um punhado de cavilhas de ferro, do tamanho normal, e quer estar munida de uma vestimenta adequada que possa carregar em uma bolsa pequena e prática na jornada ao Grado, onde pretende perseguir o caçador de recompensas Rekk Zharos.

Ora. Que útil.

Abaixo a cabeça em um gesto de respeito às habilidades dele.

— Isso mesmo.

— Uma lista e tanto.

— É, bem. Minha casa pegou fogo. Eu perdi...

Muita coisa.

A imagem de Essi imóvel no assento me acerta como uma lâmina perfurando entre as costelas, e faço um esforço para não estremecer.

— Percebi — responde Vruhn, com a voz tomada pela emoção. — Sinto muito, Raeve. Por Essi. O arrependimento é o fardo mais pesado de se carregar.

Volto o olhar para o teto em mosaico.

Para as prateleiras.

Para minhas mãos.

— Também sinto muito pela pequena Pre. Eu sei como foi difícil ativar a dobra de devolução.

— Sua vara de pesca mental é muito boa em capturar as coisas — afirmo, com uma risada forçada, puxando a algema mais para cima do pulso, permitindo que a pele respire um pouco.

— É, sim. Desculpe. Temo que seja mais uma compulsão do que um dom. — Uma pequena pausa, então: — Você *também* quer uma das minhas hastes de misturar metal para liberar a algema de ferro em seu pulso...

Levanto a cabeça, arqueando a sobrancelha. A dele também está levantada em questionamento.

— Uma ideia que teve quando entrou aqui. Vai pegar uma pedra da costa e a usar para abrir a cavilha.

Ele abre um sorriso malandro que é contagioso.

— Acha que vai funcionar?

— Acho, sim, embora eu tenha algo mais apropriado que não vai entortar sob pressão. Você também quer que algumas coisas sumam das prateleiras para manter a impressão de que veio até aqui para adquirir materiais comuns. Também posso ajudar com isso.

— Obrigada — respondo, abaixando a cabeça de novo. — Pyrok mandou um oi. Ele está ali fora.

— Diga a ele que ele tem que dar um tempo do hidromel. *Ah...* — Ele arregala os olhos, então os estreita outra vez, como se estivesse espiando por entre as dobras de meu cérebro. — Entendi por que trouxe o castiçal em vez de usar as suas reservas...

É.

Sobre isso.

— Fíur du Ath acha que estou morta. Meu registro deve declarar isso. Prefiro manter assim. Ao menos...

— Por agora.

— Com certeza você entende o porquê.

— De fato — confirma ele, acenando devagar com a cabeça. — Essa *Sereme* é das mais desagradáveis. Vejo que ela lhe manteve sob rédea... curta...

Foi mais como me prender com uma coleira, mas beleza.

Toda a gentileza some do rosto do homem, e os olhos brilham com lágrimas.

— Você está esquecendo algo, mas não sabe o que...

Sinto uma corrente gélida passar por minhas veias, indo direto para os ossos.

— Eu...

— Ah... minha querida. — Ele contorce o rosto, colocando a mão no peito enquanto uma lágrima escorre pela bochecha. — Algo tão... *especial* — finaliza com um soluço, e as palavras provocam uma dor que faz minha barriga se revirar.

Uma faca ágil no lado esquerdo de meu peito.

— A resposta está dentro de você. No lugar onde esconde tudo. Eu poderia lhe ajudar a drenar...

— Chega — interrompo, irritada, colocando o castiçal no balcão com um baque.

Ele arregala os olhos, com a respiração trêmula. Por um longo momento, fica só me... *encarando*, com o rosto perdendo a cor, mais lágrimas preenchendo os olhos e escorrendo à vontade pela bochecha. Gotas de uma verdade com a qual não quero me deparar. A qual não quero ver.

Não quando já consigo imaginar os sons tristes trazidos pelas lágrimas dele só de olhá-las.

— Eu falei *chega*.

Por favor...

Ele pisca algumas vezes, franzindo a testa, sem se dar ao trabalho de secar o rastro de tristeza da bochecha.

— Claro. Vou fazer o possível para parar. Eu só... — Ele balança a cabeça, então se levanta, saindo de trás do balcão. — Vou pegar suas aquisições de engodo para te liberar.

Meu joelho quase cede assim que ele some de vista, e coloco a mão no coração martelando enquanto o homem vasculha a loja, retirando coisas das prateleiras.

Não fico olhando. Não presto atenção. Só encaro a parede dos fundos e finjo estar em outro lugar em que não tem ninguém cutucando minha mente.

Foi legal quando ele começou a colher uma coisa ou outra de meus pensamentos, fazendo com que minhas palavras fossem redundantes. Como uma comichão conveniente.

Agora, é como uma *facada*.

Ele volta com um caderno de couro com um plumalua perolado gravado na capa, um tinteiro e um monte de hastes de carvão. Também traz uma pequena ferramenta afiada de metal que parece conseguir suportar a força da pedra que tenho a total intenção de esmurrar para soltar a cavilha da algema.

Ele coloca moedas de ouro em uma bolsinha que suspeito ser o "troco", arruma tudo em uma bolsa de couro marrom com uma aba que se prende em uma fivela, então a desliza pelo balcão.

— Suas medidas estão no livro-registro?

— Acredito que sim.

— Então mando uma cotovia quando suas roupas estiverem prontas para serem coletadas.

— Obrigada.

Pego a bolsa, apertando o couro flexível.

Uma mochila tão bela, de boa qualidade. Parece um desperdício estar com...

— Não é — diz o homem, abrindo um sorriso suave. — Está vindo chuva aí. Eu não quero que seu diário acabe molhado. É tão bonito, e eu quero que aproveite.

Franzindo a testa, olho para o teto. Para a janela redonda que derrama um brilho forte de luz do sol, inflamando partículas de poeira.

— O tempo parece ótimo para mim.

— Você conseguiria ouvir a chuva chegar se não fosse pela algema de ferro. E se você se desse ao trabalho de escutar.

As palavras dele acertam todas as partes sensíveis de mim, e sinto calafrios ao perceber o quanto ele acertou em cheio.

— Acho mais fácil assim — rosno.

— Você ouve Clode.

Ranjo os dentes tão forte que temo que se quebrem, fazendo com que eu me sinta como um esqueleto com toda a carne do corpo devorada; só restaram os ossos para serem branqueados ao sol.

— Clode é brincalhona, feroz e cruel. Forte e geniosa. Ela não fica se lamentando, amuada ou sentindo *pena* de si mesma.

— Rayne é...

— *Lágrimas*. Ela é carnificina. Rayne é o gelo que gruda na pele dos mortos que são jogados por cima do muro para que as criaturas do Breu devorem. Rayne é a neve que cobre a porção à sombra deste mundo *fodido*. Rayne é...

— Poder, minha querida.

A palavra seguinte morre em minha língua.

— Rayne é *poder* — prossegue ele. — Metade do mundo revestido em um *poder* pulverizado que ninguém é forte o bastante para exercer. Talvez *você* fosse capaz, se não ficasse entocando tristeza dentro do lago congelado dentro de você, junto com...

— Obrigada, meu bom senhor. Por aceitar o castiçal como moeda de troca.

Há um momento de silêncio antes de ele abaixar tanto a cabeça que quase poderia ser uma reverência.

— Foi uma grande honra para mim, Raeve.

Com a algibeira de couro apertada próxima ao peito, me viro para a porta, sentindo como se tivessem espremido uma bagabrejo azeda em meu cérebro e esfregado o sumo por cada parte. Uma puta massagem intensa.

Este dya pode ter começado muito bem, mas está perdendo o brilho depressa.

Registro no diário

Elluin Nevàn

Idade: 18 fases
5.000.039 fases Depois da Pedra

Neste dya, uma mulher me visitou, e ela tem os mesmos olhos âmbar que o homem que veio no torpor anterior. Uma visão tão impressionante quanto ele, tem cabelo cacheado grosso e sardas no nariz e na bochecha. Ela trouxe uma tigela de comida e teve coragem o bastante para colocá-la ao lado da cauda enrolada de Slátra.

Dei uma olhada na tigela e caí no sono outra vez, sendo acordada um tempo depois pelo homem lindo e cheio de cicatrizes que me pegava nos braços.

Eu me contorci e gritei, mas Slátra não fez nada. Nada! Nem um grunhido.

O homem me aninhou ao peito, e os braços dele eram tão fortes que percebi que lutar era inútil. E cansativo. Eu tinha pouquíssima energia, e já não havia muito pelo que lutar.

Ele subiu comigo por um túnel de escadas e entrou na Fortaleza Imperial. Então me colocou em uma banheira cheia de água quente e borbulhante, toda vestida, então saiu do cômodo, me deixando sozinha com a mulher que imagino ser sua parente.

Ela me despiu, e me faltava vontade para a impedir, mas tentei me cobrir quando meus seios foram expostos. Ela afastou minhas mãos e começou a me esfregar, dizendo que, onde tinha crescido, os corpos não são vistos como motivo de vergonha, não importando o tipo ou o tamanho. Que a pele nua não é tratada como um grande segredo, e que seios são venerados por nutrirem os petizes do clã.

Ela se apresentou como Veya Vaegor e se desculpou pelo comportamento do irmão, conversando comigo como se eu estivesse respondendo.

Eu me perguntei de que irmão ela estava falando. Não acho que poderia aceitar uma desculpa pelo que Tyroth Vaegor tirou de mim com tanto prazer.

Meu reino.

Minha independência.

Ela falou muitas coisas e me fez muitas perguntas enquanto eu olhava para a parede e ponderava se era daquele jeito que Haedeon se sentira durante as fases que passou mudo. Como se não houvesse sentido em nada. Só que então ela parou de esfregar meu corpo, afastou o cabelo do meu rosto, disse que ensina técnicas de combate na Academia Drohk e perguntou se eu queria fazer umas aulas.

As palavras acenderam algo em mim, e me senti mais viva do que me sentira em muito tempo, como se uma aurora tivesse nascido dentro de meu peito.

Falei que sim... que quero fazer umas aulas de combate, caralho.

O sorriso dela foi ofuscante.

Raeve

CAPÍTULO 53

*P*yrok me observa do assento oposto ao meu na mesa privativa, reclinado, com as mãos juntas atrás da cabeça... o sorrisinho de sempre no rosto; algo a que não sou chegada.

Deixo a ferramenta fina e afiada de metal em cima da cavilha embutida na algema, desejando que *permaneça* ali.

— É isso — murmuro, atenta enquanto afasto... a mão... devagar...

— Acha mesmo?

— Instinto.

Pego a pedra que surrupiei da margem labiríntica da Prézea e ergo acima da haste, conto até três, e desço com tudo...

A haste quica pela pedra como a porra de uma flecha.

Suspirando, jogo a pedra na mesa de novo, buscando a ferramenta ao som da risada profunda e deleitosa de Pyrok.

O babaca.

— Que bom que alguém está se divertindo.

Reorganizo o cenário, tentando deixar a algema bem plana para que a cavilha fique na ponta.

Ainda rindo, Pyrok enxuga uma lágrima no canto do olho.

— Trinta e sete.

— Cala a boca.

Sentindo os fios de cabelo da nuca se arrepiarem, dou uma olhada ao redor para ver se tem mais alguém desfrutando do meu poço transbordante de frustração.

O edifício aconchegante e abobadado consiste em três andares, com a borda externa segmentada em mesas luxuosas com assentos de couro e cortinas (uma das quais estamos ocupando no momento) e com uma vista maravilhosa para a Prézea que eu gostaria de desfrutar por completo.

Sem algema.

Um bar domina o centro do espaço, cercado por banquetas ocupadas, no geral, por clientes comendo espetinhos de carne, bebendo um líquido nebuloso em copos compridos, ou desfrutando de canecas de hidromel. Durante minha fiscalização, vejo duas pessoas me olhando, analisando a algema e trocando sussurros entre si.

Aceno com a mão algemada e abro um sorriso exagerado que some do meu rosto assim que volto a atenção à tarefa em mãos.

Essi teria tirado isto em um piscar de olhos.

— Vruhn pisou num calo? — questiona Pyrok, e ergo os cílios para lançar um olhar feio. Ele dá de ombros. — Seu humor despencou. Um bocado.

Que forma gentil de dizer que estou sendo uma escrota.

— Em vários — confirmo, voltando a atenção a aplainar a algema.

Acho que vou pagar um artista de rua para ir buscar o pacote para mim quando ficar pronto, assim não preciso encarar o tecemente de novo. Nos últimos tempos, as pessoas estão demonstrando interesse demais em minha vida; no passado, presente e futuro.

Estou de saco cheio.

Kholu isso. *Prole* aquilo. *Deixe-me olhar dentro de sua mente e ajudá-la a desenterrar tristezas passadas...*

Não, obrigada, caralho.

— Ouvi dizer que você e Veya não se deram muito bem — comenta Pyrok, então pega uma noz caramelizada de uma das tigelas terracota de petiscos que pediu junto à nossa primeira rodada de hidromel, atira no ar e a pega com a boca.

— Fazia um tempo que eu não comia — explico, colocando a haste em cima da cavilha, tentando soltar sem que tombe. — Ela ficou comendo fruta na minha frente.

— Aah.

Vou afastando a mão devagar...

Com cuidado...

— Eu acho que gostaria dela se a conhecesse.

— Se você diz — respondo, sem mencionar que não pretendo ficar aqui tempo o bastante para descobrir.

Cidade legal, gente feliz. Admito que eu estava errada. Só que ainda tenho a ânsia de atravessar o peito de Rekk Zharos com as mãos e arrancar o coração dele fora, e o ímpeto é uma comichão em meus ossos, como um enxame de vaga-gelos.

Pego a pedra, ergo a coisa e então desço com tudo. A haste desliza pela mesa ao ritmo de meus xingamentos cáusticos enquanto Pyrok gargalha até a morte iminente.

— Uma ajudinha? — peço, grunhindo e agitando a mão algemada para ele enquanto pego a haste.

Negando com a cabeça, ele pega a bebida e vira tudo.

— Essa coisa está aí por um motivo, com certeza — responde ele, enxugando a boca com as costas da mão bronzeada.

— Talvez tenha algo a ver com o fato de que mordi fora a ponta do dedo de Rekk Zharos — revelo, franzindo a testa quando o céu solta um estrondo inebriante que parece sacudir o ar.

Olho pela janela aberta para a direita, vasculhando a Prézea pitoresca, agitada pelo vento. Como este estabelecimento jaz na costa labiríntica da curvatura leste de Dhoma, temos uma vista perfeita da cidade íngreme. Do ponto a oeste que fica chamando minha atenção, parecendo destituído de civilização, coberto por uma mata da cor de ferrugem.

— O que tem lá?

Silêncio.

Olho para Pyrok, que me encara como se eu tivesse duas cabeças.

— Que foi?

— Nada — diz ele, tremendo todo, talvez por causa da história do dedo.

Entendo. De início senti o mesmo, mas desde então me afeiçoei ao pensamento.

— É uma região cercada por muros. — Ele aponta o dedo na direção do ponto que mencionei. — Uma mansanha mora lá.

Franzo a testa.

— Sério?

— Quer ir dar uma olhada?

Olho para a região de novo.

Meio que quero.

— Eu quero mais é arrancar esta algema — rosno, e Pyrok se levanta.

— Quer outra bebida para enfrentar a longa batalha à frente?

— Com certeza.

Viro o copo; o hidromel é um conglomerado denso de castanhaga defumada, fogareiro e madeira queimada. Não é nem muito doce nem muito amargo. Sem dúvida a melhor bebida que já provei.

— Vou pagar de volta com o troco que ganhei negociando o castiçal roubado — informo, entregando o copo vazio a ele.

— Não quer mesmo um copo d'água? Aqui não tem gosto de terra, e seu rosto está bem verme...

— Hidromel — interrompo, voltando a atenção à algema, alinhando a haste. Duvido de que os itens que comprei estarão prontos antes do nascer do dya seguinte, o que significa que serei escoltada de volta à Fortaleza Imperial para o próximo torpor. — Por favor.

A única forma que vou dormir debaixo do mesmo teto de sua *Alteza Imperial* sem dizer ou fazer algo estúpido é se eu estiver tão embriagada que ficarei letárgica demais para sequer levantar o corpo da cama. Não sou do tipo que afoga as mágoas, mas não vejo sentido em nadar contra a maré que, como é evidente, quer me mergulhar sob um manto da inconsciência irracional.

Estou ajustando a haste de novo quando um movimento do lado de fora chama minha atenção, a posição da mesa possibilitando a visão perfeita de um mirante abobadado empoleirado no topo de uma montanha bem lá em cima. Dos buracos de capoeira enormes enfiados no penhasco íngreme.

É a segunda vez que vejo o mesmo ceifassabre adolescente saltando de um planalto rochoso entalhado dentro da Fortaleza saliente, o único adorno da criatura uma manta para sela de couro. Talvez ela esteja se acostumando com a sensação de ter algo cobrindo as costas.

Embora seja interessante observar o dragão disparando pelo céu em uma dança vertiginosa, saltitando ao redor como se queimasse com uma pança tão cheia de energia que não sabe o que fazer com ela, não é o que estou procurando. No geral, não se usa ceifassabres para transporte porque eles não conseguem se deslocar muito na direção sul, só até o Grado, por causa do risco de congelarem até a morte. Eles não resistem à neve, assim como plumaluas não resistem ao sol... e não quero ir para perto do sol.

Quero ir para *longe*.

Por sorte, a maior parte das cidades grandes tem uma reserva de fundíferas cativados e, no geral, *serenos*, que foram treinados o suficiente para transportarem passageiros ao destino escolhido, escoltados por quem cativou a fera. E aquele fundífera bem ali, que agora surge à vista de trás da cordilheira, deslizando pelo céu enquanto o vento agita a plumagem rosa e vermelha, com uma sela dupla acolchoada entre as asas emplumadas...

Ele, sim, é minha passagem para fora daqui.

A fera gigantesca pousa em um planalto, virando a cabeça para mordiscar uma coceira debaixo da asa quando Pyrok chega na mesa e fecha as cortinas, então volta a se sentar no assento oposto.

— Me conte — murmuro, apontando para a janela com a haste —, aquela é a capoeira de carona?

— Está pensando em ir a algum lugar, Raio de Lua?

Giro a cabeça depressa, com o coração saltando ao ver Kaan e não Pyrok recostado no assento... com o cabelo para trás, as pontas soltas ao redor da beleza feroz de seu rosto. Ele veste uma túnica de couro preta que se ajusta ao corpo como uma segunda pele, costurada com um fio grosso, as linhas acentuando o porte largo do peito poderoso. As mangas pequenas da vestimenta atravessam o ombro amplo, com os braços cheios de cicatrizes cruzados enquanto ele me observa, arqueando a sobrancelha.

Com os pulmões ávidos de repente, inspiro fundo, preenchendo-os com aquele cheiro derretido dele que causa um alvoroço em meu coração.

— Então? — incita ele, e percebo que estive ali sentada o encarando, com a bochecha pegando fogo, a boca seca e desprovida de palavras, marinando nas ondas rígidas da tensão que oscila entre nós.

— Eu...

Pelos Criadores, é como se ele tivesse roubado minha língua.

Para onde Pyrok foi? Uma grande proteção alcoólica entre mim e esse homem cairia muito bem agora.

— Eu tenho todo o torpor disponível — comenta Kaan, e juro que a voz profunda e rouca foi feita pelos próprios Criadores para me desmontar. Para bagunçar minhas entranhas, me transformar em uma estúpida irracional. — O resto da minha vida, na verdade.

Caralho.

— Vi um pouco da sua cidade — consigo comentar; o que não é o que eu queria dizer, mas *aquele* seria um rumo perigoso de conversa.

Ele arqueou a outra sobrancelha.

— E então?

— Não era o que eu esperava.

Ele curva a boca em um meio sorriso que faz com que eu queira me remexer no assento, imaginando o rosto dele entre minhas pernas, bem ali, naquela mesa, para todo mundo me ouvir gritar.

— Está me fazendo um elogio, Prisioneira Setenta e Três?

— Não fique se achando.

— Ah, com certeza vou — contrapõe ele.

Reviro os olhos, esticando a mão para pegar a nova caneca de hidromel que Pyrok deve ter dito a ele que pedi antes de me dar de comida a este infame ceifassabre; o desgraçado desleal. Estou quase envolvendo a caneca com os dedos quando Kaan move a mão.

Segura a minha.

Encosta na mesa.

Em outro gesto ágil, ele está com a ferramenta afiada contra a cavilha, a pedra na outra mão, e começa a martelar ali com golpes estridentes e tranquilos que fazem o silêncio se instalar no estabelecimento.

Ergo a sobrancelha, imaginando todo mundo ao redor olhando na direção de nossa mesa privativa enquanto a cavilha se solta.

Kaan coloca as ferramentas na mesa depois que eu puxo o braço, solto o ferro e o jogo pela janela, observando mergulhar na Prézea. Fecho os olhos e esfrego o pulso, com um ruído mental sobreponho todos os outros barulhos presentes que não quero ouvir agora.

E que talvez nunca vá querer.

Um sorriso surge em meu rosto ao me deleitar com a melodia da risada vibrante de Clode.

Bem-vinda de volta, sua piranha maluca.

— É muita confiança da sua parte.

— Confio no meu povo, e tenho oitenta por cento de certeza de que você não vai me matar agora que salvei sua vida duas vezes.

Abro os olhos, com o sorriso sumindo enquanto olho nos orbes âmbar intensos dele.

— Depende.

— De quê?

Seguro o hidromel e o levo junto ao peito.

— Seu reino pode ser exuberante e cheio de gente sorridente e feliz, mas duvido de que você tenha vivenciado a vida sob o reinado de seu irmão. Você é conivente com o fato de ele roubar petizes de apenas 9 fases das mãins? — pergunto, inclinando a cabeça para o lado. O brilho some dos olhos dele, deixando brasas fuliginosas e frias no lugar. — Um sopro de poder e eles são levados na hora da família em prantos, substituídos por um balde de pedrassangue. Forçados a se alistarem. Despachados para Balgadarte, onde aprendem a falar palavras assassinas, treinando em criaturas pequenas e peludas. Arrancando aquela parte delicada do coração de um petiz que *nunca* pode ser substituída... os transformando em verdadeiros monstros torturados.

— Raeve...

— Você sabia — continuo, gesticulando para o buraco que cortei na concha da orelha — que os petizes identificados como nulos são amarrados para receber o talhe? Isso vira uma marca para predadores que os fazem de alvo, os persuadindo a ir para os ringues de luta na Cidade Baixa com promessas vazias de conseguirem pedrassangue o bastante para alimentarem as famílias. Um povo negligenciado que, do contrário, é obrigado a morar na Cidade Baixa. Onde o ar é denso demais. Onde não tem sol, e cada torpor representa uma aposta de ser ou não *dessa* vez que você vai acordar imobilizado por uma mansanha em cima do seu peito, sugando com delicadeza seu cérebro pelas narinas.

O vento começa a soprar, virando uma espiral violenta que sacode a cortina, Clode ecoando minha ira com uma canção ondulante de palavras duras e guinchos estridentes.

— Ou pior — acrescento, com a voz rouca, ressoando com um trovão lá fora —, concorda que uns *fodidos* desprezíveis e mais poderosos tomem liberdades no escuro, lá onde a inocência morre... tudo porque seu querido irmão só se importa com o próprio exército farto e poderoso e com quantos fundíferas cativados ele tem na cabana militar.

Viro o hidromel e bebo metade em três bons goles, enxugando a boca com as costas da mão.

— Se for conivente com *isso* — afirmo enquanto o vento agita meu cabelo, formando tentáculos pretos contorcidos —, então, sim, vou arranjar coragem para matar você apesar de sua cidade sorridente, dessa química estranha entre nós e do fato de que salvou minha vida duas vezes.

Mantemos o contato visual conforme o ar continua a lutar com a atmosfera, o silêncio mais denso que a água. Tanto que penso que o estabelecimento deve ter ficado vazio de repente.

— Você disse "química estranha"? — indaga ele, com o olhar intenso abrindo um buraco em minha alma, e fico com dificuldade de respirar.

Dou de ombros.

Ele passa o braço pela mesa, com os dedos tocando os meus quando pega a caneca. Deixo a mão se afrouxar, e ele leva o recipiente aos lábios, bebendo do outro lado enquanto me analisa por cima da borda.

Então ele engole.

De novo.

De novo.

Kaan coloca a bebida na mesa com um baque pesado.

— Foram necessárias muitas fases para proteger o Lume e construir uma armada *quase* forte o bastante para enfrentar meu irmão, que já tinha cravado muito bem as garras na pedra e nos tronos de obsidiana quando consegui apoio para tomar o trono bronze. Uma guerra com Cadok ou Tyroth vai ser catastrófica, mas é só questão de tempo. Meus irmãos merecem a mesma misericórdia que meu paih recebeu, e eles *vão* recebê-la — declara ele, com a voz densa com um tom intimidante que causa um arrepio por minha pele.

— Mas vai custar caro.

O silêncio impera enquanto mastigo as palavras.

— Você não se refere a ouro...

— Eu me refiro a gente *inocente* — brada ele, grunhindo, e meu sangue gela.

— Contrate um assassino. Elimine eles com rapidez em vez de fazer uma deposição violenta. Eu me ofereço. Com gosto. Faço até de graça.

E depois danço em cima dos cadáveres, caralho.

O maxilar de Kaan pulsa, e uma linha se forma entre as sobrancelhas.

— Em nossa cultura, não há honra em fazer isso. Uma batalha é travada ou com força bruta ou entre dois Oahs em um campo de batalha nulificante... mas meus irmãos nunca concordariam com isso. Não desde que Rygun e eu nos tornamos Daga-Mórrk.

Arregalo os olhos, erguendo as sobrancelhas enquanto meu coração acelera.

E acelera mais.

Isso explica a naturi.

A força.

A...

— Você é...

— O mais importante é — interrompe ele — que eles têm uma aliança forte formada no ventre. Algo inquebrável. Perigoso. *Letal.*

Ouço a mensagem silenciosa entremeada na declaração retumbante. Tentar derrotar qualquer um dos reinos significaria entrar em guerra com os *dois*.

— Uma batalha destroçaria nosso mundo e espalharia muitas outras luas pelos céus — afirma ele, abaixando a voz até virar um rangido assombroso. As palavras seguintes chamuscam meus nervos: — Despejaria chama sobre pele. Afogaria muita gente. Sufocaria outras mais. Como apontou, muitos daqueles alistados nas armadas do Breu e do Grado ainda são petizes que deviam estar correndo descalços por aí, rindo e aproveitando a vida. São menos capazes do que guerreiros experientes, então *eles* seriam os primeiros a morrer...

— *Pare.*

A palavra escapa de mim tão rápido que arranha minha garganta, e a respiração fica presa ali, voltando ao pulmão.

Desvio o olhar do dele. Pego as brasas que restaram das declarações escaldantes e as levo para dentro da minha vastidão congelada, empurrando para um buraco no gelo para assim não precisar olhar para elas.

Focando o olhar na mesa, continuo empurrando...

Empurrando.

Kaan se inclina à frente, apoiando os cotovelos na pedra, com o dedo deslizando para baixo de meu queixo e erguendo minha cabeça, me forçando a encarar o olhar dele, agora suavizado.

— A guerra é caótica, Raio de Lua. Mesmo quando é travada pelos motivos certos, ninguém ganha de verdade até terem se passado éons, até as lembranças terem se dissipado, e toda a mágoa e a perda começarem a desaparecer...

— Eu entendo — digo entredentes. — Você pode parar.

Meus olhos gritam as palavras que minha boca não forma.

Por favor.

O momento se estende enquanto ele vasculha meus olhos com uma intensidade que ameaça se infiltrar em minha pele e roçar meu coração endurecido.

— Eu não vou matar você, se é por isso que está esperando.

Ele levanta o canto da boca de novo, e é como se eu olhasse para o olho de um furacão. Tão belo e hipnotizante que você quase esquece que está em perigo.

Quase.

— Fico honrado. Me avise se mudar de ideia.

Duvido muito. Na verdade, já decidi que a morte dele pode ser uma das maiores perdas que o mundo poderia sofrer. Não que eu vá dizer isso em voz alta, lógico. Essa... *qualquer coisa* entre nós vai virar uma fera voraz a menos que eu a deixe passar fome até morrer. Tenho certeza.

— Está com fome, Raeve? — Há uma esperança terna no olhar gentil dele que raspa minha pele. — Quer partilhar uma refeição comigo?

Pigarreando, me afasto do toque dele.

— Não. Acho melhor não — murmuro, pegando o málmr dele e sentindo o ar ficar estático quando o removo pela cabeça. — Obrigada por me emprestar. Eu agradeço muito pelo que fez por mim na cratera.

Não entro em detalhes. Com certeza não falo do Condutor do Destino nem dos prenúncios estranhos de Sól, sem querer trazer à tona o tópico confuso enquanto desenrolo o laço de couro do cabelo, o mundo um rugido estrondoso do lado de fora. Estendo o pingente precioso entre nós, olhando nos olhos duros dele que fazem meu coração parar.

Ele não faz menção alguma de pegar o málmr. Nem olha para o objeto.

— Não foi um empréstimo, Raeve.

As palavras soam lentas e rígidas, desprovidas da suavidade da frase anterior, e sinto arrepios.

Estendo a mão para mais perto do peito dele.

— Isso significa coisas que não posso dar a você.

Ele me olha com uma atenção afiada de quem se aproxima de um dragão feroz, inclinando a cabeça.

— E o que você acha que eu quero?

Viro rosto e olho pela janela, vendo um bloco de nuvens cinzentas ondulando em direção à baía, com a luz resvalando pela superfície ao som do estrondo do trovão.

Um coração gentil.

Uma prole para continuar seu legado.

No mínimo, uma pessoa que se dê bem com a irmã arrogante dele.

Engulo em seco, me recusando a olhá-lo enquanto acomodo o málmr na mesa e me levanto, colocando a algibeira no ombro. Reparto as cortinas esvoaçantes e me afasto da mesa privativa.

Perto dele... às vezes, as palavras só parecem inadequadas.

Raeve
CAPÍTULO 54

O vento se enrosca em meu cabelo e o agita, a canção de Clode é uma mistura de mania risonha e gritos estridentes. Como se ela estivesse se preparando para cortar a atmosfera bem no meio da curva saliente e elétrica.

Sinto mais ou menos a mesma coisa.

Avanço pela esplanada em um esvoaçar de tecido preto, sem me dar ao trabalho de usar o capuz, já que o sol está tapado por uma ebulição de nuvens cinzentas que emergem em minha direção como uma fera barulhenta; o horizonte é engolido por uma mancha turva que parece cair das entranhas da nuvem da tempestade.

Ao contrário do rebuliço anterior, a esplanada está vazia e imóvel. Um grande contraste ao baque turbulento de minha bota.

Meus pensamentos lutam com o vento revolto, o peso-fantasma sobre meu peito como uma montanha, cada respiração um esforço grande.

Suspirando, me lembro do jeito que os olhos de Kaan perderam toda a gentileza quando ofereci o málmr de volta a ele...

Ele ficou magoado. Sei que ficou.

Consegui ver.

Talvez eu devesse ter explicado. Contado que a última feérica que salvou minha vida pagou caro. Que quem se importa comigo o suficiente para se colocar em perigo acaba morto. Kaan evitou esse destino quando lutou com Hock na cratera. Não sou estúpida o suficiente para acreditar que conseguiria evitar de novo.

A vida não me dá um tapinha nas costas e me elogia por formar vínculos. Em vez disso lança flechas que atravessam corações. Esfaqueia barrigas. Garante que eu saiba muito bem que a solidão é a única relação que terei, esperando até que as raízes da familiaridade se finquem mais fundo do que eu gostaria de admitir antes de arrebentar pele e osso. Derramar sangue. Parar corações.

Endurecer o meu com outra camada calejada de distância.

Mas, para explicar, eu teria sido forçada a pescar lembranças pesadas e dolorosas daquele lago coberto de gelo dentro de mim, e não vou fazer isso. Olhar lá para dentro já é sinistro o bastante. Joguei vários tipos de coisa ali, se somando ao que quer que já se escondia sob a superfície.

Sabe-se lá o que eu revelaria.

Talvez minha Outra ilusória, e não estou a fim de acordar com mais tendões entre os dentes, pendurada para suportar outro açoitamento, totalmente alheia ao rastro de carnificina que deixei pelo caminho.

Não.

Não vai rolar.

Foi isso o que me fez vir parar aqui, afinal.

Se Kaan quer que eu fique com o málmr, que coloque uma corda em volta do pescoço e a aperte, para então deixar o peso pender no laço até se enforcar. Mas, embora isso tivesse sido um bálsamo para minha ira incandescente uns poucos torpores atrás, a possibilidade agora é como um murro no peito que vai rasgando, rasgando e *rasgando* todas as minhas partes vitais.

Preciso sair daqui.

Voltando o olhar para o planalto onde tinha visto o fundífera pousar, desacelero o passo, confusa. A estaca assassina que encomendei teria sido útil, mas que se foda. Ao que parece vou na cara e na coragem.

Tenho uma adaga. E Clode. Quando eu chegar ao Grado, resolvo o resto.

Avanço por um beco lateral que parece seguir na direção certa, parando quando uma gota de chuva passa por minha orelha e pinga em meu ombro.

Meu coração fica apertado.

Resistindo contra a armadilha de som mental, me certifico de que mantenho tudo na tensão certa. Que tenho a peneira correta ali na abertura, a que permite que Clode se infiltre, mas evita os soluços gélidos e nevados de Rayne de adentrarem em meu cérebro.

Que a mantém *longe.*

Olho para cima, e outra gota lamuriosa cai em minha direção. Estremeço quando colide com minha bochecha, se espatifando de maneira agonizante. Levanto a mão para enxugar o cadáver choroso de minha pele...

O que está acontecendo?

Analiso a umidade espalhada em meus dedos como a anomalia que é, o choro desamparado da gota de chuva abrindo uma fenda em meu coração.

Como se ela tivesse se partido com o impacto, com a percepção dolorosa de que nunca mais estará completa.

Não como foi antes.

Mais gotas pesadas lamentam ao caírem, entoando palavras estranhas que não entendo, acertando o pavimento ao redor. Uivando pelo choque da destruição selvagem, como se implorassem às pedras para as absorverem.

Para reconstituí-las.

Eu me afasto de cada pequena mancha triste que umedece meu coração das formas mais erradas possíveis...

Isso...

Isso não é bom.

De olho arregalado, observo o céu, seguindo as lágrimas melancólicas da nuvem que entoam a canção fatal. Como se cada gotinha de chuva estivesse ciente de que aquela queda só pode acabar de um jeito. Que elas *nunca* vão ser mais inteiras do que são no momento, caindo até a morte.

Coloco a mão no peito, sentindo o coração martelar, a melodia desoladora ficando mais forte à medida que a chuva se intensifica.

Mais rápida.

Sinto o ardor perfurando o fundo de meus olhos, o mesmo levante choroso ameaçando repetir o pranto dentro de mim.

De novo, checo a armadilha de som mental. Não encontro nenhum defeito.

Nenhum.

O que significa que a canção da chuva deve estar em uma frequência diferente da que estou acostumada a bloquear...

Que ótimo.

Esse dya bem que pode engolir um jarro de merda de sanhaço.

Dando uma olhada cautelosa na parede pesada de chuva vindo em minha direção, percebo que não tenho tempo para ficar dando mole nem para definir como me bloquear contra o clamor invasivo, xingando a mim mesma por jogar a porra da algema na Prézea.

Burra.

Fortaleço a rede mental até ficar toda fechada, inalando enquanto uma cortina de água se agita à frente e acaba com o espaço entre nós.

Deixando-me *ensopada.*

Minha armadilha oscila como lábios comprimidos desesperados para se abrirem. Para inspirarem e *gritarem.* Mal tenho a chance de me preparar antes de eclodir: a canção devastadora de Rayne se espalhando por mim como chicotes com pontas de ferro acertando meus tímpanos desprotegidos.

Meu *coração* desprotegido.

Um soluço sobe por minha garganta... um som feio e indesejado.

Cambaleio para trás uma vez, duas, tentando firmar a armadilha e me fechar. Mas é como mover um músculo que nunca foi usado. Não contra essa força estridente. E Rayne...

Ela está em *todo lugar*.

Gritando para mim, ensopando meu cabelo, escorrendo por minha pele. Me molhando com as poças que se formam ao redor dos meus pés... uma melodia que esguicha e agarra os tendões do meu coração e *rasga*.

Rasga.

Rasga.

Como se depenasse meu coração.

Como se cutucasse os buracos.

Como se atirasse sal nas feridas agora abertas.

Contorço o rosto, com a dor no peito fazendo com que eu me incline à frente, encolhida.

— P-pare...

Com as mãos nos ouvidos, cambaleio na direção de uma marquise pequena e me protejo, com a testa encostada na pedra enquanto algo dentro de mim se rompe como os portões de uma represa efusiva.

E eu choro.

Como nunca chorei antes.

As lágrimas quentes escorrem por minha bochecha, o que só contribui para o clamor angustiante que me esfola com cortes pequenos e precisos.

Sem

parar

de

cortar.

Por mais que eu tape os ouvidos, não consigo escapar dos lamentos estridentes que ecoam dentro de mim. Que acabam com minha compostura com a força de uma lua caída, espalhando os pedaços tão longe que não consigo nem os ver.

Não consigo nem sentir.

— Pare — peço, soluçando.

Imploro.

Grito.

— *PARE PARE PARE PARE PARE PARE PARE P...*

A mão quente de alguém encosta em minhas costas, me protegendo da chuva. Tira minhas mãos da orelha e as envolve em meu corpo, me segurando em um abraço aconchegante e firme.

Sei que é Kaan antes que ele fale, meu corpo se inclinando para o dele. Em busca de um refúgio silencioso na presença reconfortante e no vínculo forte dos braços poderosos.

Mais soluços feios e caóticos sobem por minha garganta, fora de controle. Desprotegidos.

Brutos.

— Eu conheci uma mulher que chorava quando chovia, embora ela achasse que eu nunca notava — murmura ele em meu ouvido, as palavras densas batalhando com a torrente de choros melancólicos como um estalo de trovão. — O nome dela era...

— *Elluin*.

Os braços dele me apertam mais forte, meu corpo é como uma poça se fundindo com as placas de pedra do porte resiliente dele.

— A algema foi uma gentileza, Raio de Lua. Não precisa se armar aqui, mas chove. Com frequência. *Com violência*.

Ah, olhar em retrospecto.

O jeito que menos gosto de aprender.

Clode entoa uma melodia cortante, como se estivesse irritada com a *existência* da chuva... algo com que me solidarizo. O chilique aéreo dela lança uma torrente de chuva na horizontal, acertando a lateral de meu rosto.

Rayne chora com uma ferocidade recém-descoberta, como se tivesse acabado de se colocar em posição fetal, com os braços ao redor das pernas, e inclinado o rosto para o céu para *liberar tudo*.

Meu joelho oscila, ameaçando ceder por causa do peso dos uivos profundos e melancólicos dela.

— Eu preciso me concentrar em outra coisa. Diga algo. *Por favor*.

Mal proferi as palavras quando Kaan encosta a boca em meu ouvido, um canto denso retumbando do peito dele e atravessando o ruído enquanto ele me puxa para bem, bem perto.

Uma canção que é *dolorosa* de tão familiar.

Não penso muito (não agora), só me permito recair no som barítono relaxante dele, deixando que a melodia se infiltre em meus poros como grãos de pedra que se acumulam em todos os meus declives e cavidades, me puxando para baixo em uma queda reconfortante. Polindo a tristeza irregular em meu coração até formar algo arredondado e liso.

Minha respiração trêmula começa a estabilizar...

Ainda assim, Kaan continua cantarolando, me costurando de volta, uma nota familiar por vez, até que eu consiga respirar de forma estável o bastante para cantarolar junto. Palavras que só ouvi sendo murmuradas pelo vazio em minha mente... ecos distantes cuja origem obscura nunca consegui discernir.

Palavras que me ofereceram conforto em momentos que me senti sozinha ou incerta. Que me trouxeram paz quando minha alma gritou o oposto. Palavras que acho que pertenceram a alguém especial... algum dya.

Em outra vida.

Em outro tempo.

A tempestade para tão subitamente quanto começou, Kaan entoando a nota final na curva de meu pescoço como um beijo fantasma; o leve pressionar dos lábios me imbuindo de uma explosão familiar vigorosa. Como se eu já tivesse estado ali. Nos braços dele. Aninhada junto a seu peito.

Sido beijada.

Como se já tivesse sido embalada pela presença reconfortante dele em um sonho de cuja forma mal me lembro.

Só o vínculo firme dos braços dele me impede de cair no chão empoçado, toda encolhida, e meu pulmão se energiza por um outro motivo...

— Você sabe minha música — sussurro. O silêncio se prossegue, tão grosso e pesado que meu coração acelera. — Como, Kaan?

Eu me arrependo da pergunta assim que a faço, sentindo o bolo de pavor entalando minha garganta. Ameaçando me fazer engasgar.

E se ele disser algo importante demais ou doloroso demais para eu conseguir descartar? E se as palavras dele ressoarem outro ímpeto inquietante de familiaridade? Se drenarem mais do meu lago congelado? Se expuserem mais pedras?

E aí?

— Preciso mostrar uma coisa — murmura ele contra meu pescoço, então pega minha mão, dá um beijo em meus dedos, pálidos por causa da tensão, e me *puxa*.

Por algum motivo estranho e incerto... não questiono. Não firmo os pés no chão.

Eu o sigo.

Raeve

CAPÍTULO 55

$\mathcal{N}$as profundezas da Fortaleza Imperial, Kaan destranca uma corrente presa entre duas portas colossais pretas e de madeira, entalhadas de modo a parecerem dois ceifassabres com as cabeças encostadas, as maçanetas idênticas são presas que se curvam das caras cheias de dentes. Dou uma olhada para o túnel vazio e mal iluminado atrás de mim enquanto o espero retirar a corrente, abrindo a porta esquerda.

Com um movimento da mão, ele indica para que eu entre. No cômodo escuro. Diante dele.

Acho que não, hein.

— Você primeiro.

Ele suspira, adentrando na escuridão com uma rajada de passos pesados.

Sigo atrás, identificando o formato do lugar, os feixes de luz do sol se infiltrando pelo que suponho serem cortinas no lado mais distante. Kaan segue em direção a elas.

— *Veil de nalui* — sussurro, fazendo Clode desatar em uma agitação risonha.

Ela gira pelo cômodo, se embrenha nas cortinas e as espalha, banhando o cômodo em plena luz.

Kaan para diante das portas de vidro, com a mão esticada. Pigarreia.

— Obrigado.

— O prazer é meu — respondo, analisando o que suponho ser a suíte pessoal dele com base no cheiro caloroso que domina o espaço.

Tenho certeza de que ele aplica algo na pele a cada nascer da aurora para ficar com aquele cheiro inconveniente de tão irresistível.

A sala de estar está apinhada com estantes curvilíneas, poltronas de couro pomposas e um tapete preto estirado no chão. Ao lado de uma cadeira estofada funda, que está desgastada em alguns pontos, há um instrumento de corda grande em um suporte, cujas cordas puídas precisam ser trocadas com urgência. Do outro lado da mesma cadeira há uma mesinha redonda com uma garrafa destilada, um copo vazio e um jarro arrolhado com um líquido nebuloso.

Rodopiante.

Ele pega o jarro e enfia em uma gaveta dentro da mesa.

Ergo uma sobrancelha.

— Não quer que eu veja seu jarro de névoa?

— Não muito — murmura ele, pendurando o málmr no instrumento.

Desvio o olhar, observando várias armas jogadas de qualquer jeito nas prateleiras e botas que foram despidas perto da porta. Minha atenção se volta a um mapa-múndi em uma curva grande da parede, o pergaminho amarelado apinhado de cruzes pretas pequenas... a maior parte a sul de Ghora.

Milhares delas.

— Continue com seus segredos, então — contraponho, analisando cada cruz.

À esquerda do mapa, há um punhal perfurando uma pedra, e a julgar pela coleção de marcações ao redor, imagino que não seja a primeira perfuração ali.

— Pode acreditar — comenta Kaan, reunindo peças de vestimentas que deixou em cima do assento —, eu não tenho ilusões sobre você ter o mínimo interesse em meus segredos.

— Ter expectativas realistas é saudável.

Ele solta um grunhido, levando as roupas consigo enquanto atravessa uma porta ampla à direita e some na escuridão lá dentro. Enquanto isso, faço outra análise do espaço, percebendo uma camada fina de poeira nas prateleiras. Na verdade, o pó cobre quase *tudo* a não ser o instrumento, os assentos, a garrafa de destilado e a adaga apunhalando a parede.

Hum.

— Imagino que você não receba muita... visita?

E nem deixe ninguém entrar para limpar.

— A porta espanta a maioria das pessoas — explica ele lá de dentro do cômodo adjacente. — E por mim tudo bem.

Certo.

Gosta de manter a privacidade.

Entendi.

Olho para o teto abobadado adornado com escamadracos sobrepostas que suspeito serem de Rygun, a julgar pelo tom de sangue queimado. Um lustre enorme está pendurado no ponto mais alto, montado com mais presas de ceifassabre do que já vi em um só lugar, todas variando em formato e tamanho.

— Eu não ia querer estar aqui embaixo se a montanha começar a tremer — murmuro, olhando para a direita quando Kaan sai pela soleira sombreada com duas toalhas, jogando uma para mim.

— Obrigada — digo, e a uso para absorver parte da água se agarrando a cada pedaço de meu corpo como resquícios de um terror torporoso, secando as vestes enquanto ele faz o mesmo.

Coloco a toalha nas costas de um assento, junto com a algibeira que carrego.

— Por aqui — orienta ele, jogando a toalha perto da minha, então segue para as portas idênticas à frente.

Elas dão para o que parece ser um jardim privativo descuidado, banhado em tanta sombra que me surpreendo que algo cresça ali.

Ele destranca a porta e passa por ela, e sigo em direção ao centro úmido, passando por uma trilha negligenciada que com frequência me obriga a desviar de alguma folhagem sobressalente. O barulho dos insetos, a água escorrendo pelas extensões de folhas arredondadas da cor de barro.

Um sopro de vento me oferece um vislumbre por entre a folhagem densa para a paisagem arenosa além, e percebo que este jardim tem vista para o sul na direção do Grado.

Protegida do sol.

— É logo ali embaixo — informa Kaan, indo para uma cascata de videiras acobreadas que reveste segmentos da parede íngreme e irregular cercando o jardim.

Ele separa a cortina natural, criando uma abertura até um túnel escondido adiante, então se abaixa e entra na minha frente.

Franzo a testa.

— Eu não vou seguir você aí para dentro.

Ele faz uma pausa, me olhando por cima do ombro.

— Por que não?

— Porque é assim que as pessoas *morrem*, Kaan. Eu sei porque é o que eu...

Ele arqueia a sobrancelha.

Paro de falar, reconsiderando divulgar meus segredos comerciais para um rei em que resolvi mais ou menos confiar há dois segundos, então imagino que seja melhor que ele saiba que sou uma mancha de sangue no belo paraíso dele.

— Faria para *assassinar*. Isso bem aí — gesticulo para o túnel pelo qual ele quer me guiar — é um excelente local para você cortar meu pescoço e depois entalhar umas letras no meu peito.

Pondero o que ele escreveria. Talvez:

DEVOLVE PRESENTES PRECIOSOS

Ele se vira para me encarar, com os olhos suplicantes ao dizer:

— Escute, Raeve.

— Estou escutando. Óbvio.

— Não — contrapõe, grunhindo, e coloca a mão na parede lisa e arredondada. — *Escute.*

Abro a boca, mas fecho quando entendo ao que ele se refere.

— Mas ele é tão...

— O quê?

Estável.

Resistente.

O total oposto de mim.

Cruzando os braços, balanço a cabeça e suspiro, afrouxando a armadilha de som interno, deixando um espaço quase grande o bastante para deixar *ele* entrar...

Bulder.

Observo o olhar sufocante de Kaan por um momento, então afrouxo a armadilha um pouco mais, colocando um crivo bem largo sobre a abertura e me preparando para o vibrato abrasivo de Bulder que... não aparece.

Porque ele não está cantando... nada disso.

Está apenas *cantarolando.*

Um ondular profundo e zumbido... quase como o *arrulho* de um barítono.

Franzo a testa e apoio a mão na pedra lustrada.

— É...

— Este é um lugar de nutrição, Raeve. De amor e adoração. Se eu quisesse machucar você, com certeza não faria isso dentro desta caverna — explica ele, mantendo o olhar no meu com uma intensidade esmagadora.

— Você não pode só me dizer o que fica ali embaixo?

Os olhos dele ficam suaves.

— Eu não posso. É algo que você mesma tem que ver.

Pelos Criadores.

— Tá — respondo, ríspida. — Mas fique sabendo que persuadi seu guarda a trocar uma tigela vazia pela adaga dele que está, neste momento, presa à minha cintura, e eu não tenho medo de usá-la.

Ele pisca, então balança a cabeça enquanto dou um passo para dentro do túnel, deixando a cascata de folhagem pender atrás de mim, nos envolvendo em sombra.

A escada apertada está cheia de insetos fluorescentes que me lembram as luas de plumaluas, oferecendo uma quantidade escassa de luz para fazermos o trajeto de descida pela escada espiralada infinita, degraus que eu agora desejo ter contado desde o início. Estou certa de que já descemos uns mil degraus a esta altura, e minha pele não está mais quente, e sim fria de um jeito delicioso... minha respiração soltando sopros de fumaça.

Kaan preenche tanto a escadaria que o topo de sua cabeça quase roça no teto iluminado pela luz fragmentada, o ombro quase grande demais para ele conseguir descer de frente. De vez em quando, tento espiar para além dele e ver se o fim do trajeto está próximo, mas não adianta.

Ele é como um obstáculo enorme.

Pego as mechas de cabelo molhadas para espremer a umidade das pontas, franzindo a testa quando percebo que a água começou a ficar rígida.

A *congelar*.

— Falta muito? — pergunto, batendo os fractais das mãos, ponderando se ele está me levando para o outro lado do mundo.

Quem sabe vamos emergir perto de Subsulnia, as zonas de nidificação dos plumaluas.

— Não. — Kaan me olha por cima do ombro, com os olhos brilhando no escuro enquanto me analisa. — Você está com muito frio? Posso lhe dar minha túnica se...

— Eu estou bem.

Vejo algo passar pelos olhos dele, como se talvez achasse que a ideia de vestir a túnica dele me deixasse desconfortável.

Não é o caso. Ao menos não na forma que ele talvez pense.

Não digo a ele que, quanto mais avançamos, menos hesitante fico com a decisão de segui-lo pelo túnel em espiral em direção a um abismo escuro. Com certeza não digo que o frio crescente me faz lembrar de...

Casa.

O motivo de eu continuar tentando espiar além dele não é porque estou preocupada que ele esteja me levando ali para me matar. Não mais.

Não...

Parte inata minha está sendo *atraída* para o que quer que esteja no fim desta escadaria interminável.

O subterrâneo gelado belisca minha pele, deixando a ponta do meu nariz dormente de um jeito delicioso, o ar frio começando a me envolver como a oscilação de ondas gélidas que puxam ao voltarem para o mar... e me incitam a ir mais fundo.

E mais fundo.

Cada passo me envolve mais naquela atração de maré até a escuridão dar lugar a uma luz prateada que toca as paredes e os degraus. Que transforma Kaan em uma silhueta sombria em contraste com a luminosidade radiante tentando passar por ele, vindo de o que quer que haja do outro lado.

— Chegamos — murmura ele, com a voz sendo uma onda de choque no silêncio faminto que faz o cabelo de minha nuca se arrepiar.

Ele chega para o lado, me banhando em *luz*.

Tanta luz.

Sinto palpitações no coração, uma fenda gelada de maravilhamento se abre em meu peito quando analiso a caverna circular, as paredes íngremes cobertas por entalhes magníficos e detalhados de *plumaluas*.

A mesma criatura magnífica em diferentes posturas: o pescoço comprido, os olhos melancólicos, barbelas esguias que saem da papada e se misturam com o movimento elaborado. Asas trimembranosas elegantes aptas à velocidade e agilidade desmedidas, a cauda tênue com fios sedosos que raspam, enrolam e sacodem com um esguicho de personalidade.

Os entalhes se fundem da mesma forma que os dragões no málmr de Kaan, embora o mural extravagante nem se compare à lua prateada enorme que a caverna aninha como um ovo; o solo afundado no meio como se fossem mãos em forma de concha, sem dúvida evitando que saia rolando.

Um som sufocado escapa de minha garganta, e por um momento não me mexo.

Não respiro.

Não pisco.

Algo se tranquiliza dentro de mim, se aconchegando de forma confortável de modo que sinto os olhos arderem pela segunda vez no dya... tão emocionada pela beleza arredondada da lua que sinto que o mundo está se deslocando.

Minha expiração trêmula é tão densa e esbranquiçada que é difícil de soltar, uma perturbação alta no silêncio devorador.

Cambaleio para a frente, com a mão esticada, a ponta dos dedos doendo com a necessidade de tocar. De traçar as cavidades e os relevos da plumalua caída, para sempre aninhada naquela posição encolhida e adormecida, com a cabeça meio encostada na superfície de uma membrana puída. A cauda sedosa está entrelaçada sob o abraço alado, se derramando em tufos ao redor do pescoço e da cabeça como um travesseiro outrora macio.

Ao me aproximar da criatura, eu me sinto o menor que já me senti. Um filhote em comparação ao seu enorme tamanho.

Bulder continua a cantarolar, o som barítono pesado é uma fenda audível de conforto em forma de zumbido, tão complexo que é impossível assimilar.

Como olhar para as estrelas e tentar discernir o que jaz nos vãos escuros entre os filetes de luz distantes.

Ele protege como um ninho, percebo. Quase consigo imaginá-lo agachado, com as mãos em forma de concha na frente do peito, encolhido sob a bela lua enquanto olha para ela.

Ele a venera.

Ele a *guarda*.

Sinto a garganta tão entalada que é doloroso engolir...

Estico a mão, acariciando a pele outrora coriácea da plumalua, agora fossilizada. Tão dura e fria quanto tocar um monte de gelo.

— Sua lua — falo, com a voz rouca, um pequeno sorriso nascendo no canto de minha boca enquanto uma lágrima escorre pela bochecha.

Enxugo depressa.

— O nome dela era Slátra — revela Kaan, com uma vulnerabilidade na voz que nunca ouvi. — Ainda tenho que encontrar os últimos lunacacos dela. Não dá para ver deste lado, mas tem uma fissura nas costas dela que ainda preciso reparar.

Sinto um arrepio pela espinha, e traço a fissura muito fina com a ponta do dedo, vendo tantas outras espalhadas pela fera metálica; provando que ela se fragmentou em milhares de pedaços com a colisão. Pedaços que foram reunidos de maneira meticulosa naquele túmulo arredondado.

— Você fez isso? — pergunto, com a voz vacilante.

— Fiz, sim.

Balanço a cabeça, e a sensação de compreensão é como um jato de água descendo por minha garganta, me afogando.

Minha ira, a sede violenta de vingança, foi *ofuscante*. Pensei que Kaan fosse um tirano. Um monstro sem coração. Mas ele tem um coração tão grande e bondoso que me surpreendo por caber em seu peito.

— Por quê?

— Porque dói saber que ela não está inteira — diz ele, com a voz rouca, fazendo com que meus olhos comecem a arder de novo.

Dou a volta no dragão, parando no ponto em que a cabeça de Slátra está bem aninhada no tufo da cauda.

Meu coração fica estático, e prendo a respiração. Uma pancada *forte* acerta meu coração e quase me faz perder o equilíbrio.

Ignorando os sons do gelo se partindo por meu corpo, fico na ponta dos pés, olhando por cima da fenda da asa dela para o buraquinho que está protegendo. Não é afiado e irregular como se tivessem pedaços faltando, mas sim uma entrada lisa perto da porta do nariz grande da criatura, como se Slátra tivesse dado o último suspiro abraçando... *alguma coisa*, algo bem encolhido dentro dos tentáculos sedosos da cauda outrora suave. Algo protegido pela garra em forma de concha.

Confusa, olho para o vazio aconchegante, quase *sentindo* as fendas e saliências tocando meu corpo.

Abraçando a *mim*.

Quase sentindo a expansão fria entre as narinas em frestas tocarem minha testa, o tufo solidificado da cauda servindo de almofada para meu... *peito*...

Dou um passo para trás... outro... inspirando com dificuldade porque meus pulmões parecem ter esquecido como funcionar.

Não...

— Você reconhece — afirma Kaan, seu tom grave lutando com o silêncio como uma avalanche.

Caindo em cima de *mim*.

— Eu...

Meus pensamentos se voltam a uma lembrança que descartei muito tempo atrás, seu cadáver esparramado na margem de meu lago interno, destituída de toda a emoção supérflua que arranquei dali, apenas o esqueleto seco de algo que um dya teria me machucado.

Era uma sensação pesada.

Eu me permito analisar os vestígios de um ângulo em que consigo me manter distante:

Um som estranho e irregular me acordou do sono eterno. Eu pisquei pela primeira vez, analisando o mundo no qual nascera através das grades de ferro que agora sei que se chamam jaula.

Meu despertar brutal foi carregado de incompreensão enquanto eu tentava assimilar como caber dentro de meu corpo. Como o corpo funcionava e se mexia. Por que estava tudo embaçado.

Quente.

Ainda assim eu tremia... muito. Achei que fosse o calor, mas agora sei que não é o caso.

Minha alma tremia de dentro para fora.

Eu estiquei a mão à frente, encontrando algo pesado e frio preso ao redor de meu pulso, um item que agora sei que é uma algema. Eu segurei as grades, me esforçando para me estabilizar nesta existência estranha em que eu tinha mãos que se mexiam, pulmões que respiravam e olhos que enxergavam; meu olhar semicerrado ao focar a origem do som que me atraíra para a existência.

Uma carroça sendo empurrada pela extensão de uma cova escura, passando pelo lugar em que eu despertara.

Ali, no vazio profundo, jazia fragmentos irregulares de um brilho prateado emitindo um frio polido que eu queria jogar no rosto.

Os lunacacos eram tão lindos em contraste com a escuridão ao redor que de imediato tive certeza de que o lugar em que eu despertara não era bom, e sim ruim. Porque, por mais que eu grunhisse e gritasse, tentando implorar para que a criatura que empurrava a carroça se aproximasse para eu ver melhor os lindos fragmentos que eu queria tanto tocar, ela nem olhou para mim.

Os lunacacos desapareceram, e percebi, meros instantes depois de começar a existir, que isso significava que eu estava presa.

— Responda, Raeve.

Eu me sinto presa de novo. Sendo obrigada a olhar para algo que tenho certeza de que pode me rasgar de dentro para fora se eu olhar com atenção.

Com intensidade.

Porque aqueles lunacacos que vi ao acordar para o mundo pela primeira vez... agora entendo que foram capturados ao mesmo tempo que eu. Por *isso* que a carroça passava com eles em frente à minha cela. Tinham sido coletados da neve, levados para dentro de uma montanha de pedra e gelo que abrigava um espaço cheio de fogo.

— Você. Reconhece?

Deixo os vestígios da lembrança em seu devido lugar.

Dentro.

— Eu não sei do que está falando — respondo, ríspida, virando e seguindo para a saída.

Kaan se enfia à minha frente, impedindo a passagem, a túnica de couro coberta por uma fina camada de gelo.

Encaro os olhos ardentes dele, que formam um contraste tão grande com os fractais de gelo cobrindo o cabelo e a barba, fazendo com que reluzam à luz radiante.

— *Cai fora.*

— Veja bem, eu acho que está mentindo. — Ele dá um passo para perto, emanando a energia intensa de uma fera sem igual e do tamanho de uma montanha. — Eu acho que você conhece essa lua mais do *qualquer* outra pessoa.

Há um ruído dentro de mim, de algum lugar bem no fundo e debaixo de meu lago. Um zumbido de compreensão que ignoro, focando em vez disso na raiva que toma meu peito como uma bola de flamadraco.

Deslizo o pé para trás, mostrando os dentes.

— Eu acho que essa criatura lhe protegeu por cem fases, soprou vida para dentro de seu corpo destruído até que vocês duas caíssem do céu. Eu acho que você irrompeu do túmulo de Slátra como um filhote de dragão...

— Você perdeu a *porra* da cabeça — interrompo, sibilando enquanto dou com as costas na lua.

— Perdi? — O corpo dele é imponente sobre mim como uma saliência rochosa, me lançando um olhar que suga todo o oxigênio de meus pulmões. — Porque eu conheci uma mulher que morreu. De forma trágica. O corpo dela foi levado para o céu pela fera adorável atrás de você, segurando meu coração dilacerado na mão — contrapõe ele, brusco, erguendo o punho como uma garra e a agitando em frente ao meu rosto. — O nome dela era Elluin, e ela ria com o vento, chorava com a chuva. Ela queimava de raiva com o fogo e retumbava com o solo. O coração dela batia em sincronia com...

— *Chega.*

Ele solta um grunhido, e ouço um barulho de clique. Ele diz uma palavra que não entendo por causa de meu batimento estrondoso enquanto uma chama cria vida na mão dele.

Meu corpo fica estático, paralisado pela imagem crepitante. Um silêncio mais profundo e quase *senciente* toma a caverna ao redor. Um silêncio que parece vir... de dentro.

De mim.

Como se eu consumisse o som. Absorvesse.

Kaan aproxima tanto a chama de meu rosto que estou certa de que ele vai espalhar a coisa em minha pele, e fico consciente de que tem algo dentro de mim *observando*.

Escutando.

— Me olhe nos olhos, Raio de Lua... na minha *alma*... e me diga que não ouve os guinchos sibilantes deste fogo. Me olhe nos olhos, afie as palavras e não ouse piscar quando as enfiar em meu peito, cacete.

Luto para inspirar e dizer isso mesmo a ele. Que a chama dele não guincha, sibila nem cospe. Não é nada além de uma chama, e só faz *uma* coisa.

Queima.

— Apague a chama, Majestade. Ou vou apagar você. — Estou espumando com a convicção implacável; ciente demais de que a Outra está prestes a se libertar. Eu posso ser totalmente contra machucar esse homem, mas não posso garantir nada em relação à outra... *coisa.* — Eu prometo.

Uma linha se forma entre suas sobrancelhas congeladas.

Então afasta a mão, transformando a chama em um punhado de fumaça, e meu corpo é tomado por uma enxurrada de alívio gelado.

— Quem machucou você?

— Não estou *machucada*, Rei do Lume. Estou endurecida. E não... sua *chama de estimação* não cantou para mim. Nem um pouquinho. Do contrário eu teria cantado para seguir adiante e a mandado cometer suicídio na água.

Ele franze mais a testa, levantando a mão como se fosse tocar minha bochecha. Como se quisesse me tocar, mas estivesse preocupado com a possibilidade de eu cortar a mão dele fora.

— Não minta para mim, Raio de Lua. Minta para o mundo, mas, por favor, não minta para mim.

— Pare de falar comigo como se me conhecesse. Você não conhece. Mesmo se eu tiver caído com sua preciosa lua, eu não lhe devo nada. Elluin *morreu*.

— *Pare.*

A palavra foi um comando. Os olhos dele, uma súplica.

Ambas ricocheteiam em minha armadura como flechas que pego, alojando entre as costelas.

— Salvar minha vida, me trazer para seu reino grande e bonito onde todo mundo ama você pra caralho não vai trazê-la de volta. Eu não sou sua, e *nunca* vou ser.

Ele se afasta, me deixando inclinada sobre a asa solidificada de Slátra. Deixando espaço para eu respirar bem pela primeira vez desde que nossas atmosferas colidiram.

Ignoro a dor evidente nos olhos dele enquanto sigo para a escada sem nem olhar para trás, cada passo acima me afastando mais do confortável ninho gelado.

Ignoro a sensação insistente que tenta me fazer voltar. Subir naquela asa dobrada, me enfiar naquele espaço vazio e dormir em meio ao abraço rígido de Slátra.

E, acima de tudo, ignoro a sensação de que cada passo em direção ao céu é um passo para longe da verdade.

Em vez disso, arranco todos os fiapos suaves de apego e curiosidade do momento, amarro em um embrulho, prendo em uma pedra, encontrando o lago interno já quebradiço perto da margem. Em um buraco conveniente aberto no gelo, eu descarto o pacote.

Não acredito em muita coisa, mas acredito, sim, que o desconhecido precisa ser tratado com cautela; assim como um dragão. Se os deixar em paz, dificilmente vão decidir atacar. É possível existir em harmonia pela eternidade, contanto que ninguém faça movimentos bruscos.

Se tentar subir na garupa deles ou roubar seus ovos? Bem.

É possível que você acabe morto.

Por acaso gosto de viver em meio à ignorância. É solitário, mas as pessoas solitárias não têm nada a perder.

Isso funciona muito bem para mim.

Raeve

CAPÍTULO 56

rrompo da escadaria e saio para a brisa agitada. Passando por uma copa baixa de folhas redondas grandes, sigo com brusquidão para a porta da suíte de Kaan.

— Eu *sabia* que não devia ter seguido ele lá para baixo — murmuro para a estúpida que sou.

Quando seguir alguém para dentro de um túnel escuro ao som de "é logo ali embaixo" já foi uma boa ideia?

— Burra — vocifero, martelando a palavra no cérebro obviamente meio frouxo, já que me fez ir parar em uma caverna com uma plumalua falecida que Kaan acha que foi minha.

A mesma plumalua que ele tem desenhada nas costas; uma constatação que tem o risco de abrir uma fissura em meu coração, me deixando com *mais um* pacote para descartar no lago congelado.

Rosnando, dou um tapa em mim mesma. Com força.

Burra, burra, burra.

Chego à sala de estar e pego a mochila, abrindo a aba enquanto vou em direção à estante, vasculhando por entre uns punhais de escamadraco e alguns de ferro porque (apesar do lapso na minha função cerebral) sou bastante engenhosa.

Estou quase na porta quando Kaan entra na minha frente, me impedindo. Como se o próprio Rygun tivesse se colocado diante da saída com a garganta cheia de chamas e fogo nos olhos.

— Sai da frente — rosno, analisando as feições selvagens e lindas que agora formam uma careta inflexível.

Ele segura minha mão, colocando uma pequena algibeira de couro ali, o peso parecendo uma promessa do que suspeito ser uma boa quantidade de ouro.

— Pedrassangue — explica ele. — Você vai precisar quando atravessar a fronteira.

— Ah...

Que atencioso.

Ele segura meu rosto entre as mãos, o que me faz prender a respiração. E me puxa para perto até seu nariz tocar o meu, a exalação trêmula dele servindo como uma quentura bem-vinda por minha pele.

— Vá atrás da morte, Elluin Raeve.

O arquejo corta minha garganta como uma lâmina... as bordas agudas perfurando fundo.

Elluin Raeve...

— Passe a vida sozinha, para sempre se perguntando por que grita durante o sono. Chamando por aquela plumalua que passei as últimas vinte e três fases reconstituindo, esperando que isso trouxesse paz ao seu espírito. Tudo porque você amava *tanto* aquela criatura — profere ele, balançando minha cabeça. — Eu sabia que você ficaria arrasada se soubesse que ela estava espalhada pelo mundo todo depois que saqueadores pilharam o ponto em que ela caiu.

— Eu...

As palavras ficam presas na ponta de minha língua quando ele pega minha mão e a leva ao peito, a ponta do dedão acariciando a pele dilacerada ao lado do meu.

O olhar dele ainda suplica, e a voz está tomada por uma tristeza densa demais para suportar enquanto ele diz:

— Vá atrás da morte, Raio de Lua. E rezo para que sua sede de sangue lhe traga a mesma sensação de paz que sinto só de saber que você existe.

Kaan dá um beijo em minha têmpora, tão rápido e suave que mal percebo até ele sumir. Até ele seguir depressa para o cômodo adjacente e desaparecer nas sombras... com a sombra do beijo ainda marcando minha pele arrepiada.

Por um momento considero ir atrás dele. Perguntar se Raeve era o último nome de Elluin para caso um dya eu queira desvendar um passado que sem dúvida vai pegar fogo assim como todo o resto.

Levanto a mão, toco a têmpora.

Afasto a mão.

Não.

Rosnando, aperto meus dedos no saco de pedrassangue e saio pela porta aberta, esperando que não tenham o costume de fechar a capoeira de carona para o torpor. Que já tenha um fundífera selado, pronto para uma escapada ágil deste lugar lindo e assombrado, com mais sumidouros do que se pode aguentar.

Só quando eu passo pela margem rochosa da Prézea em direção à borda oeste da gruta, que vem me atraindo desde que cheguei (com a capoeira da cidade deixada para trás por completo), que percebo que não tenho a intenção de ir embora ainda...

Outro ímpeto estranho que, com certeza, vai acabar me ferrando.

Registro no diário

Elluin Neván

Idade: 18 fases
5.000.039 fases Depois da Pedra

Fáz um tempo desde a última vez que escrevi aqui. Tenho me concentrado em... outras coisas. Envolta em uma teia confusa. É a única forma de descrever o sentimento em meu peito.

Depois da primeira aula de luta com Veya sob os raios intensos de Dhoma (que, aliás, não é uma tarefa nada fácil como achei que fosse ser), fiquei andando pelos corredores da Fortaleza Imperial; o corpo doendo, com cheiro do emplastro bloqueia-sol em que ela sempre me besunta antes de eu ir lá fora. Cheguei à porta gasta que leva à capoeira de Slátra. Só que estava fechada.

Trancada.

Sentado ao lado da porta estava o homem que agora sei ser Kaan Vaegor... o filho mais velho do rei, que voltou havia pouco das Planícies Boltânicas para supervisionar Dhoma enquanto o paih ajuda Tyroth a firmar o domínio em Arithia.

Foi a primeira vez que eu o vi desde que ele me jogou na banheira e saiu para deixar Veya me dar banho.

Ele estava sentado no chão com um belo instrumento de corda no colo, feito do que parecia ser um tronco de madeirabrasa. Era de um tom tão escuro e ferruginoso... como sangue envelhecido. Ele produzia uma melodia simples com as três cordas, com os dedos se movendo com tanta delicadeza que senti que estavam dedilhando os tendões de meu coração partido.

Ele não me olhou, mas as instruções eram nítidas com base na chave ao lado dele, na grande tigela de ensopado avermelhado e no pedaço de pão em uma bandeja no chão do outro lado do corredor.

Corri para pegar a chave, mas ele segurou meu braço com tanta força que de imediato fiquei ciente de que ele poderia quebrar meus ossos com muita facilidade.

Ele me mandou comer antes.

Primeiro: Quem faz isso?

Segundo: Me alimento de acordo com meu humor, assim como minha mãin. E essa coisa em minha cabeça me faz ficar enjoada noventa por cento do tempo. Não ajuda muito com o apetite.

Não me incomodei em dizer isso a Kaan Vaegor. A julgar pela expressão dele, não teria feito diferença. As regras não mudariam. E, em teoria, enquanto o paih dele está fora, estou morando sob o teto de Kaan.

Sob as regras de Kaan.

Bela merda de sanhaço.

Furiosa, ainda assim desesperada para voltar para perto de Slátra, fiz o que ele pediu, engolindo o ensopado tão rápido que só percebi que a comida era bem densa e apimentada quando já era tarde demais, um pequeno sol queimando em minha barriga borbulhante. Cheguei à latrina bem a tempo de meu estômago virar do avesso. Ou ao menos foi essa a sensação.

Quando voltei, a porta estava destrancada.

Kaan tinha ido embora.

No torpor seguinte, ele estava lá de novo, mas daquela vez com uma porção bem menor de um ensopado bem mais brando que quase me fez lembrar de casa... com notas de bulbo saltor e fruta-do-gelo. Também tinha um copo de leite de búfal que limpou os rastros da pimenta suave de minha boca e barriga.

Desde então, em cada torpor, vem sendo a mesma rotina. Eu sentada na atmosfera vasta dele enquanto mando para dentro refeições que sinto que me enchem de força.

Não conversamos. Ele só toca enquanto como e conquisto a chave que destranca a capoeira de Slátra. Então me levanto, o som das cordas me perseguindo pelo túnel no qual me aninho na curva da cauda de Slátra, sendo embalada ao sono pelo tom barítono...

Não entendo o que ele está fazendo. Nem por que está fazendo isso.

Não entendo por que estou começando a esperar por esses momentos.

Veya

CAPÍTULO 58

A luz do sol acerta a lateral de meu rosto enquanto subo a escadaria irregular na encosta da montanha, com a algibeira de couro cheia batendo em minha perna a cada passo. A aurora ainda não nasceu, a cidade está silenciosa e o ar ainda está denso por conta do aguaceiro.

Se pensasse melhor, eu deveria esperar uns ciclos antes de ir para Arithia em busca do diário de Elluin. Tirar um tempo para me preparar para o trajeto extenso. Só que tenho a paciência de um ceifassabre e o dobro da energia; o que é uma receita para um torpor insone e carregado de pensamentos sofridos, e pés tão inquietos que enfim desisti e arrumei a bolsa.

Viro para a esquerda, então sigo o caminho plano para dentro de uma prateleira de pedra grande dedicada a algumas tocas maiores. Como os favos de uma colmeia de atarabelha, a cabana foi integrada à encosta, comportando duzentos e vinte e sete buracos de diferentes formatos e tamanhos.

Alguns ceifassabres gostam de se enfiar bem fundo na montanha, outros ficam mais na superfície. Tem aqueles que preferem um espaço amplo; outros, os mais apertados e aconchegantes para poderem soprar a chama pela toca toda, e então se aninharem encostados às paredes quase derretidas como se ainda estivessem dentro do ovo.

Como Rygun, o monstro adorável.

Sorrio com o pensamento, colocando o cabelo atrás da orelha, mas então *outro* pensamento arranca o sorriso de meu rosto de pronto.

— Merda — murmuro. — *As pinças de carrapato.*

Será que eu as coloquei na bolsa? Não lembro. Kaan pode achar de boa arrancá-los com as próprias mãos, mas isso nunca funciona para mim. A cabeça sempre se solta, e aí tenho que enfiar os dedos na axila e catar o resto.

Coloco a bolsa no chão e me agacho diante dela, vasculhando coisas que não me lembro de enfiar ali... não faço ideia de por que eu precisaria de *dois* garfos.

Meu cérebro hiperativo e insone tem seus motivos, com certeza.

Continuo vasculhando, tentando não olhar para a direita. Para a toca que está abandonada desde que eu tinha 5 fases de idade.

Enfiando o braço todo na algibeira e tateando o fundo, meus pensamentos viram um nevoeiro escuro quando olho para a enorme lua espinhosa empoleirada bem em cima da Fortaleza. Um pouco mais baixa que as outras no céu.

Jógo.

O dragão adorado da mãin, de quem ela cuidou até ele recuperar a saúde quando o encontrou, depois de ele ter sido expulso de um ninho ainda filhote.

Depois que ela morreu, disseram que Jógo se recusou a deixar a toca arredondada à direita... algo anormal para um ceifassabre, considerando que eles gostam de trocar de covis com mais frequência do que um caranguejo-caseiro troca de casca. Justamente por isso providenciamos tantas tocas. Um esforço para manter as feras cativadas satisfeitas o bastante para não ficarem de luto pelas zonas de nidificação.

O desinteresse de Jógo em sair dali foi o primeiro sinal de que havia algo errado. De que ele estava passando por um tipo *diferente* de luto.

A única vez que vi a luz acertar as belas escamas bronze dele foi quando esperei, neste mesmo planalto, que Kaan terminasse de tratar um rasgo na asa de Rygun. E Jógo surgiu, mancando. Mal conseguindo levantar a cabeça.

Ele me olhou nos olhos, soprou um ar quente em meu rosto, e nunca fiquei tão assustada. Então ele soltou um choramingo agudo, olhou para o céu, espalhou as asas tristonhas e *voou*.

Eu tinha 5 fases de vida e o observei disparar para o céu e morrer. Outra coisa pela qual o paih me culparia. Sendo tão nova, acreditei mesmo que *era* minha culpa, até eu crescer e entender que a fera estava de luto pela mãin. Então soube *com certeza* que eu era culpada.

Pigarreando, afasto o pensamento depressivo.

Enfim encontrando as pinças, sacudo-as vitoriosa e as coloco em um bolso de fácil acesso, jogando a bolsa no ombro de novo. Estou passando pela toca de Rygun, a boca da coisa maior porque o dragão a arranhou enquanto se preparava para a descamação anterior, e vejo Kaan agachado sobre um alforje que está reorganizando.

Faço uma pausa, olhando para as profundezas retumbantes da toca em que é provável que Rygun esteja dormindo com um olho aberto, bem ciente de que Kaan está prestes a forçá-lo a deixar seu recanto apertado e aquecido.

— Aonde *você* está indo? — pergunto, observando Kaan mexer em uma das sacolas cheias de fatias secas de pão dahpa.

E, pela quantidade, percebo que ele tem a intenção de ficar fora por mais do que alguns torpores.

Ele me olha por cima do ombro, com a testa franzida.

— Os carrapatos estão castigando — informa, enfiando a mão no bolso e sacando uma cotovia de pergaminho amassada, que estende para mim. — Uma fera cativada pegou raiva e queimou metade de um vilarejo.

Com uma expressão confusa, coloco a bolsa no chão e me aproximo, pegando a cotovia da mão dele. Aliso-a na coxa, lendo o garrancho.

— *Blóm*? A fera do chefe Thron?

Kaan concorda com um grunhido.

Pelos Criadores...

— Ele queimou um rebanho todo de búfal sem a intenção de comê-los. Se a fera continuar à solta, vai dizimar muitos outros vilarejos antes que o veneno chegue ao coração. Mas estou me adiantando. Grihm está aprontando as coisas e vai me encontrar no caminho, se conseguir alcançar. Os guardiões estão ajudando a ajeitar uma das caroneiras para ele agora. A fera de Lane, acho.

— Nevut?

— Isso. Ela é a ceifassabre mais rápida na cabana que ainda não foi atraída para o Chamedraco, por isso temos que correr contra o tempo.

Foco nas três lanças de metal amontoadas no chão, presas com um coldre de couro que vai ficar atado à sela de Rygun. Assinto, mas meu irmão nem vê, atento à bolsa de novo, fazendo movimentos rígidos e precisos enquanto enfia as coisas no objeto.

Pobre Kaan. Não há nada pior do que caçar um dragão com raiva. É difícil se convencer de que está pondo fim ao sofrimento de uma criatura que cai no chão em vez de disparar para o céu, aninhando-se junto aos ancestrais.

Pelo bem dele (e de seu coração grande e gentil), espero que outra pessoa já tenha conseguido controlar a fera. Ajude o povo a reconstruir as casas de pedra e você é um herói. Mate um ceifassabre e é a droga de um assassino, por mais que receba tapinhas nas costas.

Por mais que salve pessoas.

Pigarreando, dobro a cotovia ao meio e entrego a ele.

— Eu vi você levar... *ela* para a suíte. Por favor, não diga que a levou até seu santuário.

Kaan faz uma breve pausa, então continua remexendo na bolsa como se eu não houvesse dito nada. Ele puxa o cordão esticado, com os dedos perdendo a cor por causa da tensão enquanto amarra as tiras de couro.

Acho que isso é um sim.

Aperto o ossinho do nariz, fechando os olhos.

— Você falou que ia contar a verdade *devagar*...

— É, falei.

— Isso não é devagar.

— Não é.

Suspiro, abrindo os olhos.

— A julgar pelo seu comportamento no geral, imagino que ela não tenha se jogado em seus braços diante do cadáver do grande dragão dela e lhe agradecido por oferecer a peça que faltava no quebra-cabeça mental dela?

— Não, Veya. Não foi isso que ela fez.

— Quem poderia imaginar — comento, com uma risada falsa, passando as mãos pelo cabelo e considerando a possibilidade de a mente dele estar tão perdida quanto a da fera que vai matar. — Então, e depois? Você deu a ela ouro suficiente para a travessia segura das Planícies Boltânicas, e assim ela ir em busca da sede borbulhante de sangue? Onde existe a grande chance de ela acabar sendo reconhecida por um dos gêmeos, sendo que os dois têm acesso a certa *ferramenta*. Um trunfo perfeito para fazê-la se render quando eles destamparem *aquele* jarro de merda. Excelente.

Kaan se levanta, cruza os braços e franze a testa para mim... o couro de montaria preto e vermelho o esculpindo à semelhança da forma maior, mais feroz e mais formidável de nosso paih. Algo que tenho certeza de que ele odeia toda vez que se olha no espelho.

— Se eles a pegarem, nós morremos, Kaan. Quanto tempo acha que vai levar para eles cercarem nossas fronteiras, prontos para pintar esta cidade toda de vermelho e avançar em nossa reserva grande e inexplorada de pedrassangue? Estamos com os dias contados, e você sabe disso, *caralho*.

— Acabou?

Coloco as mãos na cintura, olhando para o céu.

Por que ele está calmo? É provável que o reino pelo qual tanto lutou para capturar, proteger e fazer prosperar vá ser dizimado, tudo porque ele tacou a pedrada de "Elluin" em Raeve antes que pudéssemos avaliar a situação de *todos* os ângulos.

Um desastre.

— Sim. Acabei — murmuro, percebendo que preciso descer de novo até a capoeira de caronas.

Avisar aos condutores de fundíferas que eles precisam dar uma sumida, ao menos até eu conseguir chegar à Arithia e voltar com o diário dela em mãos.

Com sorte.

Não tem a menor chance de ela atravessar as planícies sozinha. Ela acabaria chamuscada que nem Slátra.

— Se tudo correr bem, eu devo voltar antes do Chamedraco para ajudar a montar as plataformas.

Volto o olhar a ele tão rápido que sinto a cabeça girar.

— O almíscuru previu que vai acontecer daqui a trinta ciclos da aurora...

— Isso mesmo.

— Você vai ficar fora por *trinta ciclos da aurora*?

— É um reino grande, Veya. Não posso só ficar aqui enrolando quando tem coisa a ser feita. Eu fiquei no sul por um tempo, e o reino não se governa sozinho.

— Parece uma desculpa conveniente para fugir.

Ele inclina a cabeça para o lado, estreitando os olhos.

— Você me disse para ter cuidado, ou do contrário ela se queimaria. Este sou eu tomando cuidado. — O olhar dele fica um pouco mais suave. — Ela não me quer por perto. Estou só respeitando isso.

— Você deu um saco de *ouro* a ela, Kaan. É provável que ela esteja a meio caminho de lá. É só uma questão de tempo até a usarem *contra* nós.

— Pedrassangue de dragão — corrige ele, e solto um grunhido. — E ela não está a meio caminho de lá. Ela passou direto pela capoeira de carona em direção à ponta ocidental.

Meu coração titubeia, e sinto o rosto ficar todo vermelho. O sentimento intenso faz meus olhos arderem.

— Ela ainda está lá dentro — sussurro, apesar do bolo na garganta.

Elluin.

Kaan confirma com a cabeça uma vez.

— Em algum lugar.

Enxugo a lágrima que escorre pela bochecha.

Ele desvia o olhar, leva os dedos à boca e assobia alto.

Rygun exala de um jeito estrondoso que faz meus ossos se chacoalharem, em seguida ouvimos os sons de arranhões e rangidos do corpo colossal se desalojando de seu casulo. A fera emerge da escuridão de pouco a pouco, fazendo tudo tremer, os olhos de brasa reluzindo às sombras, as plumas de vapor emanando das narinas infladas... as presas curvadas se protuberando da cara retangular, um tributo temível ao tamanho e à idade dele.

Kaan joga a bolsa e as três lanças sobre o ombro, indo até a fera que se aproxima. De repente ele para, olha para mim e *além*, para a algibeira a meus pés.

— Aonde está indo, Veya?

Merda.

— Bem, veja só... — Eu me inclino para trás, pego a bolsa do chão e também a jogo no ombro. — Como você deve se lembrar, ela tinha um diário.

— *Não.*

— Ah, pelo amor. Você sabe que essa palavra é meu combustível — respondo, me gabando. — Além do mais, não estou fazendo isso só por *sua* causa. Eu preciso saber umas coisas que ela não tem como me contar. Ela estar... *viva* de novo está ferrando minha cabeça.

— Então eu vou.

Eu rio pelo nariz.

— Embora Cadok possa ser indiferente o bastante para lhe deixar zanzar pelo reino dele sem uma escolta, Tyroth não é. Ele te odeia. Com ferocidade. Eu consigo passar despercebida. Você, não.

Ele me lança um olhar que se compara ao de sua criatura quase visível nas sombras atrás dele. Um único olhar que me faz me sentir mais valorizada do que paih já fez *um dya*... embora Kaan saiba que sou mais do que capaz de cuidar de mim mesma.

Em algum momento, vou lhe agradecer por isso.

— Você se livrou do bracelete. Foi o que você me disse.

— Eu menti — contraponho, com uma precisão rígida.

Não menti. Não tenho mais o bracelete. O que significa que tenho que pegá-lo *de volta*. Não que eu vá contar isso a Kaan. Ele vai romper a porra de uma artéria se souber onde o deixei.

Meu irmão estreita os olhos.

— Ah, e devo ficar fora um tempo. Provar umas *iguarias* no caminho — adiciono, mexendo as sobrancelhas para cima e para baixo.

De imediato ele desvia o olhar, estremecendo.

— Eu não quero saber de merda nenhuma, obrigado, de nada.

Não mesmo, mas eu preciso que ele largue o assunto como quem larga uma capa sarnenta. Minha insinuação de que vou colecionar umas boas transas é o jeito certo de fazê-lo sentir repulsa a ponto de...

— *Tá* — rosna Kaan, talvez sabendo que eu faria aquilo mesmo sem ele concordar, mas isso me machucaria mais do que machucaria a ele.

Não tem como não o amar.

Abro um sorriso.

— Querido irmão, está preocupado comigo?

— Desde o dya em que o paih te jogou no meu colo... toda ensanguentada, se contorcendo e gritando.

Desde que ele percebeu que era tudo o que eu tinha.

Ele não precisa falar em voz alta. Vejo nos olhos de meu irmão. Nossa única familiar decente morreu enquanto me trazia ao mundo.

Difícil para mim velar alguém que nunca conheci, mas odeio o fato de que a tirei de Kaan. Que ele foi obrigado a me criar porque paih não ligava se eu vivesse ou morresse.

O desgraçado.

— Eu queria que ele tivesse outro pescoço para ser degolado.

— Eu queria que ele tivesse *três* — rebate Kaan, com um rosnado, adentrando mais na escuridão, seguido pelos sons de esforço enquanto sobe na garupa de Rygun.

Confusa, pondero o que ele quer dizer com...

— *Ah...*

Merda.

Kaan não consegue guardar segredo por muito tempo antes que a coisa corroa suas entranhas. Em algum momento, ele vai contar a Elluin o que paih conseguiu fazer de algum jeito, naquele torpor terrível há mais de um éon quando a vida dela desmoronou.

Quando ela acordou e viu que toda sua família tinha morrido envenenada.

Para alguém já corroída com os princípios da sede de sangue, esse é o tipo de notícia que pode fazer com que a vista fique vermelha. Pode criar um apetite que só será saciado com vingança.

Já vi pessoas com sede de sangue que não conseguiram saciar os desejos selvagens, raivosos como um ceifassabre picado por um carrapato, a única cura sendo a própria morte, ágil e misericordiosa.

E com paih já morto, pela mão de *Kaan...*

Rygun começa a se direcionar para a beirada como uma montanha se deslocando do poleiro, e me encosto na parede, segurando a algibeira.

— Tenha cuidado! — grito para Kaan, apesar de não conseguir vê-lo lá em cima, enquanto tento me fundir com a pedra.

— Sempre — entoa meu irmão antes que Rygun se atire da borda do planalto, a cauda sendo a última parte dele a deslizar para fora da toca enquanto dispara e some de vista.

Raeve

CAPÍTULO 59

O baque estrondoso do dragão alçando voo me faz virar e ver Rygun disparando na direção leste, com Kaan sentado entre as asas colossais, um amontoado de lanças presas na altura do pé dele.

Meu coração martela no peito como cascos galopando.

Rosnando, subo o capuz e movo a cabeça de novo, as pedras grandes se deslocando sob minhas botas pesadas enquanto caminho ao som do gorgolejo da Prézea.

"Vá atrás da morte, Elluin Raeve."

Dou um tapa em mim mesma.

Com força.

Tudo não passa de uma coincidência estranha e fodida. Ou talvez alguém tenha bagunçado minha mente enquanto eu estava desmaiada. Remexendo nos fios de meu cérebro. Fazendo nós que não deveriam existir. Ou me remendando do jeito errado.

Deve ser isso.

Tem que ser isso.

Chego a um muro de pedras vermelhas que se estende para dentro da mata, na margem do outro lado, e desaparece nas profundezas desordenadas da Prézea. Muitas runas luminosas de proteção estão gravadas nas paredes baixas, junto a palavras pintadas:

PERIGO   VOLTE AGORA!   MANTENHA A DISTÂNCIA OU TENHA UMA MORTE HORRÍVEL

CUIDADO! UMA MANSANHA MORA AQUI

Dando de ombros, pulo o muro e continuo andando, assobiando minha melodia calma para me distrair e não ficar relembrando as palavras mordazes de Kaan.

Se há uma mansanha morando desse lado da cerca, vou ficar bastante chocada. Sendo uma das poucas que já esteve perto o bastante de uma para ser atacada e viveu para contar a história, sei bem que runas de proteção não conseguem deter um bicho daqueles. A criatura passaria por cima das coisas em dois tempos com as pernas pálidas e esguias para chegar aos cérebros que moram do outro lado.

Teria devastado a cidade muito tempo atrás, o que significa que este ponto tomado pela mata e inabitado da baía está sendo protegido por *outra* razão, uma que estou determinada a descobrir.

Não sei bem o porquê. É uma dúvida que preciso sanar antes de me mandar daqui e ir caçar Rekk do outro lado do mundo. De preferência, o mais longe *daqui* possível.

Estou chegando ao pico afiado e rochoso quando uma árvore chama a minha atenção, as raízes bem cravadas na saliência rochosa que cerca a margem. Os galhos retorcidos se espalham por todas as direções, cheios de nós; *um* me faz parar, parecendo mais liso do que os outros, o que é estranho, como se tivessem tocado nele muitas vezes.

Com uma risadinha cadenciada, Clode desliza pelo meu ouvido e fica brincando com as folhas acobreadas compridas da árvore, fazendo com que pareçam lâminas dançantes.

Fico confusa.

Chegando mais perto, estico a mão para tocar o nó que me chamou a atenção, os dedos passando na protuberância semelhante a uma maçaneta destacada no centro. Aperto, girando um pouco, e a coisa se solta, expondo uma pequena cavidade por trás.

Hum.

Olhando por cima do ombro para a cidade desacordada, observo os céus, a esplanada, decidindo que sou pouco mais que uma manchinha. Não preciso ficar me esgueirando como se tivesse algo a esconder só por remexer em troncos de árvores que não pertencem a mim.

Enfio o braço todo na cavidade, mexendo a mão dentro do espaço interno liso, com os dedos tocando algo duro que faz barulho com o toque. Ainda mais confusa, pego o objeto frio e puxo...

Meu coração martela, forte e rápido, quando vejo o entalhe de pedra. Uma representação tridimensional do málmr de Kaan: um plumalua e um ceifassabre atados como duas metades de um inteiro circular.

Minha pele se arrepia apesar do calor pegajoso.

Lanço outro olhar na direção na qual Kaan sumiu antes devolver o nó no lugar. Aperto o entalhe na mão e pego o galho, usando de apoio para pular pela saliência e adentrar nas entranhas densas e descuidadas da mata.

Passo por videiras penduradas e folhas redondas aveludadas, com insetos zumbindo perto de meu rosto, certa de que ouço uma risada brincalhona pelas árvores.

O eco de uma perseguição trovejante.

Os sons estão ali e ao mesmo tempo... *não estão*. Coibidos, deixando apenas fumaça de uma chama outrora saltitante.

Franzo a testa. Com a vegetação rasteira estalando sob meus pés, sigo por um caminho que com certeza não existe na realidade, mas, de algum modo, parece vibrante de tão nítido em minha mente. Uma cor diferente da que tem o resto de meus pensamentos, luminosa e com uma batida própria que acende uma expectativa reconfortante dentro de mim.

Enxugando as gotas de suor da testa, chego a uma clareira na base de um penhasco, a pedra bruta coberta por uma planta frondosa que lembra videiras. Olho para ela, sem conseguir me livrar da sensação de que tem algo aqui.

Algo... *importante*.

Me lembrando da forma que Kaan caminhou pela queda de folhagem no jardim particular, enfio o entalhe na algibeira e dou um passo à frente, empurrando as videiras, ficando inquieta quando tudo o que encontro atrás é pedra... pedra... *e mais pedra, porra*.

Talvez eu esteja ficando maluca?

Pelos Criadores, com certeza é o que parece.

Estou ali apalpando uma parede de pedra quando poderia estar na garupa de um fundífera, disparando em direção ao Grado, tomada por pensamentos de como vou fazer Rekk definhar antes de o matar.

Vou seguindo junto à parede, xingando baixinho, empurrando, *empurrando*... e meu coração quase sai pela boca quando passo por toda a extensão da parede e sou engolida por uma cavidade adiante. Eu me debato contra a folhagem, respirando depressa ao me soltar do emaranhado que parece demais com uma teia de mansanha para meu gosto.

— Imagine só — murmuro, com a voz seca, então uma risadinha me escapa.

Imagine. Só.

Balanço a cabeça e olho para a direita, adentrando mais no túnel que é alto e largo o bastante para um homem alto caber ali... *por pouco*. Clode passa rindo por mim em um vórtice de vento, agitando as folhas secas que dançam por meus pés a cada passo.

Sigo para uma escada em espiral iluminada por uma luz fosca natural vinda de cima, com uma expectativa curiosa correndo por mim como um monte de maritraças minúsculas. São cinco voltas inteiras antes de eu chegar a um arco à direita que me dá a opção de sair da rota. Pego o desvio, as coisinhas flutuantes se multiplicando quando entro em uma caverninha iluminada por uma fenda lá em cima que mostra o céu, o espaço aconchegante cheio de videiras acobreadas florescendo e se espalhando pela parede.

Até o teto.

Centenas das flores escuras que dominam a cidade preenchem o ar com a doçura cítrica, e, ao vê-las, sorrio, com o coração aquecido.

— Que bonito.

Vou até um balcão de cozinha orgânico e feito da mesma pedra do balcão na casa torta da mãin de Kaan, na encosta da montanha. Passo a mão pela superfície áspera e tomada por uma camada grossa de poeira. A porta de metal na faixa de pedra range quando abro para olhar o vazio acinzentado, enferrujado pela falta de cuidado. Ergo a sobrancelha quando toco as duas canecas terracota idênticas penduradas nos ganchos na parede de cima.

É tentador pegar uma e enfiar na bolsa. Elas são lindas, adoraria beber algo nelas. É difícil encontrar uma caneca perfeita. Quando se encontra, a coisa quebra.

Paro ao lado de uma mesa que brota da parede debaixo de uma janela enorme revestida por videiras, runas brilhantes gravadas na moldura, as cortinas retalhadas e fracas nas laterais. Dois assentos estão enfiados embaixo de uma mesa, com o estofado de couro rasgado por algum animal, e a maior parte do enchimento arrancado e utilizado em um ninho em algum lugar, talvez.

Não sei por que isso faz algo ficar entalado em minha garganta. Algo que tento ignorar enquanto passo pelos dois assentos, me aproximando de uma estante grande encostada à parede e encontrando um tinteiro, uma pena velha e uma pilha de cotovias de pergaminho prontas para serem dobradas, com linhas de ativação pré-gravadas. Retiro um caderno de couro de uma pilha perto do tinteiro, assopro a poeira e abro, vendo que as páginas estão em branco.

Que estranho.

Ao me agachar, vejo que uma prateleira baixa abriga uma coleção de pequenas criaturas de pedra; a maioria, dragões. Todas entalhadas no mesmo estilo da que está em minha algibeira no momento. Sacando-a, balanço a cabeça, colocando o entalhe junto aos outros, bem do lado de um palácio de arestas pontiagudas.

Esse é o lar de um casal, cheio de relíquias do amor deles.

Eu devia ir embora.

Indo em direção à saída, faço menção de descer de novo quando Clode passa como um beliscão por minha orelha em um agito de vento que espirala para *cima*.

— *Geil. Geil asha*.

Sinto o coração palpitar.

Venha. Venha ver.

Não é comum que ela fale comigo de maneira direta. Ela é muito feroz e distante para manter qualquer semelhança a uma presença firme e aprimorada.

Toco a adaga presa à coxa e subo mais escadas.

— *Halagh te aten de wetana, atan blatme de*.

Se este for o dya em que morro, você será a culpada.

Golpes de sorte à parte, a noção de perigo de Clode é tão enviesada quanto a ideia que ela tem de minha habilidade de contorná-lo. Relembro quando ela me incitou a ir à Cidade Baixa, o que me fez ficar frente a frente com um praga-espinho macho rebelde prestes a estripar um filhote de aconchoelho ao qual acho que Clode se afeiçoou. Não é surpreendente, considerando que as criaturas são umas fofuras.

Sem ainda entender a arte de instruir Clode a implodir pulmões, só sobrevivi ao me enfiar depressa em uma calha de lixo abandonada na qual fiquei por metade de um dya com o aconchoelho enrolado em meu colo.

A criatura de todo despreocupada.

Meus músculos tremiam com o esforço de não cair no covil de um troglo-vellus enquanto o aconchoelho mordiscava as próprias unhas, com os bigodes tremelicando, olhando para mim com os olhos esbugalhados e iridescentes que não pareciam piscar... até que o praga-espinho parou de ficar arranhando a rampa e rastejou para longe.

Nunca vou desver o jeito que ele rangia a bocarra espinhosa na entrada, com a língua rosa balançando enquanto guinchava, querendo sangue.

Estremecendo toda, eu me abro para a canção de Bulder, certa de que ele é mais confiável em situações como esta; embora tudo o que eu consiga ouvir seja um zumbido baixo e vibratório que me transmite uma sensação aconchegante e densa de paz.

Contentamento.

Parecido com o som que ele fez no túmulo de Slátra.

Franzindo a testa, subo por mais uma curva da escada, chegando a um espaço confortável também banhado pelo sol, o que expõe cada mínimo detalhe do espaço viçoso.

Fico parada por um momento, com o coração quase saindo pela boca, e a adaga na minha mão cai no chão.

O lugar me lembra a caverna de Kaan, a que abriga a lua remontada, pois contém as mesmas paredes em alto-relevo, ostentando o embate passional entre plumaluas e ceifassabres.

Mas ali não tem lua.

Há uma cama circular enorme encostada na parede, suavizada por lençóis brancos tão finos que não é de se admirar que tenham se desintegrado em alguns pontos, e o colchão está em outros, como feridas abertas cuspindo penas que entram no vórtice da melodia risonha de Clode. Um som que ecoa com outra risada que parece emanar das profundezas de meu lago congelado...

Uma imagem me acerta como uma porrada no cérebro. No coração.

Na *alma*...

Eu, engatinhando pela cama, nua.

Rindo.

Deitando de costas, olhando para o homem ali na ponta do colchão, tirando a camisa enquanto abro as pernas e me toco... desesperada, desejosa.

Necessitada.

Ao vê-lo todo suado, solto um grunhido gutural, fecho os olhos. Enfio os dedos em mim mesma na tentativa de saciar a fome que nunca se abranda.

Não quando se trata dele.

O colchão afunda com o peso dele, com a presença robusta chegando perto... eletrizando minha pele, fazendo meu coração martelar forte, rápido.

Ele dá um beijo na curva de meu pescoço. Uma mordidinha debaixo de minha orelha faz arrepios correrem por meu corpo e quase me faz desfalecer sob a ação de meus próprios dedos.

A boca dele encosta em meu ouvido, e as palavras roucas se derramam para dentro de mim:

— O que você quer, Elluin?

— Você. — Viro a cabeça, abro os olhos. Eu me perco dentro do olhar âmbar de Kaan enquanto o sorriso toma meu rosto. — Para sempre.

A visão me liberta, e meu joelho cede. Caio no chão em meio aos resíduos de penas, lutando para respirar, sendo que o ar não vem, e fecho as mãos, formando garras que arranham meu peito. Enquanto percebo, em caráter definitivo e devastador, o motivo de eu ter me sentido atraída para este lugar desde que abri as persianas na Fortaleza.

Este lugar não é a relíquia do amor de *outras* pessoas...

É do *nosso*.

Registro no diário

Elluin Neván

Idade: 18 fases
5.000.039 fases Depois da Pedra

Nesse último torpor, Kaan tocou uma canção que reconheci. A mesma que mãin e paih cantavam para mim quando eu ficava doente.

Cantei junto até que as palavras foram sufocadas pelas primeiras lágrimas que consegui derramar desde que trouxe Haedeon de volta de Subsulnia. Não escorreram como a neve caindo suave, e sim como uma nevasca fustigando as vidraças.

Chorei pela mãin e pelo paih. Por Haedeon e Allume.
Chorei por Slátra.
Chorei por coisas que tiraram de mim, e pela voz que não posso usar.

Não percebi que Kaan tinha parado de tocar até ele me levantar, me aninhar em seu peito e me abraçar tão forte que eu mal conseguia respirar, o forte corpo dele absorvendo cada soluço meu.

Isso me lembrou da forma que o paih pegava a mãin no colo quando ela estava chorando na neve. A forma que ele a carregava para dentro de casa, onde estava claro e quente...

Por algum motivo, isso me fez chorar mais.

Kaan

CAPÍTULO 61

$\mathcal{A}$ fumaça densa faz o sol parecer uma mancha rosa, um lembrete sutil de que mais cedo este vilarejo foi um campo de batalha.

Agora, é um cemitério.

Passamos pelo cadáver empolado de um búfal caído, ainda a ser levado para a fossa, e pigarreio.

O chefe Thron acompanha meu ritmo enquanto passamos por casas labirínticas, algumas reforjadas nas últimas horas, embora ainda haja entulho no solo ao redor. Outras estão escurecidas por causa do contato entre a flamadraco e a pedra, o vidro das janelas formando uma poça no chão.

Sólida.

Árvores desarraigadas estão caídas pelo caminho como cadáveres, com a folhagem esmirrada ou chamuscada, as raízes ainda se agarrando a placas no chão que se ergueram com a revolta. As pessoas cortam os troncos com serras de bronze grandes, transformando-os em pedaços pequenos o bastante para serem usados como lenha ou outros materiais.

— Perdemos muita coisa — informa Thron, com um tom sombrio na voz grave. — Mas teríamos perdido muito mais se você não tivesse chegado quando chegou.

Se eu não tivesse matado o dragão dele.

Resmungo em concordância, passando por cima de frutas ginku, a polpa de um amarelo-vivo ficando marrom sob os raios fortes do sol. Amargando, assim como o sentimento no meu íntimo.

Seguimos para os campos amarronzados com as safras que foram arrancadas, muitas plantas extirpadas por causa do confronto que aconteceu antes que eu conseguisse atrair Blóm para o céu de novo. Na direção dos penhascos ondulantes, como grandes feras acocoradas, que servem de pano de fundo para o vilarejo de Rambek.

Eu poderia ter feito ali, mas queria dar a ele um lugar particular no qual pudesse se encolher quando ficou nítido que ele não conseguiria ir para o céu.

Do jeito que foi, ele não conseguiu se encolher. Muito menos se solidificar. Só morreu, e com o tempo vai apodrecer onde jaz agora.

Pigarreio, tentando afastar a imagem da mente, e volto o olhar ao silo de barro... outrora alto e forte, agora desmantelado. Uma quantidade de grãos digna de uma fase inteira espalhados pelo solo queimado, úmidos por causa do aguaceiro que caiu logo depois da morte da fera. Como se a própria Rayne estivesse chorando por causa da perda do ceifassabre majestoso que Rygun atirou na base de uma ravina, o próprio Rygun soltando um guincho tão agoniado que competiu com o vento uivante.

O solo tinha se sacudido tanto quanto meus malditos ossos.

Respiro fundo, o ar denso com o odor de morte, fumaça e desespero.

— Vou mandar transportarem barris de grãos para o porto próximo daqui — ofereço, observando o povo do vilarejo andando pelos campos, arrancando os topos quase maduros dos frondes de anéihs e juntando tudo em carroças. Salvando o que conseguem. — E uns produtos agrícolas pouco perecíveis para que seu povo consiga segurar as pontas até reabastecerem as safras.

Thron se vira para mim, colocando a mão no peito escuro amplo e abaixando a cabeça.

— Obrigado, Majestade.

— Lógico.

Ele ergue a cabeça, com os olhos castanho-escuros densos com o peso da perda.

— E a título mais pessoal, quero lhe agradecer por abater Blóm. — Ele leva a mão ao rosto e esfrega a barba preta entrelaçada com algumas contas ferruginosas. — Mesmo se tivéssemos conseguido uma mira certeira, eu não sei se teria tido coragem de dar a ordem de abatê-lo...

— Eu entendo — respondo, colocando a mão no ombro dele. — Ele foi seu companheiro por muitas fases.

Thron pigarreia, olhando para a grande extensão de pastagens de búfal às minhas costas.

— Ali está seu imediato. Vou deixá-lo à vontade, mas, por favor, venha comer com minha família antes de ir embora.

Confirmo com a cabeça, breve, observando-o seguir para o silo destruído.

— Puta merda — murmuro, olhando para os penhascos, certo de que nunca mais vou vê-los da mesma forma.

Antes eram tão pitorescos, agora parecem malditos túmulos.

Balançando a cabeça, viro-me, vendo Grihm parado próximo à cerca de pedra que parece ter sido consertada por completo; moldada com as palavras. Quando chegamos, o rebanho tinha se espalhado, muitos deles acabaram mortos e no momento inchavam nas ruas, arrebatados pelo sopro de flamadraco que tomou o vilarejo.

Os membros sobreviventes do rebanho agora pastam por pedaços de arbusto, com as línguas compridas se enrolando em gravetos rígidos e os abocanhando. Os mais jovens perambulam por ali ou esticam a cabeça para os úberes fartos, balançando os rabos enquanto bebem.

Sigo pelo caminho acinzentado e me encosto na cerca ao lado de Grihm, apoiando os braços na pedra. O silêncio impera conforme observamos o rebanho pastar pelo que sobrou da vegetação intocada pelas chamas, as patas grandes acolchoadas deles levantando uma mistura de cinza molhada e lama.

— Tem algo te incomodando, Grihm?

Ele pigarreia, como se checando se a garganta vai funcionar antes de falar com a voz enferrujada:

— Eu quero pedir autorização para me retirar.

Lanço um olhar de soslaio a ele, vendo o cabelo claro coberto de cinzas, o couro preto sujo com a mesma terra alaranjada na qual as botas dele estão besuntadas.

— Para quê?

Ele continua olhando para a frente.

— Há rumores de que a grande ceifassabre prateada botou três ovos.

Meu coração fica estático, a compreensão se afunda em minha pele, gelando até os ossos.

— Você quer ir para Gonodraco e invadir o ninho dela?

Ele confirma com a cabeça uma vez.

Por um momento, tudo o que consigo fazer é ficar olhando para o rosto dele, tentando organizar os pensamentos com nitidez.

Sem sucesso.

Então opto pelos fatos alarmantes.

— Roubei uma das escamas dela muitas fases atrás. Ela quase arrancou meu braço. Por causa de uma *escama*.

Ele vira a cabeça, e vejo fragmentos dos olhos azul-claros através do emaranhado de cabelo.

Silêncio.

Balanço a cabeça, rindo baixinho e esfrego a barba.

— Caralho, Grihm.

— Eu não quero substituir Inkah, mas estar atado ao túmulo dela tem me machucado.

Faço um esforço para não o olhar de boca aberta.

Nunca ouvi o homem entrelaçar tantas palavras sentimentais em uma única frase, e tenho quase certeza de que sou a única pessoa com quem ele conversa. Ele nem diz "Saltari" quando está pronto para mostrar as cartas na mão. Só dá um tapinha na mesa com dois dedos, como se estivesse pedindo para servirem hidromel.

Ele nunca me contou o que aconteceu com Inkah, e nunca perguntarei. Sei o suficiente do passado dele para compreender que é repleto de vasos de dor que para sempre latejarão.

— Você contou essa decisão aos outros?

Ele nega com a cabeça.

Lógico que não.

Ele e Veya são farinha do mesmo saco. Tenho quase certeza de que ficarão rondando um ao outro pela eternidade.

— E, se você morrer lá, vai se arrepender de algo?

— Talvez. — Ele dá de ombros. — Mas aí já vou estar morto.

Certo.

Suspiro, esfregando o rosto de novo. Fiquei perplexo com o tamanho dos alforjes dele antes. Agora faz bem mais sentido. Quando se vai a Gonodraco, é preciso estar preparado.

O que significa que ele planejava isso há um tempo.

Sinto o peito apertado e abaixo a cabeça, então assinto e me afasto da cerca.

— Vou levá-lo até lá e deixá-lo perto da tenda de nidificação — declaro, sentindo-o me olhar enquanto sigo de volta para o vilarejo. — O mínimo que eu posso fazer considerando que provavelmente vai ser a última vez que vou ver essa sua cara infeliz.

Veya
CAPÍTULO 62

O vento uiva, beliscando a ponta dormente de meu nariz.

Foram oito ciclos da aurora revezando entre voar e descansar, dormindo sob a asa de Zekhi ou encostada a rochedos torrados pelo sol... fazendo o possível para evitar a civilização. Foi agradável até o sol perder a força e o Grado nos engolir por completo com a neve e o vento turbulento incessante.

Já sinto saudade de casa.

Tenho certeza de que Zekhi sente o mesmo, embrenhado naquela capoeira desconhecida que ele transformou em baba fundida antes de se enfiar lá dentro. Tentando ficar quentinho até eu voltar.

Outra rajada insistente, e o búfal enorme puxando a carroça de Noeve treme até a traseira densa e felpuda, embora ele mantenha o ritmo lento pela frágil Rota dos Dyas, bufando plumas leitosas de ar que se emaranham com os chifres curvados.

Inclino a cabeça para o lado, olhando para a queda brusca à esquerda, vendo que a região lá embaixo está escondida por uma espiral de névoa que cria um falso senso de segurança.

Bem falso.

Já viajei para este lado do muro em ciclos sem névoa. A altura é tamanha que o tombo parece infinito. Como cair em um céu pálido sem luas.

Outro uivo de vento lança uma enxurrada de neve para dentro de meu capuz, e a carroça toda se sacode e pende para a outra queda, tão brutal quanto a do outro lado da Rota. Meu coração se sacode junto, e seguro a lateral da carroça com tanta força que os dedos perdem a cor. Não sei para quê, porque se esta coisa virar estamos fodidas. Inclusive a carroça.

Pigarreio, me ocupando de tirar parte da neve do colo.

— Essa foi braba.

Ao meu lado, Noeve gargalha... o som desatinado de uma velhota que já fez isso tantas vezes que é evidente que acredita ser invencível. Assim espero.

Pretendo morrer fazendo algo brilhante e heroico. Não despescando em queda livre até a morte.

— Você está enferrujada — responde Noeve, a voz pura rouquidão por causa de toda a fumaça que tem inalado ao longo das fases. — Um sopro desse antes não a deixava assim, eriçada.

Lanço um olhar de lado para a feérica; a mulher baixa e atarracada, que deve ter mais de 1000 fases de idade para ter conseguido aquele montão de cabelo branco amarrado no topo da cabeça. Não que eu já tenha perguntado a idade dela.

Parece grosseria.

— Como não está com frio? — pergunto, vendo a túnica e a calça cinza simples, adornadas somente com um cinto felpudo de retalhos ao redor da cintura e que pende até o solo, feito do couro das feras favoritas dela de tempos passados.

Ou assim ela me contou uma vez.

Ela levanta uma única sobrancelha questionadora, as rédeas enroladas no aperto frouxo de suas mãos expostas.

— Nunca te vi com uma capa — continuo. — Não importando o tempo. Como que você ainda não morreu congelada está muito além de minha compreensão.

Ela estala a língua.

— Tem que ser forte para viver a leste da Rota dos Dyas, minha querida. Sobretudo em tempos como este. Você sabe tão bem quanto eu que é uma área popular para renegados e pessoas precisando só de mais uns poucos ovos para formar a ninhada. O frio é um *frescor* em comparação a umas coisas que já vi.

Não duvido, e eu mesma não gosto de ir lá. Mas voar para dentro da capoeira de Ghora anunciaria minha chegada para meu não-tão-querido irmão. Usar uma das capoeiras antigas e abandonadas a leste sempre foi a aposta mais certa, considerando que prefiro arriscar cair penhasco brutal abaixo a testar um encontro com Cadok.

Ao menos até eu ter a chance de encontrá-lo no ringue de batalha e cortar sua cabeça fora.

Há um sonzinho tilintante em algum lugar à frente, um badalar contínuo. Noeve saca o próprio sino manual em um compartimento perto dos pés, agitando-o para informar, a quem quer que esteja esperando para atravessar, que a frágil Rota já está ocupada. E a pessoa precisa esperar até passarmos antes de seguir por ali.

Eu me enfio mais ainda na capa de pele.

— E cá estava eu pensando que a Rota seria mais calma desta vez.

— Muitas vezes, outros pensam a mesma coisa — informa Noeve. — Você pode se encolher na parte de trás se estiver com medo de ser vista.

Eu me viro e levanto a aba de couro que sela o suporte profundo de madeira, franzindo a testa para a revoada de alvorocinhos bicando um monte de sementes, cacarejando à vontade. Um deles vira a bunda gorda e penada e então pinta o tecido com um esguicho de branco.

Nojento.

— Acho que vou arriscar — murmuro, soltando o tecido, e a risada expansiva de Noeve me impossibilita de ficar séria. — Você é terrível.

— E você sentiu saudade.

— Senti — admito enquanto um sopro de vento passa por nós tão rápido que faz a carroça cambalear de novo.

O búfal agita a cabeça e sopra para o céu em vez de nos fazer tombar para o lado.

Essa é a diferença entre os búfais de travessia de Noeve e os de todos os outros: eles são cativados de *verdade*. A chance de morrer é menor. Vale todas as pedrassangues que eu conseguir enfiar nos bolsos fundíssimos de Noeve.

Não é de se admirar que ela transforme as criaturas em cintos.

— Faz um tempo desde que você agraciou minha carroça, minha querida. Estava começando a achar que tinha enjoado de mim.

— Nunca. Só decidi que não gosto mais do muro nem da maioria dos habitantes... tirando você, é claro — explico, trombando o ombro de leve com o dela. — Tem algo sobre dar gente de comida aos dragões, só porque a pessoa te irritou, que me dá nos nervos.

— Concordo plenamente — murmura ela, e um silêncio pesado se instala entre nós.

Não tenho dúvida de que ela está pensando em tempos passados, quando este reino pitoresco estava no auge. Até Cadok marcar o território como seu e transformá-lo em um ninho militar.

— Ouvi dizer que você estava ajudando o povo a escapar da cidade em nome da rainha? — pergunto, sacando do bolso um dos poucos espetos de carne-seca, mastigando a ponta fininha.

— Não desde que ela tentou protelar uma execução.

Arregalo os olhos.

— Sério?

Noeve confirma com a cabeça.

— Eu acho que a coisa chegou aos ouvidos de *Seu Merdinha Imperial*. Desculpe — complementa ela, depressa, me lançando um olhar rápido. — Eu sei que ele é sangue do seu sangue.

— Isso não vai me impedir de degolá-lo — contraponho.

Noeve gargalha, levando um tempo para se recompor antes de voltar a falar:

— Enfim, não soube nada dela desde então. Acho que não pega muito bem ter a cara-metade dele se opondo de forma pública a um decreto da Confraria. *Sobretudo* quando o decreto é contra uma Lâmina do Fíur du Ath — completa, erguendo a sobrancelha para cima e para baixo.

— Interessante...

Bastante.

— U-hum.

Mordo mais um pedaço da carne, mastigando a textura dura e salgada, amenizando o pior da fome, mas ficando com sede. Por infelicidade, só tenho água arenosa em meu futuro quando chegarmos ao destino. E um encontro com alguém que talvez vá me devorar.

Noeve passa as rédeas para uma só mão e puxa um rolo de couro do bolso da calça, desdobrando-o. Saca dali uma cigarrilha e agita em minha direção.

— Achei que tivesse parado — questiono, enfiando a mão no bolso para pegar a minha naturi de fogo.

Bem, a naturi de fogo antiga de *Kaan*, que roubei quando era mais jovem, imaginando que um dya precisaria. Ou melhor... torcendo para que precisasse.

Esperando.

Uma esperança desperdiçada.

— Mais de trinta vezes desde a última vez que você me viu. Mas percebi que gosto bastante do fumo.

Sorrio, abrindo a tampinha de metal e usando a chama oscilante para queimar a ponta da cigarrilha mortal dela. Noeve traga, soprando uma faixa de fumaça doce que se perde na névoa enquanto termino de comer a carne ao som do movimento da carroça.

— Por que está aqui, Veya? — indaga Noeve entre uma boa tragada e outra.

— Deixei algo importante em Ghora — respondo, removendo uma das luvas para tirar os fiapos de carne de entre os dentes.

— Isso faz quanto tempo?

Penso no momento logo depois do *branco* que minha mente deu. A mancha escura que, de algum modo, parece vazia e substancial ao extremo.

— Mais de cem fases atrás?

— Aah — murmura Noeve, tragando outra vez e soprando uma pluma de fumaça que contamina minha inalação seguinte com o resíduo doce demais de qualquer que seja a erva que ela bolou. — E onde que deixou essa... *coisa*?

— Joguei em uma calha de lixo.

Visto a luva de novo e cruzo os braços, me assentando mais no assento frio de madeira. Franzindo a testa, remexo o traseiro até encontrar uma posição mais confortável.

A julgar por quanto Noeve cobra pelas travessias, estou surpresa por não haver assentos acolchoados ainda. Da próxima vez, vou trazer uma almofada em vez dos garfos inúteis para os quais nem olhei desde que saí de Dhoma.

De repente, notando o vácuo silencioso ao meu lado, olho para a direita, bem dentro dos olhos cinzentos arregalados de Noeve; a cigarrilha pendendo dos dedos comprimidos, as cinzas na ponta ameaçando voarem para longe com a próxima rajada de vento.

— O que houve?

— Tem uma troglo-vellus na base das calhas de lixo em Ghora, Veya.

— Ah, sim. — Enfio a mão no bolso para pegar outro pedaço de carne, analisando ambas as pontas e escolhendo a mais rechonchuda para começar a mordiscar. — Que falta de sorte, né?

— Você não está pensando em...

— Confrontá-la? Lógico que sim. Como eu vou conseguir a porcaria da coisa de volta, se não assim? — murmuro com a boca cheia de carne. — Ela é obcecada por joias, não é?

— Pelo que ouvi dizer, sim...

— Perfeito — afirmo, engolindo.

E depois mordendo outro pedaço.

Espero que ela não tenha comido meu bracelete, do contrário o trajeto vai ter sido em vão. Sobretudo porque não há chance de eu encontrar o diário de Elluin sem essa joia *em específico* que, de maneira estúpida, resolvi descartar muitas fases atrás, jogando rampa abaixo como uma quinquilharia amaldiçoada. Certa de que tinha a ver com o motivo de eu ter um vácuo do tamanho de trinta ciclos de aurora manchando minha mente.

Na época pareceu uma boa ideia. Agora, pode me fazer perder a vida antes de eu conseguir fazer algo grandioso e heroico.

— Você pagou por uma viagem de volta — comenta Noeve, e dou de ombros.

— Se eu morrer, fique com o troco. — Eu me remexo no assento de novo, ainda atrás de uma posição confortável enquanto enfio mais carne na boca.

— De repente use para investir em um assento acolchoado, pelo amor dos Criadores.

Registro no diário

Elluin Neván

Idade: 18 fases
5.000.039 fases Depois da Pedra

Faz sete torpores desde que o vi pela última vez. Desde que o ouvi tocar a canção da mãin e do paih, desde que baixei a guarda como um soldado cansado e chorei nos braços dele até enfim pegar no sono, para então acordar enrolada na cauda de Slátra. Embora ainda tenha uma refeição fresca em frente à porta a cada torpor, junto a um pequeno entalhe de pedra que adiciono à coleção crescente de pequenos dragões, com certeza dados por pena, e que quero atirar na parede, não tem música.

Não tem ele.

Toda vez que faço a curva e vejo o corredor vazio, sinto o peso de mais um fardo de humilhação que desconto nos socos que dou.

E nos chutes.

Veya diz que estou melhorando. Se é minha recompensa por meter a porrada neste sentimento, então aceito.

Veya
CAPÍTULO 64

E scondida em um dos túneis de vento mais silenciosos, enfio a cabeça pelo buraco na parede e olho para baixo, na calha de lixo, torcendo o nariz por causa do fedor ácido emanando do covil da troglo-vellus.

Suspiro, afasto a cabeça e desenrolo a corda presa no ombro, atando o gancho de metal grande à boca da calha. Lanço a corda pelo buraco, torcendo para ser comprida o bastante para passar por cima de qualquer que seja a pilha de lixo com a qual vou me familiarizar já, já.

— Vou te contar, Veya — murmuro para mim mesma. — Você é maravilhosa, mas esse problema foi você mesma quem arranjou.

No futuro, pretendo tomar decisões melhores. De preferência que não me façam acabar em uma das calhas de lixo de Ghora, prestes a conversar com uma das criaturas mais perto do topo da cadeia alimentar.

Com outro suspiro, dou um puxão na corda, então vou avançando devagar pelo buraco extenso da calha em direção ao brilho azul irradiando lá de baixo. O ar quente fica mais denso com o fedor de azedo e coisas podres e sinto um gosto amargo na boca.

Se eu aparecer lá embaixo toda vomitada, a troglo-vellus não vai me levar a sério.

Engulo uma onda de bile, inclinando a cabeça para trás na tentativa de evitar botar tudo para fora.

Da próxima vez que a vida lançar um bracelete encantado para mim, só vou colocá-lo na caixinha de joias.

Onde quer que eu tenha guardado a minha...

Chegando à abertura, desço um pouco mais, ficando pendurada no ar sobre uma pilha de lixo fedorento.

— Ô caralho — resmungo, varrendo a caverna grande com os olhos arregalados, assimilando o teto... uma bagunça fragmentada de estalactites.

Das pontas afuniladas se penduram cordas azuis compridas que revestem o teto como os fios de uma teia, iluminando os resíduos de Ghora com um brilho chamativo. E são montanhas de resíduos.

Ergo a sobrancelha, percebendo que as pilhas estão separadas e bem-organizadas: uma para cadeiras velhas; outra de roupas; calçados; pratos; vidro...

Tudo.

Ela faria maravilhas em minha suíte de dormir.

Uma pilha reluzente chama minha atenção ao longe. Um monte de preciosidades cintilantes.

Talvez eu não precise confrontar a troglo-vellus, afinal. Só preciso passar o resto da vida vasculhando aquela pilha. Em silêncio. Enquanto me alimento de lixo para sobreviver.

Suspiro.

O plano todo é falho, e vou padecer de uma maneira horrível.

Um baque denso emana de cima, e levanto a cabeça, sendo tomada pela noção terrível de que tem algo descendo pela calha acima de mim. A calha, no geral, *abandonada*. No meio de um torpor.

Talvez seja um cadáver.

Grunhindo, solto a corda e mergulho na pilha de lixo. Ao colidir com o monte ruidoso e lamacento, rolo de lado, em direção ao chão, e, ao mesmo tempo, me besuntando de um fluido oleoso que me recuso a inspecionar.

Atinjo o solo e começo a tirar cascas de fruta da túnica e de ovo do cabelo, andando na ponta dos pés pelo caminho frágil formado entre os montes... indo na direção da pilha de tesouros reluzente que vi ao longe.

Ouço o som de algo *mastigando*. Um estalar, triturar e chupar que me faz ter calafrios.

Me detenho por um momento, presto atenção, então suavizo os passos, aproximando-me da pilha de cadeiras em maioria quebradas e espiando a beirada.

Meu sangue gela.

Agachada em um ninho de lixo decrépito está a troglo-vellus: agachada, com os joelhos esqueléticos alcançando as orelhas bem afuniladas enquanto ela leva um pedaço de cadeira à boca sem lábios, envolvendo-a com a bocarra e mordendo. Mais sons estalando, quebrando e estilhaçando. O segundo conjunto de braços dela alisa o cabelo oleoso que cai ao redor do corpo esquelético, enrolado pelos membros da criatura como um ninho.

Por um momento, tudo o que faço é observar. Hipnotizada de um jeito mórbido.

Ela deve ter três vezes o meu tamanho, e a pele azul aveludada é um contraste muito grande com os buracos das quatro mãos. Fendas arredondadas de pele que brilham com a mesma florescência dos fios revestindo o teto.

Ela estreita os numerosos olhos pequeninos e pretos para o pedaço de cadeira antes de enfiar o resto na boca, soltando um gemido de satisfação.

Algo brilha em minha visão periférica, e foco o olhar no bracelete prateado e incrustado de pedras preciosas no topo da cabeça dela, como uma coroinha. *Meu* bracelete prateado e incrustado de pedras preciosas.

Porra.

Acho que ela gosta mais da coisa do que eu gostava. Ela com certeza está cuidando melhor.

Vou ser devorada, com toda a certeza.

Depois de suspirar mais uma vez, pego a cadeira de três pernas da pilha e a arrasto pelo chão áspero de pedra que, para minha surpresa, está limpo, a não ser pela gosma fluorescente esquisita, e sigo para o espacinho vazio diante do ninho de cabelo e lixo da troglo-vellus.

A criatura fica imóvel de um jeito sinistro, com um caco de cerâmica a meio caminho da boca.

Coloco a cadeira no chão e subo nela quando a troglo-vellus inclina a cabeça para o lado, abaixando o caco, com os muitos olhos fixos em mim.

— Que petisquinho corajoso você é, aparecendo na minha frente como um lanchinho de meio de torpor.

Por dentro, tremo tanto que juro ouvir os ossos estalarem.

— Você está com algo que era meu — afirmo, dando de ombros.

Ela estreita mais os olhos pequeninos.

— O que é?

— O bracelete. — Aponto para onde a joia está, no topo da cabeça dela, os fiapos de cabelo viscosos se curvando ao redor da circunferência do objeto e o prendendo no lugar. — Quero de volta.

Ela solta uma risada estridente que cessa de forma tão abrupta quanto começou, lançando aquele olhar predatório para mim.

— Mas que petisquinho mais *mandão*...

Acho que foi um pouco mandão mesmo.

— Peço desculpas. Eu quero de volta, *por favor*.

— Ah, bom petisquinho.

Ela levanta a mão, com o dedo nodoso me fazendo lembrar das estalactites penduradas no teto.

O silêncio perdura enquanto ela desemaranha a joia da cabeça, uma mecha mole e oleosa por vez; o meu coração martela forte e rápido.

Será que vai ser tão fácil assim?

— Sabe — comenta ela, com a voz estranha, como se fosse um arranhado —, as coisas têm *lembranças*.

— Sério?

Fingir estar interessada é difícil enquanto estou implorando em silêncio para que ela não jogue o círculo prateado no ar e então engula de uma só vez.

Ela confirma com a cabeça, pendurando o bracelete na ponta da unha afunilada, levando-a ao nariz chato em forma de fenda, com todas as pálpebras ficando pesadas enquanto ela cheira com vontade.

Por dentro, faço careta... começando a compreender o rumo da prosa.

— Tem um cheiro bom, não tem?

— Um petisquinho bem esperto.

Eu *sou* esperta. Na maior parte do tempo. Esta situação toda é uma mancha em meu registro impecável.

Ela abre uma das mãos e enfia o dedão e o indicador de outra em um dos buracos abertos nas palmas. Beliscando, ela extrai dali uma corrente fluorescente que surge na forma de uma secreção densa e pegajosa, o que me faz querer vomitar.

— Quanto mais rica a lembrança, mais *disso* aqui consigo fazer.

— Entendo...

Ela continua puxando até formar um fio extenso da substância no solo diante dela, projetando luz na lateral de seu queixo afiado.

O último fio se solta do buraco na palma, saltando para a frente dela.

— Meu palácio não é lindo? — indaga ela, vaidosa, enquanto abre bem os braços.

Olho para o teto, absorvendo o lugar sob uma nova perspectiva de revirar o estômago, um chumaço de umidade elástica pingando em minha bochecha. Imagino que seja proveniente de um fio recém-pendurado.

Faço um grande esforço para não colocar tudo para fora.

— Muito lindo. Queria eu conseguir fazer secreções assim.

Mas, porra, ainda bem que não consigo.

— Isto aqui — murmura ela, dando uma tapinha com a unha nas pedras preciosas do bracelete. — Estive guardando para uma ocasião especial. — A troglo-vellus leva o objeto ao nariz e inala com vontade, fazendo um barulho assombroso, então grunhe. — Já sei que vai ser uma delícia.

Que desgraça. Estava torcendo para não precisar me livrar do que tenho no bolso no momento.

Enfio a mão ali, sacando um laço de couro de búfal trançado, que carrega um círculo entalhado de escamadraco preta para representar a cara com presas do cruel ceifassabre do paih.

— E que tal uma troca?

A criatura inclina a cabeça para o lado com brusquidão, como se tivesse fissurado um osso no pescoço.

— Uma troca, é? O que meu petisquinho tem aí na mão magricela?

— Era o málmr de minha mãin — respondo, erguendo-o diante de mim. — Um presente de meu paih, o falecido rei Ostern Vaegor.

— E como você... o *adquiriu*? Você o roubou, petisquinho? — Ela funga o ar. — Tem cheiro de roubado...

— E é. Roubei do quarto dele quando eu tinha 17 fases.

Imaginei que, se ele notasse, o ódio que nutria por mim seria ao menos um pouquinho justificável.

Ele não notou.

A troglo-vellus estala a cabeça para o outro lado, o gesto nada natural, e estou ao mesmo tempo enojada e preocupada com o bem-estar dela. A criatura funga o ar de novo, com vontade, e compreendo que de alguma forma o pulmão dela é maior do que o corpo esguio sugere.

— Isso aqui é mais pomposo, petisquinho. — Ela agita o bracelete para mim, o rosto formando o sorriso mais aterrorizante que já vi. — *Por pouco*.

Começo a ranger os dentes, surpresa quando não se quebram.

— Você também pode ficar com a corrente do bracelete. Eu não vou precisar.

Acho.

Ela solta um guincho assombroso que faz o peito tremer, e vai sumindo aos poucos antes de me lançar um olhar alegre.

— *Fechado*.

Uma sensação de alívio quentinha e pinicante me assola.

Ela solta a corrente antes de jogar o bracelete para mim. Seguro a coisa, e a cadeira de três pernas tomba para o chão sem meu peso para mantê-la na vertical.

Jogo o málmr para ela, e a criatura o segura pelo cordão, pendura-o no pulso, então joga a correntinha na boca como um grão de areia. O crac-crac estridente se segue, e imagino dentes se rachando. Ela arregala tanto os olhos que acho que vão saltar da cabeça e salpicar a pilha de excrementos de lembranças enrolada no chão perto do ninho.

A criatura para de mastigar, soltando outra risada barulhenta.

— Ah... você é um petisquinho *atrevido*, não é?

Gelo atravessa minhas veias.

Coloco o bracelete no pulso.

— Eu não me lembro de usar. Só lembro o que faz.

— Interessante — murmura, então inclina a cabeça daquele jeito dissonante e volta a mastigar.

Crac.

Crac.

Crac.

— Meu petisquinho quer saber os segredos da coisa?

— Melhor não — respondo, observando-a puxar um fio de uma das mãos da direita... muito mais luminoso que os outros revestindo o teto da caverna.
— *Com certeza*, deixa pra lá.

— Uns segredos tão, tão bonitos — comenta ela em um ronronar, as palavras atacando meus nervos.

Cacete, acho que é hora de meter o pé daqui.

Afugentando a tensão que sobe por minha coluna, arrasto a cadeira de volta para a pilha e lanço um olhar desconfiado a ela.

— Você não vai me comer enquanto saio, vai?

É difícil ter certeza, mas acho que ela franze a testa.

— Lógico que não, petisquinho. Eu não como aqueles que fazem negócio comigo. Só os que não fazem.

— E com quantos você já fez negócio?

Ainda puxando o fio brilhante da palma da mão, ela esfrega o queixo com outra mão livre, parecendo pensar bastante.

— Seis — revela ela, erguendo o málmr do paih ao nariz e fungando com vontade outra vez. — Incluindo você.

— Certo. — Olho para a pilha crescente de cordinhas pegajosas brilhando mais do que um ovo de plumalua. — Sorte a minha.

Dou um aceno, mas ela não parece notar. Está muito absorta na tarefa em mãos. Ou talvez ela note e não dê a mínima?

É provável que seja a segunda opção.

Dou a volta nas pilhas de lixo, o bracelete pesando em meu braço, um objeto que ganhei de uma tecemente bem perturbada que alegou saber falar a língua de Éter. Que, depois de ter estudado a fundo o *Livro de Voyd*, sabia o segredo para nossa existência insignificante.

Ela me disse que o bracelete teria duas serventias para mim. Que ambas seriam dolorosas, mas necessárias.

Não me lembro da primeira, então não posso atestar a respeito.

Provavelmente também não vou querer lembrar da segunda.

E le voltou.

Não me disse por que partiu, também não perguntei nem admiti o quanto tinha sentido a falta dele.

Muita falta.

Como se uma das minhas costelas houvesse se soltado e deixado um espaço dolorido bem em cima de meu coração.

Ele tinha uma nova cicatriz no braço, o que ele usa para tocar. Também estava usando um novo colar. Uma peça comprida e entrançada com couro presa a um pingente achatado redondo. Um plumalua prateado e um ceifassabre preto-avermelhado juntos, suas partes irregulares e vastas se encaixando umas nas outras.

Pelo que sei, só uma ceifassabre tem escamas prateadas, e ela mora em Gonodraco. Ninguém conseguiu chegar perto dela o bastante para subir em sua garupa e tentar domá-la; e, para ser sincera, espero que nunca façam isso.

Comi em silêncio, observando Kaan tocar o instrumento com aquele pingente pendurado com orgulho no peito...

Imaginando coisas.

Queria tocar a peça. Sentir o peso. Perguntar de onde era. E nenhuma dessas coisas era da minha conta.

Se ele me percebeu olhando, não transpareceu nem desviou o olhar das cordas do instrumento... não que alguma vez faça isso.

No geral.

Quando ele começou a tocar a "Sinfonia do Sol Silencioso", fechei os olhos e cantei, me perdendo na melodia e na presença firme e reconfortante dele. Então, quando a música acabou e abri os olhos, com certeza não esperava vê-lo olhando para mim.

Por um bom tempo, ficamos ali um olhando para o outro, com as verdades implícitas retumbando entre nós, mais palpáveis que o vibrar e o dedilhar das cordas do instrumento.

Algo que nunca senti se agitou por minha barriga e subiu pelo peito. Como se houvesse uma maritraça peluda presa entre minhas costelas, preenchendo-me com o pozinho que soltam e me iluminando de dentro para fora.

Atraída na direção dele como se arrebatada por uma corrente contra a qual não queria lutar, eu me levantei.

Cheguei mais perto.

Kaan ficou estático enquanto eu afastava o véu e me inclinava para perto dele, tão desesperada para saber a sensação de sua boca. Se era macia e quente como imaginava que seria.

Rocei a boca na dele... bem de leve.

Mal foi um toque, mas criou uma fissura em minha percepção do mundo e expôs as entranhas de uma versão nova da existência...

Algo maior.

Mais brilhante.

Mais feliz.

Eu queria ficar ali para sempre, sob aquele limiar ao mesmo tempo silencioso e barulhento, com o coração martelando tão forte e tão rápido que eu tinha certeza de que meu peito estava se rachando.

Eu sabia que era errado. Que eu estava infringindo mil regras diferentes. Mas, caralho, como algo tão errado poderia parecer tão certo?

Ele segurou meu rosto com tanta ternura que era como se tocasse um ovo de dragão, e virei o rosto para encostar na palma de sua mão. Aquilo me passou tanto conforto que eu queria ficar ali.

Para sempre.

Então ele me perguntou o que eu queria, e falei a verdade. Uma palavra de quatro letras que significava muito, considerando que eu estava prometida ao irmão dele.

Você.

Eu me afastei, com a chave na mão, e estava destrancando a porta quando Kaan me segurou por trás, virou-me, arrancou meu véu e me beijou com uma intensidade tão voraz que me perdi.

E me encontrei.

Era o beijo de alguém que queria me dar tudo. Não tomar nada. Ainda assim, dei todo o meu coração a ele. Percebi que era dele por direito.

Que vinha sendo por um tempo.

Eu estava prestes a arrastá-lo para o canto mais afastado da capoeira, onde fica um monte de palha para o qual Slátra não liga, quando alguém apareceu correndo pelo corredor, pedindo a ajuda dele em um assunto importante.

Quase flagraram nosso beijo. De fato, a pessoa ficou corada quando me viu sem o véu, sem dúvida percebendo o pedaço de tecido embolado na mão de Kaan antes de se virar e pedir desculpas pela intromissão.

Não me importei.

Eu não me sinto mais como Haedeon. Eu me sinto como Allume: cambaleando adiante, sendo moldada em algo forte apesar de meus pedaços quebrados.

Talvez eu até voe também.

Raeve

CAPÍTULO 66

Desço a escada em espiral, empurro as videiras penduradas e sigo pela mata, percorrendo um caminho desgastado que eu trouxe de volta à existência ao longo dos inúmeros ciclos desde que vim para cá.

O tempo funciona de modo diferente neste lugar. Ele se dobra em si mesmo como uma cotovia de pergaminho, escondendo segredos rascunhados que insisto em guardar longe de vista.

E mais longe.

E muito mais longe.

O caminho desemboca em uma pequena nascente formando uma poça sob a cachoeira borbulhante, e sorrio.

Deixo a bolsa e a toalha na margem de pedra, tiro as vestes, dando passos hesitantes para dentro da água fria com uma barra de sabonete de bagabrejo e um pedaço de pedra-pomes que surrupiei da margem de cascalhos da Prézea. Esfrego as roupas, a mim mesma, então ensaboo o cabelo e o enxaguo sob a queda-d'água, passando um óleo condicionador pelas madeixas pesadas, e deixo que pinguem por minhas costas. Torço as roupas, estico pela videira de galhos baixos, então me enrolo com a toalha e guardo as coisas na sacola de malha que comprei em uma das barracas no mercado de Dhoma.

Caminhando pela mata, paro para pegar umas bagabrejos pretas de amontoados de arbustos selvagens que crescem sob as bases das árvores, colocando em um saco de fibra trançada. Vasculho a vegetação rasteira para coletar nozes-de-gongo que também jogo ali dentro, junto com melão-orvalho--de-cobre que aninho na mão enquanto volto para a casa.

Cantarolando uma melodia alegre, subo pela escadaria e esvazio as mercadorias surrupiadas em uma tigela de barro grande, enxaguando as bagas, quebrando as nozes, cortando o melão em pedaços suculentos que organizo em uma bandeja. Coloco os alimentos na mesa ao lado da caneca terracota com água e me sento, prestes a morder um pedaço de melão quando meu olhar para na prateleira.

No diário que adquiri na Ornato da Pena.

Eu me levanto e vou até ele, esticando a mão para o tirar de lá, passando os dedos pelo plumalua gravado na capa. Volto o olhar a pena antiga que limpei há vários ciclos, então para o tinteiro.

Dando de ombros, levo os três itens para a mesa e coloco tudo ao lado da bandeja, abrindo o diário, transbordando com um ímpeto de... *escrever*.

Nunca tive vontade de escrever em um diário antes. Mas este lugar me causa coisas esquisitas e inexplicáveis, e, no geral, só tenho deixado as coisas acontecerem. Dando vazão a esses ímpetos estranhos neste local silencioso em que não há olhos. Nem ouvidos.

Nem *ordens*.

De início, chamei a coisa de experimento. Agora, vejo de outra forma.

Acho que estou aprendendo a existir sem algemas nem expectativas. Sem a mágoa e o medo debilitante da perda que sai de meu coração e invade a cabeça.

Acho que estou aprendendo o que significa *viver*.

Fallon ficaria orgulhosa.

Em maior parte.

Molho a pena, parando para colocar uma bagabrejo na boca, a explosão da doçura ácida preenchendo minhas papilas gustativas enquanto rascunho os pensamentos no diário, as palavras fluindo com mais facilidade do que eu esperava...

Tentei ir embora.

(Pelos Criadores, como tentei.)

Mas, todas as vezes que juntei as coisas e saí com a intenção de pegar um fundífera e atravessar as planícies para quebrar o pescoço de Rekk Zharos, acabei voltando com novas toalhas.

Lençóis.

Um conjunto de costura para consertar a cama estragada.

Um anel de ferro para eu não chorar quando chover.

Com extensões de materiais e tesouras para fazer cortinas novas, então um rolo de couro de búfal que usei para consertar as cadeiras e os assentos porque, ao que parece, agora tenho habilidades manuais.

Essi ficaria orgulhosa. Eu só estou... perplexa. Atormentada. Talvez um pouco desatinada.

Talvez muito desatinada?

Não tenho certeza de como lidar com esta parte de mim que parece determinada a dar uma nova vida a esta casinha esquecida. A mesma parte que parece não conseguir se separar desse senso de pertencimento que nunca senti.

Nunca.

Aqui, estou mais sozinha do que já estive, isolada por completo do resto do mundo. Ainda assim, de alguma forma, é o exato oposto.

Tem sido difícil virar as costas para o eu que floresceu entre estas paredes, é como analisar uma tragédia em marcha lenta, que avança tão devagar que nunca se chega à parte dolorosa.

Estou vivendo no limbo. Na bolha do tesão e na onda da esperança, bêbada com o sentimento estonteante que corre por minha barriga toda vez que tenho um vislumbre de algo tão... ele e ela.

Elluin e Kaan.

Conforme os ciclos vão passando, cheguei à conclusão lenta e desconfortável de que Kaan se apaixonou por uma versão minha antiga e distante, que devia ser mais suave.

Mais gentil.

Uma versão minha que teve coragem o suficiente (ou talvez estupidez o suficiente) para amar.

Sei que isso é perigoso. Que passei a vida toda presa e faminta, e agora sou uma fugitiva gulosa devorando as migalhas antigas de uma felicidade que pertencia a outra pessoa. Porque foi outra pessoa.

Com certeza não fui eu.

Pode chamar de curiosidade mórbida, mas uma partícula de mim está desesperada para saber o que me arrancou deste lugar; enquanto todas as outras têm certeza de que nunca quero ter resposta para essa pergunta venenosa. Nem minha sede pelo sangue de Rekk Zharos consegue me afastar deste cantinho de felicidade no momento... ainda assim, algum dya, fui embora. De algum modo, eu o perdi.

Perdi a mim mesma.

Perdi um dragão que, ao que parece, me amava o suficiente para me levar para o céu com ela e se calcificar ao meu redor como um túmulo feito para nós duas.

É difícil moldar essa verdade em um formato que eu consiga engolir sem me engasgar. Todo ângulo que analiso, sinto que estou vendo só a ponta arredondada de algo muito grande e muito pesado para suportar.

A intuição me diz que não tenho a capacidade de absorver toda essa tristeza, e por isso tomei uma decisão. Agora só tenho que criar a coragem de executá-la.

Deixar tudo isso para trás. Para sempre.

Mas não agora...

Ainda não vou parar de imaginar.

Kaan

CAPÍTULO 67

Sigo pelo corredor, usando as costas da mão para enxugar o suor dos olhos, fazendo uma curva e vendo Pyrok correndo até mim... sem camisa, parecendo que caiu da cama ao som das trombetas no mirante anunciando minha chegada.

— Você parece sóbrio.

Ou perto disso.

— O ciclo mal começou — responde ele, andando ao meu lado. — Bem-vindo de volta.

— Pelo visto Veya ainda não voltou?

Eu tinha esperado que, quando pousasse, ela corresse para me cumprimentar como costuma fazer. A situação parece estranha sem tê-la ali, chegando com mil perguntas na ponta da língua, pronta para atirá-las em mim.

Parece...

Vazio.

— Não. A última cotovia que recebi dizia que ela estava quase perto do muro, mas faria umas paradas, o que a atrasaria um pouco. Imagino que ela esteja em Arithia por agora. Talvez já esteja voltando.

Resmungo, sem querer saber nada dessas *paradas* mencionadas.

— Por que está com cheiro de enxofre? — pergunta Pyrok.

— Levei Grihm a Gonodraco — revelo enquanto fazemos outra curva.

— Quê?

— Larguei o infeliz na tenda de nidificação para ele tentar roubar um ovo da grande ceifassabre prateada.

Há um momento de silêncio enquanto duas sentinelas que guardam meu escritório batem as lanças no chão ao me verem, abrindo as portas.

— Ele vai morrer — murmura Pyrok. — E nem se despediu. Mas que merda...?

Não me dou ao trabalho de responder.

Já tive muito tempo para lidar com os mesmos sentimentos, e agora estou em um nível próximo da aceitação, um ponto em que não quero mais socar a parede nem socar a mim mesmo por ter permitido que ele me convencesse a deixá-lo lá. Depois que ele disse que ou faria aquilo sozinho ou não faria jamais.

Entendo. Invadir um ninho ou cativar uma fera já crescida é uma jornada muito pessoal para aqueles que escolhem trilhá-la pelos motivos certos...

Mas ainda é irritante.

Entro no escritório, o espaço grande e vazio a não ser por uma mesa de pedra e dois assentos de couro idênticos; aparentemente do mesmo jeito como deixei tudo.

Indo até a parede de cortinas nos fundos, abro-as, expondo a vista para a Prézea além e enchendo o cômodo com uma explosão de luz. Iluminando as marcas de carvão pelas paredes.

O único adorno necessário ali.

Me lembro das estantes que antes ficavam encostadas às paredes, cheias de relíquias do tempo de reinado do paih. De como foi bom ver tudo queimando, ainda sujo com o sangue dele e segurando sua cabeça, depois que irrompi na Fortaleza.

Ele se dedicou muito a este lugar e pouco a ser um paih decente para Veya.

Para mim.

Agora o cômodo se assemelha à uma cavidade torácica vazia, e gosto assim. Qualquer coisa além seria honrar a memória dele de um jeito que o homem não merece.

— Vi Grihm levar botas rúnicas para dentro da suíte de dormir — comenta Pyrok enquanto se joga no assento diante do meu. — Agora faz sentido pra caralho.

É, faz.

Jogo as algibeiras no chão e passo as mãos no rosto antes de me voltar para a mesa.

— E agora?

— Se ele conseguir voltar para a tenda, vai mandar uma cotovia pedindo para um de nós ir buscá-lo — respondi, jogando-me no assento.

Sentindo o cheiro de minha camisa, franzo a testa, seguro o colarinho e dou uma fungada. Suor, enxofre e cinzas.

Com certeza preciso de um banho. E de comida. E de dormir um pouco, porra... de preferência, em algo que não seja areia ou terra com apenas a asa de Rygun como proteção para evitar ser estraçalhado por predadores.

Sendo justo, acho que o dragão ficaria bem contente no norte para sempre, desfrutando do calor e da miscelânea vasta de criaturas que tentaram driblá-lo e me capturar enquanto eu dormia.

Tenho certeza de que ele amadureceu.

— Buscar ele e o *dragão* recém-nascido — elucida Pyrok.

— Não vamos nos precipitar. — Enfio a mão no bolso, buscando todas as cotovias de pergaminho que vinham se acumulando ao longo dos últimos trinta torpores em que estive fora. — Uma coisa é roubar um ovo. A *incubação* é outra história.

Jogo umas cinquenta cotovias amassadas na mesa, apertando o osso do nariz enquanto as analiso.

— Está atrasado na papelada, pelo que vejo.

— Para que eu te pago mesmo?

— Com certeza não para fazer *isso* — contrapõe ele, bufando.

Ergo a sobrancelha, aguardando. Na verdade, curioso. Tudo o que o vejo fazer é beber hidromel.

— Para adornar o ambiente com minha beleza — responde ele enfim, abrindo um sorriso. — Roan que é o irmão útil, lembra? Ele ficou com o cérebro; eu, com o cabelo. E a simpatia. Também sou bom pra caralho com a líng...

— Entendi.

O sorriso de Pyrok fica maior, e ele apoia o tornozelo sobre o joelho, brincando com o piercing no lábio inferior. Sem nem se mexer para me ajudar a organizar os papéis.

Suspiro, esticando a mão pela mesa para pegar a pilha de quadrados de pergaminho pré-runado e a pena preta, alisando uma das cotovias e lendo os escritos, fazendo careta quando vejo a data.

O pobre Krove está esperando, há mais de vinte ciclos, a assinatura de aprovação final da cota de caranguejo-caseiro.

Molho a pena e começo a rascunhar um pedido de desculpas.

— Falando nele, Roan já voltou?

— Não.

Balanço a cabeça.

Talvez eu mande alguém para dar uma checada e ver se ele está bem.

— Então... vai perguntar dela?

Sinto calafrios, e aquele órgão estúpido em meu peito se empala em uma das costelas.

— Não — respondo entredentes, molhando a pena no tinteiro de novo para escrever a mensagem.

— Ela ainda está aqui.

Me detenho, fechando os olhos enquanto suspiro de novo. Devagar, coloco a pena na mesa, recosto-me na cadeira e cruzo os braços, focando toda a atenção em Pyrok. Erguendo a sobrancelha, espero que ele prossiga.

— Eu a vi nos mercados.

Continuo com a sobrancelha levantada.

— Ah, é?

Ele confirma com a cabeça.

— Comprando umas porras.

Fico o encarando, esperando que continue. Ele segue calado.

— Bem, que tipo de *porra*?

Ele revira os olhos, como se fosse uma pergunta absurda; só que não é. Não para o órgão em meu peito que é bobo demais para o próprio bem.

Pyrok começa a enumerar coisas nos dedos.

— Couro, sabão, emplastro, toalhas. Ela foi ao Ornato da Pena e ficou esperando do lado de fora enquanto um petiz entrou e pegou algo para ela, e não sei dizer o que era porque não consigo ver através do couro. E eu *acho* que ela comprou um saco de penas de um criador local de alvorocinhos, mas pode ter sido grão. — Ele dá de ombros. — Tentei manter distância.

Franzo o cenho, volto o olhar para a pilha de cotovias amassadas enquanto absorvo as informações. Para mim, parece que ela está se acomodando no lugar, não se preparando para ir embora. O que não faz sentido. A menos que ela esteja... se *lembrando* de coisas. Talvez criando um novo apego ao lugar.

Meu peito aperta com o pensamento, e faço um esforço para não grunhir enquanto esfrego o rosto de novo... preciso muito de um banho e talvez uma parede na qual bater a cabeça.

— Você vai às celebrações do Chamedraco? — indaga Pyrok, e me inclino à frente, voltando a desdobrar o resto das cotovias amassadas.

— Lógico, vou erguer as plataformas.

— Eu me refiro a ir ao festival *de verdade*.

Ergo a sobrancelha, passando metade dos papéis para ele.

— Eu já participei alguma vez?

Ele continua sem mover um dedo para ajudar, e em vez disso estreita os olhos.

— Você acha mesmo que este é o momento certo para virar um cuzão teimoso?

É o momento perfeito, na verdade.

— O último Chamedraco que passamos juntos foi a última vez que a vi viva. — Desamasso outra cotovia e a esmurro em cima da pilha. — Passamos o torpor juntos, e no dya seguinte saí para ajudar a reconstruir um vilarejo.

Na vez seguinte em que vi Elluin, foi com Slátra, de luto, levando o corpo dela sem vida para o céu. — Solto um grunhido, esmurrando outra cotovia em cima da maldita pilha. — Então, não, a ideia de convidá-la para a celebração do Chamedraco não me anima, e não vou me desculpar por minha resistência.

— Talvez dessa vez seja diferente?

Dou uma risada... baixa e sem humor.

— Talvez ela fatie meu coração de um jeito diferente? Sem dúvida. Ela gosta bastante de fatiar. Também leva muito jeito.

Pyrok suspira, batendo o punho no braço da cadeira.

— Olha, só sei que eu a ouvi perguntar ao mercador se eles tinham visto o rei por aí. Use essa informação como quiser — murmura ele, então se levanta e segue para a porta.

Faço uma cara confusa.

— Aonde está indo?

— Me embebedar no quarto de Grihm enquanto saqueio a coleção de adagas dele — responde, devagar, passando pela soleira. — Considerando que é provável que o desgraçado já tenha morrido.

O som da bota dele vai sumindo, e inclino a cabeça para trás, olhando para o teto.

Mas que... *caralho.*

Largando as cotovias para lá, levanto-me e vou até as portas da sacada, abrindo-as, e então saio para o brilho forte do sol, diante da vista de Dhoma e a Prézea.

A ponta oeste.

Ando até a balaustrada revestida de videiras, apoio os cotovelos ali, e meu coração bloqueia a via respiratória quando vejo uma figura ao longe... bem onde a água toca a margem labiríntica. Franzindo a testa, volto ao escritório e pego o lunetoscópio de cima da mesa, então volto para a sacada e estico a ferramenta, levando-a ao olho e apontando na direção da figura.

A visão me desmonta.

Raeve está pulando de pedra em pedra: descalça, com a maior parte do cabelo amarrada no topo da cabeça, com a bochecha e o ombro um pouco bronzeados pelo sol. Ela usa a camisola preta reta e curta que usava quando a levei para ver Slátra, uma das alças finas caída no braço.

Ela não se dá ao trabalho de ajeitar, como se nem tivesse percebido, em vez disso se agacha e pega uma concha entre as pedras. Inspeciona o objeto de todos os ângulos antes de colocá-lo em um cesto pendurado no braço.

Engulo em seco quando ela endireita a postura, focando o olhar afiado e glacial na direção...

Sinto a palpitação no peito.

Na direção da capoeira de Rygun...

Ora, caralho. Parece que ela está mesmo pensando em nós.

— Pronta para mais uma rodada, Raio de Lua?

Ela põe uma mecha solta de cabelo atrás da orelha, com uma ânsia nos olhos que bagunça meus batimentos cardíacos.

Bato o lunescópio na mão, fechando-o e considerando as implicações de arrancar meu próprio coração e esmagá-lo contra a pedra. Assim facilitando para ela.

Embora talvez Pyrok esteja certo. Talvez seja diferente, *sim*, desta vez.

Talvez seja pior.

De todo modo, não há mais ninguém a quem eu serviria meu coração em uma bandeja... de novo e de novo e de novo... como um vira-lata, desesperado e apaixonado, implorando por carinho.

Registro no diário

Elluin Neván

Idade: 19 fases
5.000.040 fases Depois da Pedra

H oje participei de uma Dízima.

Como o paih dele está fora, Kaan sentou no trono de bronze, aceitando oferendas, retribuindo àqueles que têm pouco a oferecer.

Fiquei observando no fundo do salão enquanto ele falava com cada um, cheio de uma graciosidade e equidade tão explícitas que me lembrou da forma que a mãin e o paih governavam o reino, e senti uma enorme saudade de casa ao pensar nisso...

Paih não respeitava o rei Ostern. Dizia que os valores dos dois não batiam. Que Ostern não se importava com ninguém que não ouvisse as canções elementares.

Vi Kaan oferecer um saco cheio de ouro a uma família jovem com dificuldades, e decidi que o paih teria respeitado o filho mais velho do rei Ostern.

Kaan me viu do outro lado do espaço amplo, nossos olhos focados um no outro, e tenho certeza de que o mundo parou.

Eu me senti tão exposta diante dele, impregnada com um calor ardente que nada tinha a ver com o calor sempre presente escaldando este lugar. Com certeza meu corpo acabaria chamuscando de dentro para fora se nós dois não nos aproximássemos, e tive dificuldade de enxergar qualquer outra coisa em meio à bruma de desejo insaciável.

Fui para trás de um pilar antes que alguém percebesse, desesperada para conseguir recuperar o fôlego que tinha sumido de repente.

Sei que as coisas que desejo são proibidas.
Já não tenho mais razões para me importar.

Por quase duas fases, venho existindo nesta Fortaleza como uma das sombras...
Estou farta de viver a vida que me mandaram viver e não a que desejo ter.

Raeve
CAPÍTULO 69

O corpo dele é grande, denso, vivo embaixo de mim, seus joelhos dobrados afastam minhas pernas, me abrem.

Toda exposta, mexo os quadris, tentando forçar o toque dele na direção daquele ponto de nervos sensíveis.

— Por favor...

— Você não precisa implorar por mim, Raio de Lua.

As palavras dele sacodem meus ossos, e seus dedos roçam onde mais preciso; tão de leve que é só a promessa de um toque.

Meu corpo se acende, o coração martela em uma vontade agressiva. Puxo o málmr no pescoço dele com força.

— Se você me quer — ele encosta a boca em meu ouvido, mordiscando com delicadeza —, eu sou seu, porra.

Grunhindo, passo a mão pelos músculos tensos no braço forte, no pulso, nos nós dos dedos.

Nos dedos.

Eu o empurro para dentro de mim, sendo arrebatada pela maré de prazer, com as coxas ficando mais relaxadas.

Abrindo mais.

— Para sempre — murmuro, com um gemido, fazendo com que ele vá mais fundo. — Eu quero você para sempre.

Ele faz um barulho denso e estrondoso, e a outra mão aperta minha mandíbula e vira minha cabeça para o lado. Tenho um vislumbre de olhos âmbar ferozes antes que ele me dê um beijo que acaba com minha habilidade de respirar ou de pensar... prisioneira do gosto insaciável dele. Da forma como ele comanda minha boca e língua.

Me devorando.

Rebolo para acompanhar a estocada profunda de seus dedos e o beijo voraz, meu corpo se elevando...

Elevando...

Ele nos muda de posição, abre mais minhas pernas, então segura minha cintura e me puxa, fazendo-me esticar a coluna. A mão firme pressiona o espaço entre minhas omoplatas antes de ele esfregar a cabeça dura do pau na minha entrada molhada e pulsante. Tão aberta.

Tão pronta...

*U*m rosnado de cortar o ar rompe meu mundo dos sonhos, é como fechar um livro bem na parte boa.

Abro os olhos, com um gemido frustrado movido pela paixão subindo pela garganta: faminto, feroz e tomado de *vontade*.

Seguro o rosto e solto um grunhido, ainda sentindo o peso do corpo de Kaan no meu. Movimentando-se com o meu.

Dentro do meu.

Tremendo por causa das vibrantes ondas de choque do sonho, me impulsiono para me sentar, com gotas de suor acumuladas entre os seios, os mamilos duros e eriçados.

Balanço a cabeça, passando as mãos pelo cabelo úmido.

Está piorando.

Bem... melhorando, na verdade. De maneira substancial. Mas fica mais difícil de me desvencilhar.

Uma sombra cobre o espaço de dormir.

Confusa, olho para cima, pela fenda que mostra o céu, tendo o vislumbre de escamas ferruginosas escuras. Outro rosnado estridente corta o lugar, e meu coração acelera quando compreendo o que *de fato* me acordou.

Um dragão. Sobrevoando quase perto o bastante para abaixar a cauda e despedaçar o lugar todinho.

Saio da cama e me deito no chão, esperando pelo baque retumbante das asas da fera cessar. Quando enfim arrisco espiar o teto, sinto meu coração ficar estático.

Bem alto no céu, quase perto o bastante para tocar na lua bronzeada pontiaguda acima da cidade, um par de ceifassabres gira junto, guinchando enquanto se revira e rola em meio a uma efusão de fitas de aurora. Fitas *demais*.

O céu se rompeu? A guerra chegou a Dhoma?

Ainda próxima do chão, estico a mão para a pequena pilha de roupas que venho colecionando ao longo dos ciclos, pegando o bom e velho vestido preto e o subindo pela cintura. Enfio os pés na bota, então pego a bainha de couro enquanto desço a escada. Prendendo à coxa sem olhar, saio para a mata ao som de outro guincho estridente.

— Merda — murmuro, encostando na pedra, com o coração batendo forte e rápido.

Prendo a última fivela enquanto busco por qualquer sinal de perigo, sem ver nada de errado. Embora haja uma canção distante cadenciada junto ao baque de tambores que, com certeza, não se parecem com o som que imaginei que tambores de *guerra* fariam. A batida é... alegre?

O que está rolando?

Afastando o cabelo do rosto, disparo pela mata, cortando os arredores em segmentos vasculhados. Na caça de qualquer irregularidade.

Mais guinchos de dragões, tanto perto quanto longe, sacodem o ar que está tomado por um cheiro doce e picante, quase como se o mundo fosse uma flor desabrochando.

Eu me afasto da folhagem densa, descendo pela borda vertical da maré e pisando na margem de cascalhos da Prézea.

Arregalo os olhos, algo dentro de mim ficando tão estático que sinto que cada batida do coração é um terremoto em comparação.

Pedras terracota rangem sob meus pés enquanto me aproximo da água corrente, analisando o céu...

Com certeza é uma ruptura.

Um rabisco de fios prateados de aurora dança à própria batida pulsante... há *milhares* deles. Como se uma torneira que não pinga mais que dez gotas por vez jorrasse de repente, abundante.

Muita água.

Dragões planam e giram em espirais pelas fitas metálicas de luz, alguns sozinhos, outros em pares, todos fazendo movimentos espetaculares.

Franzindo a testa, olho para a cidade ao longe.

Quase todas as estruturas labirínticas ostentam uma bandeira prateada... um levante de fitas compridas tremulando, uma se emaranhando na outra. A esplanada é um borrão vibrante de movimento, o vento soprando o cheiro de hidromel e carne assada até mim.

Com certeza não parece haver nenhuma *guerra* acontecendo. Só algum tipo de celebração que nunca vi.

E o céu que se rompeu.

Penso em uma conversa antiga que ouvi entre dois mercadores um tempão atrás. Falavam de algo chamado *Chamedraco*. Diziam que os almíscurus previram que um aconteceria em algum momento nesta década, e que esperavam que houvesse um grande fluxo de ovos fertilizados nas zonas de desova depois.

Talvez seja isso? Os dragões no céu de fato parecem estar de... *chamego*.

Minha bochecha fica vermelha.

Bom para eles. Ao menos alguém está transando na vida real e não só em sonho.

Olho para a cidade de novo, sentindo uma onda de adrenalina me atravessando.

Algo nessas fitas prateadas, tambores e dragões me faz querer correr *na direção* de algo para variar. Arrancar as grades do autocontrole e expor meu coração faminto, amassá-lo até virar lodo, misturá-lo a mais umidade e moldá-lo em algo suave de novo.

E por isso mesmo eu não deveria ir lá.

Do outro lado da cerca de terracota cheia de runas, a realidade espreita como uma fera pronta para caçar.

Para matar.

Dou as costas para a cidade, voltando para a mata, mas algo em minha visão periférica me faz parar.

Olho para a árvore em que encontrei o entalhe, e há um cesto trançado preto pendurado em um galho curto e nodoso.

Meu coração começa a palpitar, e prendo a respiração.

Quem deixou aquilo sabe que estou aqui, apesar de eu ter sido discreta. O mais importante, sabe que não tem mansanha *nenhuma* morando desse lado da cerca.

O enigma não é assim tão difícil de adivinhar.

Vou na direção da árvore, espiando o cesto como a brasa que é, sabendo que uma exalação proposital sobre a superfície pode acender a coisa.

Fazer *pegar fogo.*

Engolindo o temor que sobe pela garganta, sinto o peso do cesto na mão e o tiro do galho, colocando no chão. Remove o tecido cobrindo o conteúdo, quase certa de que o gesto arrancará a casca de uma ferida de um jeito ou de outro.

— Pelos Criadores — murmuro, analisando a máscara delicada e etérea no meio do ninho de seda prateada.

Uma confecção elaborada com fios argênteos e discos perolados planos que reluzem à luz do sol. Há fitas presas nas laterais, talvez para que seja amarrado na nuca.

Coloco o objeto de lado e ergo a poça de tecido sedoso, expondo um vestido como nunca vi: faixas de material drapeado e pinçado com broches de diamante em alguns pontos. Debaixo da vestimenta, encontro calçados incrustados com cristais combinando, assim como a garrafa rolhada de um emplastro bloqueia-sol. Do mesmo tipo que comprei em uma loja muitos torpores atrás quando percebi que tomar banho pelada na nascente era a receita certa para pele rachada e sono agitado.

A última coisa no cesto é um pergaminho dobrado de modo elaborado para o qual lanço um olhar de soslaio como se fosse saltar e me morder.

Olhando para a cidade de novo, saco o bilhete e o desdobro.

O málmr de Kaan cai em meu colo, e meu coração quase salta pela boca.

Por um bom tempo, fico olhando para o pingente bonito antes de enfim ler o bilhete:

Dança comigo?

Fecho bem os olhos ao pegar o málmr e o segurar com força, um temor sutil correndo por mim.

Existe um peso a mais ao bilhete entremeado nas duas palavrinhas. Um peso na máscara. No vestido.

O málmr que fala de um *nós* que existia muito tempo atrás.

Acho que ele está me pedindo para *fingir*. Para baixar a guarda e abrir o coração para ele nesta ocasião especial.

Encho o pulmão com o ar doce e esfumaçado e volto a olhar para a cidade, com uma certeza se assentando dentro de mim. Uma energia pronta a irromper.

A se liberar.

É isso. O alfinete que vai estourar a bolha de imaginação na qual me perdi. Na qual me *encontrei*, sendo honesta.

Não que isso mude alguma coisa.

Mas que encerramento espetacular será. Uma despedida digna em nome a tudo o que já fomos. Agora vejo, é admissão silenciosa que devo a... *nós dois*.

A ele.

Antes que eu apague tudo.

Registro no diário

Elluin Neván

Idade: 19 fases
5.000.040 fases Depois da Pedra

Ao cair desta aurora, não houve entalhe nem refeição. Só uma cotovia de pergaminho dobrada pela metade e uma estranha chave enferrujada.

Dobrei a última linha de ativação, e a cotovia alçou voo, disparando pela escada que leva até a capoeira de Slátra, mas depois seguindo para mais baixo, por um túnel escuro em que nunca tinha reparado. Segui a coisa por um longo caminho, a chave abrindo uma porta diferente que revelou a margem de cascalhos que aninha a Prézea turquesa reluzente, agitada graças a uma tempestade próxima.

A pobre cotovia... estava ficando toda encharcada, lutando para se manter no ar, então a peguei, aninhando entre as mãos a coisinha frenética, como uma maritraça presa.

Tentei discernir a direção desejada com base em como a cotovia pressionava meus dedos... traçando um caminho torto e confuso pela mata.

Comecei a ficar nervosa, ponderando se era uma emboscada. Se alguém queria me matar para roubar a Pedra de Éter, pensando que era um tesouro inestimável e não a maldição sugadora de alma que é de fato. Mas então cheguei à habitação entalhada no penhasco. Uma casa tão escondida do mundo que suspeito ser impossível que qualquer outra pessoa encontre.

Kaan estava lá dentro, sentado a uma mesa de pedra que ele tinha feito para nós, o ar tomado pelo cheiro de carne de búfal e ensopado de raiz de canim.

Ele me contou que o lugar era um presente dele para mim, mas que ele não precisava vir junto com o presente. Que bastava eu falar e ele sairia para a mata e nunca mais voltaria.

Eu estava em cima dele antes que ele terminasse a frase.

Ele é fogo e enxofre. Sou gelo estilhaçado. Nossa colisão é vapor e destruição, destinada a se dissipar, mas vou queimar feliz debaixo dele até que o mundo todo venha abaixo.

Raeve

CAPÍTULO 71

*H*á um homem conhecido encostado no muro de pedra de costas para mim, o caos de madeixas vermelhas espalhado pelos ombros.

— Parece que alguém te arrastou pelo cabelo por um arbusto — comento, seguindo na direção de Pyrok, com a máscara concedida formando um escudo elegante em meu rosto.

Ele se vira, abrindo um sorriso de dentes reluzentes.

— Tudo parte do meu chame. As mulheres amam. Usam o cabelo como *rédeas*.

— Esta aqui não fará isso.

Ele arregala os olhos.

— Porra, espero que não. Eu gosto da minha cabeça, e do meu pau, onde está. Também gosto de *viver*.

Pigarreio e finjo que não entendo *exatamente* o que ele quer dizer, analisando a túnica de couro vermelho feita para enfatizar o peito largo dele. A parte superior do rosto está escondida atrás de uma máscara feita de penas laranja e vermelhas de um fundífera, e ele até substituiu os piercings por uns avermelhados para combinar.

— Então. Imagino que você seja meu acompanhante?

— Em um nível apenas platônico.

— Se você tivesse *mais* relações platônicas, talvez não andasse por aí com o cabelo parecendo um ninho de pássaro.

Ele sorri, enfiando os dedos dentro de um saquinho que tem na mão.

— Que bom que a mansanha não sugou seu cérebro pela narina.

— Um choque, eu sei. — Faço uma pausa antes de chegar ao muro e coloco o calçado no chão para ajustar o material drapeado no busto, me certificando de que está bem preso. — Quem pintou os avisos na parede?

— Veya.

Ergo as sobrancelhas, parando de mexer as mãos.

— Kaan perdeu a cabeça depois que você morreu — explica ele, dando de ombros. — Ela sabia que ele se arrependeria se o lugar acabasse em total desordem.

— Ah — murmuro, enfiando essa informação espinhosa debaixo de meu lago congelado com a velocidade de um relâmpago. — Então você me conheceu... *antes*?

— Um pouco. Caramba, foi um tempão atrás...

— Você não se lembra de muita coisa?

— Pelo contrário — contrapõe, dando uma piscadela. — Minha memória é a arma mais eficiente em meu parco arsenal.

Certo.

— Bom para você.

No fim das contas, a minha é uma merda. Não que eu esteja reclamando. Ele joga uma coisinha vermelha no ar e pega na boca, mastigando.

— Quer saber de alguma coisa? — indaga, com um tom esperançoso na voz que esmago antes que possa subir por minha perna e me picar.

— Pelos Criadores, não. Eu só estava curiosa.

Essa história de conhecimento é poder e tudo mais. Quando eu apagar Kaan da memória, vou precisar cortar todos os conectores ao *antigo* eu.

A Elluin.

Isso agora inclui Pyrok. O que deve ser uma boa coisa, considerando que estou começando a me afeiçoar a ele.

Ele pigarreia, puxando a corda e fechando o saco das guloseimas como se tivesse perdido o apetite de repente.

— Bem — diz ele, girando o dedo, com um tom pesado que não estava ali antes. — Vamos ver como ficou o traje.

Dou um giro, com o cabelo preso em uma trança que começa no topo da cabeça e vai até a lombar, presa com um dos grampos que tirei do vestido. O vestido é uma faixa de tecido franzido sobre os seios, mais pano apertado ao redor da cintura antes de se derramar como um esguicho de tentáculos prateados.

Nunca tinha usado algo tão feroz.

Que caísse tão bem.

Que fosse tão *sensual*.

Minha parte favorita são os dois triângulos idênticos feito de um material brilhante preso aos ombros que me perseguem em uma vibração de movimento. Como asas fininhas. Embora eu tenha deixado o málmr de Kaan na casa.

Parece mais seguro lá.

— Foi difícil prender nas costas, mas acho que consegui — comento, olhando por cima do ombro para o ponto em questão.

— Acho que conseguiu. — Pyrok coloca as guloseimas no bolso, analisando o vestido outra vez. — Embora pareça que você largou metade do vestido por aí...

— E larguei — confirmo, pegando o calçado antes de jogar a perna por cima do muro.

Está quente, e me acostumei a ficar pelada no meio do mato... embora não conte isso a ele.

Aquele tecido todo pareceu desnecessário, então soltei umas partes aqui e ali. Cruzei outras. Fiz uns nós aqui e ali.

Dei asas à artesã fodona que tenho dentro de mim e a deixei voar.

Pyrok ri, balançando a cabeça.

— Agora vamos lá — instrui ele, seguindo para a cidade. — Estamos perdendo o melhor da festa.

A esplanada é uma profusão de cor e folia.

Nós nos embrenhamos em meio à agitação do povo vestido com riqueza, petizes mascarados correm ao redor com gravetos nas mãos; as fitas prateadas compridas presas nas pontas girando e se agitando ao vento. Eles rosnam como dragões enquanto um persegue o outro. Um pega o outro.

Caem em um amontoado risonho de fitas, penas e asas de mentira.

Todo mundo está mascarado, usando obras artesanais feitas de diferentes materiais. Penas de fundíferas e escamas de ceifassabres. Algumas são feitas de placas de cobre portando os amassados provenientes da ferramenta usada para os moldar, outras são criações de crescentes de pérola em forma de barbelas penduradas das papadas como plumaluas elegantes.

Chegamos perto de uma carroça que parece oferecer hidromel de graça, e Pyrok faz um desvio para conseguir uma caneca.

— Quer um?

Arqueio a sobrancelha.

— Está meio cedo, né?

Ele me lança um olhar de confusão genuína antes de beber a coisa toda em três goles grandes.

— Para se hidratar? — pergunta ele, usando as costas da mão para enxugar a boca e recolocando a caneca vazia na mesma bandeja, depois pegando outra. — Acho que não. O sol está feroz. E, mesmo se não estivesse, tem jeito melhor de fazer o desjejum?

Balanço a cabeça, esperando que ele conheça alguém forte o bastante para levantá-lo do pavimento depois, considerando que estou morbidamente ciente de como é difícil fazer um corpo daquele tamanho sair do lugar.

A não ser que esteja em pedaços.

Chegamos a um caminho que vem da costa e se divide em três a partir de um cruzamento, se espalhando em direção a plataformas suspensas, cada uma tapada por uma redoma de ar cintilante. Como se bolhas grandes o suficiente para comportar um vilarejo tivessem sido sopradas de debaixo das ondas e se solidificado ali.

O trio de redomas parece vazio, e foco o olhar no que *parecem* ser bolsões de ar distorcido. O barulho conta outra história, porém, e o espaço ao redor está vivo com o bater intenso dos tambores e o ruído de instrumentos de corda vindos de cima. Como se estivessem roçando minhas costelas, inserindo a música em meu peito e fazendo meu sangue *cantar*.

Parte do povo vai zanzando pelo caminho adiante, a pedra cheia de conchas em forma de discos. Está quase ruborizada com a superfície marulhosa da Prézea, as pessoas atravessam a região como se andassem sobre a água enquanto deslizam na direção das redomas, alguns com asas artesanais esvoaçando em seu rastro.

Pyrok me oferece o braço, e engancho a mão ali, com o coração martelando de maneira brusca e indomável. Paramos no cruzamento, e o sol forte castiga meu rosto.

— Cada uma das três redomas tem uma representação artificial de três zonas de nidificação diferentes — informa Pyrok, gesticulando da esquerda para a direita. — Subsulnia, Pantânia e Gonodraco.

Cada caminho tem um arco: o da esquerda está adornado com videiras prateadas e brancas retorcidas, flores incrustadas de gelo, gavinhas de névoa pingando das pétalas pontudas apesar do calor.

Subsulnia.

O do meio tem uma explosão de flores com penas nas pontas que combinam com os tons vibrantes variados da plumagem de fundíferas.

Pantânia.

Volto o olhar ao da direita, vendo as videiras espinhosas presas, as flores pretas arredondadas chamuscadas nas pontas e o cheiro de madeira queimada.

Gonodraco.

— O rei está em qual? — pergunto, e Pyrok gesticula para a direita, olhando para mim com o que imagino ser a sobrancelha arqueada.

Difícil ter certeza com a máscara.

— Bom, isso simplifica muito — respondo, revezando o olhar entre os outros dois caminhos antes de puxá-lo para a esquerda, passando sob a cascata de névoa que tem um cheiro fresco e frio.

Se Kaan quer dançar, ele pode se divertir me caçando primeiro.

— Escolha interessante — comenta Pyrok enquanto caminhamos, presos atrás de um casal bem lento trajando montes de plumagem falsa.

— Nunca estive em nenhum lugar mais ao sul que a fronteira entre o Grado e o Breu. — Dou de ombros. — Estou curiosa.

Ele pigarreia, os dois em nossa frente, atentos ao movimento, se movem como uma cortina antes de desaparecem na redoma como um sopro de neblina. Diminuo os passos, e Pyrok segura a barreira invisível como se tocasse na abertura de uma tenda, puxando. Outro sopro de névoa emana dali e se emaranha em nossos pés, o bater do tambor martelando em meu peito em harmonia com o coração acelerado.

Uma... *sensação* se acumula em minha barriga. Algo que não faz sentido.

Kaan não está aqui. Está em outro lugar.

Por que meus pés não se mexem?

— Você está bem? Não achei que você fosse do tipo que *hesita*.

Tento pensar em algo duro e afiado como resposta, mas é tudo cego e arredondado.

Macio e flexível.

Engulo em seco, ainda olhando para a abertura triangular que dá para a espiral de movimento turvo atrás.

Não, não acho que eu esteja bem.

— Tudo certo — minto, então endireito a coluna, força os pés a se mexerem e passo pela entrada... sendo engolida pela escuridão.

Raeve

CAPÍTULO 72

Cada passo adiante é outro barulho dos meus sapatos na camada de neve macia. Outro açoite de névoa se agitando ao redor de meus pés.

Entrei em outro mundo, o céu uma extensão de veludo preto salpicado de luas peroladas, com fitas de aurora que projetam uma luz prateada nos arredores gélidos. Amontoados de pilares de gelo hexagonais se estendem até as luas, cada um grande o suficiente para servir de base para um plumalua em nidificação.

É como adentrar em uma pintura representando Subsulnia, com exceção do frio letal. Com exceção da ameaça de ser arrebatada por uma plumalua rabugenta protegendo o ninho de ladrões que arriscam escalar um daqueles pilares brutos e quase inacessíveis na tentativa de roubar um ovo.

O ar parece vazio a não ser pelo baque dos tambores e uma melodia cadenciada da harpa; como se alguém tivesse invocado Clode para ficar ali sentada, imóvel e contida nos confins da redoma. Um vazio toma meu peito. Um peso invisível que não consigo mensurar.

Nem compreender a *origem*.

Afugentando a sensação, adentro na espiral de pessoas mascaradas seguindo a melodia suave e etérea, como se estivessem em uma espécie de transe.

Pigarreio, pegando uma taça de cristal da bandeja de um criado.

— Qual o nome disso? — pergunto, indicando o líquido azul-celeste derramando uma névoa leitosa nas laterais.

— Sopro de plumalua — informa o funcionário, com os lábios azuis por causa do frio, franzindo a testa quando nota minha parca vestimenta. — Há xales na entrada...

— Estou bem. — *Muito bem, sério*. — Obrigada!

Prossigo, levando a borda congelada do copo aos lábios. Dou um gole, preenchendo a boca com uma doçura azeda... fresco e tão gelado que é como um bálsamo de gelo na língua, garganta e peito.

A multidão se divide por um momento, e foco o olhar no abismo entre dois pilares imponentes.

Sinto o coração pulsar e paro, girando o anel de ferro no dedo...

Tenho certeza de que há algo entre os dois que preciso ver. Que, se eu não for lá checar agora mesmo, vai acontecer algo *ruim*.

Não sei o quê. Parece importante.

— Está tudo bem?

Com certeza não.

Estou a ponto de perguntar se Pyrok sabe como acabei com a plumalua que dizem que cativei na... *existência* anterior. Perguntar se roubei o ovo de um ninho ou se herdei de alguém que tinha reivindicado a fera antes.

Perguntar se já estive aqui antes... em Subsulnia, *de verdade*.

— Lógico — respondo, abrindo um sorriso para ele por cima do ombro, o qual some de meu rosto assim que me viro para olhar para a frente e sigo pela multidão.

— Para onde estamos indo? — grita ele enquanto vou me embrenhando com os corpos trajando camadas pesadas de couro e pele, por entre mesas e banquetas, seguindo na direção do amontoado mais alto de pilares no epicentro da celebração.

— Não sei — retruco, dando mais um gole na bebida, mantendo a poça fria na boca até estar prestes a ter a língua congelada antes de engolir.

A multidão vai se espalhando, dando lugar a uma barricada de guardas, bloqueando a entrada para um caminho frágil que parece seguir por entre dois pilares de gelo imensos. A armadura bronze emoldura o corpo deles como escamas de ceifassabre, com máscaras pretas cobrindo a parte superior dos rostos, xales de pele escuros sobre os ombros.

— O que fica ali atrás? — pergunto a Pyrok quando ele enfim aparece ao meu lado, com um sopro de plumalua na mão, a outra segurando um ovo de dragão cheio de anéis de alguma coisa frita e cobertos por um bocado de molho branco.

— Um jogo de mesa para os figurões — explica. — Você não quer entrar lá a não ser que tenha *muito* ouro pra gastar e um ego grande o bastante para tomar umas porradas.

Hum.

Não é o que eu esperava encontrar. Mas agora que estou aqui...

Eu me viro e tateio os bolsos de Pyrok, percebendo um montinho no esquerdo, e enfio a mão ali ao som dos resmungos descontentes dele.

— Sabe com o que você parece? — diz ele entredentes quando aceno o saquinho de ouro na frente dos guardas, e eles abrem caminho para que passemos. — Um pé-peste.

— Conheci um quando fui presa por assassinato em série — informo, alto o suficiente para alguns guardas virarem a cabeça, olhando para mim por cima do ombro. — Cara bacana. Apesar da imundície em que vivíamos, ele sempre estava com a barba lisa e elegante. Qual é o jogo?

— Saltari — revela Pyrok, me seguindo pelo caminho entre os pilares imponentes que não parecem ser frios o bastante para serem gelo *de verdade*. Talvez só uma runa que faz pedra parecer gelo. — Você joga?

Jogo o saquinho dele no ar, depois o pego.

— Um pouquinho.

— Que ótimo — contrapõe ele, desgostoso. — Mal posso esperar para perder um saco de ouro para um bando de elitistas que usam grânulos da coisa para decorarem os canteiros de casa.

— Sem pensamento negativo, hein? — Dou mais algumas voltas no caminho em zigue-zague, e outra golada no sopro de plumalua. — Imagino que o Rei do Lume não pague bem?

— Muito bem. E, sendo honesto, por porra nenhuma. Mas isso não vem ao caso.

Tem um tom estranho na voz de Pyrok que me faz parar, olhando por cima do ombro e vendo uma tensão na boca dele que não estava ali antes; seu sopro de plumalua está intocado.

Estranho. Ele costuma engolir as bebidas como se estivessem prestes a evaporar no instante seguinte.

— Pode ser mais específico?

— Pode acabar logo com isso para que eu possa encontrar um barril de hidromel grande o bastante no qual me afogar? — Ele acena com o queixo, incitando-me a continuar. — Depressa, antes que meus anéis de ouriça fiquem frios.

Franzindo a sobrancelha, continuo a andar, e pondero se Pyrok tem um passado cabeludo com alguns desses *figurões*.

Outra curva acentuada, e o caminho desemboca em uma grande caverna, como se alguém tivesse dado uma colherada no gelo e entalhado uma porção sem saída. Há uma mesa hexagonal no centro, com seis cadeiras de costas altas ao redor, só uma desocupada.

Paro no lugar.

Quatro homens trajando vestimentas pretas sofisticadas e casacos de pele fuliginosos manejam um leque de cartas perto dos peitos estufados, cada um portando uma máscara simples que cobre a metade do rosto e é esculpida de ouro polido. O quinto assento está ocupado por uma criatura que conheço mais ou menos.

Um polvemor.

A pele bulbosa da criatura é mosqueada com tons de gelo, o que faz com que se camufle quase por completo aos arredores, os numerosos membros que parecem videiras se enrolando no monte de ouro apinhado diante de si. Não tem olhos. Só uma cabeça gelatinosa, a pele fina o bastante para oferecer um vislumbre do cérebro grande e luminoso que pulsa um pouco.

Foco o olhar na boca da criatura: o beicinho enrugado que parece inofensivo, embora eu já tenha visto se distender. Já vi quantos dentes cabem ali dentro.

O suficiente para arrancar um braço em uma única mordida.

Parece apropriado que esses figurões estejam na companhia de uma criatura tão rara e cobiçada, considerando o fato de que polvemores podem tecer promessas na pele, atando-as a sangue, corpo e alma.

Todos os feéricos estreitam os olhos para mim, um deles traga um cachimbo e sopra anéis de fumaça ferruginosa. O olhar dele se concentra em Pyrok, atrás de mim, e ele abre um sorriso malicioso.

— Parece que nosso "Vermelinho" já não é mais tão "inho".

Pyrok se enrijece.

O homem dá outro trago profundo, soprando outro anel de fumaça.

— Veio jogar com a gente, é? — Ele gesticula para a mesa adornada com um baralho de Saltari, cálices de cristal cheios de um líquido âmbar e montes ondulantes de moedas de ouro empilhadas. — Você sabe que eu *adoro* quando você fica devendo...

Os outros três homens riem.

Lanço outro olhar por cima do ombro, mas Pyrok está focado no homem fumando o cachimbo, a bochecha vermelha e os dedos apertando com força a taça de sopro.

Sinto a ponta dos dedos formigarem.

— Não é ele que vai jogar — respondo, girando a cabeça e seguindo para a mesa com o passo animado.

Toda a risada cessa, cinco pares de olhos acompanham cada movimento meu enquanto me sento no assento desocupado, coloco a taça na mesa, desafrouxo a corda do saco de ouro e despejo o conteúdo.

As moedas formam uma poça diante de mim.

— Terminem o jogo de vocês, então me incluam no próximo.

O silêncio prossegue enquanto ocupo as mãos, organizando as moedas de Pyrok em pilhas arrumadas e um pouco menores que os outros montes diante dos homens que seguem me lançando olhares desagradáveis.

O que está à minha direita coloca a mão em meu braço, e fico imóvel, olhando para os olhos castanhos audazes atrás da máscara.

— Docinho, embora eu admire a iniciativa, sua pilhinha só vai garantir um lugar na próxima rodada e nada mais — vangloria-se ele, e um dos tentáculos do polvemor estica e se enrola ao redor de meu ouro, coletando cada moeda em um movimento ruidoso. — Em que vai apostar?

Seguro a mão dele com a ponta dos dedos, removendo de meu braço.

— Eu não sou doce, e com certeza não tenho nada de "inho". — Coloco sua mão de volta a ocupar o espaço pessoal *dele*, e olho para o polvemor, erguendo a mão. — Me inclua no jogo devendo um favor. Para *cada* um dos outros jogadores.

— *Raeve*...

Pyrok dá um passo à frente, sem conseguir me alcançar antes que o tentáculo da criatura rabisque em minha pele, deixando um rastro de formigamento.

— Mas que porra... *Caralho*! — Ele atira a taça no pilar de gelo, e o vidro se quebra, com o líquido azul se derramando nas laterais com um rolar de fumaça. Os anéis de ouriça são os próximos a voarem, e a casca do ovo se racha, espalhando vários petiscos fritos pelo chão que logo desaparecem sob a névoa voltando a convergir. — Eu preciso ir atrás de...

— Espere — falo, pedindo com o olhar duro que ele fique bem ali.

Que observe.

Articulo um "por favor" silencioso, e ele se detém, analisando os homens que agora finalizam o jogo, o polvemor separando os ganhos e organizando as cartas.

Comprimindo os lábios, Pyrok pigarreia, então se encosta no pilar, cruzando os braços enquanto acena com a cabeça.

— Ah, você vai ficar, que adorável — comenta o homem com o cachimbo, lançando um olhar asqueroso para Pyrok que faz todos os fios de cabelo de meu corpo se arrepiarem. — Mal posso esperar para lhe mostrar como homens de verdade jogam com moças formosas que têm confiança demais e bom senso de menos.

Gargalho, analisando os adversários por cima do leque de cartas com criaturas ilustradas diante de mim.

Os tentáculos do polvemor se espalham, alocando pilhas de ouro diante de cada um dos adversários... reunindo uma quantia tão significativa que quase tomba para os lados. Arqueio a sobrancelha.

Acho que meus *favores* são mesmo bem valiosos.

Melhor para mim.

— A *lindinha* quer rolar o dado primeiro? — questiona outro homem, estendendo as palavras, e faço um esforço para não enfiar o som goela abaixo dele, me perguntando como ele se sentiria se eu me referisse a ele com um nome pejorativo que o reduzisse a um simples pedaço de carne.

— Lógico que não. — Com o olhar nas cartas, começo a reorganizá-las. — Aí depois vocês vão falar que ganhei porque tive vantagem, e não queremos isso.

Ele ri, mantendo o olhar no meu enquanto pega o cálice de cristal e o balança, o conteúdo ali se agitando.

— Sua confiança é encantadora, ainda que seja um *desperdício* — cospe em resposta, então rola o dado.

Raeve

CAPÍTULO 73

$\mathcal{B}$ ato com o plumalua na cartada final, abrindo um sorriso tão grande para os quatro homens espumando de raiva que sinto as bochechas doendo.

— E aí, já se cansaram de mim?

O polvemor enrola os tentáculos ao redor de uma montanha de ouro que *com certeza* pesa mais do que eu, deslizando tudo em minha direção.

Um cachimbo é lançado pela mesa, derrubando meus últimos ganhos em todo seu esplendor. O homem que o atirou se levanta, rosnando enquanto sai da caverna em um esvoaçar de preto e ouro.

— Continue treinando! — brado atrás dele, ajeitando as pilhas de moeda e sorrindo para os homens restantes, o que não ajuda a amenizar os olhares desagradáveis e hostis. — Vamos mais uma rodada? Eu aceito favores se não tiverem mais ouro. Ou então suas máscaras. Parecem bem chiques.

Sem contar o quanto eu me *deliciaria* ao ver o rosto dos babacas que forcei a se renderem com algumas jogadas de sorte, ganhando ouro o suficiente não só para pagar Pyrok de volta bem ali (*com juros*) como também para comprar um pequeno vilarejo. Ou talvez a proteção de um fundífera cativado pelo resto da eternidade. *Com certeza* por tempo o bastante para caçar Rekk Zharos até eu ter a chance de arrancar as entranhas dele e o fazer comê-las.

— A menos que queiram tirar um tempinho para reparar os egos danificados? — pergunto, dando piscadelas graciosas.

O ar fica carregado.

Quente.

Os homens ao redor da mesa se levantam de maneira tão brusca que as cadeiras deslizam pelo gelo, os três se virando para a saída e fazendo uma reverência, mantendo a posição por um momento longo e tenso.

Longo o bastante para eu compreender que temos visita.

Olhando para a esquerda, para a saída, vejo a sombra imponente do homem ao qual meu corpo de imediato responde: coração acelerado, um bando daquelas coisas esvoaçantes alçando voo dentro de minha barriga.

Kaan é a imagem de músculo e elegância usando uma calça marrom e túnica de couro adornada com escamas acobreadas de ceifassabre, acentuando o ombro largo. Os braços expostos estão cruzados, e as cicatrizes claras se destacam em contraste com a pele marrom.

A boca dele forma uma linha dura, com uma máscara de bronze simples fazendo mistério do topo de seu rosto, mas o olhar em brasas perfurante dele me afeta mesmo com a cobertura.

Fazendo com que eu prenda a respiração.

Ele traja bronze, usando uma coroa do metal com oito pontas que se estende para o céu e está derretida em umas partes, se derramando, como se tivesse estado na mira de uma flamadraco que quase a derreteu. A máscara quase se funde à coroa.

Ela a *acentua*.

Ele se mexe, as coxas musculosas ficando tensas com cada movimento poderoso adiante, o baque da bota martelando no ritmo de meu coração acelerado. Ele mantém o olhar no meu por todo o caminho, e imagino que é como Rygun arranhando uma caverna, uma cordilheira mudando de forma. Todos os músculos em meu corpo ficam tensos, prontos para amortecer a presença vasta e esmagadora dele.

Enfim desviando o olhar do meu, Kaan volta a atenção sufocante aos figurões.

— *Fora* — ordena ele, a voz uma chicotada violenta.

Os três homens correm para a saída de mãos vazias e os bolsos mais ainda, fazendo outra reverência para o Rei do Lume.

Eu me viro para onde Pyrok estava, surpresa ao ver que ele não está mais ali. *Merda*.

Ele deve ter escapado durante a última rodada enquanto eu dava a cartada do plumalua, fundífera e ceifassabre ao som de resmungos descontentes. Que pena, considerando que extraí a maior parte da satisfação do fato de que aqueles desgraçados tinham feito algum mal a ele no passado.

O último homem desaparece caminho afora, deixando apenas Kaan, eu e o polvemor ainda sentado no trono do crupiê; ao que parece, isento da ordem feroz do rei.

Kaan dá a volta na mesa, segurando as costas do assento diante do meu com tanta força que imagino que o móvel não tardará a desmontar. Tudo nele é imenso, como uma sombra que eclipsa todo tipo de fonte de luz, fazendo titubear minha habilidade de ver qualquer coisa além *dele*.

O pequeno período que passei sozinha com as lembranças de *nós* me levou para dentro da gravidade dele. Agora estou *caindo...* bem forte.

Bem rápido.

O tipo de queda que resulta em uma cratera grande o bastante para engolir metade do mundo.

— Não era a isso que me referia quando chamei você para dançar — declara ele, seus olhos queimando a pilha de ouro à minha frente.

Respiro fundo, inalando o cheiro inebriante dele, com vislumbres de lembranças se cravando em meu peito como lâminas afiadas:

Eu, espalhando um universo de beijos pelas cicatrizes nas costas e braços dele, fingindo conseguir remendá-las com os lábios, enquanto ele corta legumes para fazer uma sopa para nós.

Ele, me ensinando a moldar o barro e criar tigelas, canecas e pratos, com as mãos e braços tão besuntados da argila que em algum momento acabei marcada também.

Nós dois, nos movimentando juntos sob um feixe de luz prateada, meu peito tomado pela semente nociva do medo. Como se cada toque, cada beijo, cada respiração em forma de sussurro nos levasse para mais perto de um fim desconhecido.

— Eu fui alguém para você — sussurro. — Alguém importante.

— Sim, foi.

— Até?

A palavra é uma facada; o tipo de moção de ataque que surge antes que a mente acompanhe a mudança nos arredores ou registre de verdade o perigo à espreita.

— Até você virar liame de outro homem — responde Kaan tão rápido quanto, e meus pulmões ficam vazios quando exalo, trêmula.

Sinto o rosto ficar pálido enquanto tento, sem sucesso, moldar aquela verdade espinhosa em um formato palatável o bastante para eu conseguir engoli-la.

A peça do quebra-cabeça parece irregular e abrupta. Não encaixa bem. O tipo de peça que vou ter que fazer caber à força.

— Quer saber quem?

— Não.

Volto o olhar aos movimentos deslizantes do polvemor; a criatura reunindo as cartas. Embaralhando-as.

Por sabe-se lá quanto tempo, vim me familiarizando com o *nós* que existia dentro daquela casa na mata.

Com *Kaan*.

Não tem como só *matar a vontade* com Kaan Vaegor, então descartá-lo e partir para o próximo. Deve-se arrancar a própria pele e convidar o homem para dentro das costelas. Deve-se colocá-lo ali dentro, em um lugar profundo e seguro, e lutar contra os outros com armas feitas de segredos afiados o bastante para rasgar, e então padecer com esses mistérios bem protegidos.

Não tem como eu ter trocado ele por outra pessoa... *por vontade própria*. E só existe uma resposta para esse enigma em específico.

Elluin tinha segredos tão farpados quanto os meus.

Mas segredos têm esse nome por uma razão; no geral são pintados em um véu ilusório porque é doloroso demais encará-los nos olhos.

Kaan não sentiu o peso de minhas emoções quando estivemos juntos naquele lugar, mas eu, sim. E tenho quase certeza de que as lembranças perdidas são um mal que vem para o bem. Que os segredos de Elluin *doem*.

Não tenho vontade alguma de tirar a rolha dessa garrafa e me condenar a beber o veneno que com certeza está contido ali, mesmo que só por um momento.

— E mesmo depois disso — prossigo, erguendo o olhar —, você ainda salvou minha vida.

— Salvei.

— Duas vezes.

Ele ergue o canto da boca em um meio sorriso que desarranja meus batimentos cardíacos.

— Difícil recusar a oportunidade de lhe dar de presente a cabeça degolada de um homem que fez você sangrar.

Abro a boca, fecho. As palavras seguintes saem roucas, emanando de uma garganta seca:

— Eu não entendo como ainda pode me olhar como se me *quisesse*.

O silêncio impera, a tensão se intensifica, e os olhos de Kaan são brasas em chamas quando enfim responde:

— Porra, Raeve, você pode me esfolar no meio e eu ainda vou te amar.

Fico sem ar.

Amar...

A palavra é uma morte sutil que escapa sem nem dar um adeus sussurrado, um empurrão brusco para dentro de uma solidão eterna a que nunca vou me conceder a permissão de escapar.

— Que grande desperdício de um coração tão bonito — sussurro, e os olhos dele queimam.

Rasgo nosso contato visual, abaixando a cabeça e vendo as cartas que o polvemor separou em pilhas embaralhadas. Kaan faz um barulho estrondoso, e juro que o mundo inteiro estremece ao redor.

Pelos Criadores...

Acho que entendi errado o significado do bilhete, da máscara, do vestido. Não acho que ele queria que *fingíssemos* nada. Acho que ele me pediu para vir aqui na esperança de reatar o que quer que tivéssemos no passado — quando ainda prosperávamos entre aquelas paredes assombradas —, esperando que eu fosse a mesma mulher sob a casca.

Não sou. Não tem nada aqui além de pedra chamuscada, coração partido e um milhão de motivos pelos quais *não posso* viver isso.

Mas talvez...

Talvez esse bota-fora mágico que Elluin e Kaan merecem ainda possa acontecer?

— Há duas opções.

Faço um sinal para o polvemor preparar outra partida.

Kaan foca o olhar nos movimentos da criatura antes de lançar outro olhar que promete tudo o que quero.

Tudo o que não quero.

— Que são?

— Eu vou embora agora mesmo com este monte de ouro — declaro, olhando para a pilha impressionante — e contrato um fundífera da capoeira de carona para me acompanhar por um tempo.

— Para ir caçar aquele que fez picadinho de suas costas?

— Entre outras coisas — respondo entredentes.

Há um momento de perfeita imobilidade conforme Kaan me observa com tanta precisão que fico certa de que ele está buscando respostas nas partículas de meus olhos.

— Ou?

— Nós jogamos. — Gesticulo para o jogo espalhado entre nós... já pronto. — Uma aposta.

Kaan olha entre mim, o polvemor e as cartas antes de ajustar a cadeira na mesa e se sentar. Arqueio as sobrancelhas quando ele estende a mão esquerda para o polvemor.

Faço o mesmo, mas com a direita.

Mantendo o olhar no meu, Kaan declara:

— Se eu ganhar, você vai responder a três perguntas. *Com sinceridade.*

Abro a boca, as palavras ficando empacadas em minha língua enquanto a ponta do tentáculo do polvemor passa pela palma de minha mão, fazendo os rabiscos, a pulsação quente do juramento atravessando o sangue e chegando ao osso.

Desgraçado.

O polvemor termina o rascunho afiado enquanto os segredos se remexem em minha barriga como um monte de minhocas.

Pigarreio, fechando a mão formigando em um punho.

— E se eu ganhar, fingimos ser os únicos que existem naquele lugar que suspeito que você construiu para nós, mas só até o próximo nascer da aurora. E aí você vai atender a um único pedido meu.

Ele faz uma expressão confusa enquanto o polvemor rabisca sua mão.

— O que acontece ao nascer da aurora?

— Não é importante.

— *O. Que. Acontece?*

Suspiro, pego as cartas juntas na mesa e começo a organizá-las, com o olhar focado nas ilustrações vibrantes.

— Eu vou fazer um tecemente apagar você de meu cérebro. Voltar à realidade. O pedido é uma prevenção.

Preciso ter um ponto-final como carta na manga. Algo que será definitivo se preciso for. Ele pode achar que é cruel, mas me recuso a barganhar com o bem-estar dele. E me amar?

É querer morrer, caralho.

Movo a mansanha para a ponta da esquerda, o inseru para a direita, o silêncio se estendendo tanto que olho para Kaan por cima do leque de cartas.

Ele está me observando, com uma expressão tão intensa que quase arranca o ar de meus pulmões... não que eu deixe transparecer.

— Que foi? — pergunto, inclinando a cabeça para o lado.

— Você perdeu alguém...

Meu coração quase sai pela boca.

Abro. Fecho. Abro de novo. Quando não consigo transmutar os pensamentos embaralhados em uma única palavra de resposta, bato as cartas de volta na mesa e me levanto, seguindo para a saída.

Que se foda.

Que se foda ele.

Que se foda tudo.

Algo comprido e coriáceo segura meu pescoço; *apertando.* Bloqueando minha respiração e fala.

Tento enfiar os dedos debaixo do aperto e soltar, mas não consigo, e todo o sangue em minha cabeça ameaça explodir por meus olhos arregalados.

De boca aberta, caio no chão, com a névoa flutuando como garras ao ataque.

Uma sombra se aproxima, e foco o olhar em Kaan, que se agacha diante de mim. Ele apoia o braço nos joelhos dobrados e inclina a cabeça para o lado.

— Você não pode ir embora, Raeve. — Ele toca a lateral de meu queixo, segurando minha cabeça de modo que sou obrigada a continuar focada no olhar ardente dele. — Estamos presos à mesa até o fim do jogo.

Olho para o polvemor que está de pé, expondo todo seu tamanho pleno e inimaginável, os lábios franzidos da criatura retraídos em um uivo escancarado que revela centenas de dentes afiados. Grandes e pequenos. Compridos e rechonchudos.

Kaan me ajuda a levantar, então me conduz em direção à cadeira. Só quando toco nas costas do assento a criatura me solta, e o ar enfim adentra em meu pulmão faminto.

— *Sente-se* — orienta Kaan, com um grunhido do outro lado da mesa.

Engulo em seco, esfregando o pescoço dolorido enquanto o observo, vendo nos olhos dele o fogo que me lembra do bulbo de flamadraco no fundo da garganta de Rygun.

Bebendo o resto do sopro de plumalua em três goles, bato com a taça na mesa de novo, pigarreio e obedeço... sabendo *muito bem* o que Kaan vai me perguntar se ganhar esta partida.

O que foi que eu fiz?

Raeve

CAPÍTULO 74

olo o dado, conseguindo um quatro, e resolvo puxar a vigésima carta do canto superior esquerdo, mantendo a expressão neutra enquanto olho para o fúmeo. Um borrão preto rodopiante que pode se transformar em qualquer criatura, herdando a força dela também.

E a fraqueza.

Uma carta arriscada que não pode representar uma mesma criatura que alguém já jogou ou, do contrário, fica nula e a jogada é perdida. O problema é que, perto de terminar a rodada, todas as melhores cartas em geral já foram usadas, o que a torna inútil. Um desperdício de espaço quando poderia ter conseguido algo de valor genuíno.

Tiro o tresfluxo do leque e o coloco no espaço vazio.

— Sabe — comenta Kaan, rolando o dado, depois pegando uma carta da quadrícula e a colocando no leque na mão, logo alocando uma das cartas que tinha no espaço vazio —, ensinei minha irmã a jogar Saltari.

— E ela é boa? — questiono, rolando o dado.

— Excelente.

Comprimo os lábios, escolho uma carta, analiso. Abaixo de novo.

— Melhor que você?

— Nunca ganhou de mim — murmura ele, lançando o dado.

Reviro tanto os olhos que quase saltam da cabeça.

— Que convencido.

— Esperançoso, Raio de Lua. Sempre esperançoso.

Levanto a sobrancelha.

— A menos que estivesse jogando Saltari com Slátra enquanto estava no céu, eu tenho um éon de vantagem sobre você. — Ele dá de ombros. — Peço aos Criadores para que a vantagem seja suficiente para eu vencer.

Lanço um olhar fulminante a ele quando pega mais uma carta, troca com outra, as feições duras que nem pedra enquanto me lança um olhar escaldante.

— Sua vez.

Beleza.

Pigarreando, giro o dado na mão e o lanço pela mesa, trocando a maritraça pelo fundífera.

Ele joga o dado, mas, em vez de pegar uma carta do tabuleiro, coloca o pé-peste na mesa, a cara felpuda me olhando da peça virada para cima.

Cacete.

Eu sorrio, abrindo mais o leque do baralho enquanto estico a mão pela mesa para facilitar o acesso a qualquer carta que ele queira roubar.

Mantendo o olhar no meu, ele pega o fundífera, e ranjo os dentes tão alto que com certeza Kaan ouve.

— Peço desculpas — diz ele antes de sequer olhar para a peça poderosa que surrupiou, colocando no leque enquanto ainda mantém contato visual comigo.

— Não quero suas desculpas. — Rolo o dado, com o humor logo melhorando ao pegar o plumalua. — Com certeza não vou me desculpar quando derrotar você.

Ele volta a rolar o dado, erguendo uma carta e a trocando por outra.

— E o tecemente? Vai pedir desculpa por isso?

Limpando a garganta, pego o dado na caneca e sacudo.

Ele foca o olhar no meu ao dizer:

— Saltari.

O dado escapa de minha mão, quicando pelo tabuleiro.

— *Mas já?*

Silêncio.

Por dentro, solto um grunhido, abaixando o nílaclo que ele derrota com um búfal. Ele abaixa o fundífera em seguida, me forçando a revelar o plumalua.

— Ai — murmura ele, e um sorriso azedo surge em meu rosto.

Abaixo a bruxa do pântano que ele derrota com um troglo-vellus. Rangendo os dentes de novo, jogo a mansanha... minha última carta poderosa uma vez que ele encerrou o jogo rápido pra caralho.

Um momento se passa antes que devagar, quase *com delicadeza*, ele abaixe o praga-espinho ao lado, me dando assim a vitória.

Levanto a cabeça, focando o olhar no dele.

E mantendo o olhar.

Prendendo a respiração.

— Se vou perder você de novo, preciso saber o porquê — implora ele, as palavras roucas mais parecendo um pedido de desculpas do que uma concessão.

Franzo a testa quando ele saca outra carta do leque e a coloca no espaço final.

Olho para baixo.

Meu coração acelera tão depressa que quase vomito.

Ele coloca o resto das cartas de cabeça para baixo na mesa e se encosta na cadeira, cruzando os braços.

Exalo, trêmula, analisando a cara cheia de presas do ceifassabre rasante, uma bola de chamas vermelha iluminando o fundo da garganta... a única outra carta que pode vencê-lo já posicionada ao lado.

Meu *plumalua*.

— Bela jogada — declaro, rouca.

Ele inclina a cabeça em agradecimento.

Tamborilo os dedos nas cartas, analisando o resto do baralho na mão e respirando fundo antes de sacar o fúmeo e o colocar em cima do ceifassabre.

Uma pausa, então ele pergunta:

— O que é?

— Um carrapato.

O fúmeo gira, então assume a forma do inseto bulboso minúsculo...

Os olhos de Kaan ficam escuros, e uma atmosfera pesada se instala, como se a gravidade estivesse se posicionado sobre nós.

— Seu ceifassabre pegou raiva — sussurro. — Agora, está morto... foi abatido. Não consegue nem levantar as asas e voar para o céu e se juntar aos ancestrais.

Toda a cor some da carta dele, como se o ceifassabre tivesse acabado de sucumbir entre nós.

Silêncio.

A promessa que foi rabiscada em minha mão escapa, me libertando.

Kaan inala fundo pelo nariz, exalando mais devagar do que uma aurora se pondo.

— Impressionante — declara, mal movendo a boca.

— Obrigada.

Outro momento de silêncio pesa o clima entre nós, os olhos dele são como sombras escuras, ainda focadas na última jogada.

Limpo a garganta, enchendo a bochecha de ar que exalo alto.

— Então... tem algum lugar onde eu possa guardar o ouro para que possamos aproveitar o festival sem ficar carregando por aí?

Kaan fica sem reação, inalando fundo de novo. Levanta a cabeça, evitando me olhar.

— Eu tenho guardas em frente à saída. Vou pedir a eles para guardarem e levarem para a cabana. Assim vai estar tudo pronto quando você for embora.

Confirmo com a cabeça, sentindo aquelas coisas esvoaçantes de novo pelo peito ao pensar no que ainda me espera neste ciclo.

Tudo é possível.

Vamos poder viver esta fantasia até o fim, então posso voltar a viver a vida solitária, tranquila com a noção de que ele estará *seguro* de qualquer que seja a maldição que parece me seguir como uma foice invisível, matando qualquer um a quem me apego.

— Vou precisar devolver o ouro que peguei emprestado de Pyrok...

— Vou providenciar isso. — As palavras são tão cortantes que ferem.

Há uma rigidez nos olhos dele que nunca vi. Uma frieza.

Uma *indiferença*.

— Então — murmura Kaan, e sinto um arrepio subir por minha espinha quando ele repuxa o lábio superior, revelando os dentes caninos. — Você quer como? — Ele inclina a cabeça para o lado. — Posso te comer bem em cima da mesa e acabar logo com isso? Ou quer alongar um pouco a coisa?

Abaixo a cabeça.

Ele não entende...

Se eu quisesse só transar, encontraria alguém, sem o fardo emocional, com quem matar a vontade.

Uns olhares de tesão aqui, um convite com o dedo ali. Em dois tempos teria um homem sem identidade em um canto escuro levantando minha saia e me dando o que preciso sem pressão alguma de sair dali com nossos destinos entrelaçados.

Não se trata... *disso*.

Tudo o que quero deste torpor é me permitir *amar*. Ou, ao menos, *tentar*.

Por ele.

Por mim.

Embora eu não seja a pessoa que ele perdeu, eu poderia oferecer a despedida que acredito que não teve, mas que sem dúvida merece. Posso fingir que meu coração é suave, gentil e vulnerável. Que sou digna de tudo o que esse homem espetacular simboliza, mesmo que a sensação pesada em minhas entranhas diga que não é o caso. Que Kaan Vaegor é bom demais para mim de todas as formas possíveis.

Mas não vou pensar nisso agora.

Não...

Vou guardar o pensamento para quando eu estiver entrando na Ornato da Pena. Para quando eu estiver me preparando para passar o saco de ouro a Vruhn, então implorá-lo para remover Kaan de minha mente como uma erva daninha espinhosa quando, na verdade, ele é uma *floresta*.

Exuberante.

Forte.

Deslumbrante.

Vulnerável demais ao toque das chamas, o que não consigo suportar.

Talvez ele faça o mesmo. Talvez *me* remova da mente.

Talvez este torpor o conceda a liberdade para enfim dizer adeus à mulher que conhecia antes. Para enterrar o passado. Para encontrar a felicidade com alguém *digna* de seu coração grande e afetuoso.

Talvez.

Fico de pé, dou a volta na mesa, com Kaan ainda olhando para o assento que eu antes ocupava quando chego perto dele e estendo a mão.

Ele olha para minha mão, então para meu sorriso.

Meus olhos.

— Dança comigo? — sussurro.

Ele engole em seco, e seu olhar fica mais suave. Enquanto meu coração martela mais, as coisas esvoaçantes dentro do peito se multiplicam. Se aconchegando nas minhas costelas e fazendo meu corpo todo formigar.

— Por favor?

Depois de um momento de pausa, ele se levanta, tão maior que eu, ignorando minha mão estendida.

— Mostre o caminho, Prisioneira Setenta e Três.

Seguro ele mesmo assim, então o puxo em direção à saída.

Kaan

CAPÍTULO 75

A mão de Raeve é tão quente e viva segurando meu pulso. Um contraste grande com os arredores congelados e pontiagudos. Com o sentimento amargo alojado em meu peito pela mesma mão que agora me conduz para o cerne da celebração.

Parte do povo me olha enquanto passamos, então olha para a mulher deslumbrante me puxando, nos embrenhando pela turba em um rastro de fios prateados que ficam em seu rastro. Ela me olha por cima do ombro, os olhos glaciais, o sorriso suave como o lampejo de uma lâmina que acerta em cheio, fazendo sangrar o órgão vulnerável que bate por ela com tanta ânsia.

Só por ela.

O único raio de luz do qual vou precisar ou querer neste mundo, meu amor por ela aninhado como uma lua em meu peito. Só que essa lua *nunca* cairá, por mais forte que Raeve tente puxá-la.

Ela pega uma taça de cristal de um funcionário passante, então bebe tudo de uma vez, colocando o copo vazio em uma mesa pela qual passamos.

Olhando para o céu vez ou outra, ela para em uma área um pouco mais vazia do espaço de dança, marcado por colunas de gelo, só uns poucos casais em volta, balançando o corpo em harmonia com a melodia. Raeve levanta os braços, e fico estático enquanto ela fecha os olhos e gira... sorrindo. Espalhando a névoa com os pés e enchendo meus pulmões de pedra.

A aurora projeta um brilho prateado na pele dela, e seu sorriso é tão aberto que as covinhas aparecem. Covinhas que não vejo desde que caímos na gargalhada no lugar especial de mãin, o que me reanima apesar das palavras cruéis que foram ditas em seguida. Antes daquilo, eu não as via desde o último torpor que passamos juntos, quando a aurora estava tão ruborizada quanto hoje.

Outro torpor que passamos *fingindo*.

Se eu soubesse na época que seria nosso último torpor, teria dito as palavras que estive ensaiando havia ciclos. Implorado a ela para segurar minha mão e nunca mais soltar, apesar de minhas fraquezas.

Minhas insuficiências.

Implorado a ela que desmantelasse a decisão do Tri-Conselho... por *nós*. Porque achei que fosse o que ela queria.

Nós dois.

Que os Criadores tinham me abençoado como aquele que ela escolheu amar.

Grande parte de mim ainda acredita nisso. Recusa-se a acreditar que o que tivemos foi leve e frágil o bastante para amassar e jogar no lixo. E talvez isso faça de mim fraco. Coração mole. *Incompetente*... como o paih dizia.

Ele me provou que era o caso muitas vezes antes de eu arrancar a cabeça dele.

Ainda assim, cá estou eu de novo, imóvel enquanto Raeve dança ao meu redor segurando a porra do coração mole nas mãos, enquanto o sangue escorre pelo chão. Aqui estou eu de novo, olhando para ela como se ela tivesse criado o mundo com o sussurro de algumas palavras, cada movimento dos olhos dela torcendo aquela arma alojada em meu peito. Só que desta vez não estou cego nem em negação.

Desta vez, eu *vejo*, caralho.

Ela está machucada. Perdeu alguém. Talvez mais de uma pessoa. Ela acha que não merece... isto.

Nós dois.

Que, se abrir o coração e me deixar entrar, vai acontecer algo ruim.

Com certeza vai, mas o que ela não vê é que o amor dela é o que me impulsiona. O que me fortalece. Quando ela projeta aquela luz em minha direção, *nada* pode me machucar.

Nada.

— *Dança* comigo — implora ela, segurando minha mão direita.

Ela envolve o corpo ao redor do meu, dando-me um empurrãozinho para eu me afastar de seus braços como se fosse *ela* me conduzindo.

O que faz sentido.

Ela me incita a girar ao seu lado ao som da música, e ofereço meu mínimo a ela. Virando quando ela me arrasta pelo espaço, sentindo como se estivesse no caminho de uma lua prestes a cair: hipnotizado demais pela beleza da queda para sair do caminho.

Para salvar a mim mesmo.

Desta vez ela gira em meus braços... tão perto.

Tão longe que chega a ser insuportável.

É tentador aceitar a migalha que ela oferece. A me aproximar e abraçar essa "despedida a Elluin" que Raeve parece achar que quero.

— Você pediu uma dança, não pediu? — indaga ela, olhando para mim sob o leque denso de cílios pretos.

— Pedi.

— Pois não parece — provoca ela, erguendo a sobrancelha. — Para isso você precisa *mexer o corpo*. Chocante, eu sei.

Ela agita a mão livre por um monte de fios prateados e névoa oscilante, exibindo a maior parte do corpo para um grupo de espectadores curiosos que se reuniram atrás da cerca de guardas austeros para observá-la dançando.

Olham para ela como o enigma que ela é, mais intocável que Clode, enquanto ela se move como se estivesse inconsciente dos olhares, perdida na espiral de faz de conta.

Pigarreio quando a música fica mais lenta.

Ela gira em minha direção, tropeçando em um fio.

Eu me curvo e a seguro logo antes de ela cair no chão, envolvendo as costas expostas dela com os braços, nossos narizes quase se tocando.

Os olhos arregalados dela se fixam nos meus. No instante em que Raeve exala, e o ar toca meu rosto...

A celebração desaparece. Junto com a multidão.

Com a música.

Não há nada além dos olhos azuis-celestes, as respirações emaranhadas, e o peso dela tão bem-vindo em meus braços.

A merda de uma lua poderia cair e eu não notaria.

Ela abaixa o olhar para minha boca, e meu coração vira uma criatura feroz martelando em nome de liberdade. Implorando que eu acabe com o espaço entre nós e a beije, como se fosse me atirar em um ninho de ceifassabres para ser despedaçado; devagar.

De forma dolorosa.

— Isso foi uma má ideia? — pergunta ela, rouca.

— Foi.

Uma péssima ideia.

Ela fecha bem os olhos, e quase sinto a mente dela trabalhando antes de focar o olhar glacial em mim de novo.

— Vamos parar. Desculpe. Eu queria dar a você...

— A despedida perfeita?

Ela abre a boca, fecha, com um lampejo de constrangimento marcando seu belo rosto.

Eu *não* quero a despedida perfeita. Quero dar olá a *Raeve*... quem quer que ela seja. Quem quer que esteja aninhada sob a fachada endurecida, quero conhecê-la.

Ficar perto dela.

Amá-la.

— Eu vou embora — sussurra. — Descul...

Eu me mexo, ouvindo-a inspirar depressa quando a giro no ritmo do crescendo da música. Ela fica imóvel, os olhos como poças de um azul ardente, amplas o bastante para me engolir inteiro.

— Fugindo à luta, Prisioneira Setenta e Três? — pergunto, forçando um sorriso. — Eu não achei que era do tipo que desistia, mas talvez eu tenha errado.

Ela fica calada por um momento antes de outro sorriso surgir em seu rosto, tão grande e ousado que as covinhas reaparecem. Ela assume uma expressão neutra, limpa a garganta e levanta o queixo.

— Talvez eu não queira dançar com você, afinal.

— Mentirosa — rebato, com um grunhido, então a giro de volta para meus braços, fazendo o corpo dela colidir com o meu.

Com perfeição.

Perfeição *demais*.

— Você quer dançar comigo, Raeve.

E quer me amar também. Só que está atrapalhando a si mesma.

Não sei o que aconteceu com ela depois da queda de Slátra, mas vejo as fissuras que ela esconde tão bem. Os pedaços faltando.

A dor.

Ela é igual a Slátra. Tão machucada quanto.

Ah, o que eu não faria para ajudá-la a se sentir inteira de novo. A reconstituí-la, assim como fiz com o dragão dela. Resistindo aos cortes em minha própria pele. Às lesões pelo frio. Aos infinitos recomeços, caralho, quando a coisa toda se desmontava e eu tinha que voltar ao início de novo.

E de novo.

E de novo.

Mantendo-a junto do corpo, movimento-me com ela, prendendo a respiração quando Raeve coloca a cabeça em meu peito como se pretendesse ficar ali, formando uma trança com os tendões ao redor de meu coração e *puxando.*

Forçando-me a relaxar outra vez, acaricio a pele sedosa da lombar dela para cima e para baixo; controlado por engodos do passado.

Ela treme contra mim do jeito que sempre fez, e isso é o suficiente para cavar minha cova mais fundo.

Faço um esforço para não grunhir. Para não me afastar e esmurrar a parede até os dedos sangrarem.

Eu deveria tê-la deixado ir embora em vez de fingir que estou bem com a situação.

Mas sou um *fraco*.

De coração mole.

Subo a mão até tocar a lateral de seu pescoço comprido e elegante, e o corpo todo dela treme, e ela derrete contra mim; nossos dedos se entrelaçam como se engajados em uma dança própria.

— Suas mãos me conhecem — sussurra Raeve.

— Conhecem — confirmo, com a boca encostada em seu cabelo. — Conhecem você, anseiam por você, veneram você.

Ela prende a respiração.

Eu poderia continuar. Dizer a ela que colidimos como se tivéssemos sido feitos para nos entrelaçarmos pela eternidade. Que eu poderia deitar seu corpo em meio àquela névoa e fazer cada parte dele cantar. Que poderia fazê-la se desmontar toda com alguns toques delicados junto a um roçar do rosto em seu pescoço, logo abaixo da orelha.

Eu trucidaria os inimigos dela com as próprias mãos para ver as covinhas de Raeve. Ou, ao menos, deixaria um rastro de sangue para ela seguir e matá-los por conta própria.

Eu vivia em solidão eterna, mais do que pronto para viver para sempre me banqueteando com a lembrança dela e, contudo, aqui está ela, decidida a me apagar da mente como uma mancha indesejada. Apesar de saber, ao menos em parte, o que tivemos.

O que *fomos*.

A história se repete mais uma vez, e isso me faz querer partir a porra do mundo em dois. Rasgá-lo na esperança de encontrar as respostas para o enigma desolador que é...

Ela.

Uma batida mais profunda pulsa no ar...

O povo grita, e giro a cabeça bem na hora em que um enorme ceifassabre desce do céu, na direção da redoma.

Um macho, a julgar pela cauda cheia de espinhos.

Ele abre as asas e paira ao redor, mostrando as costas, olhando na direção de outro ceifassabre vindo de cima... com a mandíbula tão escancarada que vejo a bola de fogo crescendo nas costas da língua.

Puta merda.

O povo se joga no chão. Coloco Raeve atrás de mim enquanto um jato de flamadraco passa pela redoma, pronto para detê-la se minhas runas-sangue falharem.

A chama ferruginosa atinge o escudo, o calor vulcânico fervendo meu sangue até eu ter certeza de que alguns órgãos estão derretendo...

A fera abocanha, mastigando apenas o ar, e inalo um ar de alívio quando as criaturas se voltam a uma perseguição lá no alto; a menor incitando o maior a cortejá-la mais perto das luas.

Eu me viro, com o coração apertado ao ver o espaço de dança agora vazio, com o povo aos berros ainda se escondendo debaixo de mesas ou se amontoando à base das esculturas de gelo. Raeve não está em lugar nenhum.

Como se tivesse desaparecido.

Meu coração retoma o ritmo acelerado quando vejo uma sombra entre dois pilares de gelo. Na entrada para o labirinto.

Raeve espia ao redor, o olhar focado nos dragões se afastando. Quase como se estivesse... se *escondendo* deles.

Algo feroz cresce em meu interior como uma bola líquida de chama, fazendo cada parte de mim entrar em alerta.

Raeve não se esconde. Não a menos que tenha *algo* a esconder.

Fico confuso, vendo a tensão ao redor dos olhos dela, os dedos que perderam a cor de tanto que ela aperta o gelo, convicto de que estou enxergando através de um lunetoscópio algo que não era para eu ver. Mas agora vi.

Agora *vi*, caralho.

Ela arregala os olhos, pálida. Adentra mais no labirinto antes de girar e sair correndo, fora de vista, momentos antes que outra rajada de flamadraco acenda o céu. Basicamente confirmando minhas suspeitas.

Uma sensação fria e afiada rasga meu peito, e vou atrás dela, embrenhando--me por um monte de caminhos iguais entre os pilares de gelo que se esticam até às luas. Seguindo o caminho etéreo do cheiro de manteigaba dela.

Viro à esquerda em uma rota sem saída, passando a mão pela parede congelada, inalando o cheiro dela na ponta dos meus dedos. Como se ela tivesse corrido por ali, encostado a mão na parede quando percebeu que não tinha como sair, então se virado e partido para o outro lado.

Outra rajada de flamadraco corta o céu, expondo as fendas entre os caminhos e aquecendo minha pele com o calor luminoso... a explosão de luz fazendo parecer que o gelo está em chamas.

Mas não só isso.

Os resquícios claros das runas até então invisíveis nos pilares *brilham*. Runas que projetam na pedra terracota a ilusão do gelo.

Runas apenas visíveis por causa da *flamadraco*.

Confuso, levanto a cabeça e vejo o embate de ceifassabres acima. Mais uma vez tão perto que as caudas com lanças nas pontas quase rasgam a redoma enquanto batalham pelo dominância.

— Está escondendo alguma coisa, Raio de Lua?

A resposta e a bufada surgem quase de imediato; o som chegando a mim por meio de uma brisa gelada. Como se ela estivesse bem ao meu lado.

— Que ideia absurda.

Não me passa despercebido o tom nervoso em sua voz. Uma rouquidão que só ouvi *uma* vez antes.

Quando acendi a luz na naturi ao encontrá-la presa na cela, expondo o bulbo da flamadraco de Rygun que usei para iluminar a ferida remendada em sua cabeça.

Fecho bem os olhos, cruzando as mãos atrás da nuca e apertando.

— Então por que você fugiu?

Um momento de silêncio.

Outro derramar de fogo acima.

Outra fissura em meu coração.

— Eu achei que você gostasse de *me caçar*?

É dito como uma provocação, mas vejo o que é de verdade:

Uma distração.

— Ou você mentiu, Vossa Majestade?

Não.

No passado, Elluin se escondia na mata, os sons brincalhões ecoando pelas árvores.

Eu corria atrás dela.

Pegava-a.

Fazia *amor* com ela.

Isto é diferente. Agora tenho *certeza* de que ela está escondendo algo; elevando aqueles muros ao redor de si mesma até o céu.

Está ficando bem solitário estar do outro lado.

Sigo adiante, olhando para a esquerda e para a direita, sentido o ar que tem o cheiro dela... percebendo que está mais forte à esquerda.

— Fiquei atrás do seu *espírito* por cento e vinte e três fases, Raeve. Peço perdão por estar um pouco cansado.

— O que isso significa?

— Isso mesmo o que eu disse — digo entredentes, avançando entre as porções de névoa.

Isso.

Mesmo.

Caralho.

— Apareça. Agora, Raeve. Ou vou derrubar esses pilares todos e você não vai ter mais onde se esconder. — Faço uma pausa, tocando um deles, uma porção de palavras robustas se assentando em meu peito como rochedos. — Podem parecer gelo, mas lhe garanto que não são. Eu poderia transformar tudo em pó em um piscar de olhos.

Embora minha voz seja imponente, o tom de desespero e apelo está ali.

Uma *súplica.*

É provável que ela esteja me imaginando de joelhos, e talvez isso devesse me incomodar. Não incomoda. Eu passaria a eternidade levantando a porra da cabeça para olhá-la se ela *deixasse.*

— Está bem — sussurra... tão baixinho.

Tão alto.

É como se meu coração estivesse pendurado em um gancho feito de esperança, porque tenho *certeza* de que ouvi errado.

— Está bem?

— Primeiro feche os olhos.

Quatro palavrinhas nunca pareceram tão pesadas.

Tão *esmagadoras.*

Alojam-se em meu peito como montanhas quando olho para o céu por um momento extenso e agonizante, observando a lua ali em cima quase na mesma direção, vendo os ceifassabres soprarem as chamas enquanto lutam em meio à escuridão. Desejando uma realidade em que ela pudesse ser tão vulnerável comigo quanto sou com ela... com as palavras que ela disse na cela voltando como um eco assombroso em meus ouvidos.

"Só quando você se virar."

É como observar Slátra desmoronar de novo, sentir aquele luto excruciante dentro do peito quando todos os pedaços se espalharam, justo quando ela parecia completa.

Mas minha esperança é uma chama que nunca vou apagar. Não quando se trata de Raeve. Ela pode me afogar no fundo da Prézea, e a chama ainda vai queimar como o sol.

Inclino a cabeça para trás, encostando-me no gelo, e fecho bem os olhos.

— Estão fechados como pediu, Raeve...

Uma sensação se agita no peito enquanto espero, para o bem ou para o mal.

Fragmentado ou inteiro.

Desejando.

Amando.

Sinto sua presença antes de ouvi-la, o pelo dos meus braços se arrepiam quando a boca dela encosta em minha têmpora, tão de leve que estou quase certo de que foi minha imaginação. Mas então as mãos dela tocam minha barba, inclinando minha cabeça para o lado.

Ela dá um beijo em meu pescoço, arrancando um som grave bem do fundo de meu peito... o beijo tão real que sei que não é um sonho.

— Você está aqui — murmuro, sentindo um tremor pelo corpo.

Como se eu tivesse desalojado um fantasma de meus ossos e o libertado, eliminando parte do peso em meu peito que esteve tenso com fases e fases de sonhos que pareceram tão reais.

Nunca foram.

— Mais um — imploro, e o beijo seguinte é bem embaixo de minha orelha.

Na bochecha.

No canto de minha boca.

— Agora onde? — pergunta ela, com a voz hesitante.

Quase nervosa.

Como se estivesse pisando em um terreno instável.

— Minhas pálpebras.

Ela beijava minhas pálpebras quando achava que eu estava dormindo. De todas as coisas das quais senti falta durante as muitas fases que vivi, isso foi o que mais me causou saudade.

Ouço-a engolir em seco antes de chegar tão perto que sua respiração faz cócegas em meus cílios, os lábios tocando a pálpebra esquerda, depois a direita... como um presente cálido e brando dos próprios Criadores.

Minha respiração está mais instável que meus joelhos.

Outra explosão de chamas aquece minha pele...

Ela fica imóvel, e ouço o coração dela acelerar, e o meu, derreter.

Ah, ela ainda se esconde...

Aperto os olhos, ainda fechados, e seu corpo se suaviza contra o meu antes que a chama desapareça.

— Você sabe bem como cumprir a palavra, Majestade.

— Vou levar isso para o *túmulo*, Raio de Lua.

Sinto a bochecha dela se curvar em um sorriso, ouvindo os ceifassabres lança-chamas guinchando ao longe, as asas batendo e formando um eco.

— Conte até dez — sussurra ela, com a boca em meu pescoço. — E então vá me encontrar debaixo da lua.

Quê?

Estico as mãos para segurar a cintura dela e puxá-la para perto, mas os braços envolvem minha *própria* barriga.

Meu estômago se revira, e abro os olhos.

Olho para ambos os lados, mas ela sumiu... nem uma espiral de névoa para contar a história.

— *Raio de Lua!*

O apelido ricocheteia pelas paredes como rochedos sendo arremessados enquanto viro a cabeça para a esquerda e para a direita.

— Você não está contando — censura ela de longe, e suspiro, fechando as mãos em punho. Então as abrindo. — Está contando na mente?

— *Dois* — digo entredentes, balançando a cabeça. — *Quatro... seis... oito...*

— Você conta bem mal.

— *... dez.*

Avanço à frente, chutando as barreiras de névoa.

— Cante para mim, Raeve. Assim estarei caçando algo *real*.

Por favor.

Nada acontece enquanto sigo por caminho atrás de caminho, mas então a voz dela vem até mim. Uma melodia que se entremeia em meu coração em notas sedosas que tanto ferem quanto curam.

Paro, fecho os olhos e presto atenção... sentindo os pulmões se encherem, como se o tom dela fosse um alimento que minha alma acabou de parar para desfrutar.

Ali está ela...

Ouvi as pessoas falarem da voz de Rayne. De como é dolorosa de tão bonita, a ponto de nos fazer ter vontade de chorar. De como Clode nos faz questionar a própria sanidade.

Imagino que Raeve seja uma mistura de ambas, costurando em meu peito o órgão que estimo apesar da agonia que causa.

Com uma única ordem lírica, ela poderia me comandar a ficar na beira de um penhasco.

A pular.

Caminho pelo labirinto como se seguisse um mapa mental... virando para esquerda e então para a direita, correndo por um caminho irregular antes de voltar à direita. Chego a um pilar de gelo imponente com um buraco enta-lhado na lateral, indo para dentro da cavidade e subindo uma escadaria em espiral, cada curva me fazendo chegar mais perto da melodia assombrosa. A mesma canção que uma vez ela cantou para mim enquanto chorava diante da capoeira de Slátra.

Chego ao topo plano do pilar, que é grande o bastante para servir de base para uma plumalua em nidificação, bem debaixo da lua luminosa. Quase perto o bastante da aurora para tocar os fios de luz.

— Deita aqui comigo?

Olho para baixo e vejo Raeve, deitada de costas, com o olhar focado na lua acima, o cabelo espalhado ao redor como ondas. Ela removeu a máscara, e o vestido não passa de um monte de faixas sobre o gelo, quase sem cobrir a pele clara, quase como se tivesse caído do céu e pousado ali.

Meu coração dói ao vê-la.

Ao *pensar*.

Pigarreando, retiro a coroa e a coloco ao lado da máscara dela, então faço o que ela pediu, deitando-me ao lado dela, com os braços nas laterais do corpo enquanto observo a lua... a aparência sendo alterada pelo véu distorcido da redoma.

No geral, preta e espinhosa.

Agora, prateada e lisa.

— Eu gosto dessa lua — sussurra Raeve, então faz uma pausa significativa. — Tem a mesma cor e o tamanho daquela torta que eu via na janela em Ghora.

A mesma que tenho nas costas.

Engulo em seco, o silêncio entre nós crescendo e criando uma pulsação pesarosa própria.

— Você quer que eu conte para você por que gosta dela?

— Não.

Lógico que não.

Vendo o movimento à direita, faço uma expressão confusa quando ela rola para cima de mim. Com as costas dela tocando meu peito, ela segura meus braços e os enlaça ao redor do próprio corpo... agora presa em um abraço que construiu para si mesma.

Esqueço como se respira. Como se pisca.

Caralho, como se *pensa*.

Fecho os olhos, falando apesar do nó na garganta que tenta me estrangular.

— Isso dói, Raeve...

— Eu não quero que doa — responde ela, rouca, e aperta mais meus braços, como um conforto firme que não consegue amenizar o ardor. — Eu queria...

— Eu sei o que queria. Mas não sinto alegria nenhuma fingindo que temos algo que não temos.

— Eu não posso fazer nada *além* de fingir...

— Por você ter perdido alguém?

Ela fica rígida.

Desta vez, sou eu quem a abraço mais forte, tentado a apertá-la até que nossos corpos se mesclem.

Depois de uma longa pausa, enfim ela sussurra, tão baixinho que quase não ouço:

— É.

Sinto o coração se partir em dois, a confirmação do passado devastador dela acerta meu peito como chumbo. Um peso cruel e oneroso que odeio ter que adicionar ao sofrimento que ela já carrega antes de escapar de mim de novo.

Mas uma crueldade necessária.

Ela precisa tomar uma decisão fundamentada sobre o próprio futuro com base nos fatos reais. Não nessa imagem feita de fumaça por trás da qual vem vivendo.

Pensei que teria mais tempo para escolher o momento certo. Para esperar que ela ficasse curiosa e buscasse as respostas, uma vez que a revelação da lua deu tão errado.

Agora vejo a verdade.

Ela sente o peso do passado, ou não estaria recorrendo a medidas tão extremas. Ela está envenenando a própria curiosidade, se recusando a deixá-la brotar.

O que significa que ela prefere ficar sozinha pela eternidade. Sozinha, e *alegremente* ingênua.

Para a infelicidade dela, tenho uma responsabilidade da qual me recuso a fugir.

— Eu invejo os dragões, Kaan. Eles veneram a morte de forma tão bela. Nós só... *perdemos*. Não nos resta nada além de fantasmas e lembranças que parecem feridas.

A rouquidão da voz dela me força a ficar de olhos fechados. Raeve não se deixa desmoronar quando está sendo observada. Ela reprime tudo, finge que não sente nada. E, agora... ela não está fingindo.

Nem um pouco.

— Você já desejou alguma vez poder trazer os mortos de volta? Ainda que só por um instante passageiro no qual pudesse senti-los nos braços? Dizer a eles o quanto são importantes? — pergunta ela.

— Já.

Por cem fases, olhei para a lua de Slátra e desejei que ela trouxesse Elluin de volta para mim. Implorei aos Criadores também.

Só mais um sorriso com covinhas.

Mais um toque.

Mais um beijo nas pálpebras.

Qualquer coisa.

Ela exala de novo, trêmula.

— Eu não voltei, não de verdade. Por mais que eu quisesse ser... ela.

Ela.

Elluin.

Entrelaçando os dedos nos meus, ela levanta minha mão.

Abro os olhos. Observo-a usar nossos dedos para desenhar o formato do cemitério celeste acima de nós, traçando o contorno das asas do plumalua.

— Este momento é um presente que podemos desperdiçar ou estimar, mas de qualquer forma sou grata. Pelo tempo que passei aqui. Enfim aprendi o que significa *viver*, e nunca vou esquecer isso, Kaan.

Cada célula em meu corpo fica estática quando ela puxa minha mão para baixo de novo, forma uma concha com ela e encosta o rosto ali. Como fez tantas vezes antes.

— *Nunca.*

Perco a compostura completamente.

Arranco a máscara e a puxo para trás, segurando a lateral de seu rosto e roçando o dedão por sua boca. Raeve prende a respiração... com os olhos arregalados e vidrados, a bochecha molhada pelas lágrimas.

O olhar dela é de um choque tão puro que sinto que estou vendo sua verdadeira *essência* pela primeira vez desde que ela caiu de volta ao mundo. Não apenas Elluin. Não apenas Raeve.

Uma mistura bela e devastadora das duas.

Um grunhido dolorido sobe por minha garganta, e tomo a boca de Raeve em um beijo impetuoso, sentindo o gosto das lágrimas dela enquanto enfim salto do penhasco ao qual ela me conduziu com seu canto.

Registro no diário

Elluin Neván

Idade: 20 fases

5.000.041 fases Depois da Pedra

A Pedra de Éter está feliz aqui, como se Kaan tivesse pedido a permissão de Bulder antes de escavar o penhasco para criar nosso espaço. E Bulder tivesse concordado com alegria.

Eu adoro este lugar. Estar aqui... parece uma pequeno lar longe do meu lar.

A cada torpor, comemos juntos antes de Kaan tocar para mim, e canto para ele sobre o Breu. O vento, água, terra e chamas.

De minha bela família que já não existe mais.

Então ele faz amor comigo em nossa cama entalhada por ele próprio até adormecermos um nos braços do outro.

Estamos vivendo em uma bolha. Sei disso. O resto do mundo não importa aqui dentro de nosso lugar especial.

Nada aqui pode nos tocar.

No último torpor, Kaan se ajoelhou, retirou o colar e o ofereceu a mim. Ele disse que o nome era málmr e que tinha ido até Gonodraco para pegar a escama de Ahra, a grande ceifassabre prateada, para moldar o objeto claro. Disse que Ahra tinha aparecido em sonho para ele, e ele havia ficado com a impressão de que, se não conseguisse coletar uma escama dela, não merecia o amor de que compartilhávamos. Que não teria a força para enfrentar nossos maiores desafios que ainda surgiriam.

Mas ele conseguiu. E sobreviveu.

Então aperto o málmr com força e espero que assim seja, depositando todo meu amor ali, mesmo quando não estamos emaranhados nos lençóis ou dentro de nosso lugar especial. Eu me atenho ao objeto, e imploro com todo o coração aos

Criadores para que nos deixem manter este amor. Mais do que tudo, imploro a eles para manter Kaan em segurança.

Vivo.

Saudável.

Já perdi tanta coisa. A ideia de o perder também...

É arrasadora.

Raeve

CAPÍTULO 77

$\mathcal{U}$m barulho crepitante me acorda de um sono que deslizava por minha mente como óleo. Um sono tão profundo e silencioso que meu corpo está pesado que nem pedra.

Eu me movimento em direção à consciência, embalada pelo tamborilar da chuva no vidro que cobre a fenda para o céu. Grunhindo, me aninho mais à saliência calejada de calor encostada na lateral de meu rosto, um peso sobre minha cintura que é denso e confortável.

Familiar.

Outro estrondo crepitante corta o ar, um lampejo de luz acendendo minhas pálpebras fechadas. O peso se mexe, uma mão desliza por minha costela, me puxa mais para perto de uma parede sólida de calor que respira, e pulsa...

Ele ainda está aqui.

Abro os olhos, prendendo a respiração. Olho o quarto abobadado a que tanto me afeiçoei, os dragões entalhados nas paredes redondas mal sendo visíveis à luz fraca da tempestade.

Uma respiração retumbante sopra em meu ouvido, e sinto o arrepio descendo da base de minha coluna até a ponta dos pés ao chegar à conclusão de que isto não é um sonho. Nem uma lembrança de apertar o coração.

A presença imensa pressionando meu corpo por trás... as pernas musculosas emaranhadas com as minhas... a respiração quente em minha pele...

Meu coração acelera.

Real. Bem real.

Inalo fundo, sentindo o cheiro de creme e pedra derretida. Ao exalar devagar, em meio a memórias embaçadas pela bebida, lembro do nosso beijo no topo do pilar do festival. Da corrida escura de giros e curvas sob o luar. Da barriga doendo de tanto rir. Do gosto ácido de sopro de plumalua em meus lábios.

Lembro da chuva caindo forte, de segurar a mão de Kaan e o puxar pela esplanada. Pela costa.

Passando pela mata e subindo uma escada em espiral.

Lembro de ele me dar a privacidade para vestir a camisola, mesmo que eu não a quisesse. De me enfiar nos lençóis, de *desejar* com vigor que ele se deitasse comigo e me abraçasse até eu pegar no sono como fazia com Elluin... sentindo a vantagem do jogo de Saltari que ganhei ser arrancada de meu peito como uma flor sendo extraída do vaso. Porque a bebida, a risada e o amor me transformam em uma estúpida do caralho, é evidente.

Faço um esforço para não grunhir quando percebo que joguei a vantagem pelo ralo assim como quando joguei a algema na Prézea depois que Kaan a removeu.

Agir antes de pensar e tal. Embora seja difícil sentir um arrependimento verdadeiro. Não com a lembrança de dormir com ele acariciando meu cabelo... cantarolando aquela melodia reconfortante.

Embora...

Minha mente se concentra em uma centelha de lembrança. Da voz dele em meu ouvido enquanto a inconsciência me puxava. Algo sobre... uma verdade dolorosa que preciso saber?

Pelos Criadores.

Não quero nada disso.

Outro relâmpago banha o quarto com uma energia estática, fazendo os pelos de meus braços se arrepiarem.

Kaan solta um grunhido, mudando de posição, e aproveito a chance para me virar sob o braço dele até estar de frente, prendendo a respiração quando vejo seu rosto adormecido. De imediato me arrependo, percebendo que deveria ter só saído da cama e ido embora sem olhar para trás.

O cabelo preto dele está bagunçado, solto, as madeixas espalhadas pela testa que quero encher de beijos.

Ergo a mão, com os dedos pairando em frente aos lábios cheios, fingindo tocá-los. Fingindo enfiar os dedos na barba, então acariciar os compridos cílios pretos.

Como eu devo gostar de sofrer, meu olhar vai descendo.

Ele está sem camisa, seu corpo tão audaz à luz intermitente, transformando os músculos arredondados em uma obra de arte coberta de inúmeras cicatrizes. Esculpido de forma brusca.

Bruta.

Bela.

Puxo na memória as lembranças que recuperei desde que quase morri por causa da lesão na cabeça que sofri na cratera do clã Johkull, confusa...

Em nenhuma delas ele tinha tantas cicatrizes.

É difícil o imaginar sobrevivendo a algumas feridas que obviamente suportou enquanto estivemos separados, o órgão endurecido em meu peito apertado ao pensar nele encolhido em uma poltrona com uma perfuração na barriga; imóvel e sem vida.

Pálido.

Ao pensar em acordar ao seu lado, puxando-o para perto para aquecê-lo... e perceber que ele está frio. Tão frio quanto nossa pequena caverna de neve, e que seus olhos não estão fechados. Estão bem abertos, sem piscar, por mais que eu o balance.

Grite com ele.

Implore.

Assim como implorei a Fallon.

Não posso fazer isso. Não posso perder outra pessoa.

E, caralho, é bem por isso que preciso ir embora. Agora.

Olho para os cílios dele de novo e me imagino chegando perto e os beijando, leve e devagar. Eu me imagino encostando o nariz em seu pescoço, inalando fundo seu cheiro. Eu me imagino encostando a testa na dele, dizendo as três palavras que sei no fundo de meu ser que Elluin sentia, dando um último beijo em sua bochecha...

Vá embora, Raeve.

Meu coração pulsa com uma dor agonizante quando desvio o olhar, coloco o braço dele para o lado e me sento. Eu recaio para dentro de mim mesma e começo a guardar a bela lembrança de todas as camadas cálidas e lustrosas que poderiam me fazer querer ficar e viver o último torpor de novo, e de novo, e de novo.

Para sempre.

O braço de Kaan passa por minha cintura, me trazendo de volta ao presente. Sobressaltada, sou puxada de volta contra o peito dele, presa em seu abraço.

— O qu...

— A aurora ainda está nascendo — murmura ele, com a boca na curva de meu pescoço, sua voz grave e tomada pelos resquícios atordoados de sono.

Apesar de eu estar franzindo a testa, meu corpo se curva em harmonia com o dele, como se tivéssemos sido feitos para estarmos juntos.

Para nos movimentarmos juntos.

Cairmos juntos.

— Você nem sabe disso — respondo, bufando, e outro relâmpago acende o quarto.

— Mas está — contrapõe ele, se acomodando ao meu redor como se tivesse a total intenção de voltar a dormir. — Você não consegue discernir por causa das nuvens.

Suspiro.

Para mim, isso parece um monte de merda de sanhaço. Uma desculpa perfeita para prolongar o prazer e adiar a parte dolorosa. Mas vim fazendo isso por sabe-se lá quanto tempo já, e o resultado foi eu parar ali, na cama grande e confortável com Kaan, com o rosto aninhado na mão dele. Saboreando um amor que nunca vou poder manter.

É cruel.

Eu sou cruel.

— Eu tenho que ir, Kaan.

— Estou bem ciente das suas intenções, Raeve. Mas, como falei antes de você dormir, precisamos ter uma conversa séria primeiro.

Fico imóvel que nem pedra, xingando por dentro.

Eu tinha torcido para ele esquecer.

Ele levanta o rosto de meu pescoço, então inclina a cabeça o suficiente para eu o encarar de baixo, sendo esmagada pelo olhar ardente e fervilhante.

— Podemos fazer isso agora ou continuamos fingindo por mais um pouco. Você escolhe.

Bufo.

— E se eu *não* quiser ter essa conversa? Nunca?

Ele dá de ombros.

— Então você vai ter que me matar quando estiver saindo de Dhoma. É simples. Do contrário, vou te seguir pelo resto da eternidade até você resolver que está pronta para encarar a porra do passado.

Eu me encolho fisicamente, como se ele tivesse me furado com uma navalha e por pouco não acertado um órgão vital.

— Você é horrível.

Kaan abre um sorriso suave. Até gentil.

— Eu sou um homem horrível que te *ama*, Raeve. Que quer o melhor para você, mesmo se não for o melhor para mim. — O sorriso some, e seus olhos ficam mais escuros enquanto ele para de falar, como se estivesse às voltas com as palavras. — Tem... *outras* pessoas que seriam afetadas por um possível retorno seu. Uma em específico. Você precisa saber a verdade.

Abro a boca, fecho, traída pelo olhar duro dele. O mesmo olhar de quando ele saltou da garupa de Rygun na cratera nas Planícies Boltânicas.

Quem quer que seja essa *outra* pessoa, estou meio convencida de que ele cortaria uma cabeça por ela. O que significa que não vou sair daqui até ter essa *conversa*. Sobretudo considerando que abri mão da minha vantagem por uma conchinha e uma canção de ninar no meio do torpor.

Quem sou *eu*? Uma dose de amor do passado e já estou domada e transformada em algo suave, mole e... *estúpido*.

— Eu não gosto nada disso.

— Eu sei que não — afirma Kaan, colocando uma mecha de cabelo atrás de minha orelha talhada. — As dores de crescimento não são chamadas de *dores* à toa.

Também não gosto nada disso. Já atingi minha cota de *dor*.

Estou meio de saco cheio dela, na verdade.

— Então o que vai ser, Raio de Lua? Está no clima de ser uma boa ouvinte? *Com certeza não.*

Um pouco mais do faz de conta extasiante com o homem que me olha como se eu tivesse criado o céu em vez de uma conversa sobre meu passado sofrido que talvez vá minar mais do que moldar?

Nem tem competição.

— Diga — começo, recaindo em nossa ilusão deliciosa como quem cai em uma nuvem —, que tipos de... *coisa* fazíamos neste quarto quando acordávamos antes do nascer da aurora?

O corpo de Kaan relaxa ao meu redor, um som forte emanando de seu peito enquanto seus olhos ardem.

— Você não sonhou com a gente aqui nesta cama?

Sim.

— Não.

Ele arqueia a sobrancelha.

— Sério? Porque não foi isso que você disse depois de quatro bebidas, quando você balançava para lá e para cá durante a giga animada na redoma de Pantânia.

Minha bochecha fica vermelha.

Lógico que abri o bocão.

Ele enfia os dedos por baixo da alça de minha camisola, puxando para baixo e começando a beijar minha clavícula... bagunçando meus sentidos.

Relaxando meu corpo.

— Diga, Raeve... — Outro beijo suave em meu pescoço, as palavras seguintes retumbando em meu ouvido: — Como eu te comia nos seus sonhos?

Raeve

CAPÍTULO 78

O calor se acumula entre minhas pernas.

Mordo o lábio inferior enquanto minha mente recorda as lembranças vívidas que vi...

Que *vivi*.

Lembranças de *nós dois* debaixo dos lençóis juntos, rindo.

Amando.

Lembranças dele levando meu corpo ao precipício de um prazer que só pode existir quando corações se chocam na sincronia de uma colisão movida a paixão. Algo que nunca achei ser possível até sonhar com isso.

Um dos motivos pelos quais eu achava tão difícil ir embora, ao mesmo tempo que ficava desesperada para fazê-lo; o sentimento me deixa dividida. Sem conseguir me mexer.

E cá estamos.

Eu, como um dragão cativado tentando me libertar da atmosfera de Kaan. E ele...

Ele.

Caralho.

Pensar que quase cortei o pescoço deste homem me abala até os ossos.

Kaan desce mais a alça por meu braço, expondo meu seio latejante, e roça o dedo pelo mamilo enrijecido.

— Fui bruto ou gentil? — Outro beijo em meu pescoço enquanto desliza os dedos pelo material da camisola que se amontoou na altura de meu umbigo. — Eu te provocava até você ficar molhada, trêmula e irracional, berrando para eu te fazer minha?

Ele mordisca meu pescoço, e me sobressalto.

Sim, Kaan. Gritei por você em sonho. Acordei com o rastro ainda quente de seu nome em meus lábios, pulsando com a lembrança de sua mão...

Bem onde preciso que ela esteja agora.

Pressiono a bunda na ereção dele, rendida pelo seu toque descendo por minha cintura, indo mais para baixo.

E mais para baixo.

Um giro lento, e levanto a perna direita, fazendo com que a barra da camisola suba por minhas coxas. Ele puxa mais o tecido, o que me deixa exposta por completo.

— Eu te comi com vontade? — incita ele, passando os dedos pelas minhas dobras, separando-as, fazendo círculos em torno do ponto que faz meu corpo latejar.

De novo.

De novo.

Dois dedos envolvem esse local sensível de nervos enquanto Kaan beija meu pescoço, fazendo meu corpo virar um nó de tensão.

— Fui bem fundo e devagar?

— Todas as alternativas — respondo, com a voz rouca, e um ruído profundo emana do peito dele enquanto ele penetra o dedo no centro molhado e vibrante de meu corpo...

O prazer me atravessa, me fazendo estremecer.

Outro impulso vagaroso dos dedos dele, e abro mais as pernas, descendo a mão por seu braço, assim como fiz em sonho. Usando meus *próprios* dedos para pressioná-lo mais fundo dentro de mim... rebolando em sua mão no mesmo ritmo faminto.

Ele mordisca minha orelha, então a beija com uma ternura terrível.

Começo a me mexer em um ritmo constante, mantendo a mão dele entre minhas coxas, encorajando meu corpo a ficar todo vermelho graças ao calor faminto que se acumula.

Molhado.

Desejoso.

Outro beijo na lateral do meu pescoço causa formigamentos que vão até meus seios. Descem por meu umbigo.

Chegam ao meu âmago.

Todos os meus ligamentos frágeis começam a formigar e a se tensionar, e intensifico o rebolar, extraindo prazer da sensação dos dedos dele.

Inclino a cabeça em um pedido silencioso para que ele beije meu pescoço de novo, grunhindo quando ele desfruta da extensão sensível de pele com uma confiança voraz. Imaginando a língua dele fazendo a mesma coisa *em outro lugar*.

Toda terminação nervosa abaixo de meu umbigo começa a formigar, intensificando até eu não conseguir falar.

Nem pensar.

Nem respirar.

Outro beijo quente em meu pescoço, e todos os músculos de meu corpo se tensionam com uma violência feroz e gulosa. O orgasmo me atinge como uma avalanche, lançando onda após onda de prazer explosivo sobre mim.

Ele remove os dedos com gentileza, e um gemido sobe por minha garganta quando ele esfrega meu clitóris e beija a região logo abaixo de minha orelha, me arrematando.

E me desfazendo.

Continuo pulsando, o grunhido baixo e satisfeito de Kaan me atravessando, e dou uma risada, balançando a cabeça. Tão aérea que parece que estou dançando nas nuvens.

Se ao menos eu pudesse viver nessa existência imaginária para sempre. As coisas parecem *boas* aqui. Boas e felizes.

Livres.

Ele dá um beijo no canto de minha boca, causando outra sensação intensa no meio de minhas pernas apesar de o orgasmo já estar se dissipando.

Minha atenção está focada em sua ereção pressionando minha bunda, minha boca cheia d'água...

Giro o corpo para longe dos braços dele, e os olhos de Kaan queimam quando toco o fecho de sua calça, desabotoando.

Puxando para baixo.

Jogando para o lado, eu me sento sobre ele com uma perna de cada lado do corpo, meu olhar guloso observando seu corpo. Kaan é uma obra de arte emaranhada nos lençóis sedosos, com seu pau tocando a barriga, a cabeça quase chegando ao umbigo.

Ele segura meu rosto, me olhando da mesma forma que olhou naquela casa pequena e torta. Como se ele fosse buscar uma lua caída só para me dar. Só que desta vez a coisa não se esvai, porque estamos moldando as lembranças com argila. Algo que pode ser levado com o próximo aguaceiro torrencial.

Mergulho nesse olhar como se pudesse me salvar, encostando mais o rosto na mão dele.

Puxando mais para perto.

Ele geme, erguendo as sobrancelhas.

— Você é magnífica.

Meu coração se acelera.

As palavras...

O olhar dele...

O jeito que segura meu rosto...

Eu poderia me deleitar com a imagem dele sem nunca deixar de me maravilhar. Outra prova de que o que quer que tenha feito Elluin se afastar *machucava*.

Ergo a sobrancelha, um esforço deplorável para aliviar a tensão.

— Você é parcial, Majestade. E talvez esteja se esquecendo de que quase te esfolei. Várias vezes.

— Não. Eu sou *obcecado* pra caralho — contrapõe ele, com um grunhido, segurando meu rosto com a outra mão e me puxando para a frente.

Nossas bocas se encontram, e engulo os gemidos profundos que Kaan faz enquanto me esfrego em sua ereção robusta, reacendendo o pulsar faminto. Ele corre os dedos por minha coluna, que se alonga com o toque, as mãos firmes dele seguram minha cintura, me estimulando a rebolar mais.

E mais forte.

Separando nossos lábios, vou beijando seu pescoço ao som dos gemidos graves, desfrutando de cada toque de minha boca na pele dele como se fosse um gole de vida. E dou mais beijos nas cicatrizes em seu peito.

Nas laterais das costelas.

Traço o mapa estelar de dor dele com a boca, imaginando cada beijo lento e terno absorvendo um pouco de seu passado violento... descendo por sua barriga, passando pelo umbigo, segurando o pau grosso e duro.

Minha boca enche d'água, e sinto o latejar no meio das pernas ao ver o quanto ele está duro.

Pronto, desejoso.

Levanto o rosto.

Encaro o olhar vulcânico dele e coloco a língua na base aveludada, então lambo até a ponta, passando por um caminho de veias inchadas. Ele ergue os quadris quando minha língua toca a cabeça, lambendo a gota salgada de sêmen que escorre pela fenda.

Ele sibila, contorcendo o corpo.

Coloco a boca ao redor dele e vou descendo, abrindo a garganta, indo tão fundo que fico sem conseguir respirar... com a mão ainda segurando a base grossa. De novo, ele contorce o corpo quando me afasto, pressionando bem os lábios pelo comprimento até soltar na ponta, olhando para ele de novo.

Minha pulsação perde o controle graças à forma como ele está me observando. Como um homem que esteve vivendo só de oxigênio, à beira da inanição, e agora está sentado diante de um banquete digno de reis e rainhas.

Sorrio e o coloco na boca outra vez. Movo a cabeça para cima e para baixo até ele ficar tenso, trêmulo, sua respiração pesada me deixando bem satisfeita, assim como os quadris que se erguem contra minha boca. Até ele ficar tão grosso e firme que tenho certeza de que ele está prestes a...

Kaan segura meu cabelo e me afasta com gentileza até minha boca estar longe de seu corpo, e estico o pescoço enquanto ele me estuda com uma intensidade implacável.

Algo no olhar dele mudou, há uma declaração ali que não entendo.

Confusa, levo um momento para compreender a tensão densa no ar. A energia dele foi de cálida e divertida para dura e séria.

Antes de eu conseguir discernir o pensamento, ele afrouxa o aperto em meu cabelo e me deita de costas na cama... e se ajoelha entre minhas pernas abertas, pairando sobre mim como uma silhueta selvagem.

O ar fica carregado.

— Por que você me par...

Outro relâmpago, e ele segura minhas coxas, abrindo tanto minhas pernas que não existe mais a possibilidade de me esconder.

— Tomei uma decisão — rosna ele, espalhando a mão em meu baixo ventre, a ponta do dedão fazendo círculos lentos e destruidores em meu clitóris inchado.

Levanto os quadris, enfiando os dedos em meu próprio cabelo, vibrações de prazer passando por mim enquanto ele me dedilha como se eu fosse um instrumento.

— Que bom pra... v-você.

O fato de que ele ao menos consegue pensar agora está além de mim.

Sério... *que bom para ele.*

Ele enfia os dedos em mim, curvando, tocando em algum ponto de nervos profundo e sensível que me acerta com um êxtase desarmante.

Solto um gemido alto em resposta à sensação espantosa.

Caralho.

O que foi isso?

Ele mexe no ponto sensível de novo, de novo e *de novo*... e meu corpo fica tão tenso que mal consigo respirar.

— Você não vai me apagar da mente — afirma ele, massageando meu clitóris mais rápido.

Mais rápido.

— Isso de novo, não — murmuro, com um gemido, mas as palavras não saem com o tom pretendido, pois seus dedos estão fazendo um trabalho tão eficiente que minha mente virou adubo.

Do tipo que faz más escolhas brotarem.

— Vou fazer um trato com você — diz ele, com os dentes à mostra.

— Que se fodam seus tratos.

— Não, Raeve. Que se fodam os *seus* — rebate ele, enfiando mais um dedo. Me esticando. — Passei mais de cem fases com o peso de sua morte me sufocando, destruindo a mim mesmo, tentando arrancar a dor de meu coração. Você sabe como teria sido mais fácil só *apagar você* da mente?

Solto um gemido enquanto ele me preenche com os dedos, meu corpo seguindo o tom dos movimentos, com sons molhados preenchendo o espaço.

— Mas não fiz isso, porque não sou um *covarde*, caralho.

Solto um rosnado, arqueando as costas e mostrando os dentes para ele, então caindo de volta na cama com um grunhido de prazer quando ele me penetra com os dedos de novo.

— E eu não acho que você faz o tipo covarde.

— Pare de... f-falar. Você está acabando com o momento.

— *Não*.

Outra estocada.

Mais uma.

— Você não vai me tratar como um segredo desta vez — continua ele, esfregando meu clitóris com o dedão. O prazer volta a crescer, uma onda imponente se formando... — Eu não sou seu segredo. Sou sua *verdade*.

Ele tira os dedos, dissipando o orgasmo antes que tenha a chance de se concretizar.

Solto um gemido, o som virando um lamento carente enquanto curvo a perna para dar um chute no peito do babaca que está me provocando.

Ele segura meu joelho, então o outro, prendendo minhas pernas sobre a cama, os olhos dele como brasas escurecidas cintilando em meio à tempestade lampejante.

— Eu sei que você é uma criatura selvagem que gosta de dizimar qualquer coisa que adentre em sua atmosfera, mas, depois de enfrentar uma quantidade considerável de ataques, vou ter que começar a revidar. Lá atrás, ouvi você. Deixei que me afastasse. E aí você *morreu*. Então, não — rosna ele —, eu não aceito seu trato. Mas vou sugerir um que é favorável a *todas* as partes... e não um que só atende a seus caprichos egoístas.

— *Eu não sou egoí...* — Ele enfia a cabeça no meio das minhas pernas, passa a língua bem na abertura pulsante e lambe até em cima. — *Aaah*, você é bom nisso.

Solto um gemido, contorcendo o corpo.

Ele faz de novo, e enfio os dedos no cabelo de sua nuca enquanto rebolo no mesmo ritmo do desfrute dele.

Beleza, sou um pouco egoísta.

Eu o puxo mais para perto, e a língua dele me penetra. Kaan segura minha cintura, elevando meu êxtase a outro nível.

O centro de meu corpo começa a se contrair...

Ele se afasta, erguendo o corpo.

Solto outro gemido, embora minha frustração se dissipe quando ele começa a esfregar meu clitóris com o dedão outra vez.

— Coloque as mãos na parede — ordena Kaan, com uma autoridade tão calma na voz que num instante obedeço, certa de que minha obediência vai me fazer ganhar o orgasmo que ele insiste em manter fora de alcance.

Ele apoia uma das minhas pernas no ombro, segura a outra e abre bem. Então toca a própria ereção e usa para dar batidinhas no centro inchado em meu corpo.

De novo.

De novo.

Vou amolecendo com cada toque em meu clitóris sensível, imaginando-o dentro de mim. Me preenchendo.

Movendo dentro de mim.

Pelos Criadores, esse homem...

— Qual é o trato, babaca?

— Primeiro você cede, depois eu te como. — Ele abre um sorriso duro cheio de dentes caninos e um deleite feroz, dando mais batidinhas e acabando comigo. Levanto os quadris para intensificar cada toque. — Aí eu conto.

— Essa é uma regra fod... *Pelos Criadores* — murmuro quando ele esfrega a cabeça grossa do pau em minha entrada, enfiando só um pouquinho.

Tirando.

Roçando de novo.

Talvez não seja uma regra tão fodida.

— Você estabeleceu as regras no fim da última aurora quando me ferrou na mesa de jogo. Você me fez concordar, sabendo muito bem que pretendia me *apagar,* com uma carta na manga para garantir que conseguiria isso.

Eu não gosto *nadinha* de enfiarem um espelho na minha cara quando estou tentando alcançar um orgasmo.

— Eu te odeio — respondo, com um choramingo, levantando os quadris para intensificar o próximo toque pesado.

— Não odeia, não, Raio de Lua. Você me ama. Só está ocupada demais maltratando meu coração para perceber.

Eu teria estremecido com a acusação afiada se não estivesse com o corpo todo tenso.

Outro esfregar lascivo me transforma em um monte de miados, e ele rosna a próxima palavra:

— *Ceda*.

— Vai se foder, seu babaca. Eu *cedo*, caralho.

Uma das mãos dele segura minha coxa, a outra toca minha bochecha enquanto ele foca o olhar no meu, me desafiando... não, *implorando*... para que eu mantenha os olhos nos dele, que flamejam.

— Não desvie o olhar, Raio de Lua.

Por favor.

— Não vou — garanto, com a voz rouca, toda a frustração crescente com ele se dissipando em uma onda doce de vontade esmagadora.

Do desejo de ir ao encontro dele nesta ponte de conexão que é frágil e incerta... mas *extraordinária*.

Transbordando com um calor mágico e formigante que me faz querer chorar.

Minha boca se abre sozinha quando ele se move para a frente, me fazendo dele em uma estocada ágil, meu corpo seguindo a maré de movimento... sendo preenchido de maneira deliciosa.

Ele para de se mexer, inteiro em mim, e nossos olhos se encontram em uma colisão que parece uma fenda no tempo e espaço. Tudo o que vejo é uma adoração derretida. Um amor feroz e indomável tão pesado que me deixa sem ar.

Tudo o que sinto é *ele*.

Kaan exala, trêmulo, o que me lembra de colocar meus próprios pulmões para funcionar, sentindo a mistura de nossos cheiros, que deve ser o melhor aroma do mundo. Ele segura meu rosto, seu olhar mais intenso.

— Me diga se for demais.

Engulo em seco e confirmo com a cabeça, então mexo o corpo em incentivo.

Com um grunhido gutural, ele começa a arrasar meu corpo com giros profundos e ritmados, o que causa raios lascivos de êxtase por mim. Choramingo, me mexendo em harmonia com o ritmo feroz, o corpo musculoso dele ondulando sobre o meu.

Colidimos um no outro em uma harmonia de rosnados até eu ficar à beira de uma combustão que poderia me destruir.

A ereção dele cresce ainda mais, e me sinto preenchida por completo, de uma maneira impossível. Ele desce a mão, tocando meu clitóris.

E seu dedão começa a esfregar. Mais rápido.

Mais rápido.

O meu centro se contrai, um tremor começando na ponta de meus dedos do pé, que se contorcem, subindo por minhas pernas, para dentro de minha entrada, e pela linha da coluna até eu ter certeza de que vou me fragmentar em mil pedaços irregulares.

Passo as mãos pelos braços tensos dele, pelos ombros, com a mão direita tocando o peito dele que martela no mesmo ritmo intenso que o meu.

— Sente isso? — questiona ele, colocando a mão em cima da minha e a mantendo ali, sobre o órgão retumbante. Um tom mais leve toma os olhos dele, quase como uma reverência. — Você nos encontrou, Raio de Lua.

Começo a rachar.

Partir.

Estilhaçar.

Cada fibra em mim fica tensa, formigando, acesa com uma onda debilitante de euforia quente e faminta. Abro a boca em uma série de gemidos breves e intensos que tomam o ar enquanto me contraio ao redor dele, pulsando com tanta ferocidade que minha mente derrete, a luz cortando minha visão.

Perco todo o senso de espaço e tempo... caindo. Pousando em algum lugar dentro do olhar dele e ali me afogo do jeito mais guloso possível.

Kaan segura meu rosto de novo, apertando. Ele solta um *rugido*, então rosna entredentes, pulsando dentro de mim. Se despejando em meu interior junto a uma satisfação primitiva que transforma meus músculos em manteiga.

Meus nervos também.

Tudo se afrouxa, meu corpo fica mole enquanto ele se inclina à frente e empurra de leve meu rosto para o lado com o dele, grunhindo com suavidade. Ele abre a boca e me dá uma mordidinha gentil. Um mordisco que aciona meus instintos básicos. Que me fez desejar que ele crave os dentes um pouco mais fundo.

— Com o que eu acabei de concordar? — pergunto, arfando, ainda derretendo embaixo dele.

O mordisco vira um beijo que ele dá debaixo de minha orelha. Um ponto que nunca soube que era tão sensível.

— Você não vai me apagar da mente... por mais que nossa conversa iminente doa.

Prendo a respiração, e um arrepio passa por minhas veias.

Ele dá outro beijo em meu pescoço, como se para amenizar a ferida aberta que acabou de fazer. Outro beijo em minha mandíbula.

No canto da boca.

— Isso é tão maior do que *nós*, e você precisa suavizar esse coração ou vai acabar ferindo alguém que não está tão à vontade em ter o peito apunhalado pela sua relutância em formar conexões.

Meu corpo fica estático, cada célula em atenção máxima.

Já fui repreendida antes, mas não assim.

Isso é...

Isso *abala*. Ressoa em um tom de verdade que faz os tendões puídos de meu coração se contorcerem.

Ele segura meu rosto entre as mãos, outro relâmpago enchendo o ar com luz branca, os olhos vulcânicos ao prosseguir:

— Essa verdade vai doer, e você vai me odiar por causa disso. Mas tem alguém por aí que *precisa* de você, e você vai mudar a vida desta pessoa ainda mais do que mudou a minha.

Meu coração se parte todo, a fissura tão profunda que atinge o centro suave e carnudo.

Imagino a pequena Pre pairando por aí, dançando em giros estonteantes como dançava sempre que eu abria a tampa da caixa. Eu a imagino aninhada a mim, no meu pescoço, lembrando de todas as vezes que dei carinho a ela. Que desdobrei as dobras delicadas. Que a alisei.

Que a *li*.

Que *precisei* dela.

O bolo na garganta cresce tanto que sou obrigada a engolir.

Sempre pensei que aquela cotovia de pergaminho chegou a mim por acidente, mas talvez não estivesse nada perdida. Talvez estivesse *exatamente* onde precisava estar...

— Então, Raeve. Você pode me atacar o quanto quiser, fingir que não me ama tanto quanto te amo. Consigo lidar com mais cicatrizes, por mais que doam. Mas você não vai fugir. — Ele dá um beijo na ponta do meu nariz, o gesto terno contrastando tanto com as palavras duras. — Foi com *isso* que você concordou.

Registro no diário

Elluin Neván

Idade: 20 fases
5.000.041 fases Depois da Pedra

O rei Ostern voltou na garupa do ceifassabre, seguido pelos dois filhos mais novos (Cadok e Tyroth). Os dois vieram para participar da celebração do Chamedraco. É a primeira vez que vejo o homem que estabeleceram que será meu liame desde o primeiro torpor em que pisei no reino do paih dele.

Podem me chamar de desconfiada, mas peguei um dos punhais de escamadraco que Kaan me ensinou a moldar e o mantive junto do corpo. Até o momento em que Tyroth me encurralou em um corredor e tentou me levar para um canto escuro. Então encostei o punhal no pescoço dele.

Ele riu. Disse que a irmã dele tinha sido uma má influência para mim. Minha resposta foi que achei que a influência dela foi o exato oposto. Tyroth disse que eu ainda não tinha permissão para falar, então respondi que era para ele ir comer merda de dragão e que eu esperava que ele morresse engasgado.

Doce ilusão.

No jantar, fui obrigada a me sentar ao lado dele, trajando o véu, comendo sem jeito a comida que foi servida para mim como quem serve um animal. Tarefa difícil com a boca tapada. Ainda mais difícil quando toda a comida servida era muito densa ou apimentada para meu gosto e eu não tinha a permissão de falar, de pedir por coisas que estavam mais distantes na mesa.

Kaan manteve o olhar firme em Tyroth enquanto eu sofria no silêncio esperado de uma princesa, a menos que ela seja liame de alguém ou tenha se concedido aos Criadores. Como Veya.

Por falar nela, Veya ficou em um estranho silêncio (reservada, de cabeça baixa) enquanto comia ao lado de Turun, seu sobrinho. Não entendi o porquê até que o paih dela começou a cutucá-la, elencando todas as formas que ela o havia decepcionado.

Com cada palavra ardente dele, ela se encolhia um pouco mais, até ele dizer que lamentava o torpor em que ele plantara a semente que era ela no ventre da falecida mãin.

Uma lágrima escorreu pela bochecha de Veya. Foi a primeira vez que a vi chorar.

Então perdi as estribeiras.

Arranquei o véu, subi na mesa e fui para perto deles. Espetei o garfo na carne de búfal pela qual estive salivando desde o início da refeição, então voltei a me sentar na cadeira, me empanturrando e lançando um sorriso falso ao rei Ostern.

O cuzão.

Que ficou me olhando feio enquanto eu mastigava com a boca bem aberta antes de surrupiar as favas muji escaldadas do prato de Tyroth, alegando ter certeza de que ele não se importaria de dividir comigo, considerando que ele estava governando meu reino no momento.

Ele também me olhou feio, e vi nos olhos dele que ele estava contendo a vontade de me dar um tapa na cara pelo comportamento inadequado.

Queria que ele tivesse dado. Eu queria tanto uma desculpa para espetar o garfo na coxa dele.

Eu estava chupando o molho da carne dos dedos quando o rei Ostern anunciou que Kaan e Veya partiriam com Cadok e Tyroth depois do Chamedraco para ajudarem a reconstruir um vilarejo destruído por um ceifassabre que teve raiva.

Todo mundo pareceu chocado, com exceção do próprio rei.

Kaan se juntou a mim em nossa casa depois e fez amor comigo tão devagar, com tanta ternura, falando um milhão de palavras com cada toque, cada beijo, cada abraço apertado e desesperado. Eu absorvi a presença dele até o nascer da aurora como uma explosão de fitas prateadas entremeadas pelo céu todo, e passamos o Chamedraco debaixo dos lençóis em nossa bolha calma de ilusão e negação.

Em trinta ciclos, farei 21 fases. Já começaram os preparativos para a cerimônia de liame em Arithia entre mim e Tyroth.

Para minha coroação.

Acho que Kaan e eu sentimos que ignorar o futuro vai impedir que aconteça.

Ah, se isso fosse verdade.

Raeve

CAPÍTULO 80

Observo as costas imensas e belas de Kaan enquanto ele se movimenta pela cozinha, lavando uma tigela de bagas, cortando um melão-orvalho-de-cobre em pedaços suculentos que preenchem o ar com a doçura ácida.

Cada movimento fluido e confiante de seu corpo me lembra de como ele me transformou em uma massa trêmula e *suplicante* de pensamentos corrompidos e decisões temporárias.

Mordendo o lábio, passo os dedos pela mesa, presa nesse limbo esquisito. Ainda um pouco bêbada da saciedade lasciva ao mesmo tempo que a onda crescente de energia estática também se agita por minhas costelas, me incitando a cruzar o espaço e confrontar o homem que no momento enche duas tigelas com uma cacofonia vibrante de frutas recém-colhidas.

Ele aperta uma noz-de-gongo na mão e a quebra, separando a casca das entranhas claras, então esfarelando o conteúdo sobre as frutas.

Balanço a cabeça.

Um armário todo equipado com várias opções para fazer o desjejum, e o homem sabe muito bem o que servir para mim. Não que eu tenha pedido para comer, nem para beber água da nascente em minha caneca favorita. Nem que aninhasse minha alma quando ele estava tão fundo dentro de meu corpo que não havia onde se esconder.

Ainda assim, cá estamos.

Ele, seminu, se movimentando com o júbilo de alguém que acabou de vir de um campo de batalha, com o sangue recém-limpo da pele antes de jogar um pano em cima do ombro e começar a preparar a comida que ele mesmo colheu. E *eu*, toda estropiada na sequência de nossa transa emocionalmente carregada, com o cabelo bagunçado, a mente moída. Tentando desvendar como fui de ganhar o jogo de Saltari mais importante que já joguei para estar sentada ali à mesa, sem um desejo a reivindicar, confusa e ainda com um tesão irritante.

Inclinando a cabeça para o lado, fico olhando a bunda musculosa e perfeita de Kaan enquanto ele se movimenta, pegando um ramo de ervas mentoladas que usa para adornar as tigelas. Certa de que a calça de couro marrom que ele usa deve estar cortando a circulação sanguínea de algumas regiões que tinham que estar *sempre* bem abastecidas, em minha opinião.

Suspiro.

O propósito do torpor passado era encenar algo que não consigo manter no longo prazo. Não fico olhando para homens com desejo e lembrando todas as coisas deliciosas que fizeram com meu corpo, e querendo fazer tudo de novo logo depois. Não sou de relacionamentos. Com certeza, não sou de *amor*.

A palavra tem uma única definição: *uma inconveniência perigosa e com potencial devastador*.

Kaan olha para mim por cima do ombro, erguendo as sobrancelhas, com mechas do cabelo preto se soltando do coque e caindo nos olhos.

— Já está pronta para a conversa?

Eu me encolho, como se ele tivesse estendido a mão e me dado um tapa.

— Valeu, mas prefiro arrancar a minha pele com uma faca cega.

Kaan me lança um olhar como quem diz que estou sendo um tanto dramática, mas melhor isso do que uma conversa que faz com que eu me sinta como se alguém estivesse quebrando minhas costelas, uma por uma.

— Beleza, bem, é óbvio que você está sentindo algumas coisas...

— Infelizmente.

— Você quer resolver isso na briga ou na foda? — indaga ele, o sotaque bruto apresentando a pergunta de forma tão visceral que sinto uma pontada quente no centro do corpo.

Junto a perna uma na outra, e dou um gole na água para eliminar o desejo impulsivo de implorar pela segunda opção, lembrando a mim mesma que o pau dele ganhou a batalha na qual estamos no momento.

Coloco a caneca na mesa de novo.

— Ainda não decidi.

Kaan solta um grunhido, se virando, os olhos um tom denso de castanho-avermelhado à luz fraca que tenta se infiltrar pela fenda para o céu. Com as duas tigelas nas mãos, ele segue em minha direção como uma grande fera contida e confinada naquele físico musculoso.

— Bem, enquanto se decide — contrapõe, colocando as tigelas na mesa —, que tal desfrutarmos de uma refeição juntos?

Olho para a tigela bonita e colorida...

Parece *mesmo* delicioso. Pena que depois deixa na boca um gosto de "conversa iminente que *não* quero ter, de jeito nenhum, nunquinha, nem morta".

Tem que ter um jeito de escapar disso. Não posso só morar aqui pelo resto da vida desfrutando de sexo gostoso, culinária recém-colhida e pequenas distrações de "construa você mesmo". Tem algo inquietante no fundo de minha mente, dizendo que este paraíso perfeito em algum momento vai ruir... assim como todo o resto. Que a morte vai deslizar escada acima como uma serpente e cravar as presas em mais alguém que se alojou dentro das fissuras de meu coração.

Abro um sorriso falso para ele.

— Que ideia maravilhosa.

Grunhindo, ele pega uma baga da tigela e joga na boca, então cruza o espaço, pegando um quadrado de pergaminho pré-runado da estante. Usa minha pena e tinteiro para escrever algo ali, então dobra o quadrado em uma cotovia ondulada que aninha entre as mãos em forma de concha antes de a soltar pela janela.

— Mandou isso para quem?

— Pyrok. — Ele se acomoda no assento de frente para o meu, pega um pedaço de melão e morde a polpa suculenta. — Só tem um tecemente em Dhoma... acho que já o conheceu, não é? Vou alocá-lo em um esconderijo.

Sinto palpitações no peito.

— Você está de brincadeira.

— Brincadeira? — Ele foca o olhar em mim, cortante. — Perdão, Raio de Lua, mas não tem nada de divertido nisso. Você tem o costume de escapar pela porta lateral assim que viro as costas e então acabar morta no céu. — Kaan abre um sorriso forçado que dói tanto quanto imagino que o meu de agorinha doeu. — É um ato de precaução, apenas.

Bufo e me recosto nas costas do assento, balançando a cabeça.

— Eu gostava mais de você quando estava cedendo para *mim*.

Ele dá de ombros.

— E eu gostava mais de você quando estava bêbada com um sorriso no rosto, cantando para mim, dizendo que só estava fugindo porque não conseguia suportar a possibilidade de me ver morrer.

Eu me encolho.

Aquelas bebidas deviam vir com uns sinais de perigo bem grandes e gritantes.

— A ótima notícia é que você pode me amaciar pela eternidade com esse sorriso com covinhas, porque não é seu papel garantir minha segurança — continua e coloca outra baga na boca. — Agora, anda, coma as frutas.

Ele se levanta e vai pegar mais água enquanto fico ali, fervilhando, no assento.

— Não quero fruta nenhuma — reclamo ao ver ele beber tudo em três goles.

Kaan abaixa a caneca, erguendo a sobrancelha, a atenção dele descendo uma linha quente até focar minha boca.

E então subir de novo até meus olhos.

— Então o que quer?

— *Vingança.*

— Pelo quê?

Por você burlar minhas defesas como o caralho de uma chave mestra.

Tiro o anel de ferro do dedo, acolhendo de bom grado a risadinha maliciosa de Clode ao dar a volta na mesa, colocar a tigela dele de lado e me sentar no lugar. Levanto as duas pernas, apoiando um dos pés na cadeira dele, esticando o outro até o parapeito da janela.

Kaan engole em seco.

Subo a barra da camisola até a dobra entre a cintura e as coxas separadas, e o olhar ardente dele foca minha entrada exposta... carnuda e quente e necessitada.

Molhada.

Lambo dois dedos e toco a região intumescida, me expondo a ele enquanto sussurro uma palavra teimosa baixinho, o dialeto de Clode saindo de minha boca como uma brisa.

Kaan larga a caneca e avança dois passos depressa antes de colidir com uma parede de ar dura. Dando uma risadinha, ele cruza os braços e balança a cabeça, os olhos parecendo lava.

— Isso é *guerra*, Prisioneira Setenta e Três.

— Ah, pois espero que seja mesmo.

Sorrio, enfiando os dedos dentro do centro quente e apertado, olhando para ele com o olhar lascivo. Solto um gemido, baixo e sensual, imaginando que são *dele* os dedos molhados com o resíduo de meu desejo devasso; me penetrando com confiança e habilidade.

Um som emana do peito dele.

— Está gostoso?

— Hmmm.

Mordo o lábio inferior, enfiando os dedos mais fundo...

E mais fundo.

Tirando os dedos, faço círculos molhados no clitóris inchado, me curvando para olhar.

Observar o que estou fazendo.

Remexo no pontinho de nervos, soltando grunhidos guturais breves. O suor se acumula em minha nuca, e começo a rebolar... indo atrás daquele prazer quente e cadenciado. Contraindo os músculos contra o nada.

Querendo *ele*.

Ergo a cabeça, com o sorriso ficando afiado ao ver o contorno do pau duro que me faz pulsar com uma ânsia mais forte. Ao ver a veia saltando em sua têmpora, os tendões no pescoço tensos enquanto ele me observa com uma precisão feral.

— Mas que cara é essa?

— Perder a oportunidade de venerar você é sempre uma tragédia.

Bem.

Movo os dedos em um círculo molhado de novo. Eu me penetro mais uma vez, me contraindo de prazer.

— O que você faria se eu deixasse você passar?

— Eu me ajoelharia e enfiaria o rosto no meio das suas pernas — responde de imediato, grunhindo, como se as palavras já estivessem ali à espera atrás dos lábios apertados. — Ia te chupar até você se contrair ao redor da minha língua, até não conseguir te fazer parar quieta.

Imagino.

Anseio por isso ao ponto da dor.

Outro círculo provocante no ponto de nervos sensível, meus quadris se inclinando na direção dele a cada estocada dos meus próprios dedos, meu corpo inteiro ficando quente.

Mexo os dedos mais depressa, abrindo mais as pernas.

A mente ficando turva.

— E depois? — pergunto, implorando, cada célula em meu corpo tensa, à beira do precipício...

— Eu viraria você. Colocaria um travesseiro debaixo de sua cintura, com sua bunda para cima. Enfiaria os dedos em você enquanto meu polegar te estimularia por trás.

Arqueio os ombros para cima e para baixo enquanto navego na ilusão.

— E, quando você estivesse tão à flor da pele a ponto de o corpo todo tremer, eu abriria suas pernas, *idolatria* você e então te destruiria.

Perco o controle, abaixando o queixo até o peito, todos os músculos em meu centro pulsando com as ondas violentas de êxtase, meus gemidos intensos o afrontando de longe. Rebolo em meus próprios dedos a cada estocada profunda e desesperada... os músculos tensos e tênues, enquanto o prazer começa a se dissipar.

Uma risada escapa por minha garganta, e balanço a cabeça, olhando para ele e arqueando uma única sobrancelha. Afasto o cabelo do rosto com a mão.

— Foi gostoso — comento, abrindo bem as pernas para ele ver o resíduo do orgasmo.

Os olhos de Kaan estão pretos; a mandíbula, tensionada; as veias, saltando dos músculos tensos.

Ele nunca pareceu tão grande quanto agora. Tão severo.

Desolador de tão lindo.

Pena que ele está apaixonado pela vontade de morrer.

Kaan engole em seco, ainda olhando para meu corpo exposto.

— Ainda não acabou, Raio de Lua. Você está *bem no ponto*.

Depois de bufar, coloco os pés no chão, a bainha da camisola voltando ao lugar no meio de minhas coxas. Sussurro uma palavra suave para Clode, então me levanto, pego a tigela de fruta e coloco uma baga na boca.

O néctar doce explode em minha língua.

— Já não tenho mais bandeira branca a estender, meu rei. — Vou até ele, balançando os quadris, adentrando em sua atmosfera escaldante. — Acaba-ram todas.

Coloco a mão no peito dele, os músculos tensos se contraindo sob meu toque enquanto o marco com meu cheiro.

— Bom saber — responde ele, com dificuldade, parecendo uma fera ba-nhada pelas sombras em seu auge. — Vou queimar as minhas então, que tal?

— Por favor. — Coloco outra baga na boca e abro um sorriso. — Obrigada pela fruta. Está bem, *bem* gostosa.

E saio sem olhar para trás.

Registro no diário

Elluin Nevän

Idade: 20 fases
5.000.041 fases Depois da Pedra

O rei Ostern mandou os filhos e a filha partirem assim que nasceu a aurora. Nós os observamos desaparecerem ao longe antes de dois dos guardas dele prenderem algemas de ferro em meus pulsos.

Eu fui jogada dentro de um cômodo qualquer, obrigada a me sentar em uma cadeira. O rei se agachou diante de mim, olhando como se quisesse me matar.

Disse que meu comportamento era inadequado para uma futura rainha. Que ele tinha visto o jeito que Kaan me olhava. Como agia ao meu redor.

Que sabia que estávamos "fodendo".

Disse que Kaan não serve para governar um reino porque só entende duas canções elementares. Que não é, nem nunca será, digno de usar uma coroa.

Cuspi na cara dele. Falei que ou eu escolhia meu próprio rei ou não seria liame de ninguém.

Que eu me daria aos Criadores.

Ele arrancou todo o ar de meus pulmões e me fez sentir como se minhas costelas estivessem se rompendo, então disse que sabia como eu tinha ficado amiga de Veya. Que, se eu não virasse liame de Tyroth, ele extirparia do mundo a cadelazinha que tirou a liame dele. Que informaria os gêmeos das transgressões de Kaan, e os três iriam caçá-lo, então arrancariam a cabeça dele. Que ele não teria nem chance.

Nunca senti um medo tão real.

Ele disse que, se eu fosse embora no próximo nascer da aurora para me preparar para a cerimônia de liame, ele garantiria uma travessia segura para Slátra de volta a Arithia. Do contrário, ele deixaria a capoeira dela desprotegida enquanto *sou arrastada pelas planícies, e eu seria obrigada a vê-la se matar tentando me seguir para casa.*

Então ele chegou bem perto e me olhou como se pudesse ver através de meu crânio. Disse que foi informado de que minhas regras estão atrasadas... algo que eu não tinha considerado até aquele momento.

Que não tinha nem percebido.

Ele disse que é a única forma que meu petiz vai ter uma chance de viver. Que, se Tyroth acreditar que gerou a sementinha que parece crescer em minha barriga, vai ficar tudo bem. Do contrário, não vai haver nenhum lugar em que Kaan e eu conseguiremos nos esconder, porque eles vão nos encontrar. Vão nos caçar pela desonra imunda que conferimos às nossas famílias.

Entendi que este é o ônus de ter encontrado um amor incrível como o da mãin e do paih. Que o meu também precise acabar em tragédia, portando a maldição do nome de minha família.

Raeve
CAPÍTULO 82

O fogo segue chamuscando minha barriga... um rastro incinerador que ultrapassa a pele, músculo e osso, enchendo meus pulmões com o cheiro mordaz de carne queimada.

Eu sinto um sobressalto no banco de pedra frio, os músculos espasmando. As algemas cravando na pele.

Outro grito ameaça escapar por entre o ranger de dentes, mas me recuso a soltá-lo, balançando a cabeça de novo e de novo enquanto ele me marca... me marca... me marca com vergões borbulhantes e abrasadores.

— Eu sei que dói... — A chama laranja atrelada à ponta do dedo do Rei Abutre brilha nos olhos fuliginosos dele. — Mas a dor te endurece, Cotovia de Fogo. Assim fica extasiante de assistir a você nos ringues, e meus cofres adoram.

Ele se move ao redor em um agitar de tecido esgarçado, o contorno da coroa de ossos se projetando da cabeça como dedos desfigurados.

— Lembre-se: você não seria tão maravilhosa sem isso. Sem mim.

Já ouvi as palavras antes mais vezes do que posso contar. Mas o que há de tão especial nele a ponto de poder me machucar, quando não posso fazer o mesmo com ele?

Fallon vem me ensinando muitas coisas (palavras e coisas grandes do mundo que são difíceis de compreender) e, quanto mais aprendo, menos sentido faz. E mais quero colocar as mãos no pescoço dele e fazer estalar.

Eu acho que gostaria disso. Então Fallon e eu poderíamos escapar. Ela poderia enfim me mostrar as luas... as de verdade. Não as que desenhamos no teto.

Ela também poderia me mostrar as nuvens coloridas das quais sempre fala.

O Rei Abutre incita a chama a virar uma bola que espalha por minha perna, escaldando até a ponta dos dedos do pé. Meus músculos dão espasmos enquanto mastigo o grito, o olhar focado na fenda do teto de onde a fera dele espia, às sombras... sempre observando.

Sempre trovejando.

Imagino a dor passando por aquela mesma fenda, desaparecendo. Esvaindo antes de conseguir se enraizar enquanto cantarolo uma canção na mente. Uma canção lenta e pacífica que desde o início me acompanha.

— Bem em breve, vou trajar a coroa de bronze e você não vai mais sentir dor. Vou me sentar no trono que é meu, com você ao meu lado, desfrutando dos espólios de suas batalhas.

Mais fogo desce por minha canela, e de uma coisa fico certa:

Não quero me sentar ao lado dele. Nem agora.

Nem nunca.

— Olhe para mim — ordena ele, grunhindo, então segura minha mandíbula e vira minha cabeça.

Olho nos olhos escuros dele, a dor da queimadura dificultando o foco, meu olhar ficando nítido.

Então turvo.

Depois nítido de novo.

Ele vai ter que parar logo. Estou prestes a desmaiar.

Ele franze as sobrancelhas enquanto me observa, com a mão cheirando à fumaça e pele queimada.

— Por que você nunca fala? Eu sei que aquela putinha que coloquei na sua cela está te ensinando. Talvez eu deva queimá-la também? Dar uma razão para você gritar?

— Se tocar nela, vou rasgar você em dois e então colocar suas entranhas fora do corpo — contraponho, com a voz rouca, as palavras frias e duras.

Brutas.

O Rei Abutre arregala os olhos e então uma risada baixa emana de seu peito, ganhando força até ele jogar a cabeça para trás.

Uma risada profunda e estrondosa que ricocheteia das paredes.

— Aí está ela — murmura, focando o olhar em mim enquanto percebo meu erro, e meu coração começa a palpitar quando vejo o brilho cruel em seus olhos.

Ele invoca outra bola de chama que espalha por minha coxa. Uma mancha lenta e fervente que queima camadas de músculos que a suturaderme vai ter dificuldade de curar antes de eu precisar voltar para o ringue.

Mas não é esse o motivo de outro grito quase sair por minha garganta... nem perto.

— E não é que minha *Cotovia de Fogo* tem voz — diz ele, ronronando, e invoca outra chama na mão. Outra promessa de dor que nem se compara ao medo que agora me esfola. — Eu só precisava da motivação certa.

Raeve...

Raeve...

Raeve...

— *RAEVE.*

Abro os olhos, meu peito cheio de um grito que me recuso a dar.

Sibilo entredentes, enchendo os pulmões com um ar que não ajuda em nada a amenizar o terror torporoso escaldante ainda grudado em minha pele, o cheiro de fumaça e carne frita no fundo de minha garganta.

Meu olhar foca nos duros olhos em brasa sob cílios pretos e grossos, na ruga de preocupação entre as sobrancelhas de Kaan impulsionando algo dentro de mim.

Faz com que eu queira me contorcer.

Empurro o peito nu dele, tentando fazer com que ele saia de cima de mim. Quando ele nem se mexe, empurro de novo... desta vez liberando toda a energia acumulada em uma frase ardente:

— Sai de cima!

Enfim, ele me dá espaço para rolar para o lado e me levantar, com o rosto virado na direção da fenda para o céu, os dedos passando pelo cabelo suado e tirando de meu rosto.

Só um sonho...

Foi só um sonho.

— O que é uma Cotovia de Fogo, Raeve?

Caralho.

Sigo para a porta, tendo descido metade da escada quando a voz com sotaque carregado dele me ataca por trás:

— Que porra é uma *Cotovia de Fogo*?

— Não é da sua conta, merda — respondo entredentes, saindo, precisando me submergir e lavar essa *sensação* da pele.

Os passos pesados de Kaan me seguem pela mata enquanto vou na direção da Prézea, o vento agitando meu cabelo em tentáculos pretos fustigantes. Irrompo da mata e pulo na margem, com o céu cheio de nuvens escuras, feixes grossos de sol se infiltrando por elas.

Em mais alguns passos, estou com a água na cintura e movimentando os pés, mergulhando bem abaixo da superfície. Esfrego o rosto, os braços, as pernas, e pela primeira vez em muito tempo... solto o grito escaldante que passa queimando por minha garganta em uma série de bolhas subindo à superfície...

Mãos firmes seguram meus braços e me puxam para cima.

Sou girada, puxada para dentro da atmosfera turbulenta de Kaan, o rosto dele é uma mistura esculpida de desgraça e ira, os lábios comprimidos. Ondas se chocam em minhas costas e ele segue me segurando.

— Com quem estava falando, Raeve?

— Não vamos ter essa conversa — rebato entredentes, por trás das faixas de cabelo encharcado grudadas em meu rosto, tentando me libertar das mãos dele.

Ele me puxa para tão perto que mal consigo respirar estando esmagada no peito firme e arfante dele enquanto Kaan me observa, o olhar feroz me chamuscando.

— Você parece estar sob a ilusão de que vou aceitar as migalhas que joga para mim por acidente, só porque está mandando. Mas isso foi antes de eu ver seu corpo todo ficar tenso como se estivesse sendo torturada na porra do sonho — declara ele, grunhindo, e com tanta firmeza que minha respiração se dissolve. — Agora, minha bela, espetacular e *exasperante* Raio de Lua, vamos de novo: *Com. Quem. Você. Estava...*

Um guincho doloroso e atordoante sacode a atmosfera.

Nós dois viramos a cabeça no sentido sul. Em direção ao movimento agitado emergindo do cerne de uma nuvem baixa se atendo ao pico arredondado da montanha.

Há o soar de trombetas... dez rompantes breves e afiados atravessando o ar.

Franzo a sobrancelha.

— O que signi...

Dois fundíferas vibrantes mergulham pela nuvem, os dois trazendo bandeiras brancas nas pontas das caudas emplumadas, os condutores trajando uma armadura prateada para combinar com as selas cinzas.

Sinto arrepios.

— Emissários do Breu?

Kaan permanece imóvel.

Calado.

Outro grito agonizante corta o céu, seguido por um grasnido profundo que me abala até os ossos.

Uma plumalua perolada surge por entre a camada pesada de nuvem, a bandeira branca presa ao tornozelo se agitando ao vento; ela bate as asas retalhadas, lutando para se manter no ar.

Uma ira vulcânica queima em meu sangue quando a fera se vira, a cabeça girando. Abre bem a bocarra e solta outro choramingo estridente.

Meu olhar foca sua pele bela e lustrosa cheia de vergões empolados...

Tudo em meu interior fica sinistro de tão silencioso, meus pulmões encolhem, uma pontada de dor que não sabia que tinha dentro do peito crescendo...

E crescendo.

A fera mergulha em direção à capoeira da cidade, e fico desolada ao ver a sela presa ao couro. O condutor louro pressionado na garupa do pobre dragão.

Rekk Zharos...

Kaan enfia a mão em minha nuca e puxa meu rosto contra o próprio peito molhado, bloqueando minha visão da plumalua torturada. Como se quisesse me proteger da vista horrível. Mas já está gravada em meu cérebro como uma bolha empolada que fica mais... e mais... grave...

Pronta para *estourar*.

Outro guincho doloroso, e Kaan xinga baixinho, cada parte de mim agora tomada por uma ira cortante. Minha vista se afunila, a mente fica dormente, uma serpente vingativa desliza por meu peito, se entremeando nas costelas, cativando o coração duro a bater em uma frequência lenta e estável.

A promessa da vingança faz a ponta de meus dedos formigar...

Vou arrancar a pele do corpo dele. Perfurar os olhos. Arrancar os dentes... um a um. E arrancar as unhas com tanto prazer quanto.

Ele.

Vai.

Morrer.

Eu me afasto de Kaan e saio da água, o mundo ao redor ficando turvo, desaparecendo. Mal sinto a vegetação sob os pés descalços. Mal sinto os degraus de pedra fria ao voltar para nossa suíte de dormir, o zumbido distante de *algo* me chamando mal chegando à minha consciência.

Tudo o que existe é o desejo denso e pulsante pelo sangue de Rekk em minhas mãos. Tudo o que *importa* é como exatamente isso vai se acontecer. Como se sentar para desfrutar de uma refeição de dez etapas, cada prato ostentando múltiplos ingredientes apresentados com elegância.

Pego o casaco bloqueia-sol, enfiando os braços pelas mangas e amarrando o cinto na cintura. Levantando o colchão, revelo o estoque de armas que comprei da Ornato da Pena. Prendo a bandoleira e duas bainhas ao corpo, depois pego o conjunto perfeito de punhais que guardei com cuidado, imaginando a forma que cada ponta afiada vai perfurar a pele de Rekk.

Minhas mãos são ágeis como o relâmpago enquanto encho bem as bainhas, lâmina atrás de lâmina, imaginando-as cortando a mandíbula de Rekk.

A orelha.

Esfolando do queixo ao umbigo.

Ele é uma mancha de merda imunda neste mundo, e vou exterminá-lo. Bem devagar.

E vou fazer com que sofra.

Enfio os pés na bota, amarro bem, ajeitando as adagas nas laterais antes de me virar, indo na direção da porta. O chão se sacode, que é o único alerta que tenho antes de uma porção da pedra cair diante da saída, atrasando minha escapada, o cômodo se enchendo da rajada de vento que vem de fora.

Franzindo a testa, olho para cima, onde um buraco irregular no teto derrama um feixe grosso de luz solar bem em cima da minha cama torta e recém-remodelada. Mais uma vez, olho para a pedra caída, as imagens bonitas e elaboradas entalhadas nela agora rachadas, os pedaços menores espalhados pelo chão.

Volto a atenção para onde Kaan está, à base da cama, de braços cruzados enquanto me observa com os olhos cheios de sombras.

— Você quebrou minha parede.

— *Nossa* parede — corrige ele entredentes. — E tinha que chamar sua atenção de alguma forma. — Ele observa meu peito e coxas, então volta a olhar para meu rosto. — O que está fazendo?

Olho para mim mesma, parecendo quase emplumada graças à quantidade de punhais que prendi ao corpo. A maioria que nem lembro de pegar.

— Indo caçar — respondo, erguendo os olhos e focando o olhar fuliginoso dele. — Qualquer um que trate um animal daquele jeito merece ser esfolado. Sem remorso. Agora, tire a pedra daí. — Há uma breve pausa antes de eu me lembrar dos bons modos. — *Por favor.*

Eu poderia tentar tirá-la eu mesma, mas é provável que acabe aumentando a bagunça. Não tenho a menor intenção de bancar a ridícula diante do Rei do Lume, que tem a fama de construir ou destruir cidades com algumas palavras bem elaboradas.

Não, valeu.

Um silêncio inquietante e longo demais se passa antes de Kaan responder:

— Ele está com uma bandeira branca, Raio de Lua.

— Eu posso dar um jeito nisso. — Saco um punhal da bandoleira, girando entre os dedos. — Vou usá-la para limpar o sangue dele quando eu acabar. No fim, vai acabar vermelha.

Vermelha como o cabelo de Essi.

Vermelha como a cor dos vergões na pele da fera.

Vermelha como o sangue que ele tirou de meu corpo.

Kaan me observa com uma precisão felina, como se analisasse um campo de batalha, tentando definir o melhor ângulo de ataque.

— Vai haver uma guerra com quem quer que seja o patrono dele se o condutor acabar morto em minhas terras.

Meu coração martela de um jeito rebelde, potente, e repuxo o lábio superior, expondo os dentes caninos.

— Qualquer um que contrate aquele monstro também merece morrer.

Tão devagar quanto.

Com tanta dor quanto.

— Concordo, mas hoje não é o dya para fazer isso. Ele está viajando com dois emissários do Breu que não demonstraram a mesma crueldade aos fundíferas. Vai matá-los também? — indaga ele, inclinando a cabeça para o lado. — Porque, se não for matar, a notícia de que um emissário foi assassinado em solo do Lume vai chegar até lá... uma desculpa perfeita para meus irmãos saírem arrasando as Planícies Boltânicas e travarem a guerra comigo que *tanto* desejam desde que matei nosso paih.

Abro a boca, fecho, então cerro as mãos em punhos com tanta força que o cabo da adaga de ferro se crava em minha mão.

— Então quer que eu faça o quê?

Os olhos dele ficam mais suaves no instante em que imagino que os meus façam o exato oposto.

— Por mais que eu odeie dizer isso — responde ele, devagar demais, atenuante demais —, eu preciso que abaixe as armas. Vou sair agora e conversar com os condutores. Descobrir o que querem.

Começo a ranger os dentes molares, sentindo gosto de sangue, a energia voraz se revira sob minha pele em uma ameaça de me rasgar nas juntas.

— Você não vai matá-lo?

Se ele assassinar o desgraçado no meu lugar, vou ficar tão insuportável que ele vai ter que me que extirpar do mundo.

— Não — revela ele, com a voz cheia de remorso. — Descul...

— Promete que não vai?

Uma linha fina aparece entre as sobrancelhas dele.

— Eu... prometo que não vou matar o homem. Você tem minha palavra.

Que bom.

Concordando com a cabeça, coloco a lâmina de volta à bainha, a sede de sangue fervilhante correndo por minhas veias se amenizando um pouco.

Eu sei onde ele está.

Posso caçá-lo assim que ele sair daqui.

A noção reconfortante atenua o formigamento na ponta de meus dedos, ainda que só um pouco.

Virando, começo a desembainhar as adagas, alinhando-as na base de pedra da cama de novo. Removo a bandoleira ao redor dos braços e solto as bainhas.

— Posso confiar que você vai ficar aqui, Raeve?

Olho por cima do ombro para Kaan; ainda parado no mesmo lugar. Ainda me observando com precisão afiada.

— Eu não vou matar ele em suas terras, Kaan. Agora que entendo, não vou colocar seu povo em perigo. Prometo.

— Isso não responde à minha pergunta.

Não responde mesmo.

Eu me viro, de braços cruzados enquanto trocamos olhares, as posturas parecidas, uma vibração tensa pulsando entre nós, quase palpável o bastante para sacudir o solo.

Por duas vezes ele abre a boca para falar, então a fecha de novo. Por fim, estala a língua, pega do chão a túnica que usou no Chamedraco, a coroa e profere um comando denso que move a peça linda e quebrada de pedra para o lado.

Sem dizer mais nada nem olhar para mim, ele vai embora.

Kaan

CAPÍTULO 83

Escoltado por seis guardas armados, avanço sob os feixes erráticos da luz solar que se infiltram no corredor da Fortaleza, um silêncio sepulcral entre nós.

— Capoeira vinte e sete?

— Sim, Majestade. Os outros emissários chegaram à plataforma doze. Já desmontaram e estão sob guarda contada até o senhor dar a ordem de aceitá-los. Mas a plumalua caiu na primeira porção de sombra que encontrou em vez de acatar a orientação dos guardiões.

— Bem, não a culpo — murmuro quando fazemos a curva, quase acertando dois soldados que se encostam às paredes e batem os punhos nos peitos.

— *Hagh, aten dah.*

— E alguém conseguiu o nome do condutor do plumalua? — indago.

— Rekk Zharos, Majestade.

Volto o olhar a Brun à minha esquerda, e ele foca os olhos duros em mim.

— Um caçador de recompensas. Ele é bem conhecido nos reinos ao sul.

— Ah, eu sei quem ele é.

Se não me engano, foi o dedo dele que Raeve mordeu fora. Agora queria que ela tivesse cortado o pescoço dele junto. A julgar pela reação dela ao vê-lo, julgo dizer que ela deve estar sentindo o mesmo.

— Alguém tem algemas de ferro?

— Eu tenho — confirma Colet à direita.

Ótimo.

Outro guincho estridente atravessa a Fortaleza, fragmentando meu autocontrole.

Ranjo os dentes, apresso o passo e subo por um lance de escadas. Os dois guardas ao lado das portas no topo as abrem assim que nos veem, expondo a extensão plana da pedra rachada que é grande o suficiente para o pouso de quase qualquer fera, alguns arbustos acobreados estranho crescendo por entre as fissuras.

Uma das capoeiras mais antigas, isolada de certa forma. Distante das outras.

Quase não usada.

Olho para a enorme área de pouso em forma de rim que foi moldada em uma porção de penhasco, que é puro declive em outras partes, a boca da capoeira banhada pelo sol vindo do leste. A outra metade está mergulhada nas sombras, no momento ocupada pela plumalua trêmula de Rekk que crava as garras na pedra, fugindo da luz do sol com Rekk ainda na sela.

Não estou surpreso por ela estar perturbada. Assustada.

Com as nuvens da tempestade se dissipando depressa, há um calor denso e úmido, o qual a criatura não é feita para aguentar. E não há chance de o sol se abrandar e permitir que ela faça uma travessia indolor até a entrada sombreada da capoeira do outro lado.

— Pelos Criadores — murmuro, analisando a criatura.

Uma máscara preta cobre seu rosto, escondendo os olhos e a protegendo da cegueira, mas isso nada ajuda o resto do corpo. A pele coriácea está cheia de bolhas, toda empolada, com sangue e pus escorrendo do amontoado de feridas pela exposição ao sol, se derramando pela pedra enquanto ela se encolhe em uma bolinha.

Uma posição que me faz lembrar muito de Slátra... solidificada na mesma posição bem embaixo de minha suíte de dormir.

Meu coração martela quando observo as asas retalhadas que mal parecem capazes de pairar no ar, e me pergunto como sequer ela chegou aqui.

Os guardiões da capoeira se aproximam da criatura ferida, gritando comandos para ela sair da sombra e entrar na capoeira. A cauda sedosa raspa pelo chão, ameaçando jogá-los penhasco abaixo, e alguns pulam para fora do caminho bem a tempo de evitarem o destino letal.

— *Beuid eh vobanth ahn... defun dah* — profere Rekk a Bulder; um timbre forte que cria uma teia de rachaduras finas pela pedra bem debaixo da fera.

Tentando expulsar a pobre criatura da pequena porção de sombra.

Em vez de sair do solo instável, a plumalua atormentada se encolhe ainda mais, quase esmagando Rekk contra o penhasco atrás deles na tentativa lamentosa de evitar o sol.

Fazendo uma carranca, Rekk passa os saltos espinhosos das botas pelos buracos ensanguentados do cobertor da sela.

— Mexa-se, sua vadia estúpida!

A plumalua inclina a cabeça, soltando outro lamento profundo e ruidoso de apertar a porra do coração.

— Esperem aqui — oriento a comitiva, grunhindo e indo à frente...

Um baque pesado pulsa no ar, uma forma imensa e *predatória* de ira preenchendo meu peito, caindo em meio à poça revolta de fúria violenta.

Mantendo uma distância segura de onde a cauda retalhada da plumalua consegue alcançar, faço um sinal para os guardiões se afastarem, entrando na linha de visão de Rekk, com os braços cruzados para esconder que estou com os punhos cerrados.

Ele foca o olhar no meu, abre a boca para falar de novo, os tendões em seu pescoço se distendendo com o esforço necessário para formar a língua de Bulder...

— Vai. Faça outra fenda no meu chão. Eu vou adorar preencher as fissuras com seus restos mortais.

Ele range os dentes, um canto da boca se curvando para cima. Então solta uma risada lenta e horripilante que cessa assim que Rygun aparece.

As asas enormes e onduladas envolvem o ar enquanto ele paira diante da área de pouso, emanando uma força esmagadora, cada parte do corpo como uma massa arfante em movimento, com exceção da cabeça cheia de chifres. Rajadas de fumaça emanam das narinas infladas, os olhos ardentes focados em Rekk, que agora está estático, com a plumalua tão pequena e delicada em comparação a meu ceifassabre imponente.

Tão ferida e presa.

Ela solta outro lamento doloroso, desta vez mais suave.

Mais rouco.

Um estrondo profundo emana do peito de Rygun, os beiços se repuxando, as chamas oscilando entre as lacunas dos dentes à mostra. O desejo de avançar e arrancar Rekk daquela sela se desdobra por nosso vínculo, fazendo cada músculo em meu corpo parecer estar em guerra consigo mesmo.

— Dê a ordem para sua fera recuar — brada Rekk, lançando um olhar apavorado para mim, e desfruto um pouco demais do momento, sentindo o gosto da fumaça na língua junto ao néctar doce do medo dele.

— Retire as esporas do couro da plumalua, desça da sela e vou considerar.

— Seu verme imperial — murmura ele, baixinho, talvez achando que não conseguisse o ouvir.

Como um petiz dando chilique por receber ordens.

As palavras são como poeira em minha bota, mas as ações pesam pra caralho.

Mais uma vez, olho para as feridas sangrentas no couro da plumalua...

— Como sua Alteza Imperial *comandar* — responde Rekk, então joga a perna para o outro lado e desce a curta extensão de corda, com um chicote preto enrolado à cintura e o olhar focado em minha fera enquanto desce e se aproxima.

Em uma onda de força impressionante, a plumalua joga a cabeça para a frente, por pouco não mordendo os pés de Rekk.

Com um sibilo de palavras duras, ele pula para o lado, fazendo menção de pegar o chicote...

— Se encostar nesse dragão, vou amarrar você numa estaca e te açoitar até a pele despencar das costas — alerto.

Ele para com a mão ao redor do cabo.

— Já são duas ameaças e nenhum cumprimento formal. Estou carregando uma bandeira branca, *Majestade*.

Estou tentado a enfiar a bandeira no rabo dele e então entregá-lo a Raeve. Mas o *reino*.

As *regras*.

— Estou bem ciente. Mas não compactuamos com crueldade animal neste reino. Você rompeu o vínculo com a fera. Isso é culpa sua.

— Então vou ter que açoitá-la até recuperar o vínculo depois — contrapõe ele, baixinho, espumando e lançando outro olhar por cima do ombro para a fera toda encolhida.

Como se achasse que vou deixar isso acontecer.

— Ordene que seus guardiões voltem para levar Líri para a capoeira. Ela precisa beber e comer — comanda Rekk, com um quê imperial no tom que me faz arquear as sobrancelhas. — Também vou precisar dos serviços de sua suturaderme para ajeitar as asas dela.

Volto o olhar à fera luminosa: com bolhas e toda empolada, a cabeça enfiada debaixo da asa retalhada. Parecendo estar a meros instantes de se solidificar bem ali, na área de pouso.

Rygun continua encarando Rekk com ferocidade, a fumaça ainda saindo das narinas infladas, um *pedido* imenso e pulsante martelando do peito dele para o meu.

Uma palavra e ele vai avançar e pegar o homem. Esmagá-lo até virar uma massa sangrenta.

Meu autocontrole nunca foi tão excruciantemente testado.

— Vou mandar comida e bebida a ela até eu conseguir que um conta azul, forte o suficiente para mover uma nuvem, venha aqui — respondo entredentes enquanto ele desenrola um saquinho de couro, expondo um conjunto de cigarrilhas. — Também vou chamar a suturaderme, mas, infelizmente, ela foi participar das celebrações do Chamedraco em um vilarejo vizinho. Vai demorar para chegar aqui. — *O que não é verdade. Bhea saiu, mas Agni está na Fortaleza. Vou mandar alguém acordá-la assim que eu sair daqui, mas ele não precisa saber disso.* — Do jeito que a plumalua está encolhida, duvido que ela consiga esperar. Mas vamos fazer o que podemos por ela. Vamos deixá-la confortável.

Rekk funga, lançando um olhar a mim por baixo das sobrancelhas claras enquanto saca uma cigarrilha da coleção abarrotada e a coloca entre os lábios.

— Bem, isso não serve de nada para mim, né, caralho? — murmura ele, mantendo os lábios apertados ao redor do rolo apertado de pergaminho.

Não respondo.

— Então o que eu vou fazer? — pergunta Rekk, abrindo os braços, como se o dilema dele fosse culpa minha.

— Quando for a hora de ir embora, vou organizar um caroneiro para você voltar ao Breu. Você pode tentar a sorte na Pantânia para encontrar uma fera mais adequada às suas... *necessidades.*

— Pois bem — retruca ele, com escárnio, lançando um olhar por cima do ombro para a pobre criatura trêmula, que fica estática de um jeito sinistro, levanta um dos beiços coriáceos e grunhe para ele. — Agora, ela é um fardo seu. É uma puta estúpida e feroz que não vale o trabalho que dá. Quer um conselho? Seria mais negócio fazer pedacinhos dela e largar nas calhas alimentares.

— Prezo mais pela merda de búfal sujando minha bota do que pelo seu conselho — respondo, com a voz monótona.

Soltando uma risada, Rekk inclina a cabeça para o lado, com a feição comprida e severa em contraste com o terreno queimado.

Olhando para mim com a sobrancelha arqueada, ele coloca a algibeira de couro de volta no bolso e saca uma naturi, usando um bulbo de chama para chamuscar a ponta da cigarrilha. Então dá uma boa tragada antes de soprar uma rajada de fumaça que rodeia seu rosto.

— Vai fazer sua fera recuar, ou vou entrar para a história como o homem que incitou a guerra entre o Breu e o Lume?

Tyroth é o patrono dele, então...

Interessante.

— *Hach te nei, Rygun.*

Meu dragão balança a cabeça, o desgosto ondulando por nosso vínculo como uma corrente de lava. Ele abocanha o ar antes de rugir... agitando as asas com tanta força que uma rajada de vento sopra pelo espaço, levantando terra e fumaça.

Ele se prostra em um caminho arqueado amplo, lançando um último olhar feroz a Rekk antes se virar para o céu, soltar outro rugido estridente, encolher as asas e mergulhar no ar para longe de vista.

Rekk leva a cigarrilha à boca, traga, então sopra a fumaça em minha direção.

— Quanta hospitalidade.

Estreito os olhos.

— Você teve a pachorra de trazer uma *plumalua* para meu reino sem um conta azul a tiracolo.

O tom de minha voz diz tudo o que as palavras não dizem: se a fera não estivesse com a bandeira branca esfarrapada presa a ela, eu o prenderia em uma estaca de madeira na esplanada e o arrebentaria todo. Deixaria o sol formar bolhas e empolados em sua pele até que se soltasse fácil, fácil dos ossos. Então deixaria Raeve à solta. Reservaria um lugar de honra e assistiria a ela despedaçar o que quer que tivesse sobrado do infeliz antes de arrancar a cabeça dele e oferecê-la de lanchinho a Rygun.

Ele dá de ombros.

— Líri não é grande o suficiente para carregar dois condutores e, com a proximidade do Chamedraco, a maior parte da frota de Ghora tinha sido atraída — explica ele, com um sorriso cortante, tragando a cigarrilha outra vez.

Em outras palavras, ele estava sem saco para esperar. Para colocar o bem-estar da fera antes dos próprios caprichos egoístas, esperando que *nós* consertássemos a bagunça quando ele chegasse.

Meus músculos ficam tensos e protuberantes, os tendões se distendendo enquanto luto contra a vontade de avançar e arrancar a cabeça dele... que se danem as promessas e guerras.

Outra tragada na cigarrilha, e percebo que a outra mão dele está coberta por uma luva.

Aceno com o queixo para ela.

— Então é verdade.

— O quê?

— Que uma Lâmina do Ath mordeu fora a ponta do seu dedo.

— Mordeu, sim. Ainda estou para encontrar um runi com talento o bastante para reparar o dano. — Ele remove a luva para exibir a ponta aterradora, inspecionando de todos os ângulos. — Ela também era uma puta feroz. — Cerro as mãos com tanta força que estalo os dedos. Rekk continua: — Ouvi dizer que sua fera estava nas redondezas quando ela foi executada. Que ele empurrou alguns fundíferas para o lado para pegá-la da estaca.

Ele me olha com os olhos semicerrados... um olhar que arrepia até os ossos.

Sinto as entranhas se revirarem com o pensamento de que esse puto tem a mínima ideia do que aconteceu naquele coliseu.

— Ele estava atraído. Não se pode culpar a fera por gostar do sabor de feéricos — minto, abrindo um sorriso ameaçador.

— Ah.

— Diga-me, Rekk Zharos, por que veio contaminar minha terra com sua presença?

— Estou atrás de alguém. — Inclinando a cabeça para o lado, ele traga a cigarrilha de novo. — A princesa desapareceu depois da unção. O paih dela me mandou encontrá-la.

Quase rio.

Óbvio que sim.

Todo mundo sabe que esse homem passou muitas fases colado em Kyzari como uma sombra pegajosa, desesperado para entrar na disputa pelo amor dela. Só *Tyroth* usaria isso como vantagem na ânsia de encontrar a filha preciosa, que não vai parar de escapar da jaula em que ele a manteve por tanto tempo.

— Bem — murmuro, olhando para ele de cima —, fique tranquilo sabendo que, se ela fosse *minha* filha, eu faria todo o possível para mantê-la o mais longe de você.

Ele bufa, tragando outra vez antes de descartar a ponta de cinzas.

— Estou cansado de te ouvir. Que tal dar uma voltinha nos seus aposentos e lavar os vestígios da puta que deu uma canseira no seu pau enquanto vasculho a cidade, hum?

Considero as consequências de arrancar só um dos olhos. Talvez eu conseguisse lidar com a coisa de forma política, mas Raeve é outra história...

Acho que ela ficaria decepcionada comigo, e isso é o que menos quero.

— Procure o quanto quiser, não vai encontrar Kyzari aqui. E não vai vasculhar a cidade sem usar algemas de ferro, escoltado por uma série de acompanhantes de contas — respondo, gesticulando para os guardas na entrada da Fortaleza Imperial, todos eles ostentando contas vermelhas, transparentes ou marrons na barba ou cabelo. — E eu também vou te escoltar. Tenho certeza de que entende.

— Lógico — responde Rekk entredentes, jogando a bituca da cigarrilha no chão, as brasas sibilando como uma serpente moribunda antes de eu pisar nela. — E meus alforjes?

— Vão ser removidos e levados para seus aposentos temporários onde você ficará sob plena supervisão durante cada segundo em que estiver maculando meu reino com sua presença pútrida.

Ele estende as mãos, o sorriso sádico nos lábios quando Colet se aproxima com as algemas e as prende nos pulsos do homem, fechando-as.

— Esta é uma honra com que agracia a *todos* que visitam a Fortaleza?

Retribuo o sorriso, expondo os dentes caninos.

— Só os cuzões que eu desprezo.

Raeve

CAPÍTULO 84

*A*ndo em semicírculos ao redor da cama, fechando as mãos em punhos, soltando. Apertando de novo. A energia vibra abaixo de minha pele como um chicote com ponta de metal, atravessando minha determinação a cada passo fortificado.

Estalo o pescoço de um lado ao outro. Esfrego o rosto. Passo as mãos pelo cabelo.

Bandeira branca.

Bandeira branca.

Maldita bandeira branca.

Outro uivo doloroso atravessa meu coração, emaranhando-o de uma vez. Uma imagem me acerta como um golpe no cérebro:

Pele clara e empolada. Asas retalhadas. Olhos leitosos que não veem...

Um grunhido profundo sobe por minha garganta.

Estou na mata antes de sequer registrar a punção afiada dos pensamentos. Pulando o muro de pedra antes de identificar o nó sufocante na garganta. Avançando pela esplanada antes de ficar de todo ciente do peso em meu peito, esmagando minha costela.

A cidade está dormindo, o que me faz ponderar que horas são enquanto sigo por um caminho por entre casas de terracota revestidas de videiras bronzes, as flores escuras balançando ao vento, de frente para os feixes de sol que queimam minhas costas.

Rygun corta o ar lá em cima, criando arcos enormes que continuam voltando ao parapeito distante na direção que vi a plumalua ferida seguir.

Nunca o vi agir desse jeito...

O solo fica mais irregular conforme sigo para uma altitude mais alta, a respiração já curta, sentindo o aroma doce no ar abafado enquanto me direciono para o penhasco íngreme adiante.

Um beco sem saída.

Descalço as botas e coloco atrás de um arbusto, perto de uma das casas na pedra, então encosto as mãos na pedra, olhando pela expansão vertical. Rygun faz outra varredura sinuosa pela área de pouso isolada bem lá em cima, quase como se estivesse a *resguardando*.

Franzindo a testa, passo os dedos pelas fissuras, encontro um vão em que dá para apoiar o pé e faço impulso para cima... subindo o penhasco de pouco a pouco, rangendo os dentes. O vento agita meu cabelo e brinca com meu roupão enquanto escalo, me movendo com velocidade e agilidade.

Com postura e propósito.

Outro lamento doloroso soa até o vazio, emaranhado a outro vislumbre ofuscante:

Eu... na garupa de uma fera emplumada vibrante, cortando o céu, um calor opressivo me assolando enquanto um grito deixa minha garganta sensível.

Uma plumalua ensanguentada e ferida oscila no ar atrás de mim, presa ao meu rastro, raios de luz prateada reluzindo nos olhos grandes e brilhantes dela que não são próprios para encarar o sol. Que perderam o brilho, então desbotaram até virar um cinza-escuro.

Cinza-claro.

E mais claro...

A visão parte meu peito bem no meio, segura meu coração e o esmaga no punho.

Escorrego, mas levanto a mão depressa e me seguro na raiz de uma árvore que se protubera do penhasco.

Pendurada, não consigo afugentar da mente o resíduo da imagem, aquele nó na garganta ficando mais apertado.

E mais apertado.

Toda a luz parece ser absorvida dos arredores, os tentáculos sufocantes da visão tomando minha mente como fitas escaldantes de luz solar ardente.

Uma sombra enorme crepitante passa por mim, lançando uma rajada de ar em meu rosto.

Solto um arquejo trêmulo, enfim focando para além dos pés pendurados, observando a cidade labiríntica bem lá embaixo. Pisco para afastar o desfoque da vista, com o coração acelerando ao mensurar a queda em potencial apenas esperando para me puxar para o vácuo letal.

Caralho.

Mais uma vez, Rygun passa sobrevoando, a ponta espinhosa da asa grande cortando o ar tão perto de mim que tenho certeza de que não é um acidente.

— Pare com esse alvoroço! — berro na direção dele, inclinando a cabeça enquanto tento segurar na raiz que está cedendo, as palavras seguintes saindo embaralhadas: — Estou bem...

Estico a mão e enfio os dedos no penhasco, encontro um apoio para o pé e passo o peso para a pedra de novo, abafando a imagem dolorosa à margem de meu lago congelado para lidar com isso depois.

Quando eu não estiver escalando um penhasco.

Eu me firmo na pedra, então solto a raiz e continuo a subida, passando o braço sobre o parapeito quando chego ao topo. Espalmo a mão na área de pouso e faço impulso para subir, com o olhar focando à esquerda em direção ao vazio sombrio da cabana. Chegando ao terreno plano, olho por cima do ombro e vejo Rygun ainda fazendo círculos pelo céu atrás de mim, observando-me ao longe.

Ainda fazendo um *alvoroço* ao longe.

Suspirando, sigo para a capoeira, passando por uma máscara de tela preta grande o suficiente para tapar a cara de um dragão; está rasgada, porém, como se tivesse sido arrancada por uma garra.

Eu me agacho, passando os dedos pelo tecido que não é muito diferente do material que Kaan me instruiu a usar como véu enquanto estivesse na garupa de Rygun.

Um arrepio sobe por minha espinha, algo dentro de mim se remexendo bastante. Prestando a atenção.

Faço uma pausa.

Eu me viro.

Sinto calafrios ao ver a plumalua toda encolhida e tremendo em uma porção coberta do outro lado da área de pouso, emitindo uma luz fosca.

Um lamento de tristeza congelante ameaça escapar de minha garganta, vindo de algum lugar bem fundo debaixo de minha costela, enquanto analiso a pele coriácea do dragão cheia de vergões, pedaços de carne queimada pendurados na traseira. Os buracos enormes de queimadura na curva elegante das asas reluzentes.

Através de uma das dilacerações retalhadas, um único orbe brilhoso me espia, me fazendo prender a respiração e as pontas puídas dos tendões em meu coração.

Aquela fenda em meu peito se expande, um nó se formando em minha garganta e dificultando a respiração enquanto observo a criatura ferida; um quarto do tamanho da lua de Slátra. Enquanto percebo o buraco na sela debaixo dos estribos. O rastro de sangue se derramando das lesões profundas e carnudas.

Quase que meu joelho cede, e a raiva efervescente e pujante dá lugar a tiras de uma tristeza gélida que se enrola por meu corpo e me enrijece até os ossos.

Alguém levou um carrinho de carne picada para perto do dragão, e ele parece ter sido ignorado. É o mesmo caso da calha de cobre com água, que ainda está cheia até a boca, a superfície ondulando com cada respiração estrondosa emanada pela criatura.

Um *bum* crepitante corta o céu, e sinto o cheiro doce da chuva iminente, uma única gota caindo perto de mim. Esparramando no chão.

O céu está chorando por você...

— Eu também tenho machucados assim — sussurro, e a plumalua apenas observa.

Engulo o nó crescente na garganta e analiso os vergões, dando um passo à frente.

Outro.

— Não dá para ver as minhas — explico, com a voz rouca, passando por cima da teia de rachaduras no solo. — Não mais.

Revelo a verdade como um esqueleto carbonizado levado à margem de meu lago congelado, sendo cuspido na pedra ao lado dessa criatura bela e machucada.

Arrisco outro passo para perto da criatura trêmula.

E mais um.

— A dor... nunca some. Por mais que finja que sim.

Minha voz falha na última palavra, as lembranças de minha própria pele queimando invadem meu nariz, turvam meu pulmão. Fazem minhas entranhas se contorcerem, e sinto um gosto amargo na boca com a ânsia da náusea.

— Antes, eu achava que os Criadores estavam me punindo por alguma coisa.

Chego ainda mais perto, mais gotas de chuva caindo em meus ombros e escorrendo por minha pele, recordando a lembrança que me assolou no penhasco e quase me fez despencar para a morte. É uma lâmina irregular agora cravada em meu peito enquanto vasculho dentro de mim mesma, seleciono a lembrança da margem de obsidiana no interior e a coloco onde deveria estar.

Em meu peito... onde posso senti-la.

Para sempre.

— Eu acho que pode ser verdade — continuo, soltando um soluço apesar do bolo na garganta ficando cada vez maior a cada passo hesitante que dou em direção à fera ainda me encarando.

Como se ela estivesse me analisando, mensurando minhas palavras e ações. Ela funga o ar, talvez absorvendo meu cheiro.

— Eu acho que falhei com minha plumalua, Slátra, muitas fases atrás — admito, com uma convicção esmagadora, como se tirasse uma farpa cravada fundo em minha mão, a pele ao redor já inchada.

Infeccionada.

Admitir isso... pareceu certo.

Certo de um jeito *devastador*.

Outra lágrima escorre por minha bochecha, imitando o céu que continua chorando. Quando chego perto o bastante da fera trêmula para encostar a mão na parte da pele coriácea fria que ainda está intacta...

Um baque pulsa por minha coluna, como se alguém tivesse arrancado minha medula óssea, batido contra a pedra e então a assentado de novo em meu corpo.

Esse frio cortante e mordaz... traz a sensação de *casa*.

A criatura pisca para mim, a verdade se firmando em meu cerne, profunda e ansiosa.

Vulnerável.

Uma verdade que é ao mesmo tempo assustadora e brusca.

— Eu acho você e eu estávamos destinadas a nos encontrar — sussurro, olhando nos orbes reluzentes da plumalua enquanto outra lágrima escorre por minha bochecha.

Conforme uma promessa se infiltra pelos sulcos calejados de meu coração como um espinho; endireitando minha coluna. Reforçando meus ossos.

Minha determinação.

Como se um sol gelado tivesse nascido no horizonte em meu peito e preenchido meu pulmão com a primeira lufada de ar plena que tenho desde que acordei nesta estranha e alheia realidade de dor.

— Ninguém, *nunca mais*, vai machucar você.

Raeve

CAPÍTULO 85

M al há luz se infiltrando pela boca da caverna, a tempestade sacudindo o céu do lado de fora, uivando contra o estrondo. Nuvens pesadas que bloquearam o sol por tempo o suficiente para três guardiões da capoeira me ajudarem a persuadir a plumalua para dentro do refúgio ensombrado.

Disseram que o nome dela é Líri. Que acabou de sair da adolescência, a julgar pelo comprimento das barbelas na papada, mas é muito pequena para a idade. Com certeza é o que parece, com ela ali, encolhida, no meio da caverna grandiosa. Um laço delicado de runas entrelaçadas nos cerca, criando um ambiente frio que faz com que cada palavra suave que canto solte um sopro de ar esbranquiçado.

Toco na curva larga do nariz de Líri, a pele dela uma picada gelada em minha mão, que faz algo se acalmar dentro de mim.

Ela solta uma exalação fria e ruidosa na minha perna, com as pálpebras ameaçando se fecharem sobre os olhos melancólicos, e meu olhar vai dela para a suturaderme da Fortaleza Imperial.

— Essa aqui vai doer — informa Agni, as palavras abafadas devido ao material grosso trançado enrolado ao redor da cabeça, mantendo-a aquecida.

Ela está agachada ao lado de uma das asas meio estendidas de Líri, desenhando uma rota preliminar de runas ao redor do grande buraco na maior parte da membrana; mergulhada no brilho emitido pelo couro de Líri.

Ela me lança um olhar ambíguo.

— É uma área sensível, e a lesão é...

— Grande.

Ela confirma com a cabeça.

— É uma extensão grande de pele para ser reparada com uma única liga de runas, mas não queria mesmo ter que repetir o processo mais de uma vez nesta região. Então... vamos tentar.

Estico a mão atrás de mim para pegar o tufo rígido e áspero de erva ghorsi, quebrando alguns dos caules para liberar o cheiro sedativo e deixo encostada em minha coxa, bem diante da narina esquerda de Líri. Passando a mão por entre os olhos dela, confirmo com a cabeça para Agni.

Ela enfia a ponta afiada da haste de gravura em um jarro e olha para Líri antes de abaixar a cabeça e começar a gravar as runas.

Líri estreita os olhos, repuxando o beiço superior e expondo os sabres perfurantes enquanto encara Agni. Os músculos compridos no pescoço esguio ficam proeminentes, os tendões se tensionando, como se estivesse se decidindo se quer ou não virar a cabeça e *abocanhar*.

Agni faz uma pausa, foca o olhar na criatura rosnando.

— *Hais te na veil de nel*, Líri. — Quebro mais frondes da erva ghorsi, passando o resíduo leitoso nas mãos e esfregando no focinho dela. — *Hais te na veil... catkin de nei.*

Líri relaxa os músculos, e o beiço superior para de tremer, as narinas inflando. Ela exala um ar frio em cima de mim, e dou a Agni o sinal para continuar.

— Você fala a língua do sul? — indaga a suturaderme, voltando à tarefa entediante.

Ainda esfregando o focinho de Líri, ergo a cabeça.

— Não que eu saiba.

Ela fica me olhando.

— Foi o que você acabou de falar. Minha mãin era uma emissária. Ela tinha que conhecer a língua porque alguns povos ao sul do muro escolhiam só falar a língua do sul. Sobretudo algumas comunidades ao sul de Arithia.

Hum.

Não tinha considerado as palavras que saíam de minha boca... só as falei.

— Falei fluente?

Agni confirma com a cabeça, pausando para mergulhar a haste de gravura no extrato de novo, então abre um sorriso gentil.

— Como se a falasse há muito tempo. Você passou muito tempo no Breu? Que você se lembre.

"Que você se lembre."

Meu pensamento se volta à escada em espiral debaixo da suíte de dormir de Kaan, adentrando em uma caverna impregnada com um túmulo gelado e iluminado... o peso que, de repente, posso sentir sob as costelas.

Me puxando para baixo.

Deixo o silêncio ruminar entre nós, e quebro mais erva ghorsi nas mãos para passar pelo nariz de Líri. Agni pigarreia e continua gravando as runas, as próprias pálpebras parecendo pesar tanto quanto a da paciente.

Não é surpresa. Ela vem trabalhando sem parar desde que chegou aqui há quase um ciclo de aurora inteiro atrás, e, durante esse período, tanto eu quanto ela mal dormimos ou comemos. Durante o tempo todo, a tempestade rugiu, cortando o céu em retalhos luminosos, estrondosa como uma fera enjaulada. Como se Rayne estivesse transbordando com uma raiva de ranger os dentes; uma tempestade parecida se revoltando nos confins de minha cavidade torácica.

Mas fico atenta.

Paciente de um jeito não característico e doloroso.

Um estrondo retumbante sacode a caverna. Sacode até o ar que respiramos enquanto Agni completa um laço disforme. Ela ergue as mãos, e nós duas ficamos estáticas enquanto a circunferência retalhada do buraco se ilumina... comprimindo.

A pele nova *nascendo*.

— Por favor, que seja o suficiente — murmura Agni, com a haste de gravura a postos enquanto o buraco vai diminuindo de modo enervante: pouco a pouco. — *Por favor...*

A pele se fecha.

Agni contorce o rosto, como se algo a tivesse apunhalado na barriga.

— Você está be...

Ela revira os olhos para cima e tomba de lado, o vidro se quebrando com o baque pesado que a cabeça dela faz ao acertar o chão.

Caralho.

Eu me levanto e dou a volta na asa prensada de Líri para me aproximar de Agni, enrolada em uma pilha trêmula.

— Agni? Merda.

Eu me agacho ao lado dela, aninhando seu corpo ao peito.

Ela abre os olhos.

— Eu desmaiei, não foi?

— Sim — respondo, tensa, passando a mão pelo galo na testa dela. — Você precisa dormir.

— Eu preciso dormir — repete ela, permitindo que eu a ajude a se levantar.

— Vou te levar de volta à Fortaleza.

— Eu estou bem — garante, abrindo um sorriso fraco antes de levantar a mão e tocar o galo, fazendo careta. — Não é a primeira vez que desperto com um ovo na cabeça.

Penso em contar a ela da vez que despertei com o resto do dedo de Rekk entre os dentes para levantar o astral um pouco, mas aí penso melhor.

— Tem certeza de que está bem?

Ela confirma com a cabeça, o olhar abatido focando as ferramentas e extratos espalhados; alguns se quebraram, outros estão jogados pelo chão. Então suspira.

— Pelos Criadores, mas que bagunça.

— Vou arrumar. Você vai lá descansar.

Eu me ajoelho para pegar os frascos espalhados, colocando a rolha em alguns, fazendo o possível para salvar o conteúdo derramado.

— Peço mil desculpas por não conseguir trabalhar mais rápido, Raeve...

— Você está amenizando o desconforto dela às custas da própria saúde e bem-estar. Não se desculpe. Vá. Coma. Recupere-se. Descanse. Ainda vou estar aqui quando voltar.

— É que...

Com uma expressão confusa, ergo a cabeça e vejo o olhar dela analisando meus braços, pernas; com lágrimas nos olhos.

— Qualquer um que já passou pelo processo sabe o quanto dói, e entendo que o sofrimento dela seja... *difícil* para você aguentar.

O significado das palavras infiltra minha pele e faz meu coração se acelerar.

Pigarreio, levando um monte de jarros arrolhados para a mesa que arrumamos na extremidade mais distante da caverna, e concentro o olhar na tarefa de colocá-los no lugar.

— Não precisamos falar de...

— Para mim, você brilha bem mais que Líri...

Suspiro, coloco as mãos na mesa e olho para a parede. Durante toda a vida que reconheço, nunca havia conhecido ninguém abençoado com a visiodraco. Agora, em menos de sessenta nasceres da aurora, já conheci dois.

É para eles serem abençoados e *raros*.

— Eu não quero que o rei fique sabendo — respondo, virando para olhar para ela.

— Veya disse a mesma coisa quando mencionei isso a ela. Seu segredo está a salvo comigo. Eu só...

— E não quero falar disso. Nem um pouquinho. Não preciso ser paparicada, Agni, embora agradeça a consideração. Tudo o que preciso é que você descanse antes que desmaie de novo.

Ela fecha a boca, com as bochechas vermelhas.

— Lógico.

Inclinando a cabeça, ela segue para a entrada da caverna, saindo para a cortina nebulosa de chuva.

— Pelos Criadores — murmuro, balançando a cabeça.

Vou para perto da cabeça de Líri, o olhar pesado dela seguindo meus movimentos, piscando com um agitar de cílios claros ásperos.

Um contraste tão grande com os olhos escuros e insondáveis.

Eu me agacho diante dela, mergulhada no sopro gelado de sua exalação suave e ruidosa. Passando a mão pelo nariz arredondado, fico maravilhada com a textura única de sua pele... como um couro amarrotado que foi prensado até ficar liso, cheio de veias como uma teia de rugas finas.

Ela infla as narinas e solta um bufo em minha direção, a barbela pendurada da papada balança enquanto passo a mão pelo meio dos olhos dela, massageando. Um som trinado emana do fundo da garganta dela, e um sorriso nasce no canto de minha boca...

— O que é que você não quer que eu descubra, Raeve?

Embora meu coração quase saia pela boca, mantenho a feição neutra. Indiferente.

Os passos pesados ecoam atrás de mim, e todos os fios de cabelo de minha nuca se arrepiam quando percebo como ele está próximo, o cheiro de Kaan pairando como um cobertor reconfortante no qual parte de mim quer muito se enrolar.

Ignorando a pergunta, estico a mão, seguro um dos fios da barbela de Líri e o acaricio entre os dedos, os sons trinados dela se suavizando até virarem um ronronar estridente que se transforma em exalares mais extensos e lentos até a respiração ficar profunda e estável.

Devagar, eu me afasto. Com cuidado.

Sem fazer barulho.

Ela nem se mexe quando fico de pé, saindo do abraço gelado da runa, com o cuidado de não perturbar os desenhos luminosos gravados na pedra.

Vou para a entrada barulhenta da caverna, com os passos ruidosos de Kaan seguindo logo atrás.

Ao chegar à queda-d'água, paro e cruzo os braços, observando o aguaceiro... nada surpresa ao ver Rygun encolhido na área de pouso, mal cabendo ali. Espiando a entrada da capoeira com um único olho e uma curiosidade preguiçosa conforme solta fôlegos compridos, pesados e ruidosos.

— Os guardiões da capoeira confirmaram que Líri era de Rekk Zharos — declaro, com a voz neutra e calma. Precisa.

Não denuncia nada da onda de ira fervilhando dentro de mim como uma tempestade de fogo.

Passei todo o ciclo de aurora passado ouvindo os uivos daquela plumalua enquanto ela era forçada a reviver a dor efervescente de cada vergão sangrento que aquele *desgraçado* infringiu nela, e só tem um remédio para esta fúria crescente.

Só um.

— Eles também me contaram que ele está atrás da princesa desaparecida do Breu. É isso mesmo?

— É, sim — responde Kaan bem atrás de meu ouvido esquerdo. Há uma pausa significativa, então: — Esse homem fez mais do que apenas te... *capturar* em Ghora.

Uma pergunta tão perigosa e espinhosa, concedida a mim como uma arma recém-afiada que tenho prudência o bastante para manusear com delicadeza. Com uma precisão cuidadosa.

— Correto.

Ele chega tão perto que sou envolvida pela aura densa de seu calor corporal, um arrepio subindo por minha espinha apesar da calidez ser bem-vinda.

— Você quer especificar, Raio de Lua?

Minha mente relembra um monte de cabelo vermelho, o cheiro de sangue, a pele clara e delicada que estava fria demais quando encostei a boca ali e sussurrei um adeus mordaz...

— Ele tirou alguém de mim — revelo, rouca.

— Quem?

Tem uma ameaça na voz dele.

Uma ameaça ardente e feroz.

Engulo em seco, relutando para conter outro tremor violento, a ira elétrica dele alimentando a parte selvagem de mim que faz força para ser liberta.

— Alguém que eu amava.

Um momento pesado de silêncio, e sinto o baque dos pensamentos dele como rochedos desabando e batendo um no outro.

— Foi ele quem te açoitou?

As palavras são carvões escaldantes... quentes demais para que eu consiga lidar. Se um sopro de vida tocar nelas, vão sair incinerando tudo.

Eu as deixo ali. Não toco nem as alimento. Nem considero sua existência fervilhante.

Acreditei em Kaan quando ele disse que não mataria Rekk, compreendendo as implicações políticas caso ele o machucasse em terras do Lume. Também acredito que existe um limite que cerca a nascente do autocontrole. Um limite que sinto, assim como o sinto atrás de mim. Um homem firme de sangue quente refreando um frenesi de ira malcontida.

Às vezes, é melhor deixar as coisas implícitas.

— Por quanto tempo ele vai ficar aqui, sendo escoltado pela cidade?

— Por mais alguns ciclos, talvez. Ele é meticuloso. Suspeito que os emissários de meu irmão estejam aqui mais para analisar nosso escopo militar do que para procurar a filha desaparecida dele, então estou os mantendo preso nos aposentos.

Um relâmpago corta o céu por um instante.

— Você sabe para onde ele planeja ir depois que acabar aqui?

— Mandei vasculharem os alforjes dele depois que tiraram da garupa de Líri.

Quando ele não diz mais nada, eu me viro, olhando nos olhos contemplativos que veem coisas demais.

Demais.

Ele está de braços cruzados, as mangas da túnica preta dobradas até os cotovelos, o cabelo amarrado para trás em um coque tão frouxo que as mechas se espalham ao redor do rosto. Kaan é o retrato da atenção selvagem... uma presença feroz e robusta. Com a fera dele às minhas costas e esse homem enorme e insondável diante de mim, eu deveria me sentir pequena.

Não é o caso.

Ele só me fez sentir grande. Imponente, até. E, talvez, esteja certo.

Existe algo *grande* crescendo dentro de mim. Algo monstruoso. Não quero estar aqui quando estourar.

— E então?

A determinação suaviza os olhos dele.

— Ele vai voltar a Ghora para seguir uma pista. A maior parte dos dragões não consegue voar por tanto tempo nem por uma distância grande como Rygun, então é provável que parem em Ovadhan no caminho para pegar suprimentos, então de novo em Bothaim.

— A cidade que fica entre o Grado e o Lume?

— Isso mesmo. Território neutro. Sede da Cidadela do Tri-Conselho.

Confirmo com a cabeça, com os olhos turvos, a mente a toda. Tramando. Planejando.

Território neutro.

Volto a atenção a Kaan, abrindo a boca...

— Vou deixar tudo organizado para você partir quando Líri estiver curada, e vou fazer tudo ao meu alcance para manter Rekk em Dhoma até o dya depois em que você sair da cidade.

Um embate de palavras morre em minha língua enquanto uma noção cálida se assenta em mim.

Ele está me deixando partir em vez de cortar minhas asas e enumerar os motivos válidos pelos quais eu não deveria fazer isso. Em vez de me dizer que ainda precisamos conversar ou exigir me acompanhar para garantir que eu não vá apagá-lo da mente.

Em vez de me prender de qualquer jeito possível... *ele está me impulsionando de volta ao ar*.

Meu peito fica apertado com o peso da compreensão, que é muito multifacetada para que eu considere agora, com a comichão nos pés, a mente revolta e uma sede de sangue beliscando a ponta dos meus dedos.

Consigo entender por que Elluin amava esse homem de corpo e alma...

Ele toca minha lombar e me puxa contra o próprio corpo, os lábios quentes roçando minha têmpora.

— Volte para mim, Raeve. Para *nós*.

Então ele vai embora.

Registro no diário

Elluin Neván

Idade: 20 fases

5.000,041 fases Depois da Pedra

$\mathcal{P}$artimos neste dya com uma nuvem de tempestade grande o bastante para amenizar a jornada de Slátra pelas planícies, com uma cotovia de pergaminho flutuando pelo quarto de Kaan para quando ele voltar; declarando que adorei o tempo que tivemos juntos, mas que Tyroth é um homem com mais dons e tudo o que preciso para gerar petizes saudáveis que vão dar prossegui-mento à linhagem de minha família. Para manter a habilidade de proteger a Pedra de Éter.

Nunca me senti tão vil. Tão abalada pela mentira venenosa que tenho certeza de que meu coração se solidificou.

Kaan talvez nunca saiba o quanto significa para mim. Que eu cairia só para vê-lo voar.

Ele talvez nunca saiba que o petiz que carrego no ventre é dele, ou que estou tomada por um medo de que não sobreviverei por tempo o suficiente para encontrar uma forma de consertar tudo.

O paih achou que eu era impressionante, e, um dya, também acreditei.

Agora, não suporto olhar para meu próprio rosto imundo.

Rekk Zharos

CAPÍTULO 87

BOTHAIM

Sento na banqueta do bar, da famosa estalagem chamada Bitoca de Veludo, viva com os assobios e o tambor de uma bandinha empoleirada em bancos no canto. Bothaim, um lugar de chegadas e partidas, de tratos fechados e arbítrio neutro.

Você nunca sabe quem vai encontrar aqui. Ou o quê.

Bem por isso que gosto.

Olho ao redor do espaço, o teto irregular escorado por pilares atarracados de pedra que me fazem lembrar de trolls de pedra. Arandelas se esticam das paredes como garras de metal, projetando uma luz bronze no espaço que contrasta com os cantos escuros que o povo usa para trepar.

Outro motivo para eu gostar daqui.

Nada melhor que uma refeição quente e um bom espetáculo para entrar no clima de chupar boceta e derramar sangue.

Minhas duas escoltas arithianas se acomodam nos bancos à direita, removendo as capas prateadas e jogando no balcão. À esquerda, o homem que me deu uma carona mal cabe no próprio banco: o peito feito um barril, pernas e braços do tamanho de troncos. Uma conta marrom está pendurada em uma das tranças na barba preta áspera.

Terros. Cara bacana. Um pouco calado, mas gosto disso. Nada pior do que a sensação de ter que papear na garupa da montaria com o cuzão que dá carona pelo reino, como a porra de uma princesinha.

Fungando, identifico o cheiro de almíscar cinzento em minha capa. O cheiro do dragão ao qual me afeiçoei.

Difícil resistir. O fundífera enorme de Terros foi tão bem ao longo da jornada até ali depois que saímos da capital do Lume. Não ficou virando a cabeça nem reclamando.

Ao contrário daquela vira-lata feroz que larguei em Dhoma.

Líri não conseguia viajar por longas distâncias. Nem conseguia passar por Bothaim sem usar a porra de uma máscara ou ficar se contorcendo por causa de um pouquinho de sol. É para plumaluas serem ágeis, ardilosos e um perigo aos adversários, mas tudo o que Líri me ofereceu foi um temperamento de merda e patas nervosas. A vagabunda.

Estou contente pra caralho por ter me livrado dela.

Vou ficar ainda mais feliz depois que cativar Bruus... a montaria forte e resistente. Ele tem uma plumagem ferruginosa densa que consegue aguentar tanto o frio cortante do sul e os raios fortes do norte, e ele será *meu* assim que eu cortar o pescoço de Terros.

Mas, primeiro, vou deixar o homem de Dhoma desfrutar de uma última refeição. Deixar que ele aproveite uma das putas famosas da Bitoca de Veludo e pegue em um sono do qual nunca vai acordar. Se tem algo que aprendi com as chicotadas regulares que meu paih me dava, é que bons modos importam pra caralho.

Terros lança um olhar de soslaio para mim, arqueando a sobrancelha escura.

— Com fome?

Ele confirma com a cabeça.

— Ótimo. É por minha conta. — Gesticulo para uma atendente do bar, chamando a atenção dela. — Dois hidroméis e dois filés de búfal, aqueles grossos ainda no osso, com uma salada de canim para acompanhar. — Chego mais para perto de Terros, abaixando a voz enquanto pergunto: — Você gosta do seu bife como?

— Ainda berrando — grunhe em resposta.

— Excelente. — Saco uma cigarrilha do estoque antes de repassar os detalhes para a atendente, que me olha agora com olhos de luxúria. — Também quero que mandem uma puta para minha suíte de dormir. De olhos azuis. — Enfio a mão no bolso para pegar o saquinho de pedrassangue, colocando no balcão. — E eu quero que esvaziem o andar todo para que eu possa fazer a vadia berrar sem ninguém escutando.

— Lógico.

Ela pega o saco da mesa, guarda, então nos serve os hidroméis e desaparece pela porta dos fundos.

Nós quatro ficamos ali, sentados em silêncio, bebendo enquanto observo um homem dedar uma puta que está gemendo do outro lado do bar com os peitos de fora, balançando com cada estocada dos dedos dele.

Meu pau começa a ficar duro e fico tentado a bater uma punheta enquanto trago a cigarrilha, soprando anéis de fumaça para cima, ouvindo os gemidos famintos e as conversas ao redor. Atento a pistas sobre o paradeiro da princesa Kyzari.

Ela sabe que adoro caçar. Que essa porra é *combustível* para mim. Concluí que é por isso que ela decidiu se entregar aos Criadores.

Por isso que escolheu *fugir*.

Quando eu a encontrar, vou dar a ela exatamente o que ela se recusa a admitir que quer.

A *mim*.

A atendente serve os pratos cheios de carne diante de Terros e eu, ostentando pedaços de búfal assados na brasa emanando um vapor denso e cheiroso. Corto o meu, expondo fatias de carne rosada e gorda que junto a um pouco da salada cremosa, soltando um gemido ao colocar na boca de forma gulosa.

— Gostoso, né? — comento, olhando para Terros.

Ele solta um grunhido, se empanturrando com outra mordida, o olhar focado na parede dos fundos enquanto mastiga.

Cuzão rabugento. Nem um *obrigado*. Ele não sabe que bons modos são importantes?

Talvez eu o faça sofrer, afinal de contas. Dê umas chicotadas nele.

Termino de comer, viro a bebida e apago a quinta cigarrilha do dya na bandeja enquanto desço do banco.

— Vou me retirar.

— Não vamos fazer um apanhado de tudo antes? — pergunta um dos arithianos, com uma expressão confusa.

Talvez puto porque não comprei comida para ele e o companheiro também.

Só compro comida para os homens que vou matar. Então, se pensar bem, o sortudo é ele.

— Apanhado? — contraponho, me fazendo de desentendido.

— É. — Ele lança um olhar significativo para Terros, que ainda está mastigando a comida, fingindo não ouvir nada... fingindo que não foi instruído a relatar o que acontecesse ali ao voltar para Dhoma. — Já que vamos... sabe, nos *separar*.

Considerando que é esperado que eles voltem a Arithia com qualquer informação que coletaram sobre a situação militar de Dhoma. Informações que *não* coletaram, porque acabaram presos nos quartos o tempo todo sob vigilância de guardas de contas.

Dou de ombros.

— Não é problema meu que vocês falharam.

Ele fica pálido.

Tenho uma tarefa: encontrar a princesa. Algo que *vou* fazer. As falhas deles não têm nada a ver comigo, os cuzões inúteis.

— Eu tenho uma boca quente me esperando lá em cima, então a menos que você queira se ajoelhar e se engasgar com meu pau na boca enquanto eu conto o que quer saber, aprenda a ter paciência, caralho. — Pego o manto e a chave com a atendente que aparece para buscar meu prato. — Vamos fazer esse apanhado quando a aurora nascer, antes de seguirmos cada um para um lado.

Se eu estiver a fim, óbvio.

Abro a porta, um sorriso no rosto quando vejo uma bunda gostosa e empinada atiçando a lareira no fundo do quarto.

A satisfação quente se espalha por meu corpo ao vê-la trajando renda, visível através do manto verde-escuro que a cobre, o cabelo preto preso no alto da cabeça. As pernas são compridas; os quadris, arredondados; a cintura, fina... há uma elegância curvilínea nela que dispara direto até meu pau.

— Caralho — murmuro, fechando a porta atrás de mim, jogando a capa e as luvas no chão.

Avanço, levantando as mechas soltas de cabelo do pescoço elegante dela, segurando a nuca e apertando com força.

Um encaixe perfeito.

Seguro a borda do manto, abaixando pelo ombro pálido dela.

— Que *delícia* você é — digo, grunhindo e desabotoando a calça de couro.

Enfio a mão ali e envolvo o pau duro bem apertado, subindo e descendo a mão devagar.

Bem meu tipo.

Ela enfia o atiçador de metal bem fundo nas chamas, fazendo a lenha crepitante ruir e sibilar.

— Sabe — murmura, com uma voz suave que faz o sangue circular ainda mais rápido por minha virilha —, eu não sou muito chegada ao fogo.

Coisa estranha de se dizer ao homem que comprou seu corpo pelo torpor.

— Por que não?

Ela emite um murmúrio suave.

— Talvez tenha a ver com o tempo em que passei nos ringues.

— Nos ringues de luta?

— A-ham.

Aah, é um teatrinho. Não foi o que pedi, mas que se foda. Comigo é dentro.

— Quais? — pergunto, descendo o manto pelo outro ombro dela, a peça cai no chão, em nossos pés.

— Nos Ringues de Khindard...

Rio contra a pele quente dela.

— Querida, ninguém sai vivo daqueles ringues. Essa que é a graça. — Uso a ponta do dedo para traçar uma linha descendo por sua coluna. — A menos que esteja tentando me dizer que é a *Cotovia de Fogo.*

Desta vez, meu riso é retribuído com a risada cadenciada dela.

— *Glei te ah no veirie* — sussurra ela, e perco todo o ar nos pulmões ao mesmo tempo que ela lança a mão para trás.

Algo afiado acerta minha coxa antes de ela soltar o cabo de madeira no fogo, causando uma explosão de faíscas enquanto um silêncio frio e *nulo* me assola.

Que.

Porra.

É.

Essa.

Cambaleio para trás, segurando meu próprio pescoço, o peito tendo espasmos em busca do ar que não consigo inalar. Com a outra mão toco a coxa, passando pelo líquido quente e molhado que escorre da ferida, levanto os dedos e vejo...

Sangue.

A puta me apunhalou com um *pino de ferro.*

Tento pegar as adagas em minha bandoleira, e vejo que ambas estão vazias. Viro o rosto a tempo de vê-la jogar as armas no fogo também.

Meus pulmões se contraem tanto que tenho certeza de que estão prestes a parar de vez conforme sinto o sangue gelar, a compreensão me acertando em cheio.

Essa puta vinha me caçando. Essa puta vinha me *caçando*, caralho.

Cambaleio em direção à porta, arranhando a região em que a maçaneta deveria estar, mas tudo o que tem ali é um buraco no qual enfio os dedos, puxando-os de volta quando deslizam por algo afiado.

Navalhas.

Essa vagabunda.

Meus olhos arregalados parecem que vão saltar da órbita enquanto esmurro a porta com o punho ensanguentado.

O ar se agita à direita, e algo acerta a lateral de minha cabeça, uma explosão de dor aguda atravessando meu crânio...

E aí, mais nada.

A Outra
CAPÍTULO 88

𝒜 Outra coloca uma perna de cada lado do corpo de Rekk Zharos enquanto o observa com grande curiosidade, ponderando onde deveria começar. Qual parte dele queimar primeiro.

Uma decisão difícil, considerando que poderia brincar com ele de muitas formas. Um torpor inteiro para se divertir.

A ponta de seus dedos formiga com o desejo de sangue...

Ela segura o pulso esquerdo do homem, se certificando de que está bem preso tanto a ele quanto à cabeceira, então faz o mesmo com a outra mão e ambos os pés, tudo isso enquanto pondera sobre o silêncio dentro de si. Não há presença de nada se infiltrando ali.

Aquela que a Outra ama não caiu tão fácil no antro líquido. Ela lutou e cortou, chutou e gritou, então apenas ficou imóvel e calada quando a Outra a encapsulou em um túmulo de gelo.

Para a *proteger*.

Esse *Rekk* tem que sofrer o mesmo destino que conferiu ao dragão dele, algo que a preciosa Raeve hesitaria em fazer. Ainda que ela aja como se fosse feroz e imune à dor, é mais porque abafa as coisas dolorosas como túmulos dentro do antro da Outra.

A Outra entende a perda, a morte e a dor de uma forma diferente de Raeve, que, a seus olhos, é apenas um petiz. Mas Raeve vai crescer. Vai se adaptar. *Acolher*, e, assim, dominar; caso ela se abra a isso.

Mas, primeiro...

A Outra estapeia a bochecha de Rekk, talvez com um pouco demais de força, considerando como a cabeça dele vira para o lado tão rápido que o pescoço quase quebra e estraga toda a diversão.

Ele grunhe, abrindo os olhos... azuis como as geleiras do Breu. Uma cor nostálgica que não serve em um rosto tão vil.

Não importa. Ela vai arrancar os dois antes de tudo acabar.

As pupilas dele se dilatam, o rosto fica de um tom cinza doentio.

Um sorriso cortante surge no rosto da Outra.

Rekk se contorce, erguendo os quadris, tentando se desvencilhar dela, berrando *"Oshe da or-ah!"* de novo e de novo.

Ela não tem certeza, mas imagina que ele está tentando dizer "Você está morta" por trás do material que enfiou na boca dele.

A Outra bufa.

No sentido literal, ele não está errado.

Ela se levanta e vai rebolando até a lareira com uma graciosidade animalesca, pega a ponta do atiçador que assava nas chamas, atiçando as brasas que reluzem nos olhos pretos e brilhosos dela. Ela a remove, e o espaço ganha vida com os grunhidos apavorados de Rekk enquanto ele se contorce e luta contra as contenções.

Então fica imóvel, arregalando os olhos para a ponta afiada da ferramenta de metal fervilhando com um ritmo quente e irradiante.

Ela avança na direção dele em passos longos.

— Sabe, vi o que você fez com aquela plumalua — comenta ela, subindo na cama outra vez. — Ouvi como ela *uivou* de dor.

A Outra aproxima a ponta ardente do atiçador do olho esquerdo dele, chamuscando as pontas dos cílios, preenchendo o ar com o almíscar potente de pelo em chamas.

Os olhos injetados dele se enchem de lágrimas.

A Outra estala a língua, afastando a arma.

— Não, você protegeu os olhos dela, não foi? Gentileza sua. — Uma misericórdia que não foi concedida a *ela própria* muitos ciclos atrás. — Vou lidar com os seus de outro jeito.

Ela encosta o atiçador escaldante no peito desnudo dele, desenhando uma linha irregular.

Rekk grita, os gemidos abafados de dor virando choramingos murchos, os tendões tensos e proeminentes. Então começa a tremer debaixo dela; o quarto ficando tão impregnado do cheiro de carne assada que a Outra repara no tamanho de sua fome. Não que ela tenha a intenção de comê-lo.

Não.

Raeve ficou bem enojada quando descobriu que a Outra tinha mordido fora o dedo desse homem, levando a Outra a passar um tempo ponderando se deveria ou não ter mais consideração com o modo que usa o corpo precioso e dócil de sua hospedeira.

Comer esse Rekk talvez seja ir longe demais. Uma tristeza, considerando o cheiro delicioso da carne frita dele...

Não.

Não devo.

Reprimindo o impulso natural, a Outra ergue a arma da linha de carne chamuscada.

— Embora talvez você não tenha entendido os lamentos de dor de Líri, *eu entendi.*

Ele arregala mais os olhos e olha para a Outra como se ela tivesse perdido toda a sanidade, as narinas infladas, o peito subindo com o ritmo violento da respiração apavorada.

— Para seu azar — continua ela, com escárnio, inclinando a cabeça para o lado —, estou aqui para mostrar a você *exatamente* como ela se sentiu.

O cheiro acre da urina dele preenche o quarto.

Ela desenha outra linha escaldante pelo peito dele, até a barriga tensionada. Rekk se contorce e se contorce... uma satisfação feroz e primitiva moldando as feições da Outra em um retrato de júbilo selvagem.

— Por isso, vou usar *suas* esporas de metal para abrir buracos em seu corpo antes de retalhar o que sobrar com aquela ferramenta de açoite que carrega por aí.

Outro grunhido quando ela crava o atiçador mais e mais... *fundo*... então larga a coisa de lado, deixando-a cair no chão de pedra.

Rekk se engasga e arfa, com os olhos arregalados e ferozes correndo pelo quarto, como se buscasse algo que o ajudasse a se libertar da situação desagradável. Ele não está com sorte, porque aquela que a Outra ama foi bem meticulosa na preparação. De um jeito impressionante.

Não há nada aqui que vá salvá-lo.

— *Vaghth* — sussurra a Outra, e Rekk foca o olhar no dela.

Ela ouve a palpitação no coração dele. Quando o batimento dele se acelera de surpresa ao ver um bulbo de chama ir flutuando da lareira aberta e se acomodar na mão dela, a Outra usa isso de *combustível*.

Quase consegue ouvir o baque dos pensamentos dele, sem dúvida revoltos com a percepção de que ela entende três canções elementares; não apenas Clode e Bulder como ele viu na Cidade Baixa.

Ele não sabe de Rayne. Não sabe que, na verdade, são *quatro*. A que a Outra ama também não sabe, já que a Outra fez de tudo para absorver a canção chamativa e escaldante de Ignos para que não acione algo negativo na hospedeira forte, mas delicada.

Até que ela esteja pronta.

A Outra inclina a cabeça, o gesto suave e animalesco.

— Sabe como um plumalua se sente ao escaldar nos raios de sol forte, *Rekk Zharos*?

Ele balança a cabeça, choramingando, o olhar se revezando entre o fogo na mão dela e o olhar trepidante.

— Meio que assim — responde a Outra, com escárnio, e pinta o rosto dele com as chamas.

Veya
CAPÍTULO 89

Existe uma frieza neste lugar que se infiltra por todos os poros até os ossos.

Culpo o fato de não ser acostumada a isto. Que nasci e cresci ao norte do muro. Se me jogam em meio às planícies de gelo infinitas, tempestades alvoroçadas e inalações que fazem os pulmões parecerem congelados, de repente passo a questionar todas as decisões que já tomei na vida que me trouxeram até aqui, a este momento... andando pelos corredores de zibelina do grande Palácio Imperial de Arithia, trajando a vestimenta cinzenta de uma criada.

Minha saia comprida e esvoaçante farfalha a cada passo, uma blusa simples abotoada até o pescoço onde há um colarinho de pele que combina com os punhos adornados. Não é nem de perto roupa o suficiente para combater este frio absurdo.

O vasto tamanho do palácio é incompreensível, o edifício entalhado na lateral de uma montanha irregular coberta de neve como lanças de obsidiana saídas do solo, se estendendo para as inúmeras luas arredondadas no céu. Toda a Arithia é banhada por um brilho perolado caprichoso que se infiltra pelas muitas janelas neste lugar assombroso. *Tantas* janelas que, a cada curva na escadaria escura, sou agraciada com mais uma vista fragmentada através das placas criadas para parecerem geleiras rompidas, feitas de milhares de estilhaços em todos os tons de azul, prata e branco.

Sigo adiante. Subindo pela escada sempre sinuosa e polida até brilhar, a saia rastejando atrás de mim. Incerta de por que estou *subindo*.

Instinto, acho. *Não* é algo que quero ficar investigando por muito tempo.

Entre.

Pegue o diário.

Saia logo, caralho.

Chegando a um espelho na parede, faço uma pausa, colocando as mechas de cabelo claro atrás das orelhas pontudas, checando as feições acentuadas e bonitas e os olhos azuis para identificar quaisquer imperfeições na imitação imagética... sendo estarrecedor ver a mim mesma *não* sendo eu.

Muito, muito esquisito.

O bracelete prata altera-aparência preso em meu pulso enquanto ajeito um pouco mais o cabelo. Um bracelete com um prego escondido que usei para espetar meu dedo e o da mulher agora presa, amordaçada e inconsciente em um armário nos aposentos dos criados no térreo. Deixei um travesseiro sob sua cabeça, porque sou boazinha.

Que pena que não considerei pedir orientações de como andar pelo lugar antes de a deixar inconsciente. O palácio é um labirinto, cada porta protegida por guardas austeros de armadura prata conhecidos como Espinhos, os corredores parecem sempre assombrados por um fluxo constante de criadas com expressões rígidas para lá e para cá, polindo com perfeição as muitas arestas pontiagudas.

Mais ou menos como o troféu reluzente do qual é óbvio que Tyroth está *muito* orgulhoso. O cuzão.

Uma mulher de cabelo escuro que traja a mesma vestimenta que eu vem descendo a escadaria como uma moção de prata, e arregala os olhos ao me ver.

— Ayda? — Ela olha por cima do ombro, e sibila baixinho as palavras seguintes: — Não é para você estar aqui embaixo.

Ayda.

Acho que meu nome é esse. Bom saber.

Ela desacelera o passo, com uma expressão confusa.

— Está tudo bem? O que está fazendo?

Indo atrás do antigo diário de Elluin Raeve Neván, torcendo para que não tenha virado substrato em uma parede qualquer.

— Bem, veja...

— Você já foi lá pra cima?

Essa é uma pergunta capciosa para a qual com certeza não me preparei. Estou começando a achar que escolhi a criada errada...

— Não?

Os olhos da outra quase saltam das órbitas.

— Você tem que ir para os aposentos do rei *agora mesmo.*

Minhas entranhas se reviram.

Na verdade, é bem para lá que tenho que ir mesmo.

— Eu me perdi — respondo, abrindo um sorriso tenso para ela. — Não dormi muito bem. Na verdade — esfrego a lateral da cabeça —, fiquei toda confusa de repente. Eu acho que acabei me perdendo em algum ponto lá em...

Ela segura meu braço, entrelaça no seu e me puxa mais para cima da escada, passando por dois Espinhos vindo em nossa direção antes de se inclinar para perto de mim e falar em um tom apressado:

— Estamos no onze. Você tem que subir mais vinte e três.

— Lógico. — Solto uma risada parecida com a que ouvi a Ayda verdadeira dar quando a segui por um tempo nas entranhas do palácio, logo antes de deixá-la inconsciente. — Que tonta eu sou.

A mulher puxa um espanador sedoso do bolso do avental e envolve minha mão no cabo gelado.

— Você tem que ao menos *parecer* útil já que vai pra lá, ou as outras mulheres no palácio vão ficar falando, e isso vai desagradá-lo muito. Você sabe como ele é.

Sim. Eu sei, *sim*, como ele é.

Um.

Desgraçado.

Sádico.

Do.

Caralho.

Abro outro sorriso.

— Obrigada. Deixei o meu... em algum lugar.

Reclamando baixinho, ela se afasta, então volta a descer a escada, sumindo de vista.

Continuo subindo pela escadaria sinuosa que parece seguir até o infinito, fazendo o possível para contar os andares. É mais difícil do que parece, porque alguns são mais encorpados que outros. Em alguns, a escadaria parece surgir do ar em meio a átrios abertos como um rabisco preto... a atmosfera tomada pelo cheiro doce e inebriante das flores iluminadas em plena floração, suas pétalas reluzentes inclinadas na direção das janelas.

Chego a um andar com um teto pomposo cheio de fios prateados como veias, uma porta dupla grandiosa bem à frente, resguardada por dois pares de Espinhos, as ombreiras despontando em picos pontiagudos. Os capacetes prateados cobrem a maior parte do rosto, e asas espalhadas nas laterais acentuam as pontas afiladas das orelhas.

Cada um empunha uma espada de ferro comprida, apontada para baixo, ambas as mãos segurando o cabo. Espadas que são quase maiores do que *eu*.

Prendo a respiração ao olhar para a porta, e algo em meu cérebro se remexe como um verme que não consigo arrancar e inspecionar.

Mesmo se não fosse pela quantidade extra de guardas, de algum modo tenho certeza de que o lugar é este.

Foi nesta suíte de dormir que Elluin morreu.

Revezo o olhar de guarda a guarda.

— Eu tenho que... tirar pó — informo, agitando o espanador.

Nenhum deles nem olha em minha direção, embora um levante a sobrancelha.

Certo.

Autorização para prosseguir.

Pigarreando, sigo em frente quando a porta se abre para dentro, liberando um cheiro de cinzas familiar.

Meu coração quase sai pela boca.

Dou um passo para trás, abaixando a cabeça.

À espera.

Paralisada.

Em minha linha direta de visão, uma bota prata com pontas de espinhos aparece enquanto sou envolvida pela atmosfera crepitante de Tyroth Vaegor. Meu coração martela.

A mente fica embaralhada.

Certa de que ele me observa com azedume maldisfarçado nos olhos, como se eu fosse um inseto que ele quer queimar. Certa de que ele está prestes a moldar os pensamentos desconfigurados em palavras que vão me acertar em cheio com os punhos monstruosos. Que vão me fazer sentir inferior, fraca e silenciada pra caralho; minha língua pesada demais para conseguir falar.

Há um longo momento de silêncio, e percebo minha mão trêmula apertando o espanador com mais força, a outra fazendo menção de pegar a adaga que enfiei bem no fundo do bolso da saia...

— Você está atrasada, Ayda.

O nome estranho me faz endireitar a coluna. Lembra que não sou a irmã de Tyroth, não no momento. Não sou quem tirou a mãe dele. Quem ele *odeia*, desde que eu era nova demais para odiá-lo também.

Para sequer entender.

Forço os dedos a soltar a arma que me prometi que não usaria, tiro a mão do bolso e aperto o tecido da saia em vez disso.

— Peço desculpas, Majestade. — Faço uma reverência mais profunda, ordenando o coração a dar uma amenizada nos murros em minhas costelas. — Dormi demais. Não vai acontecer de novo.

Prendo a respiração quando ele segura meu queixo, me forçando a olhar em seus olhos cruéis e implacáveis. Um verde, como dizem que os da mãin eram. O outro bem preto, assim como o fosso de sua alma séptica.

O cabelo preto está metade preso para cima, o resto se derramando pelo ombro, indo até o cotovelo. A barba, como sempre, está adornada com uma tríade de contas.

Transparente.

Marrom.

Vermelha.

Ele é maior do que lembrava (dois palmos maior que eu e com o ombro quase tão largo quanto o de Kaan), sua presença é um caos mal camuflado que contrasta com a vestimenta prateada impecável.

— Bem. Que gentileza sua enfim aparecer — retruca, com o tipo de serenidade cortante que sempre me faz imaginar um sangramento em decorrência de uma punhalada que nem percebi que ele tinha me dado. — Diga, Ayda. Acha que carregar meu bastardo na barriga lhe confere certos... privilégios?

Minha mente fica vazia tão de repente que tenho certeza de que o solo se afunda sob meus pés. Como se o palácio inteiro tivesse se deslocado da paisagem montanhosa denteada e agora estivesse se balançando de um lado ao outro, tentando decidir em qual direção quer cair.

Como respondo a isso?

— Eu tenho uma filha. Uma herdeira... mesmo que seja desobediente — rosna ele, como se houvesse uma frustração em forma de bola de fogo cobrindo sua língua. — Eu não preciso de outro, e minha tolerância com seu estado some assim que você deixa de se mostrar útil a mim.

Minhas entranhas voltam a se revirar, as palavras saindo com dificuldade por minha garganta inchada:

— Eu... lógico, Majestade. Peço desculpas. E obrigada.

— Pelo quê?

— Por sua tolerância.

Com certeza escolhi a criada errada.

Ele franze a testa, e só suaviza a expressão quando uma cotovia de pergaminho flutua para perto. E torna a franzir quando a maldita coisa mergulha entre nós e cutuca *meu* peito.

Meu coração despenca de um jeito que quase sai por minha bunda.

— Isso é estranho — comenta ele daquele jeito apavorante de falar, pegando a coisa e mantendo o olhar em mim enquanto a desdobra e minha pulsação martela no ritmo de meus pensamentos revoltos.

Porra.

Merda.

Caralho.

— Eu...

Ele acena para mim, erguendo as sobrancelhas.

— Está em branco.

Por dentro, sorrio.

Porque não está em branco.

Não mesmo.

Sempre que um de nós está longe da segurança de Dhoma, Kaan e eu escrevemos bilhetes em tinta invisível que se ilumina só com a flamadraco dentro da naturi que nós dois portamos.

Precauções. Nunca foi de grande serventia, até agora.

— Um erro, talvez.

Ele rasga as asas da coisa e joga a carcaça no chão; um lembrete visceral da brutalidade de meu irmão. Um de que eu não precisava.

— Tenho uns negócios a resolver, mas volto em algumas horas. Entre, fique de joelhos, pegue um pano e faça algo *útil* até eu retornar. — Ele se vira e vai em direção à escada. — Se me deixar esperando de novo, sua cabeça vai rolar.

A ponta dos meus dedos formiga com o ímpeto violento e repentino de pintar o chão tão bem polido com o sangue dele, e quase repuxo o lábio superior e exponho os dentes caninos.

Meu pé se lança para a frente, a mão se enfia no bolso como se para pegar a adaga, para depois eu saltar e *cortar*...

Não.

Tiro a mão dali e a cerro do lado do corpo, tentando sufocar os formigamentos.

Primeiro, eu disse que não o mataria, já que isso começaria uma guerra para a qual Kaan ainda não está de todo preparado.

Segundo, assim não. Não o atacando pelas costas, trajando a pele de outra. Quero olhá-lo nos olhos. Fazê-lo sangrar como eu sangrei. Sentir dor como eu senti. Quero cuspir as palavras que vêm se espalhando que nem pus em minha boca por tempo demais, danificando minhas gengivas toda vez que fico paralisada na presença dele.

Qualquer coisa menos que isso vai ser como um gole de água que vira lava em minha garganta.

Digo isso a mim mesma de novo e novo enquanto observo Tyroth descer pela escada, aliviada por ter passado algumas horas encolhida sobre um rochedo de gelo nos arredores da cidade, vomitando por causa dessa adaga de pavor alojada em minha entranha. Se eu ainda tivesse algo ali dentro, estaria colocando tudo para fora neste momento. Ou teria regurgitado tudo nas botas prateadas de Tyroth.

Não consigo acreditar que nocauteei a amante grávida dele. Que horrível, quando a pobre criatura já vive um terror torporoso.

Faço uma anotação mental para encher os bolsos dela de pedrassangue o suficiente para que consiga adquirir uma vida melhor antes de a acordar do sono forçado e ir embora.

Tyroth desaparece de vista, e solto uma exalação trêmula, meu corpo relaxando em pontos que eu não sabia que tinham ficado tensos. Eu me viro, pego a cotovia falecida e a coloco no bolso, então adentro mais nos vastos aposentos, deixando as portas se fecharem atrás de mim.

Fecho bem os olhos, encosto a cabeça na madeira escura e respiro tão fundo que os pulmões até doem, tentando amenizar o aperto no peito. Passo o espanador de uma das mãos para a outra, balanço-as, expulsando o último resquício de formigamento.

Pegue o diário.

Dê o fora.

Acorde Ayda para que ela suba correndo para cá e evite o degolamento.

Abro os olhos, arregalando-os enquanto assimilo o pretume da sala de estar com vista panorâmica da cidade reluzente bem lá embaixo. Dá para ver que a suíte de dormir do meu irmão fica através de uma porta aberta à esquerda. Vou entrando, parando na base da cama enorme de obsidiana com dossel.

Estreito os olhos para o enorme espelho na parede mais distante...

Tem que estar ali.

Vou até lá, lançando um olhar sobre o ombro, então coloco o espanador na cama e empurro o espelho para o lado, esperando ver uma cavidade...

Fico desolada.

Não tem nada. Só a parede plana.

Analiso o espaço...

Não há nada mais nas paredes deste quarto estéril. O que significa que ela não pode ter escondido a coisa aqui. Mas foi aqui que ela passou o último capítulo da vida. Sei disso com certeza, que ela estava debilitada demais até para ir às ruas e ver o povo. Para celebrar o parto iminente. Algo que significava muito para todos os arithianos, considerando que gerar filhos nunca foi fácil para aqueles que usavam a Pedra de Éter.

Olho para a sacada, com a compreensão me acertando tão forte que meu joelho quase cede.

Metade do quarto foi destruído quando a plumalua de Elluin irrompeu pela parede depois que ela morreu, pegando o corpo sem vida dela que então carregou para o céu, onde se encolheu ao redor de Elluin e morreu.

Talvez ela tenha destruído o diário também?

— Merda — murmuro, sentando na cama e passando as mãos pelo rosto... de *Ayda*.

Eu deveria ter pensado nisso antes de vir até aqui.

A sensação de fracasso me assola, o peso da coisa me empurra na cama densa e cheia de almofadas, e espalho os braços enquanto olho para o dossel de veludo preto.

Estive perseguindo, de modo compulsivo, uma verdade que não me pertence. Nunca pertenceu. Acho que é isso que ganho.

Mas que caralho.

Pelos Criadores, este quarto parece mórbido. E frio. Que lugar de merda para se ficar presa, nascer após nascer da aurora, nutrindo a noção de que é provável que morra dando à luz. Talvez exausta demais para sequer ir até a sacada e conseguir uma vista boa das... das... luas...

Levanto a cabeça, olhando para a porta da sacada: placas de vidro que emolduram um céu cheio de luas cinzentas encolhidas, peroladas e iridescentes.

Sinto uma palpitação no peito.

Se ela esteve deitada todo o tempo, teria que ter escondido o objeto em algum lugar a seu *alcance*. Com certeza.

Por que dificultar as coisas?

Concentrada, sento e imagino minha barriga cheia de vida. Imagino ter um diadema na testa que está me sugando até a morte, quase impossibilitando que eu reúna energia o suficiente para respirar, que dirá nutrir um petiz à existência. Imagino que eu quereria olhar para as luas lá fora. Sobretudo, a que pertence a...

Haedeon.

Saio pelo lado da cama, caindo de bunda no chão ao lado dele, e olho para a porta da sacada que fornece a vista emoldurada perfeita do Mirante de Hae. Um sorriso triste curva o canto dos meus lábios...

Parece certo.

Tão certo que chega ser devastador.

Enfio o braço esquerdo sob a cama, com os olhos na lua de asas coxas derramando o lustre prateado por Arithia enquanto tateio ao redor da coluna traseira do dossel.

Pela parede traseira.

Minha mão toca uma cavidade irregular, e um nó se forma em minha garganta quando meus dedos tocam a capa de um caderno de couro.

Aí está você...

Puxo o objeto para o colo, passando o dedo pela representação preta e prateada do málmr de Kaan. Algo que ela deve ter adicionado.

Meus olhos começam a arder.

— Ah, Elluin — sussurro, com a mão trêmula.

Arrisco um olhar para a porta antes de abrir a capa, virando as folhas amareladas de pergaminho, cada uma com rabiscos tão belos. Mesmo quando era petiz, a caligrafia era impecável: cheia de curvinhas e espirais graciosas.

Só olhar para cada dya documentado me dá a impressão de estar atravessando o véu para dentro de outro mundo visto apenas pelos olhos *dela*.

Primeiro, Elluin petiz. Depois a adolescente.

Então, a *madura*.

Sem ter tempo de ler tudo aqui, agora, mas *também* sem ter um pingo de paciência, viro as páginas até o final... as últimas três partes documentadas. Eu me arrependo de imediato, percebendo que eu não deveria ter lido aqui.

Eu não deveria ter lido de modo algum.

Levo a mão à boca que não pareço conseguir fechar, com o coração mais pesado com cada palavra farpada que engulo. Com cada palavra esmagadora e transformadora que não me pertence.

Mas já estou lá. Já estou envolvida.

Entrelaçada.

Chegando ao último dya, inalo, trêmula, e me obrigo a continuar.

Diário

Elluin Neván

Idade: 21 fases
5.000.042 fases Depois da Pedra

A cada ciclo fico maior, e com o corpo mais fraco. Quase fraca demais para enfiar a mão em meu esconderijo para pegar o diário e ler sobre épocas mais felizes que me lembram de que ainda existe algo de bom no mundo.

O povo da cidade celebra pelas ruas todo dya, como se meu petiz já tivesse nascido. Como se as cinzas dos meus entes queridos ainda não maculassem esse mesmo ar que respiramos.

Se Tyroth suspeita de que o bebê não é dele, não deixou transparecer... não que ao menos nos falemos. Não que tenha algo que eu queira falar com ele.

Soube por uma das auxiliares leais (as únicas pessoas com quem tenho permissão de falar) que uma ligassangue chegou na garupa de um dragão no nascer da aurora de hoje. Se ela está aqui para testar o sangue de meu petiz quando eu der à luz, a linha paternal não vai apontar na direção de Tyroth.

Vai apontar para o norte... para Kaan.

Tudo o que posso fazer é definhar aqui, passando minha força vital para este petiz por meio do sangue, de vez em quando extraindo energia o suficiente para sair da cama e conseguir uma vista nítida da lua de Haedeon. Canto para ela, e juro que a escuto cantar de volta.

Como se me chamasse.

Quero me encolher junto de Slátra, estar com ela durante o parto, mas tenho muita dificuldade em me movimentar sozinha agora. Estou quase presa nesta cama em que a mãin e o paih morreram. Na qual fingi gerar um petiz que já estava dentro de mim. Esta cama que antes era plena de amor e canto, mas agora tem o fedor da morte e da dor.

Uma batalha se aproxima, sinto em meus ossos. Como se meu corpo estivesse reservando a coragem para entrar nessa luta a que não acho que vou sobreviver. Mesmo que eu sobreviva, sinto que tem uma foice sobre minha cabeça, esperando pelo momento de decepar.

De todo modo, meu coração está pesado por causa da semente de compreensão que não consigo afugentar. A noção de que vou subir na cama depois de dizer adeus à lua de Haedeon, e que dela não vou mais levantar...

* * *

Erguendo o olhar para o céu, começo a soluçar e inalar com dificuldade, uma respiração que não dá conta...

Ela mentiu por nós. Por *ele*.

Kaan.

Ela mentiu pela petiz que carregou desde o recanto de amor em Dhoma para este quarto frio e corrosivo em que já tinha perdido tanto, tudo porque acreditou nas palavras cuspidas por meu paih. E a troco de quê?

De morrer bem aqui.

De não ver Kyzari crescer.

De Tyroth criar a filha de Kaan como dele.

Fecho o diário, uma verdade venenosa se assentando em meu peito como uma serpente prestes a dar o bote...

Essas páginas vão estraçalhar o mundo em milhares de pedaços.

O Rei Abutre

EPÍLOGO

Das profundezas das garras escuras de uma sombra densa demais para ser vista pelo olho comum, o Rei Abutre analisa a jovem feérica encolhida no canto da cela, se balançando para a frente e para trás, com as mãos enfiadas no cabelo claro. De olhos bem fechados, ela murmura várias palavras incoerentes, talvez extraídas das fissuras da crescente insanidade.

Ela fala com alguém, disso ele tem certeza. Assim como tem certeza de que esse *alguém* em específico só existe nos confins da mente peculiar da jovem.

Ele inclina a cabeça para o lado enquanto a observa com mais atenção: lábios vermelhos, olhos grandes sob um leque grosso de cílios, uma elegância estrutural do tipo que ele só viu *uma* vez antes.

Em sua *Cotovia de Fogo*.

Elas nutrem uma semelhança tão excepcional, mas os olhos da jovem são mais suaves; a pele, um tom mais escuro. E, embora sua Cotovia de Fogo tivesse chegado até ele sem palavras, essa daí... bem.

Ela profere muitas. Conversas murmuradas inteiras. Só que não fazem sentido.

Para ele.

Ainda assim, ela segue murmurando, as endentações escuras sob os olhos uma homenagem ao diadema que se agarra à sua testa, os finos tentáculos prateados parecendo se mesclar à pele.

Ela contorce o rosto, uma lágrima escorrendo da bochecha pálida...

O Rei Abutre observa a gota escorrer pelo queixo e ser absorvida pela túnica da jovem, franzindo a testa enquanto pondera sobre essa outra... *diferença*.

Sua Cotovia de Fogo nunca chorava. Nunca. Ela abocanhava a vida como um animal selvagem, rosnando com o banquete caótico na boca.

Ela não deixava migalhas. Só *consumia*.

Essa mulher, contudo, existe com delicadeza, com o decoro de uma pessoa criada em um palácio com criados para alimentá-la, arrumá-la, ensiná-la.

Um paih amoroso para *falar* por ela.

Saindo das sombras, Arkyn pigarreia.

A jovem para de se balançar, abrindo os olhos... orbes brilhosas de um azul intenso o observando à penumbra.

— Você *vai* me soltar — brada ela, enxugando uma lágrima da bochecha.

Arkyn estala a língua dentro da boca, olhando ao redor da cela, absorvendo os detalhes suntuosos: um cobertor amassado, uma cama de palha, uma bandeja com uma tigela vazia de uma das refeições. Ela até tem um balde de madeira para que não precise cagar no mesmo lugar em que dorme. Mais confortos domésticos do que ele oferece aos outros prisioneiros.

Afinal, ela é sua sobrinha.

Não que ela saiba disso. Não que *qualquer* um de seus meios-irmãos saiba que ele existe, até onde tem ciência.

Mas vão descobrir.

— É isso *mesmo* que vim oferecer — responde ele, se agachando diante da curva das grades de ossos e enfiando a mão por ali, com um pedaço de pergaminho entre os dois dedos esticados. — Liberdade.

Ela arregala os olhos.

Então rasteja para a frente em um ruído de correntes de ferro, pegando o pergaminho e o alisando no chão. Logo franze a testa, enfiando mechas de cabelo emaranhado atrás da orelha pontuda.

— Está em branco.

— Eu preciso que você assine seu nome — declara Arkyn, passando uma pena rúnica pelas grades.

Ela pega o objeto, rabiscando a assinatura enquanto ele analisa a pele bonita das mãos dela, abafando a vontade de queimá-la... só um cadinho. Para ver se ela também se recusa a gritar.

Ele com certeza não admite para si que é mais complicado que isso. Que se *ressente* da vida exuberante dela. Da forma que o paih a mima.

A *ama.*

Nem admite que está curioso para ver como *ela* se viraria se fosse jogada nas Planícies Boltânicas e tivesse que correr conforme um rugido de fogo chamusca sua canela. Queima sua pele.

Ela criaria uma vida para si mesma nas cavidades inférteis de um terreno desprezado? Transformaria a própria fraqueza em uma força temível?

Ela *prosperaria*?

A jovem passa o bilhete e a pena de volta pelas grades, um brilho impotente nos olhos.

Não é de se admirar que o meio-irmão dele a tenha protegido tanto. Ela não passa de uma flor decorativa, e elas queimam diante das chamas.

Ele conclui que ela não prosperaria nadinha. Morreria assim como ele quase morreu inúmeras vezes.

Ele vai embora sem mais delongas, a bainha rasgada de sua capa flutuando atrás de si enquanto segue pelo emaranhado complexo de covis frios e escuros, só parando quando chega ao próprio quarto. Senta-se à mesa polida com perfeição e iluminada por um candelabro ardente roubado de alguém muito tempo atrás, e espalha o pergaminho na mesa.

Analisa a abundância de tesouros ao redor: a suíte sendo um conglomerado das melhores e mais *interessantes* peças que coletou ao longo das fases.

A princesa caiu em seu colo como um sinal dos Criadores, ele tinha certeza. Uma oportunidade boa demais para deixar passar, considerando que de imediato ela exigiu que ele mandasse uma cotovia para o próprio Rei do Lume.

Nenhuma única menção ao pai que tanto a mima.

O que é conveniente, uma vez que ele tem zero interesse no Breu. O único assento que lhe importa é o trono bronze do Lume que pertence a *ele* por direito.

É isso. O momento exato que esteve ansiando por tanto tempo.

Arkyn endireita a postura, com a pena a postos enquanto olha para baixo. Pela primeira vez, analisa o pedaço de pergaminho, fazendo uma pausa.

Sorrindo.

Ela assinou, sim... mas, entre o rabisco, em um escrito minúsculo e quase imperceptível, fez um bom trabalho em mesclar com o formato do nome dela uma única frase:

Ele ri, escrevendo o próprio bilhete no espaço em branco antes de dobrar a cotovia de pergaminho até a linha de ativação, fazendo-a ganhar vida, sussurrando um nome acima das asas tremulantes.

A jovem é mais mordaz do que ele tinha esperado.

Talvez ele a tenha subestimado. Talvez ela sobrevivesse, *sim*, afinal. O mesmo, porém, não pode se dizer do tio dela.

Não...

Ele tem planos para o grande *Kaan Vaegor*, que roubou a vingança que Arkyn queria para si, e nenhum dos planos é agradável.

A cotovia de pergaminho alça voo, disparando pela suíte do Rei Abutre e saindo pelo corredor. Atravessa o labirinto subterrâneo em direção ao mundo lá fora, passando por uma cotovia *diferente* no caminho das celas...

Uma pequeninha e cambaleante com um rasgo na asa e uma mancha de sangue na cauda.

A cotovia danificada mergulha entre as duas grades até onde a princesa Kyzari está presa ao chão, encolhida debaixo do cobertor imundo, a curva de sua mão servindo de uma área de pouso para a qual a pequena cotovia mergulha, de cabeça, batendo o nariz nos dedos da jovem.

Kyzari se sobressalta. Abre os olhos.

A cotovia vira de costas, portando três letras pequenas e escritas com perfeição no lado inferior da barriga...

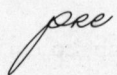

GLOSSÁRIO

ERAS E TEMPOS EXPLICADOS

AP/ANTES DA PEDRA: Marcação do tempo/fases antes que a Pedra de Éter tenha sido dada como presente para os Neván.

CICLO DA AURORA: Um ciclo completo de aurora é o tempo que leva para as fitas de aurora orbitarem o mundo inteiro uma vez. Um ciclo de aurora é equivalente a um dia de vinte e quatro horas.

DP/DEPOIS DA PEDRA: Marcação do tempo/fases depois que a Pedra de Éter foi dada como presente para os Neván.

DYA: O momento do ciclo em que a aurora está percorrendo o céu. Esse é o período em que as pessoas deste mundo costumam estar acordadas.

ÉON: 100 fases / 100 mil ciclos de aurora.

ERAS EXPLICADAS:
1 fase de vida = mil ciclos de aurora.
24 fases de vida = 24 mil ciclos de aurora.

FASE: Mil ciclos de aurora (semelhante a um ano). As fitas de aurora ficam um pouco mais espessas ao longo da fase e, em seguida, se tornam mais finas no milésimo ciclo. Esse ritmo de declínio acompanha a fase do início ao fim.

FITAS DE AURORA: Uma faixa de fitas prateadas e luminosas que estão presas aos dois polos do mundo (Norte e Sul) e orbitam o mundo nesse eixo. As pessoas utilizam as fitas de aurora para monitorar o tempo.

NASCER DA AURORA: O momento do ciclo em que a aurora está amanhecendo no horizonte leste.

QUEDA DA AURORA: O momento do ciclo em que a aurora está se pondo no horizonte oeste.

TORPOR: O momento do ciclo em que nenhuma fita de aurora pinta o céu. Esse é o período em que as pessoas deste mundo dormem.

TERMOS

ARITHIA: Capital do Breu.

BALGADARTE: Um segmento do muro dedicado ao exército de Grado, abrigando seus novos recrutas.

BOTHAIM: Cidade neutra. Residência do Tri-Conselho.

BREU: A terceira parte do mundo, mais ao sul. Nenhum raio de sol chega a essa área, portanto ela fica sempre na escuridão — iluminada apenas pelas fitas de aurora e pela luminosidade que emana das luas de plumalua. É muito fria e coberta de neve; a parte mais fria é o polo mais ao sul, conhecido como Subsulnia.

CERIMÔNIA DE LIAME: Semelhante a uma cerimônia de matrimônio.

CERIMÔNIA DE REVELAÇÃO: Quando uma princesa se entrega aos Criadores (em vez de criar um liame com um parceiro), ela é revelada ao público pela primeira vez. Caso contrário, essa revelação acontece durante a cerimônia de liame.

CIDADE BAIXA: A grande e irregular fenda no solo sob o muro do Grado (logo abaixo de Ghora, a capital do Grado). Está repleta de minas abandonadas de pedrassangue de dragão e é um ponto de encontro de pessoas sem-teto. Algumas dessas minas desabam e criaturas de ambos os lados do muro se esgueiram para encontrar abrigo, o que torna o local muito perigoso.

CHAMEDRACO: Um fenômeno célebre em que a aurora "dobra" e fitas de luz se espalham por todo o céu. Não é frequente, mas, quando acontece, os dragões dançam juntos e acasalam. Depois de um Chamedraco, muitas vezes há um fluxo de ovos fertilizados.

CLÃ JOHKULL: Um dos muitos clãs de guerreiros que residem nas Planícies Boltânicas. Esses clãs são conhecidos por produzirem guerreiros fortes e talentosos.

Kaan cresceu com o clã Johkull

CONTAS ELEMENTARES: São usadas para mostrar se o indivíduo consegue ouvir qualquer uma das canções elementares. Há diferentes modas para diferentes reinos. No Grado, são usadas como brincos. No Lume ou no Breu, elas adornam o cabelo, a barba ou o traje do usuário.

- VERMELHO: *Ignos* (fogo)
- AZUL: *Rayne* (água)
- TRANSPARENTE: *Clode* (ar)
- MARROM: *Bulder* (terra)

COTOVIA DE PERGAMINHO: Quadrados de pergaminho com linhas de ativação. Depois de dobradas (no formato de uma cotovia), essas mensagens voarão até a pessoa a quem se destinam. Uma forma confiável de comunicação neste mundo.

DAGA-MÓRRK: Alguém tão ligado a seu dragão que pode canalizar sua força e fogo. Essa conexão é mais mito do que realidade.

DHOMA: Capital do Lume.

FLOREIO: O refúgio subterrâneo governado pelas Lâminas de Fogo, aninhado em um local não revelado em algum lugar do sul.

FOSSO: A principal via da cidade de Ghora.

FÍUR DU ATH: O grupo rebelde que tenta combater a tirania que se espalha pelos reinos (sobretudo no Grado). Seu alcance se estende por todo o mundo.

GHORA: Capital do Grado.

GONODRACO: O local de nidificação dos ceifassabres. Essa região fica logo abaixo do sol, onde é muito quente e inabitável para a maioria das pessoas. É bastante rochoso, com diversos vulcões e rios de lava. Os ceifassabres fazem ninhos nos cantos e cavidades desses vulcões. Quando seus ovos começam a chocar, eles retiram a lava dos vulcões e a cospem nos ninhos ou os enchem de flamadraco — parte vital do processo de eclosão.

GRADO: A parte do meio dentre as três em que o mundo é dividido e a faixa mais larga do globo. Ali, as nuvens são sempre coloridas, já que todo o tempo está iluminada pela luz da "hora dourada". Faz frio, neva com frequência e nunca chove, embora, às vezes, caia granizo. Há um enorme muro de pedra que circunda essa parte robusta do mundo como um cinturão. A maior parte da civilização do Grado construiu suas casas próximo do muro. Em áreas de alta densidade demográfica, uma trincheira é escavada no muro, dividindo-o em dois com eficácia, o que resultou em uma vala protegida com pontes suspensas que se estendem entre os dois lados.

LÂMINA DE FLAMA: Um assassino do Fíur du Ath.

LIAME: O equivalente a um cônjuge. Dizer que estamos "liame" é o mesmo que dizer estamos "casados".

LIGASSANGUE: Alguém dotado de um poder único sobre o sangue. Pode obter a origem familiar, usar o sangue de alguém para fazê-lo sofrer ou sentir prazer etc.

LUME: A terceira parte do mundo, ao norte. Sempre faz sol, é muito quente e há tempestades com frequência em algumas partes. Há muitas florestas tropicais e vastas planícies arenosas, bem como grandes massas de água.

LUNACACO: Fragmentos de rocha, geralmente formados por luas de dragões caídos. Lunacacos têm tonalidades diferentes, dependendo da fera caída da qual se separaram. São bastante valiosos e a maioria é desenterrada por aqueles que trabalham em minas.

KHOLU: A que foi predita para gerar uma prole que acabará por amarrar as luas ao céu indefinidamente.

MÃIN: Mãe.

MAMÃIN: Mamãe.

MÁLMR: Pingente esculpido à mão que os membros dos clãs guerreiros das Planícies Boltânicas oferecem a alguém que estão cortejando. Em geral, são feitos de coisas como escamadraco, osso, cobre ou pedra.

NATURI: Um pequeno dispositivo portátil com runas para poder conter diferentes elementos em suas formas mais puras. Fogo, ar, água, terra e até mesmo flamadraco — embora essas armas sejam raras, pois exigem o sangue de um Daga-Mórrk para serem construídas.

NULO/NULA: Alguém que não ouve nenhuma das canções elementares. Em certos reinos, suas orelhas são talhadas para demonstrar isso.

PAIH: Pai.

PAPAIH: Papai.

PANTÂNIA: Local em que os fundíferas fazem seus ninhos. Fica no Grado e é uma vasta extensão de terreno baldio pantanoso. Há montes estáveis sobre os quais fundíferas fazem ninhos, construindo grandes globos circulares com árvores e galhos e depositando seus ovos neles. Quando os ovos começam a chocar, o fundífera paterno sopra chamas na estrutura, parte vital do processo de eclosão.

PEDRA DE ÉTER: A pequena pedra preta (do tamanho de um polegar de um adulto) que é colocada em um diadema de prata. Esse diadema é fundido na cabeça de um hospedeiro e é guardado pela linhagem da família Neván. Caelis (Deus do Éter) está dentro da pedra.

PEDRASSANGUE DE DRAGÃO: Extraída do solo em áreas onde o sangue de dragão foi derramado. É a principal moeda no Grado e no Breu. Se for moída e consumida, tem muitas propriedades medicinais.

PETIZ: Equivalente à infância.

PRÉZEA: O vasto corpo de água que envolve os locais de nidificação dos ceifassabres como uma íris turquesa. É conhecido por ser o lar de feras antigas e possuir padrões climáticos imprevisíveis.

RÉIDI: A tatuagem pontilhada nas costas de um guerreiro das Planícies Boltânicas. Cada ponto representa uma vitória conquistada; um dorso com diversas tatuagens é uma demonstração de grande força e honra.

RUNI: Aquele que aprendeu a manejar os símbolos encontrados na antiga tumba que teriam sido escritos por Caelis (Deus do Éter) em seu desespero para ser ouvido. Eles usam uma conta branca e/ou mantos brancos com botões na costura central que prendem o manto no lugar. Esses botões são estampados com símbolos que anunciam os talentos do runi. Para níveis diferentes de habilidade, há botões de materiais distintos: madeira é o nível mais básico e diamante é o mais avançado.

SALTARI: Um jogo de sorte/estratégia jogado pelo mundo. Os fragmentos usados são semelhantes a cartas de baralho, mas com imagens de diferentes criaturas.

SUBSULNIA: O local de nidificação dos plumaluas. Esse local está situado no Breu, no polo mais ao sul do mundo. Ali, o ambiente extremamente frio é inóspito para a maioria das pessoas. Os plumaluas fazem ninhos em pilares hexagonais gigantes de gelo. Quando os ovos começam a chocar, o plumalua paterno sopra as chamas geladas sobre os ovos ou coloca gelo e neve sobre eles — parte vital do processo de eclosão.

SUTURADERME: Alguém treinado na arte de usar runas para remendar a carne, os músculos e os órgãos.

TALHE: Um entalhe circular cortado na ponta da orelha de um feérico, quase como se uma criatura minúscula tivesse mordido a concha. Se alguém tiver um talhe, significa que é um nulo e que não pode ouvir nenhuma das canções elementares. Isso não é algo que prevalece em todos os lugares, apenas em reinos específicos.

TECEMENTE: Alguém que tem a habilidade única de entrar na mente de outra pessoa. São extremamente raros.

TENDA INCUBA: Uma tenda que costuma ficar nos arredores dos diferentes locais de nidificação de dragões. Normalmente, é onde alguém que roubou um ovo acampa para poder chocar os bebês dragões em seus hábitats naturais, garantindo um filhote seguro e saudável.

TRIBUNAL TOOKAH: Dois guerreiros lutando pelo privilégio de criar um liame com alguém.

TRI-CONSELHO: Esse é um conselho de antigos elementares de três contas e runis muito experientes. Eles exercem certa influência sobre os reinos devido a seu grande poder e, às vezes, intervêm em questões políticas. Residem em Bothaim, território neutro que não está sob o domínio de nenhum rei ou rainha.

VERASVERSO: Alguém que tem a capacidade única de perceber quando outra pessoa está mentindo. Eles não são tão fortes quanto um tecemente, porém são mais comuns e valorizados pela Coroa por sua capacidade de saber se alguém pode ouvir as canções elementares, sobretudo jovens que acabaram de começar a ouvir as canções e estão tentando escapar do recrutamento.

VISIODRACO: A capacidade de ver o rastro de runas antigas; algo que só pode ser visto por meio da luz da chama de um dragão.

VOHVÓ: Avó.

VOHVÔ: Avô.

CRIATURAS/SERES

ALMÍSCURU: Uma criatura cuja altura chega ao joelho, tem cabelo e pele brancas, feições pequenas e arredondadas, e dentes afiados. Possuem corpos flexíveis que se dobram como os de marsupiais e caudas compridas e tufosas. Podem ver o futuro, embora essas visões sejam esporádicas e sujeitas a mudança. Estas criaturas são verbais.

CEIFASSABRES: Os dragões que vivem no Lume. São criaturas grandes e retangulares com escamas, espinhos e caras cheias de presas. Podem ter várias cores como ferrugem, bronze, vermelho, marrom, preto e dourado. São criaturas que amam o calor e não podem sobreviver por muito tempo no frio feroz do Breu. Podem ser bem impetuosos e agressivos, e é quase tão difícil cativá-los ou roubar seus ovos quanto os de plumaluas.

CONDUTOR DO DESTINO: Uma criatura grande e prateada, semelhante a um felino, que é mais uma lenda do que uma realidade. No geral, aqueles que já a viram são considerados desatinados ou fantasiosos, e esses se gabam de histórias sobre a fera os incitando a tomar uma decisão diferente da que tinham planejado.

FEÉRICOS: O povo comum deste mundo. Não são imortais, mas possuem uma expectativa de vida excepcionalmente longa. Os feéricos possem orelhas pontudas, dentes caninos afiados e são simples de natureza.

FUNDÍFERAS: Os dragões que vivem no Grado. São cobertos de penas, possuem caras rígidas e bicudas. A plumagem é uma mistura vibrante de cores... não há dois fundíferas portando a mesma paleta de cor. Podem transitar por qualquer lugar no mundo de maneira confortável e são os dragões mais fáceis de se cativar ou dos quais roubar ovos.

MANSANHA: Predadores ferozes próximos do topo da cadeia alimentar. Têm pernas pálidas e esguias, produzem um som aterrorizante e conseguem soltar teias para imobilizar suas presas. Se alimentam de cérebros, sugando o órgão pela narina da vítima.

MORCITO: Feras aladas e coriáceas com pescoços atarracados e olhos grandes lúgubres. Têm a metade do tamanho de um fundífera comum e conseguem se mesclar com a pedra ferruginosa no Lume. Podem se segurar em penhascos e tetos e possuem asas parecidas com as de morcegos. Estas criaturas podem ser montadas.

ÓRFÃ: Criaturas raras e esguias, semelhantes à neblina, que assombram cortinas de névoa nas quais mordiscam as almas em troca de mensagens dos mortos. Estas criaturas são verbais.

PÁSSARO DE FLAMA: Uma criatura mítica parecida com um pássaro que nasce das cinzas e das chamas.

PÉ-PESTE: Criaturas felpudas com orelhas grandes e acolchoadas, narizes compridos, muitos dentes e bigodes. Possuem, em média, dois terços do tamanho de um feérico comum e são apreciados por conseguirem roubar de lugares capciosos. São grandes acumuladores. Estas criaturas são verbais.

POLVEMOR: criaturas de pele bulbosa, que podem se camuflar quase por completo aos arredores. Têm numerosos membros grossos, não possuem olhos. A cabeça gelatinosa tem a pele fina o bastante para o cérebro grande e luminoso que pulsa um pouco ser vislumbrado. Têm muitos dentes e podem arrancar um membro com uma mordida. Polvemores podem tecer promessas na pele, atando-as a sangue, corpo e alma, assim impedindo que elas sejam quebradas.

PLUMALUAS: Os dragões que vivem no Breu. Possuem uma pele coriácea e luminosa que pode ter tons de cinza, pérola, iridescente e branco. Os olhos são grandes, pretos e reluzentes; os rostos, redondos; os pescoços, compridos; os corpos, elegantes. As caudas são compridas, como pincéis de cerdas sedosas. São criaturas que amam o frio e não suportam o sol, que queima sua pele e atrapalha a visão, já que seus olhos não se adaptam a tamanha claridade. São muito astuciosos e, portanto, são os dragões mais difíceis de se cativar ou dos quais roubar ovos.

TROGLO-VELLUS: Criaturas grandes e esguias que gostam de acumular e comer lixo. Possuem quatro braços, cabelo preto comprido e pele azul aveludada. Consomem as lembranças dos pedaços de lixo que consomem e os expurgam sob a forma de gavinhas luminosas e pegajosas que extraem de buracos que têm nas mãos. Usam as gavinhas para decorar os próprios covis. Estas criaturas são verbais.

PERSONAGENS

AGNI: Uma runi muito dotada que mora e trabalha na Fortaleza Imperial do Lume.

AHDRIK NEVÁN: Antigo rei do Grado. Companheiro de Eudora Neván e pai de Elluin e Haedeon Neván.

ALLUME: A plumalua de Haedeon Neván.

ARKYN: Também conhecido como Rei Abutre.

BULDER: Um entre os cinco Criadores, o Deus do Solo.

CADOK VAEGOR: Atual rei do Grado. Companheiro de Dothea Vaegor, pai de Turun Vaegor, filho de Ostern e Kovina Vaegor, irmão de Kaan e Veya e irmão gêmeo de Tyroth Vaegor.

CAELIS: Um entre os cinco Criadores, Deus do Éter.

CLODE: Uma entre os cinco Criadores, Deusa do Ar.

DOTHEA VAEGOR: Atual rainha do Grado. Companheira de Cadok Vaegor e mãe de Turun Vaegor.

ELLUIN NEVÁN: Antiga princesa do Breu. Filha de Ahdrik e Eudora Neván, e irmã de Haedeon Neván. Descendente da linhagem familiar incumbida da Pedra de Éter.

ESSI: Jovem amiga de Raeve que esta resgatou da Cidade Baixa. Essi mora em Ghora com Raeve e é muito esperta.

EUDORA NEVÁN: Antiga rainha do Breu. Companheira de Ahdrik Neván e mãe de Haedeon e Elluin Neván. Descendente da linhagem familiar incumbida da Pedra de Éter.

FALLON: Amiga que Raeve perdeu muito tempo atrás.

FLAMA: Líder do Fíur du Ath.

GHRIHM: O imediato do rei Kaan.

HAEDEON NEVÁN: Antigo príncipe do Breu. Filho de Ahdrik e Eudora Neván, e irmão de Elluin Neván. Descendente da linhagem familiar incumbida da Pedra de Éter.

IGNOS: Um entre os cinco Criadores, Deus do Fogo.

KAAN VAEGOR: Atual rei do Lume. Filho mais velho de Ostern e Kovina Vaegor, e irmão de Cadok, Tyroth e Veya Vaegor.

KYZARI VAEGOR: Princesa do Breu, neta de Ostern e Kovina Vaegor. Descendente da linhagem familiar incumbida da Pedra de Éter.

OSTERN VAEGOR: Antigo rei do Lume. Companheiro de Kovina Vaegor e pai de Kaan, Cadok, Tyroth e Veya Vaegor.

PYROK: Um membro não-tão-útil da Corte Imperial do rei Kaan. Irmão de Roan.

RAYNE: Uma entre as cinco Criadoras, Deusa da Água.

REKK ZHAROS: Um caçador de recompensas famoso.

ROAN: Um alquimista e membro da Corte Imperial do rei Kaan. Irmão de Pyrok.

RUSE: A dona do Ornato da Pena em Ghora.

SEREME: Uma membro de alta patente do Fíur du Ath.

SLÁTRA: A plumalua de Elluin Neván.

TYROTH VAEGOR: Atual rei do Breu. Filho de Ostern e Kovina Vaegor, irmão de Kaan e Veya e irmão gêmeo de Cadok Vaegor.

UNO: O almíscuru de estimação de Ruse.

VEYA VAEGOR: Princesa do Lume. Filha mais nova de Ostern e Kovina Vaegor, irmã de Kaan, Cadok e Tyroth Vaegor.

VRUHN: Dono do Ornato da Pena em Dhoma.

WROOK: O pé-peste que Raeve conhece nas celas.

GUIA DE PRONÚNCIA

Allume: Ã-lum

Cadok Vaegor: Qué-dok Vei-gór

Elluin Neván: É-lu-in Nê-vã

Essi: És-si

Fíur du Ath: Fi-ãr dú Ath

Haedeon Neván: Rei-di-on Nê-vã

Kaan Vaegor: Cã Vei-gór

Kholu: Cô-lu

Kyzari Vaegor: Cai-zé-ri Vei-gór

Ostern Vaegor: Ós-tãrn Vei-gór

Raeve: Rei-vi

Réidi: Rái-di

Rekk Zharos: Rék Zá-rus

Rygun: Rai-gã

Sereme: Si-ri-mi

Slátra: Slá-tra

Tyroth Vaegor: Tai-ro-th Vei-gór

Veya Vaegor: Vê-i-a Vei-gór

Árvore Genealógica

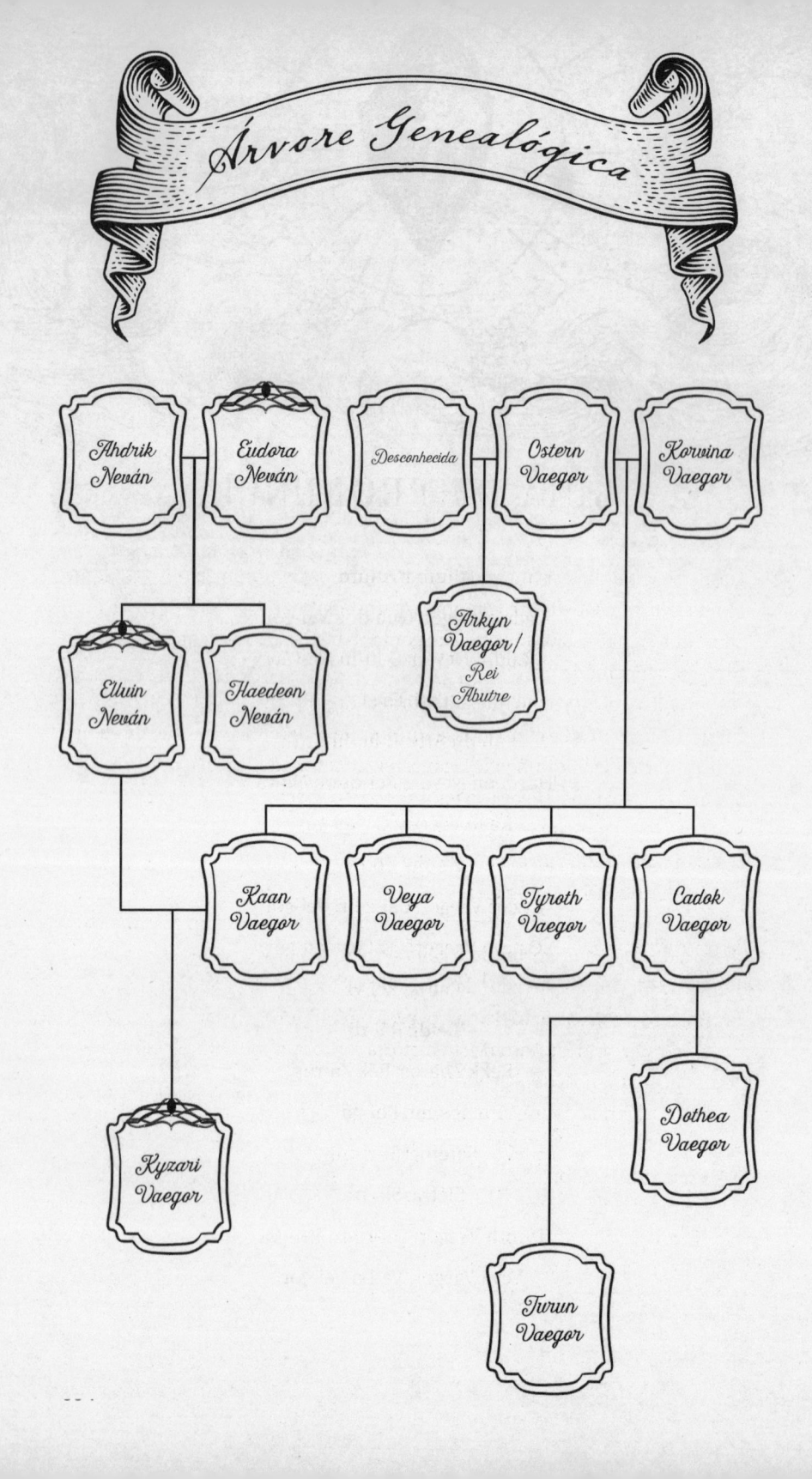

OBRIGADA

Desde 2020 venho esmiuçando esta história, revisitando à noite enquanto tentava dormir. Ou dirigir. Ou tomar banho. Ou cozinhar. Mas parte de mim sabia que eu não estava pronta para contar a história do jeito que (com sorte) merecia ser contada.

Em retrospecto, acho que a história estava dando tempo ao tempo, tomando fôlego até que conseguisse cantar alto o suficiente a ponto de eu não conseguir calá-la. Assim sendo, aconteceu no momento em que mais precisei. Quando eu, euzinha, precisava lembrar como *respirar*.

Espero que tenham se apaixonado por este mundo como eu me apaixonei. Que a história tenha arrancado um sorriso. Uma lágrima.

Aquele quentinho no peito.

Espero que, só por um instante, tenham se sentido como se estivessem dentro das páginas, cortando o céu na garupa de Rygun ou observando as luas. Encolhidinhos ao redor de um ovo prateado e escrevendo no diário, ou aninhando a *Pre* na curva do pescoço e a embalando ao sono.

Obrigada por respirarem esta história junto comigo. Por me permitirem levar vocês em mais uma aventura.

Por confiarem o tum-tum dos corações de vocês a mim.

Com todo o amor,

Sarah ☺

AGRADECIMENTOS

Eu não teria conseguido publicar este livro sem a ajuda de uma equipe incrível e sem o apoio infinito de minha família.

Josh. Você tirou o peso do mundo das minhas costas ao se tornar o principal responsável pelos nossos três belos filhos, possibilitando que eu mergulhasse por completo nesta história. Choro toda vez que vejo aquele trechinho de *Game of Thrones*; sabe aquele em que o Jon Snow vê um exército indo para cima dele? Ele está esgotado, se preparando para lutar sozinho, e então, logo antes do confronto... *outro* exército aparece atrás dele e se choca com os adversários?

Você é o exército, meu amor.

Obrigada por me salvar.

Mãe, obrigada por tirar um tempo para ler esta história não só uma vez, mas *duas*. Por conversar a respeito no telefone comigo. Pelo apoio e incentivo eternos.

Eu te amo.

A The Editor & The Quill (Chinah), obrigada por *tudo* que dedicaram a esta história. Pela primeira leitura alfa, seguida das edições de desenvolvimento, depois a primeira edição e a preparação. Vocês se superam a cada livro que escrevo, e sou muito sortuda por ter vocês em minha vida. Não só pelas habilidades incríveis de edição, mas pela amizade valiosa.

Sigo desejando que morássemos perto.

Polished Perfection (Helayna), obrigada pelas muitas horas dedicadas a fazer este monstro em forma de livro reluzir. Pela caça às inconsistências no enredo, pelo amor e devoção à história. Sou *muito* grata por ter conseguido arranjar espaço para mim em sua agenda.

Raven, você sabe que te amo além do infinito.

Obrigada por me incentivar a assumir este risco. Por ser a voz da razão quando tanto precisei, e por me guiar ao caminho certo de novo, quando eu estava entrando na espiral da perdição que é reescrever. 😂

Obrigada por tirar um tempo para ser leitora-beta desta história, e por amar e apoiar a história. E a *mim*.

Nossa amizade é um tesouro.

A.T. Cover Designs... Aubrey, obrigada pela capa incrível da brochura e do Kindle. Eu ainda não acredito que você pintou um PLUMALUA para mim!

Obrigada por se doar tanto, de corpo e alma, a tudo o que cria para mim. Palavras não podem descrever como me sinto grata por todas as horas que dedicou a dar vida às minhas histórias de maneira visual.

Sigo para sempre grata por nossa amizade.

Lauren, obrigada por fazer uma leitura alfa do meu documento superbruto. Pelas críticas atenciosas e por não ter tido medo de dizer o que pensava. Assim como com o livro *To Flame a Wild Flower*, você ajudou este livro a ser a melhor versão possível. Por isso, e por nossa adorável amizade, sempre serei grata.

Angelique, Talarah, Ivy e Ann... um enorme obrigada por tirarem um tempinho na vida agitada de vocês para betarem esta história. Pelo reforço positivo, as críticas construtivas e por me estimularem de TANTAS maneiras. Amo e adoro todas vocês.

Lois e Kim, obrigada por lerem antes de eu enviar este monstro para a ARC. Vocês me deram toda a confiança necessária para dividir este meu filhote com o resto do mundo.

Sou tão grata.

Alice Cao, obrigada pelos cabeçalhos de capítulo maravilhosos. Sei que digo isso o tempo todo, mas você é mesmo *tão* talentosa. Fico orgulhosa ao extremo por ter suas ilustrações ao longo da história, representando as criaturas e os personagens de uma forma linda.

Rachel da empresa The Nerd Fam, obrigada demais por todo o trabalho pesado em minha campanha de lançamento. Sua atenção aos detalhes é fenomenal; seu entusiasmo, contagioso, e mal posso esperar para trabalhar com você em vários outros lançamentos por vir.

Brit, obrigada pela amizade e apoio inabaláveis. Te amo para sempre.

E para meus leitores maravilhosos, obrigada por cada menção, mensagem, avaliação, curtida, comentário e compartilhamento. Obrigada por darem uma chance às minhas histórias e confiarem os corações de vocês a mim.

Um salve para as próximas histórias!

SOBRE A AUTORA

Nascida na Nova Zelândia, Sarah mora em Gold Coast, Austrália, com o marido e três filhos pequenos. Quando não está lendo nem escrevendo à vontade, passa o tempo com amigos, familiares e plantas, além de viajando para ver a neve.

Sarah escreve desde pequena, mas só começou a compartilhar as histórias com o mundo recentemente. É possível encontrá-la nas principais redes sociais para acompanhar futuros lançamentos.

Este livro foi impresso pela Geográfica, em 2025, para a Harlequin.
O papel do miolo é pólen natural 70 g/m²,
e o da capa é couchê fosco 150 g/m².